世界史を歩く

―新全世界紀行―

南里章二

はじめに

私は大学院修了後、母校の甲南高校で教鞭を執るようになり約四十年間世界史を教えてきた。在職中に常に心掛けてきたことは、私の授業に生徒が常に「ワクワクする」ようにしたいということだった。そのために、自分自身が世界各地を旅し、そこで撮ったスライドやビデオなどの生きた教材を使って臨場感のある授業にするように努めてきた（「世界史と異文化理解――手づくり教材としての映像コミュニケーション」『国際教育展開事例集』〔共著〕一橋出版、一九九〇年）。

この「ワクワクする世界史」、「生きた世界史」の教材作りのため、毎年夏休みになると、まるまる二か月近くを海外で過ごし、歴代の校長や諸先生方には随分ご迷惑をおかけしてしまった。しかし最初は批判的に見ておられた先生方も次第に自発的に協力してくださるようになり、毎回気持ちよく送り出していただけた。

長期の旅行のため、旅費、宿泊、食事、いずれも切り詰めるだけ切り詰めた。貧乏な単身旅行で、やみくもに苦しかったが、また同時にやみくもに楽しく面白かった。腹が立ったことや失敗談は枚挙にいとまがないが、その分人々の素顔にも触れることができた。教職を離れても、時々出会う卒業生に「先生の授業、面白かったですよ」と声を掛けられるのが何よりの喜びである。

前著『全世界紀行――民族と歴史、そして冒険』（ナカニシヤ出版、二〇〇三年）を刊行してから、はや十八年が過ぎた。世界全独立国一九三か国（二〇〇三年当時）を旅し終えた後は、気の向くまま足の向くままの旅を続けてきた。その後訪れた国は、きちんと数えたわけではないが、八十か国は超えているだろう。しかし訪れた国の数へのこだわりは、年を経るごとにだんだん薄れていくものである。

この間、学校の授業とかけ持ちで、社会人向けカルチャーセンターの世界史講座を担当することになり、今日に至っている。高齢の方々も熱心に耳を傾けてくださり、大変励みとなりまた新たな情熱源となっている。

受講生の皆さんをはじめ、次の本をいつ出すのかといくつかのお声掛けをいただいたが、なかなか重い腰を上げることができなかった。しかし、昨年より突如全世界をおおい尽くしたコロナ禍により、海外を旅することができなくなって以来、日々激変する世界の出来事とともに、歴史をゆっくり見つめ直す時間が与えられた。前著では世界各地を訪れた体験を主にして、それぞれの国の歴史を背景で語るスタイルを取ったが、このたびは、国境を越えた広い地域の歴史をブロックごとに捉え、それらの相互関係を自身の旅の体験でつなぐ形式にした。いわば縦軸から横軸の世界史として、新たなパースペクティブを提示したつもりである。また五十年近くにわたって撮りためた写真が数万枚にもなった。その中から適宜選び出したものを挿入し、「わかりやすい世界史」になるように心がけた。

第8章、第10章は、私が長らく研究領域としてきたアフリカの歴史世界で、三十数回にわたる地を這うような現地の旅と調査を基にしたものである。前著と重複する部分や、やや専門的な記述もあるが、これらは私の世界史の原点であり、旅への情熱の根幹となってきたものなので敢えて記載することにした。

前著と同じく、どこから読んでいただいてもかまわない。読者の方々自身が旅された世界から入っていくのも、またこれから旅しようと思っているところからでも。歴史への理解は旅をさらに楽しく豊かにしてくれるものと確信している。

南里　章二

世界史を歩く　目次

第1章

アララトの頂きにて

ドゥバヤジットから見たアララト山

四十六年前の一九七四年夏、私はイスタンブールから酷暑の「シルクロード」をバスで乗り継ぎ、インドのニューデリーをめざしていた。出発して三日目の昼過ぎ、トルコとイランの国境に近づいた頃、アジア・ハイウェイの左手に雪を頂いた巨大な山塊が現れた。山裾をなだらかに広げた山容は、富士山の二まわりほどの大きさのものだが、雪が纏わりついているせいか、とてつもなく高くそびえて見えた。旧約聖書にあるあの伝説の山、アララト山（五一六五メートル）だ。

その威容にしばし目を奪われているうち、突如この山頂に立ってみたい！という願望に襲われた。しかし、慣れない異国での長距離の移動に精一杯であった当時の私には、それは到底手の届く代物ではなかった。少年時代から登山に親しんできた私にとって、見果てぬ大きな夢を抱え込んでしまったのだ。

1　アララト山とアルメニア

アララト山は、アルメニアとトルコ東部との国境をまたいで位置しているが、両国は国境がないため、現在はアルメニアからは直接登ることができない。しかしアララト山はかつて古代アルメニア王国の中央にそびえていた。アララトとアルメニアの深い結びつきを知るためにまずこの国の建国伝説から読みといていこう。

†ノアの箱舟伝説

アルメニア王国はローマに先駆けてキリスト教を三〇一年にいち早く国教とした。以降各地に教会を建設し、周囲のイスラーム諸国の脅威にさらされながらも、現在までずっとキリスト教を守り続けている。アルメニアの首都エレバンをとりまく山々の麓には、美しい教会や修道院が点在しており、国内外から多くの巡礼者が訪れる。

一九九八年にエレバンを訪れたとき、近郊にあるエチミアジン教会（写真3）を訪ねた。その宝物館には「ノアの箱舟の舟板の一部」と信じられている木片が聖遺物と

1　トルコ・イラン国境から仰ぎ見るアララト山

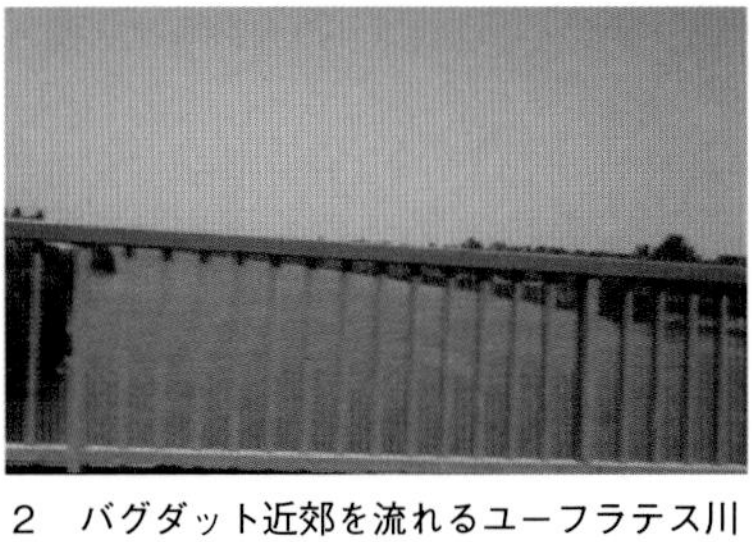

2　バグダット近郊を流れるユーフラテス川

3　アルメニア正教を代表するエチミアジン教会（301～303年にかけて建設された世界最古の教会）

して展示されていた。「ノアの箱舟」とは旧約聖書に記された次のような神話である。

「神はノアと、箱舟の中にいたすべての生き物と、全ての家畜とを心にとめられた。神が風を地の上に吹かせられたので、水は退いた。（中略）天から雨が降らなくなった。それで水はしだいに地の上から引いて、百五十日の後には水が減り、箱舟は七月十七日にアララテの山にとどまった。水はしだいに減って、十月になり十月一日に山々の頂が現われた。」（旧約聖書「創世記」第八章1〜5）

神は罪に汚れた人間を大洪水で地上から一掃しようと決める。しかし義の人ノアと彼の家族、家畜だけを救うため箱舟を作るよう彼に命じた。大洪水がすべてを一飲みにしたとき、舟は漂流を始め、やがてアララトの頂きに停まった。ノアは地上界を再スタートさせるため三人の息子に土地を任せることにした。長男ヤペテにはアララト山一帯を任せて、「アナトリア」と命名した。そして彼の曾孫ハイクがアルメニアの始祖といわれるようになった。「ノアの箱舟伝説」は、ユダヤ教、キリスト教、イスラームなど各宗教共通の創世記の物語として全世界に語り継がれていく。

現在のトルコとアルメニアの国境にそびえるアララト山の南にはメソポタミア文明の源流、チグリス、ユーフラテス川（写真2）が流れている。この川を下る舟について、前五世紀のギリシャの歴史家ヘロドトスによる興味深い記述がある。

「この国のものが川を下ってバビロンへ通うのに使う船は、丸型で、全部革で出来ている。アッシリアの上部に住むアルメニア人の国で（中略）つくられる船は非常に大型のものもあれば、比較的小さいものもある。どの船にも生きた驢馬が一頭載せてある。大きい船ならば数頭載っている。船がバビロンに着き、荷を始末してしまうと彼らは船の骨組みと藁を全部せり売りで処分して、獣皮は驢馬の背に積んでアルメニアへ帰っていく。」（ヘロドト

ス『歴史』第一巻一九四章、松平千秋訳）

旧約聖書によると、ノアの箱舟は糸杉（おそらくレバノン杉）でつくられたとあるが、この記述によると川を下る舟は丸型で革製であった。箱舟（角型？）が木製というのは空想の産物であろう。また旧約聖書には箱舟がアララトに着き、ノアが「農夫となりブドウ畑をつくり始めたが、ブドウ酒を飲んで酔い、天幕の中で裸になっていた」（第十章20～21）とも書かれている。ここはブドウ、リンゴ、小麦など栽培植物が記録上、世界で初めて登場する豊かな土地であり、聖書の記述からも古来よりワインを豊富に産出していたことがわかる。

また十三世紀にヴェネツィアから陸路アルメニアを通過した旅行家マルコポーロはアララト山を次のように記している。

「ノアの箱舟が大きな山の頂上にあるというのもこのアルメニア領内のことで、この頂上では決して雪が溶けず、新雪がいつも降りつづけているので、誰も掘るものがない。この雪どけの水で十分の湿気ができるので、夏になると遠いところから家畜がこの辺につれてこられるが牧草の供給に不足することはない。」（『東方見聞録』第一編三節）

† 現代の箱舟探し

二十世紀に入ってからは、アルメニアの一部を属領としていたロシア皇帝ニコライ二世（在位一八九四～一九一八）が、ノアの箱舟探索の勅令を出した。隊に参加した多くの人々がアララト山の氷河の中からいくつかの木片を見つけ、持ち帰った。また一九五二年、アララトに登ったフランス探検家フェルナンド・ナヴァラは、氷河の中に船体らしき黒い影を見た。そして四年後に再調査をして舟を支える梁の一部と考えられる木材を発見した。カイロ考古学博物館に鑑定を依頼したところ、聖書に書かれた糸杉の木であった。またアポロ十一号で月面探索を行ったジェームズ・

アーウィンや、アメリカのU2偵察機なども、氷河の中に船体らしいものがあったと報告している。

箱舟伝説は、いつの時代でも人々の好奇心と想像力を掻き立てるようだ。真偽の程が確かでないような発見談はこれからも出てくるかもしれない。しかし、ともあれ、アルメニア人にとって「ノアの箱舟」は真実であり、彼らの民族のアイデンティティであるということは確かなようだ。

二〇〇二年に上映された映画『アララトの聖母』は、アルメニア人の心の拠り所であるアララト山が冒頭のシーンで延々と映し出される。物語のあらすじを追っていこう。カナダに住むアルメニア人の若者、ラフィは、トルコで預かった映画フィルムケースをトロントの空港に持ち込む。翌日に定年を迎える老税関吏デヴィットはその中身を疑うが、ラフィは、中身は未現像の映画フィルムなので開けられないと拒む。映像の内容は何かと問い詰める税関吏に、ラフィは第一次大戦中、トルコによって虐殺されたアルメニア人の物語であると熱心に説明をする。しかし暗闇の中で開かれたケースの中身は……。デヴィットは、ラフィの入国を認めた。

映画は、ラフィをとりまく複雑な家族の関係と、虐殺の歴史を織り交ぜながら意外な展開をしていく。カナダ・アカデミー賞主要五部門を受賞した。監督脚本アトム・エゴヤンによる秀作である。そしてフィルムの最後に、「現代のトルコ政府はアルメニア人虐殺の事実をいまだに認めていない」というテロップが流れて終わる。

2　第一次世界大戦下のアルメニア人大虐殺

二〇二〇年九月、旧ソ連に属していたアルメニアとアゼルバイジャンの間でナゴルノ・カラバフ自治州の帰属をめぐって武力衝突が発生した。アルメニアと虐殺問題で対立するトルコは以前からアルメニアとの国交を断絶しているが、アゼルバイジャンに対しては全面的に支持している（『朝日新聞』二〇二〇年九月二十九日）。この戦いは結果的に、産油国として資金力が豊富なアゼルバイジャンがトルコから精密度の高い新兵器を購入して戦いを有利に進め、アルメニア人が実効支配していた土地を奪い返した。退去を迫られたアルメニア人たちは、悔し涙をかみしめつつ自宅に火を放って新たな難民となった（『朝日新聞』同年十二月二十五日）。

† オスマン帝国内のアルメニア人

ヒトラーによるユダヤ人虐殺はよく知られているが、第一次世界大戦中、現在のトルコ共和国の前身オスマン帝国によるアルメニア人虐殺の話はそれほど知られているとはいえない。

十九世紀初め、アルメニア人が多く住む南コーカサス東部がロシア帝国に併合されたが、当時オスマン帝国にも多くのアルメニア人たちが住んでいた。キリスト教徒で商才にたけたアルメニア人は、経済的にも社会的にも帝国内で優位な立場を占めており、イスラーム教徒であるトルコ人にとっては彼らは目障りな存在だった。

当時アルメニア人たちを支配していたオスマン帝国はすでに、「瀕死の重病人」と形容されるような末期的症状を呈していた。一八二九年、帝国内のギリシャの独立を許し、自治と世襲を要求したエジプト太守ムハンマド・アリーとの戦いにも敗れて（一八三三年、第一次エジプト・トルコ戦争）、エジプトの離反を認めざるを得なくなってしまった（一八三九年、第二次エジプト・トルコ戦争）。オスマン帝国の内部でも大きな変化が生じていた。アブデュル・メジド一世（在位一八三九～一八六一）によりタンジマート改革と呼ばれる近代化政策が打ち出され、アルメニア人にもトルコ人と同様の権利が認められる「アルメニア憲法」が一八六三年に承認された。さらにスルタン制廃止、市民的平等の声が高まり、一八七六年には宰相ミドハド・パシャにより制定されたアジア最初の憲法（一八六三年「ミドハド憲法」）では責任内閣制、二院制議会などが定められた。近代国家への歩みにより、アルメニア人たちにもその恩恵が期待されるようになったのだが、翌一八七七年に露土戦争が始まり、憲法は停止されてしまう。逆に専制体制を強化するアブデュル・ハミド二世（在位一八七六～一九〇九）に対して一九〇八年三月、ミドハド憲法の復活を要求する青年トルコ党が一九〇八年三月に革命を起こす。しかし一度権力を握った青年トルコ党は次第に当初の結党理念を忘れて、トルコ人主体のナショナリズムに傾いていく。その結果、非トルコ人たち、特にアルメニア人に対する迫害も強まっていく。アルメニア人に対する虐殺、トルコ人に対する報復、さらなる虐殺という事件が重なり、ジェノサイド（民族抹殺）への道が敷かれていった。

†アルメニア人大虐殺

一九一二年十月、「バルカン同盟」を結んだギリシャ、モンテネグロ（写真4）、セルビア（写真5）、ブルガリア（第4章参照）が、領土奪取を目的にオスマン帝国に対して宣戦する（第一次バルカン戦争）。すでに弱体化していたオスマン軍は敗走を余儀なくされる。これらの国々に多数居住するスラブ系住民を背後から支えていたのはロシアであった。オスマン帝国はこのロシアと対立するドイツに接近する。ドイツからの軍事顧問団がイスタンブールに常駐し、弱体化したオスマン軍を支援し始め、バルカン問題はヨーロッパ全体をまき込む紛争に発展していた。

一九一四年六月、オーストリア、ハプスブルク家のフランツ・フェルディナンド皇太子夫妻がボスニア・ヘルツェゴヴィナのセルビア民族主義者によってサラエボで暗殺された事件をきっかけに第一次世界大戦が勃発する。オスマン帝国はアルメニア人がロシアに扇動されて自国の政府に対する敵対行為に及ぶことを恐れて一九一五年九月に「アルメニア人強制移住令」

4　モンテネグロ正教会（ポトゴリツア）

5　セルビア正教会（ベオグラード）

を発布し、アルメニア人をシリアとメソポタミアの砂漠に追放することにした。この強制連行の過程で虐殺された人数は一〇〇万人を超え、このジェノサイド（民俗抹殺）は終戦後の一九一九年まで続いた。迫害と虐殺を逃れたアルメニア人はアメリカ、ロシアをはじめ、世界各国に散らばりデアスポラ（民族離散）として生きのびることになったのであるが、映画のテロップのとおり、現在のトルコ政府はこの事実をいまだに否定している。

3　アルメニアの歴史

現在のアルメニア

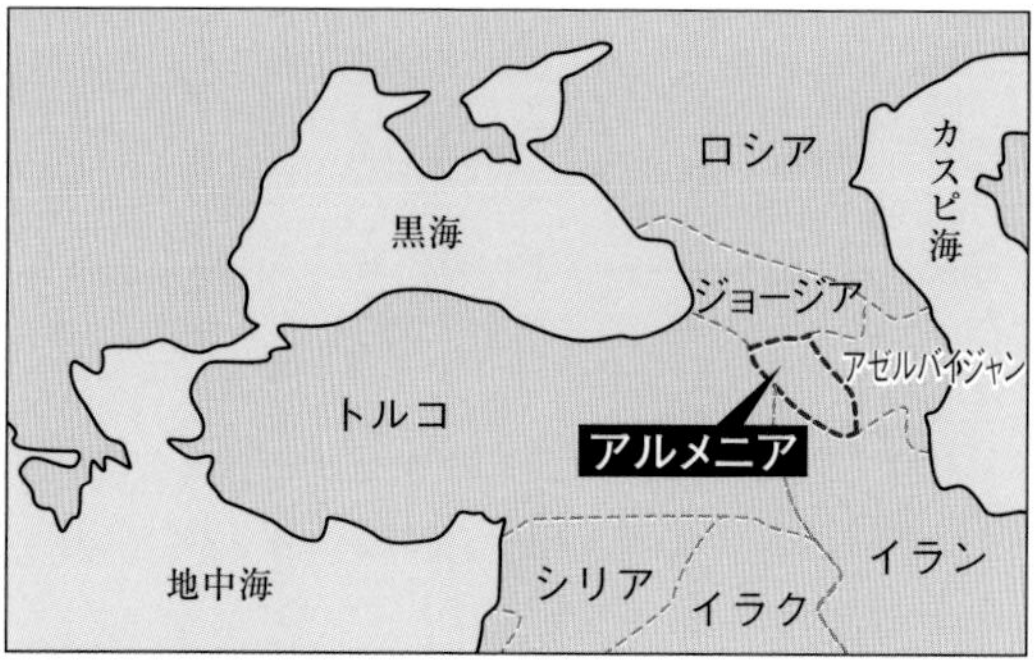

アッシリア帝国とウラルトゥ王国

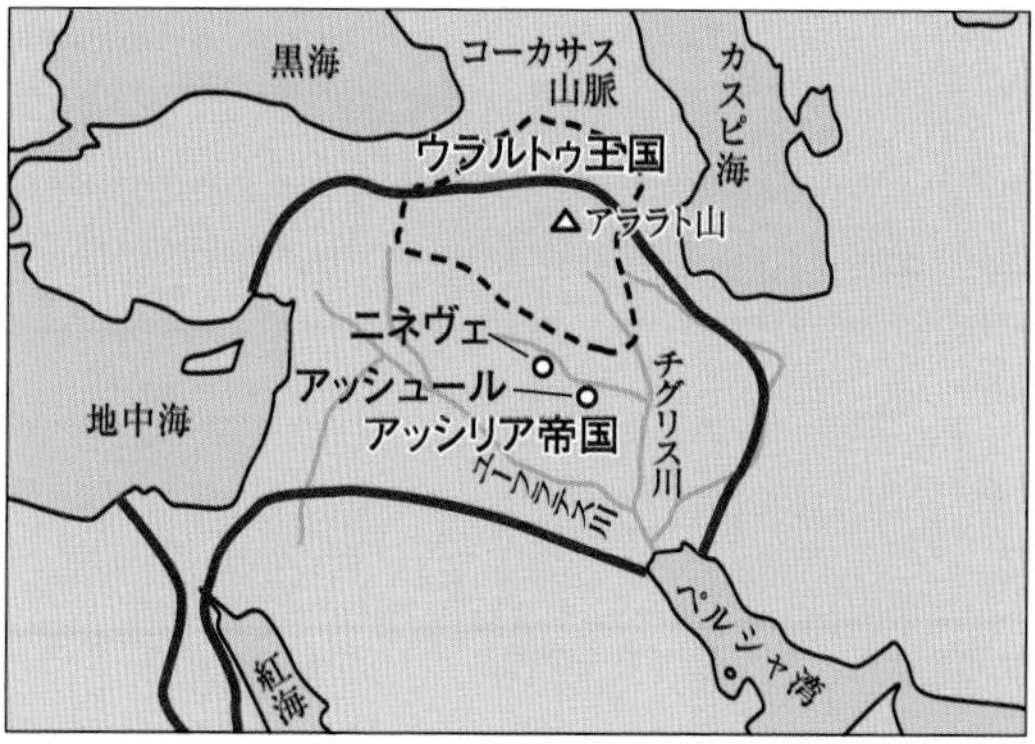

さてアララト山を西南にのぞむ現在のアルメニアは、カスピ海と黒海に挟まれたコーカサス地方に位置し、北はジョージア（グルジア）、東はアゼルバイジャン、南はイラン、西はトルコと国境を接する内陸部の山国で、日本の近畿地方と同じくらいの国土面積に人口三一〇万（二〇一一年）が住む小国である。古くから争いが絶えない文明の十字路に位置し、東側には、アッシリア、ペルシャ、イスラーム、西側にはローマ、パルティア、ビザンツと強力な支配者が次々と入れ替わる歴史の中で、この国は度重なる悲劇に見舞われてきた。

ここからしばらくアルメニアの長い歴史を手短に振り返ってみることにしよう。

† アッシリア帝国とウラルトゥ王国

アルメニア人の起源は大まかにいえば南ロシア、あるいは黒海北岸あたりから移動してきたインド・アーリア系の人々ではないかとされている。前十六世紀前後、古代オリエント史に登場するヒッタイト、ミタンニとも同系統の人々である。現アルメニア共和国の首都エレバン近郊の遺跡からは、黒曜石の刀剣類、文様入りの土器などが発掘されている。これらは、金属器が使用される以前の新石器時代のものとされている。黒曜石は狩猟、農耕に利用されていたのだろう。

前二〇〇〇年頃からチグリス川上流、北部メソポタミアのアッシュール（写真6）を中心として登場したのがセム（ノアの息子の一人の名称）族の国家、アッシリアである。前十六世紀頃には、ミタンニに服属していたが、前十三世紀に自立して領土を拡げ、強力な中央集権体制を確立して、前八世紀後半には全オリエントを統一する。このアッシリアが全盛期に入ろうとする前九世紀頃、現在のトルコのヴァン湖周辺にウラルトゥ王国が成立した。この王国の名称はアララトが起源で、アルメニア人がこの王国の中心にいたと考えられる。

6　初期アッシリアの都市遺跡アッシュール

7　現在のイラク北部モスル市内にあるニネヴェの城壁
（フセイン大統領時代に復元されたもの）

先述のヘロドトスの記述に従えば、彼らはこの王国の中でチグリス、ユーフラテス両河を輸送路として活発にメソポタミア領域で交易活動に携わっていた。

ウラルトゥ王国は弱小であるため、イラン北西部に生まれたメディア王国の傘下に入っていたが、アッシリアはメディア王国をはじめ、周辺の国々を次々と征服し、重税を課すなど圧政を敷いた。

このウラルトゥ王国は、やがてスキタイ人の侵入をも受けて弱体化する。スキタイ人とは中央ユーラシアに進出して、東の匈奴とも何らかのつながりを持っていたと考えられる騎馬遊牧民族（第6章参照）である。さらに前七三五年にはアッシリアの攻撃を受けウラルトゥ王国の首都が陥落。アッシリアはこの直後、センナケリブ王（在位前七〇四～六八一）により都がニムルドからニネヴェ（写真7）に遷都され、帝国の支配を完成させる。

†アケメネス朝ペルシャによる支配

しかし帝国内各地で、次第にアッシリアに対する反発の動きが高まっていく。前六一二年、メディア王国は新バビロニア、スキタイと同盟軍を結成してニネヴェを包囲陥落（写真8）させた。古代オリエントにおける最初の統一帝国アッシリアの滅亡である。

その後オリエント世界を再度統一したアケメネス朝ペルシャ帝国は、ユダヤ人の「バビロンの捕囚」を解放するなど、支配下にある諸民族の宗教や文化に寛容であったため、長期にわた

アケメネス朝ペルシャ

8　19世紀フランスの画家ドラクロワによる「サルダナパール（王）の死」（ルーブル美術館）。アッシリア帝国首都ニネヴェの陥落をイメージしたものと考えられる

り支配体制を維持することができた。アルメニア人たちにもおそらく平和な生活が訪れたのであろう。ペルセポリスのアパダーナ宮のレリーフには、ダリウス一世にワインが入った（と思われる）大きな壺を献上するアルメニア人が描かれている（写真9・10）。

†アルメニア王国の誕生

オリエント一帯に君臨していたアケメネス朝ペルシャであるが、マケドニアのアレクサンドロスの一撃により、ペルセポリスは灰燼と化し、帝国の幕を閉じる（前三三〇年、第3章参照）。その後、ギリシャ系のセレウコス朝（前三一二〜前六八）が西アジアの世界を受け継ぐが、その広大な領土の統治は困難をきわめた。また西からはローマがギリシャ世界にも支配を広げ、次第にセレウコス朝の支配は弱まっていく。その間隙を縫って前一八八年アルメニア人は初めて自立した国家、アルメニア王国を建国する（写真11・12）。前一八八年といえば西の世界ではイタリア半島を統一して地中海に乗り出し、カルタゴとの二度にわたるポエニ戦争を勝ち抜いたローマが、第三次ポエニ戦争（前一四九〜前一四六）でカルタゴを滅亡に追いやる直前の頃であった（第3章参照）。アルメニアは地中海に移植されたヘレニズム文化と接触し、ギリシャ植民都市と交易を始め、コーカサスの遠隔地とを結ぶ中継地の役割を担っていくようになる。高原気候でキャラバンにとって

9（上）・10（下）　ダリウス一世にワインを献上するアルメニア人使節。ペルセポリスのアパダーナ宮殿階段側面のレリーフ

アルメニア王国とティグラネス王時代の最大領域

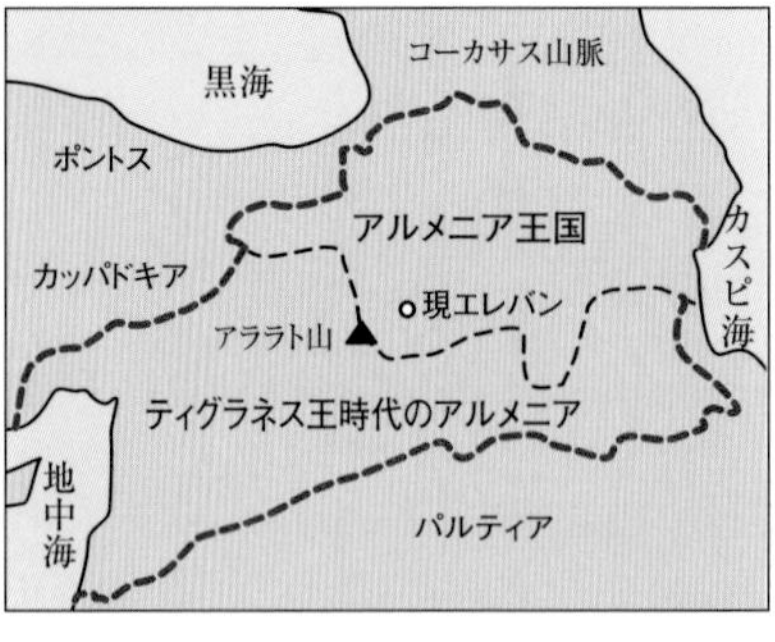

も心安らぐ地であったのだろう。

このアルメニア王国は「王の中の王」と称されたティグラネス王（在位前九五～前五四）による統治時代に全盛期を迎える。この時代にはアルメニア王国は、黒海からカスピ海に至るコーカサス地方のほぼ全域を支配下におさめることができた。アララト山はまさにこの王国の中心にそびえ立ち、アルメニア人たちは誇らしく仰ぎ見ていたことだろう。

† パルティアによる支配

しかしアルメニアの全盛時代を創り出したティグラネス王であったが、その晩年時代になると暗雲が立ち込めてきた。義父（妃の父）にあたるポントス王ミトリダテスがローマの内乱（第3章参照）に乗じて反乱を起こしたのである。ローマはこれを鎮めようと何度も大軍を派遣してきたのだが、ミトリダテスの反撃はすさまじく、ローマ側は多くの死者を出して撤退に追い込まれた。ミトリダテスは、小アジアからエーゲ海に至る世界をも一時期手中に収めてしまった。このミトリダテス討伐にローマから送り込まれてきたのがポンペイウスであった（第3章参照）。さすがに将軍としての実力抜群であったポンペイウスは手早くこの反乱を鎮圧して、ミトリダテスを黒海北岸に追い詰めて自害に追い込む（前六三年）。ティグラネス王は、ポンペイウスに国の一部を差し出してローマとの和解に持ち込み、ローマの同盟国となることによってなんとか王国を維持することができた。

一方このころ、西アジアに登場したパルティア（前二四八？～後二二六）が、アルメニアに食指を動かし始めた。パ

11（上）・12（下）　現アルメニアの首都エレバンの南東28kmにあるガルニの太陽神殿。前3世紀頃に造られ、アルメニア王が夏の宮殿として使っていたと言われる。（1976年に復元）

ルティアはよくいわれてきたような単なる遊牧国家ではなく、ローマとの交流や戦いを通してローマ文化を積極的に採り入れ、灌漑、土木建築などに優れたものを残している（第2章参照）。アルメニアはこのパルティアとローマ両大国のはざまで両者の覇権争いに巻き込まれざるをえなくなっていった。

†ローマとササン朝ペルシャによるアルメニア争奪戦

ローマは、パルティアが自分たちの東方進出の妨げになると考え、将軍クラッスス、カエサル、アントニウスを次々と現地に派遣するが、すべて失敗に終わる。前二〇年に初代皇帝アウグストゥスが、ようやくパルティアと和平条約を結ぶに至って戦いはおさまる。条約は、アルメニアの王位はパルティアに、領土はローマにという折衷案であった。アルメニアはかろうじて生き残った。しかしローマの最盛期、五賢帝時代（九六〜一八〇）に入ると、トラヤヌス帝（在位九八〜一一七）はパルティアの内乱に乗じて再び征服を始め、メソポタミア全域の支配に成功する。ローマが史上最大の版図を獲得した時代である。この時代、アルメニアもローマ帝国の東の端に組み込まれた。しかしまもなくアルメニアに反乱が起こり、次のハドリアヌス帝（在位一一七〜一三八）は、征服地をユーフラテス流域にまで縮小する。この時点でローマは攻勢から守勢に体制を変換することになる（第3章参照）。

一時的にローマの脅威を脱したパルティアであったが、次は東から興ったササン朝ペルシャ（二二六〜六五一）初代の王アルダシル一世の攻撃を受ける。二二六年、首都クテシフォンが陥落し、ついに滅亡に至る（第3章参照）。ア

パルティアとアルメニア

ササン朝ペルシャとアルメニア

ルダシル一世の息子シャープール一世（在位二四二～二七三）は、パルティア時代からの要衝アルメニアをめぐってローマと戦端を開く。二六〇年、シャープール一世はローマ遠征軍を率いたヴァレリアヌス帝をエデッサ（現トルコ南東部のシャンルウルフ）の戦いで捕虜にして（第2章写真16・17参照）アルメニアを獲得した。彼はさらに中央ユーラシアにまで遠征軍を起こし、インド・クシャーナ朝に勝利して、インダス川流域にまで征服地を拡大した。しかし二八七年、ローマは再度アルメニアを取り戻す。そしてパルティア出身の若いティリダテス三世を王位につけ、彼をローマ文化に同化させようとしてローマ領カッパドキア（写真13）で教育を施す。そこでキリスト教に改宗したティリダテス三世は三〇一年、全世界に先駆けてキリスト教を国教と定める。三八〇年のローマ帝国自体のキリスト教国教化（第3章参照）に先立つこと約八十年であった（写真3、エチミアジン教会参照）。

その後、ササン朝ペルシャは次第に弱体化し、ローマ皇帝テオドシウス（在位三七九～三九五）の時代、和約が結ばれアルメニアはローマとペルシャに分割される（三八七年）。この頃ローマもまた弱体化しており、街はペルシャ側で繁栄し、インドからは各種香辛料などが、アルメニアからは高級綿や染料が活発に取引された。その後もアルメニアをめぐる大国の版図は絶えず塗り替えられていくが、アルメニアはギリシャ、ローマ、ペルシャの文化を受容しつつ自らの文化を育成し、宗教、文学、建築などを通じて民族アイデンティティを醸成させていく。

13　カッパドキア（現トルコ）

✝ ビザンツ帝国下のアルメニア

東西に分割（三九五年）されていたローマ帝国は、西側が消滅（四七六年）した後は、東のコンスタンティノープルを都とする単一の帝国となった。そして東ローマは次第にビザンツ（もともとはコンスタンティノープルがある地域を意味していた）と呼ばれるようになっていく。アルメニア人のコンスタンティノープルへの移動は活発になっていた。本国に残ったアルメニア人にも、自分たちはローマ人であるという意識が徐々に育成されていった。

ビザンツ帝国とアルメニア

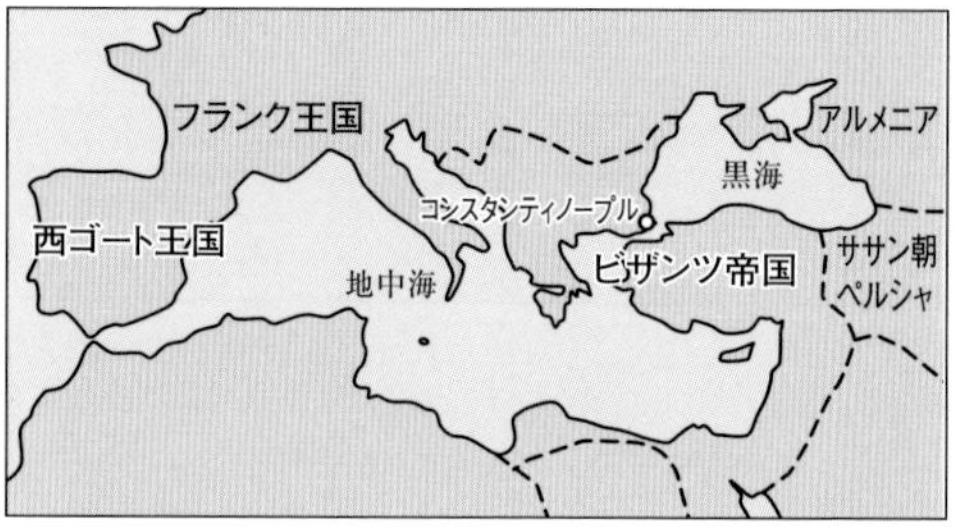

イスラーム世界とキリキア・アルメニア王国

14　隣国アゼルバイジャンの首都バクーに残るゾロアスター教神殿（アテシュビヤーフ）

アルメニアは世界で最も早くキリスト教を国教に定めた国であるが、それは政治によるものであったためその信仰が一気に国民に浸透していったわけではない。ここではもともとギリシャ・ローマの神々が信仰されており、その後はペルシャの支配によってゾロアスター教（写真14）も多くの信者を抱えていた。アルメニアのキリスト教徒は、彼らの苛酷な弾圧を受けながら徐々に自分たちの教会を整えていったのだ。

六二九年、シリアの戦場にいたビザンツのヘラクレイオス帝（在位六一〇～六四一）の下に、イスラーム世界から初めての使者が訪れた。その男はイスラームの開祖ムハンマドの弟子で、ヘラクレイオス帝に改宗を迫った。ヘラクレイオス帝は怒りに任せてその使者を斬殺した。この事件はその後もずっと尾を引くビザンツとイスラームの相互の相容れない抗争を生む端緒となった（第4章参照）。

† イスラームによる支配

イスラームは、ササン朝ペルシャとも敵対し、正統カリフ時代（六三二〜六六一）の六四二年、現テヘランの南ニハーバンドでササン朝最後の王ヤズデギルド三世の軍を破り、首都クテシフォンを陥れ（第2章写真19、第4章写真4参照）、ササン朝ペルシャを滅亡に追い込んだ。イスラーム勢力はその直後アルメニアを支配に組み込む。そしてアルメニアが第三国に攻撃された時は支援をする一方、アルメニアはカリフに貢献をするという協定が結ばれ、宗教的には寛容政策がとられた。その後アルメニアのキリスト教はアルメニア正教として独自の宗派を確立していく。

九世紀に入ってからのアルメニアはアッバース朝の下で力をつけていく。西アジア世界の中心はイスラーム帝国の新都バグダッドに移った。その結果、バグダッドからアルメニア高地を貫通する交易路が重要性を増し、様々な物流が盛んになり貨幣経済が飛躍的に発展した。しかしアルメニア国内においては内患もあった。統一が乱れ小国家群に分裂していたのだ。この小国家群から生まれたアニは商業都市として発展し、ビザンツ、アラブ、ロシアなどとの重要な交易拠点として、またアルメニアの宗教的中心地としても繁栄するようになった。

十一世紀初頭、トルコ系イスラームの人々が大移動して、バクダッドに侵入し、セルジューク朝（一〇三七〜一一五七）が誕生する。アッバース朝のカリフの地位はモンゴル人勢力の侵入（一二五八年）までは持続するが、実質的にはほとんど力を失っていった。以降、小アジアはトルコ化されていく。

アルメニア人の中にはこれを受け入れず、キリキア（現トルコ東南部）に移住する者が増えた。やがてここで力をつけたアルメニア人はキリキア・アルメニア王国（小アルメニア王国といわれることもある）を興す。新都をシスに置き、地中海岸アヤスに外港をもうけ、東西交易の要衝となっていった（前頁地図参照）。中国からは絹や陶器がここを経由してヴェネツィアに運ばれ王国は繁栄した。

十三世紀のアルメニアは、中央ユーラシアの他の地域と同様にモンゴルの襲来により、都市は破壊され、沃野は荒野と化してしまった。しかしアルメニア人はただでは転ばない。モンゴルの広大な版図に乗って中国への交易路に参入し始める。先述のマルコポーロは元の大都（現・北京）への旅の途上、タブリーズ（現イラン北東部）でアルメニア人と出会っている。モンゴル衰退後もアルメニア人は入れ替わり立ち替わり、イスラーム勢力の支配を受け続ける。

十六世紀初め、イランに登場するサファビー朝（一五〇二〜一七三六）の時代にはアルメニア人たちはシャー（王）の保護の下、その交易活動はさらに活発化する。しかし最終的にはアルメニアはオスマン帝国（一二九九〜一九二二）の支配下に入り、やがて史上稀にみるホロコースト（大虐殺）に見舞われることになる。

以上ざっと見てきたようにアルメニアは、勢力拡大を図ろうとする大国にとって非常に重要な地にあったため常に抗争に巻き込まれてきた。古代よりアルメニアはローマとパルティア、ビザンツとササン朝ペルシャ、ビザンツとイスラームというように東西からの強大な勢力に絶えず翻弄されてきたわけであるがこの小国はそのはざまでたくましく生き延びてきた。冒頭で述べたようにアルメニアは現在もアゼルバイジャンと一触即発の危機をはらみ、トルコとは国交が回復されず民族の魂であるアララト山には自分の国から直接行くことはできない。

4　アララト、その見果てぬ夢

† エレバンにて

さて先に述べたように一九九八年の夏、私はアルメニア共和国の首都エレバン（写真15）にいた。初めてアララト山と対面してからすでに二十四年が経っていた。到着した翌日の朝早く、ホテルの屋上に駆け上がった。目に飛び込んできたのは、朝もやを突いて輝く白銀を被ったアララト山（写真16）だ。「頂上まで登ってみたい！」。しかし、世界の全独立国一九四か国すべてを訪れる旅はまだ完結していない。あと二十か国近くが残っている。まだまだ頑張らねばならない。またもや募る望みを辛うじて胸に閉じ込めねばならなかった。

その数年後、全世界の旅はようやく完成した。ほどなくして、「シルクロード」に気高くそびえるあのアララトの頂きが再び脳裏によみがえってきたのは、きわめて自然な成り行きだった。しかし、アララト山はトルコ、イラン、アルメニア三国の国境にまたがる複雑な地政学上の位置にあり、さらに反政府ゲリラ活動が活発なクルド人の居住地域に囲まれている。トルコ政府から入域許可を得ることはきわめて難しい。さてどうしたものか。

†三十年ぶりの友との再会

そうだ、アウィニに相談してみよう。アウィニとは三十年前、私がイスタンブールに滞在していた時、ひょんなことから友達になった。当時、彼はイスタンブール大学の学生で、それから三十年間、毎年欠かさず連絡を取り合ってきた。神戸とイスタンブールが地震の被害に遭った時は、お互い本気で相手の身を案じた仲である。彼は二十年前にイスタンブールで旅行代理店を立ち上げていた。そのアウィニに許可取得を依頼したのが出発予定の二〇〇四年の六月初め。彼はあらゆるコネクションを使って、政府関係、軍関係にわたりをつけ、許可を取り付けてくれた。

15　現アルメニアの首都エレバンの街

16　エレバンから見たアララト山

二〇〇四年七月二十日、イスタンブールに到着。スルタン・アフメット地区にあるアウィニのオフィスへ。三十年ぶりの再会だ（写真17・18）。やや太り、髪も禿げ、髭面になっていたが、彼の柔和な微笑みは以前とまったく変わらなかった。こちらも腹が出て、白髪になっていることなどすっかり忘れ、堅い握手と抱擁を交わす。積もる話に花を咲かすのは、アララト登頂後ということにして、翌朝、早速空路でエルズルムへ飛ぶ。約三十年前はイスタンブールからテヘラン行きのバスで三日かかった地点だ。機体の高度が下がると、東西に延びるアジア・ハイウェイがくっきりと見えてきた。さらにエルズルムから車でイランとの国境に近いドゥバヤジットへ向かう。

　翌二十二日、朝五時に起床。早速ホテルの屋上のテラスに上がる。ピンと張った冷気の向うにあの懐かしいアララト山（写真19）が確かにあった。右横には小アララット（三八九六メートル）を従え、のびやかで優美な曲線を描く堂々とそして気品ある独立峰だ。やがて小アララットの真上に朝日が昇ると、山頂の雪が一瞬眩しく輝き始めた。が、日が上るとすぐに雲に覆われてしまい、頭頂部三分の一ほどは再び姿を隠してしまった。

　昼過ぎ、ガイドのアフメット（五十三歳）と対面。見るからに精悍な顔つきをしたクルド人だ。トルコ語以外には

17　1974年、イスタンブールで出会ったアウィニ（右）と私（左）

18　2004年、イスタンブール郊外のアウィニの自宅にて。アウィニ（左）と私（右）

片言のドイツ語しかしゃべらないが、登山には言葉はたいした問題ではない。もう一人の登山参加者、イスタンブール在住の会社経営者で同姓のアフメット（五十歳前後）を交えて簡単な登山の打ち合わせをする。

5　いざアララトへ

† アララト山をめざして

翌二十三日朝九時、チャーターした小さな四輪駆動車に装備、食糧を積み込んで出発。国境警備隊の駐屯所で許可書を見せ、登山登録した後、北へ一直線。一時間ほど緩やかな坂道を駆け登り、馬方が待機する地点に到着。エリという村からやってきたクルド人の少年二人が待っていた。

二頭の馬にそれぞれの荷を積み、少年たちが綱を引く。一時間ほどしてエリ村に着く。集落の中ほどに伝統的なつくりのテントがあった（写真20）。六本の頑丈な木支の支柱に支えられ、屋根は羊皮、床には分厚い絨毯が敷かれている。旅人を丁重にもてなすことで知られるクルドの人たちの暖かい笑顔（写真21）に迎えられ、チャイとナンとヨーグルトの昼食。羊のヨーグルト（写真22）は酸味が強く、日本では多分食べられないだろうがナンとよく馴染み、口の中で溶けあううちに、ようやくアララトに来たのだという実感がこみ上げてきた。

昼過ぎに降り始めた雨の中を出発。斜面は緩やかだがキャンプ地までの距離は長い。午後五時過ぎに標高三一〇〇

19　ドゥバヤジットから見た大アララト山（左、5165m）と小アララト山（右、3896m）

メートルの第一キャンプ地に到着（写真23）。自分用のテントを張り終えたとたん雹《ひょう》が激しく降り始める。キャンプ地には明日下山するというヨーロッパ人登山者のテントが十数張り。ここ数日の悪天候により登頂を断念して降りてきた人たちがほとんどだ。夕食はひしゃげたパンとパスタ、それにオイルサーディン三切れだけの質素なもの。ガイドのアフメットがコックを兼ね、馬引きの少年二人が補佐。八時にはシュラフに入って休む。夜中トイレに出ると眼下にドゥバヤジットの町の灯りが見える。気温が下がり、寒さがこたえる。

翌二十四日朝五時起床。薄日がさし始める。まずい

アララト山概念図

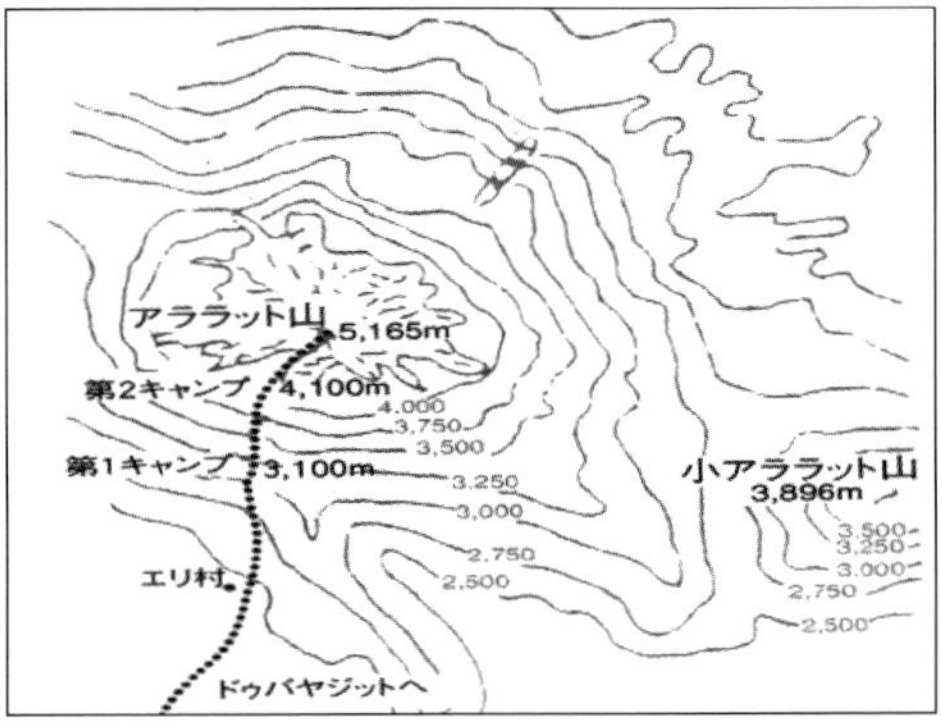

22　クルド人手作りのナンとヨーグルト

20　アララト山麓のクルド人の住居

23　第一キャンプ地に張ったテント。左奥が私のテント

21　クルド人の女性たち

スープとパンの朝食をとって手早くテントをたたみ出発を待つものの、出たのはすでに八時を回っていた。同行のイスタンブールからの会社経営者アフメットはこの第一キャンプに残るという。昨日も歩行中何度も携帯電話が鳴り、彼は商用をこなしていた。昨夜から今朝にかけての寒さが体に堪えたともいう。英語が少し通じる彼が脱落するのは困るが仕方ない。キャンプ地西側の尾根をガイドのアフメットと二人でゆっくりと登り始める。昨夜は顔を合わさなかったチェコ、ドイツ、ポーランドの若者数名が後から追いついてきた。曇天下を彼らとほぼ同じペースで、抜かし抜かされつつ黙々とやや急斜面を登っていく。

午前十一時半、不安定な岩場を切り開いた標高四一〇〇メートルの第二テント場（写真24）に着く。西側の尾根越

24　第2キャンプ地のテント場。風がきつい

25　第2キャンプから見た小アララト。標高 3896m

26　アララトの頂上に向かう斜面

しに見える小アララットの頂上の標高をすでに超えていた（写真25・26）。馬方の少年二人は、第一キャンプ地まで降りて帰るという。ここには馬の飼料となる草がまったくないそうだ。明日の昼までには、下山時の荷物運搬のため、またここまで登り直してくるとのこと。

昼過ぎより天候は悪化。昨日と同じく雹がテントに叩きつけるように降り注ぐ。風もきつい。夕食時、ガイドのアフメットは「この嵐はまるで冬のようだ。明日は朝三時には出発したいが、天候が悪ければ八～九時頃まで待ってみる。それでも回復しなければ下山する」という。重苦しい空気がテントの中を漂う。無言で自分のテントに戻り、シュラフに潜り込む。風と雪は強まるばかり。十一時頃用足しに外に出るが、若い頃は何でもなかった吹雪の中でのトイレは辛い。ありったけの防寒具を身に纏い、天候の回復を祈りつついつしか眠りにおちる。

†永遠のアララトの頂きに

翌二十五日午前二時頃、風の音が弱まったので、もしやと思い外に出てみる。昨夜と同じドゥバジヤットの街明かりが足元に見えた。すぐに身支度をすませて、少し離れたテントでまだ寝ていたアフメットを起こしにいく。彼は天候が回復しないと読んでいたのだろう。

私たちの話し声に目をさましたのかチェコ、ドイツ、ポーランドの若者たちも手早く出発支度に取りかかった。砂糖入りのまずいコーヒーを二杯飲んだ後、予定より遅れたが、五時に出発。あたりは薄明るく変化し始めた（写真27）。そしてガスの上層部からわずかに太陽が姿を現した。

先頭を歩くアフメットの後を必死についていく。アフメットは二十五年間に百回以上アララト山に登ったというベテランのガイドである。昨夜の雪がガレ場の

27　アララトの頂きに向かうルート

岩の隙間を埋め、登りやすくなっていたことも幸いし、四八〇〇メートルまで安定したペースで登行。ここから先はもう雪だけの世界になる（写真28）。少し登ってアイゼン装着。チェコ、ドイツ、ポーランドの若者たちが引き返してきてアイゼンを外した。彼らは頂上の一角にはたどり着いたが風もきつく、濃いガスに視界もほとんどゼロなので降りてきたという。

彼らと別れてさらに登り続ける。時折強い風がガスを吹き飛ばすと、抜けるような青空を背にした頂上の一角が姿を現す。なだらかな雪の斜面は次第に傾斜を強め、その先に台形状のピークがあった。急に元気がわき出て、登りにリズムを取り戻す。クラストした雪面にアイゼンが心地よく効き始める。最後の急スロープにたどり着いた時、視界がぱっと開いた。気がつくと、再挑戦をしてきた若者たちもすぐ近くまで追いついてきた。

彼らとほぼ同時に頂上に立つ（写真29）。午前九時五十分だった。アフメット、そして若者たち一人一人と喜びをかみしめ互いに強く抱き合う。わずかな瞬間、ガスの東側切れ目から広がるアルメニアの大地を目にすることもできた。

三十年前のアララト山との初対面、六年前エレバンから眺めたこの頂き。ようやく今ここに立った。万感の思いに胸がふくらみ、涙がこぼれそうになる。しかし、風のきつい頂きにいつまでも立っているわけにはいかない。十時過ぎに下山開始。四八〇〇メートル付近まで降りて振り返ると頂上は再び濃いガスの中に

28　頂上への最後の上り

29　大アララトの頂上（5165m）ガイドのアフメットと私

隠れていた。アイゼンを外して、ガレ場にさしかかる頃、急に疲れが出てくる。第二キャンプを撤収して第一キャンプに下山。そのままエリ村まで下り続ける。途中からはクルドの若者が引く馬の背にまたがり、ようやく麓にたどりついたのは午後七時過ぎ。沈む夕陽がアララトの頂きの雪面を赤く染めている頃（写真30）だ。その頂きはノアの箱舟の時代から現在に至るまで同じ表情を見せ、そして伝説と歴史とともにこれからも永遠に変わることはないだろう。

30　夕陽に輝くアララト山

第2章

中東世界とメッカ巡礼

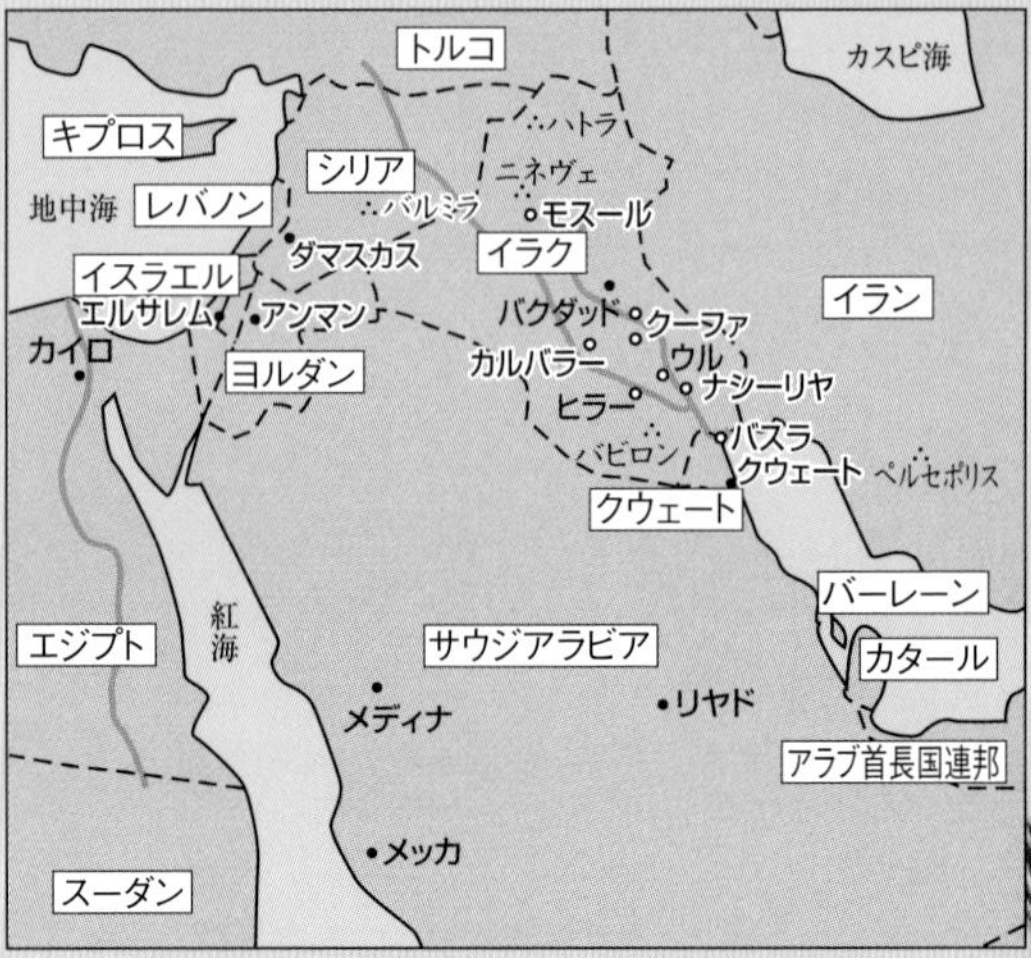

バグダッドのガラージュ（バス乗り場）前のモスク

一九八〇年から八年間にわたって続いた悲惨で無益なイラン・イラク戦争が終結した翌年の一九八九年八月、私はクウェートから陸路でイラクに入国した。その一年後にはイラク軍がその国境を越えてクウェートを侵攻して湾岸戦争が始まることなど予想もせずに、ましてその二～三年後、米軍侵攻のあと引き起こされたイラク戦争の勃発など思いもよらなかった。

中東と呼ばれるこれらの地域では今日、紛争が絶え間なく勃発し人々は悲惨な状況に置かれている。しかし私たちは、その原因は何かということに深く関心を寄せることなく、なんとなくやっかいなところだと考えているかもしれない。しかしイスラームを中心とするこの地域の人々は、もともと相互扶助を旨として、「アッサラーム（平和がありますように）」と互いに挨拶を交わす。平和を愛し、穏やかな暮らしを何よりも求め続けていることを心に留めなければならない。

またここはギリシャ、ローマよりはるかに古いメソポタミア文明の揺籃の地でもある。この世界の史跡と実際の聖地巡礼の姿を紹介することによって、中東の世界がもう少し身近なものになっていただければ幸いである。

1　バビロンの遺跡

†シュメール人

チグリス川とユーフラテス川が下流で一つになったシャトルアラブ川に面する町バスラ（写真1）は、イラン・イラク戦争当時、対岸のホラム・シャハルからのイラン軍による激しい攻撃を受け、至るところで建物の瓦解が散在し痛々しい姿が報道されていた。しかし戦争終結から約一年、私が入国した頃にはすでにバスラの町は勢いを取り戻し、人々の動きにも活気がみなぎっていた。

　到着翌朝、前三〇〇〇年前後、古代メソポタミアの時代、シュメール人によってつくられたというウルのジッグラトを目指して、ローカルバスで北西方向約二五〇キロにあるナシーリヤに向かう。シュメール人とは古代メソポタミア世界で最初の都市文明をつくった人々である。彼らがつくった粘土板に楔形文字を記録する様式はセム系諸民族に伝えられ、その後古代バビロニア、アッシリア文明へ受け継がれる。ジッグラトとは日干し煉瓦をピラミッド状に積み上げたもので、最上部には彼らが信仰する月神ナンナを祀る神殿を載せていたといわれる。訪れることを

2　バビロンのイシュタル門（複製）
イシュタルとは豊穣と戦いの女神

3　ベルリン、ペルガモン博物館に復元されたイシュタル門

1　イラク第二の都市バスラ

楽しみにしていたが、当時のイラク軍のミサイル基地が近くにあるとのことで見学許可を得ることができず、残念ながら諦めざるを得なかった。

† バビロンの遺跡

翌日、ヒラーに向かうバスに乗る。ヒラーはバグダッドの南約一〇〇キロのところにあり、バビロンの遺跡がこの近くにあるのだ。バビロンはもともとシュメールに次いで前二三〇〇年頃、メソポタミアに登場したアッカードの時代につくられた小さな町であったといわれる。前十九世紀にバビロン第一王朝が興ると、町は小さな都市国家の一部に組み込まれた。続く前十八世紀に、法典で有名なハンムラビ王が帝国を築き、バビロンを古代バビロニア王国の一大都市に造り替えたのだ。

酷暑の中、たどり着いたバビロン正面の門はイシュタル門と呼ばれるが、現在あるものはすべてフセイン大統領時代に復元されたものである（写真2）。本物は十九世紀末にドイツ・オリエント学会により発掘された後、分解してベルリンに持ち帰られ、現在ペルガモン博物館の大きな一室にこの門がそのまま展示されている（写真3）。ベルリンの壁崩壊前の一九八六年、私はこの博物館で実物を目にすることができたが、四千年近い年月を感じさせない、彩色レンガの濃いブルーをバックに黄金色の馬やライオンの像が浮かび上がる手の込んだ装飾に感動したものであった。それを見ているだけに、今眼前に立っているイシュタル門が再建されたものであるとわかってしまうと感動もやや失せてしまう。しかしここから始まり、バビロンの中心部に至る何層にも並んだ城壁（すべて復元されたもの、写真4）のスケールの大きい立体感には驚かされてしまう。

4　フセイン大統領時代に再建されたバビロンの中心部

バビロン近郊で発掘され、現在大英博物館に収められている粘土板の大部分は、商業上の契約内容が楔形文字で書かれたものである。バビロンの商人たちはそれらを片手に、ここで開かれた市で活発な商業活動を展開していたことだろう。

†アッシリア

メソポタミア世界はやがてヒッタイト、ミタンニ、カッシートといったインド・ヨーロッパ語族の支配下に入り、次いでそれ以前のアッカード時代（前二〇〇〇年頃）から小さな勢力として登場していたアッシリアが、やがて大帝国に発展して、エジプトをも含めたオリエント世界を統一することになる。メソポタミア地域の支配勢力はその後アケメネス朝ペルシャ、アレクサンドロス・セレウコス朝、ローマ帝国、パルティア、ササン朝ペルシャとめまぐるしく変遷していったことは前章アルメニアの歴史を通してすでに触れてきた。ここから先は現代につながる中東のイスラーム世界に立ち入ってみよう。

2　聖地カルバラー

ヒラーから南西に八〇キロほどのところに、イラク戦争中テロ活動の震源地としてしばしば報道されるようになったイスラーム・シーア派の聖地カルバラーの街（写真5）がある。イスラームの預言者ムハンマドの死後、正統カリフ（後継者）による統治時代（六三二～六六一）があり、後継者をめぐる争いの中で暗殺された四代目のカリフ、アリーの次男フセインはメッカからクーファに向かう途中、随行していた約二百人とともに、ウマイヤ朝（正統カリフをダマスカス総督のムアーウィアとしていた）の軍によってこの地で虐殺された（六八〇年）。

5　カルバラーの街

これをカルバラーの惨劇と呼び、後世シーア派イスラーム（アリーとその子孫のみを預言者の後継者とする）の人々はこれを忘れ難い殉難として、この地を聖地と定めたのである。

街のメインストリートの向こうに黄金色のドーム（写真６）が見えてくる。モスクの中庭では、男たちは一様に白長衣を、女たちは全身をすっぽりと包むハバラと呼ばれる黒地の服をまとい（写真７）、モスクの建物に出入りしているのがうかがえる。イスラーム暦（ヒジュラ暦）のムハッラム月（二〇二〇年は八月頃、年毎に繰り下がっていく）は巡礼のシーズンとなり、以前イランのメシュド（ここもシーア派の巡礼地）を訪れた時は大巡礼のシーズンで、ものすごい数の人たちがここにやってきていた。今回は巡礼月ではなかったのでそれほどの混雑はなかったが、敬虔なムスリムの人たちの中に入ると、なぜかこちらまで身が引き締まる思いがしてくる。このイスラーム世界の透き通るような清澄さはいったいどこから来るのだろう。イスラーム教に関して、私たち日本人はイスラームを過激派、原理主義、テロリストといったマス・メディアが伝えるマイナスのイメージで捉えてしまいがちであるが、実際にイスラーム世界のただ中に入っていくと、そのような偏見は見事に吹っ飛んでしまう。

６　カルバラーのモスク

７　聖地カルバラーの巡礼者たち

3　憧憬のメッカ

†アラビア語とイスラーム

一九七二年、高校の世界史の教員として母校に赴任した私は、その二〜三年目にイスラーム世界について講義することになり、恥ずかしながらそれまでほとんど身を入れて読んだことのなかったイスラームの歴史その他の文献に触れ始めた。最初はとっつきにくかったがしばらくするとその面白さに完全に虜になってしまった。やがて文献だけでなく実生活の中でイスラームの人たちはどのように過ごしているのか知りたくなり、授業を終えた後、毎日のように神戸にあるモスク（写真８）に通い始めた。当時神戸に在住していたリビア生まれのフィリピン人ムスリムの方からクルアーンとアラビア語を教授していただいた。

８　神戸市中央区にあるモスク

それから幾度となく中東世界の旅を続け、一九八五年であったかと思うが、八月の夏期休暇中、アラビア半島の湾岸諸国を旅している時、ハッジ（大巡礼）の時期と重なり、中東の各地の空港から意気揚々とハッジに出かけていくムスリム（イスラーム教徒）たちを目撃し、できることなら私もメッカに訪れてみたいものだという思いが募り始めた。しかしムスリム以外は立ち入り禁止、以前はその禁を犯した者は処刑されたといわれるメッカにはたして入ることはできるのだろうか。調べてみると、同じように思った人間も過去にはいるもので、例えば十九世紀初頭、ヨーロッパ各国では帝国主義への志向が高まる中、その前哨としての世界各地への探検活動が活発になり始めていた時代、まずスペイン人のパディア・イ・レブリッチが一八〇七年、アリ・ベイと名を変えてムスリムに変装してジッダからメッカに巡礼したという。続いてアラビア語とクルアーンに通じていたスイス人Ｊ・Ｌ・ブルクハルトが、一八一四年ジッダに上陸しメッカ巡礼を果たし、メディナについても正確な記録を残した。さらに『アラビアン・ナイト』の英訳で有名な元駐インド軍諜報員であり探検家としても有名なリチャード・バートンが、一八五四年（彼とスピークによる有名なナイル水源探しの探検行はその二年後の一八五六年）にメッカを訪れ、巡礼も果たしている（『世界探検史』長澤和俊、一九六九年）。

しかし、彼らのような経験と学識が豊富ではない私が同様のことをするのは危険が大きすぎる。可能であれば一時的にでもイスラームに入信するという手段をとるのが安全ではないかと考えた。真面目なムスリムの方々からすればイスラームへの冒瀆といわれても仕方がないが、私は人一倍イスラームに対して並々ならぬ好意と関心を抱いている。ムスリムに対する理解が十分とはいえない日本では、時として一部のムスリムの過激な行動に対して強い批判が浴びせられることもある。その時には躊躇なくイスラームの立場に立ち、大半のムスリムの人々は決してそうではないと擁護しよう。その覚悟をもってすれば、許されるのではないだろうかと身勝手な解釈のもと、再び神戸のモスクに通いつめ、神戸在住のパキスタン人やその他ムスリム数人の方々の承認のもと、信仰告白（シャハーダ）をして、無事入信式をすませることができた。その時発行されたムスリム証明書で東京のサウジアラビア大使館に巡礼ヴィザを申請し、一九九七年夏にようやく念願のメッカ巡礼に出かけることになったのである。ただしヒジュラ暦（六二二年ムハンマドがメッカからメディナ移住した年を元年とする）によるズル・ヒッジャと呼ばれる十二月にあたるハッジ（大巡礼）はその年（一九九七年）は西暦の四月であったので夏休みの八月に巡礼を行うとすれば、随時行うことができるウムラ（小巡礼）ということになる。ムスリムとしての義務的儀礼行為の中で最も重要なものは五行と呼ばれるもので、巡礼のほかに信仰告白、礼拝（サラート）、断食（サウム）、喜捨（ザカート）がある。ウムラは残念ながら五行に数えられない。ただしウムラに先立って一か月の断食を行えばハッジと同等の価値があるといわれる（断食はできなかったが）。

4　巡礼への旅立ち

——メッカとメディナ——

カイロ発ジッダ行きの便が昼の十二時半。まだ少し時間があるので空港の礼拝室に向かう。ズフル（正午の祈拝）

はほぼ十二時半頃から始まるのであるが、早めにすませておこうというわけである。空港には多くのムスリムがいたが、一緒にサラート（礼拝）を行ったのはエジプト人らしき四人の若者だけ。礼拝が始まる前は互いによそよそしかったが、礼拝が終わると互いに笑顔をみせるようになった。カイロを飛び立ってしばらくすると、隣の座席に座っていた若いエジプト人が、私がメッカに向かうということを知り、もうすぐ空路がハラーム・エリア（聖域）の上空を飛ぶのでイフラーム（巡礼着）に着替えておかねばならないと忠告してくれる。イフラームとは本来、メッカ巡礼に入るための様々な規制という意味で使われるのであるが、巡礼着のこともイフラームと称している。カイロの空港の更衣室で着替えるべきだったのだが、誰も着替えていなかったのでジッダの空港で着替えればよいのではと思い込んでしまっていた。もし着替えを忘れば山羊か羊の犠牲を捧げなければならないと聞き、あわてて機内のトイレに入りカイロで購入していた分厚いタオル地の白衣に着替える。右肩がはだけたもので、初めて着たため、布地がだぶついたり、重なったりして暑くてたまらない。

　機体が紅海を南下し始めると左手にアラビア半島の砂漠の大地が視界に広がってくる。やがて高層ビルが重なり合うジッダの街が眼下に現れた。着陸後、イミグレーションでウムラの検問（ムスリムの証明書とウムラ・ヴィザの確認）を受け無事入国。メッカ市内のホテルを予約しようと、案内所に立ち寄る。星いくつのホテルを希望するのかと聞かれて、星なしがよいと答えると係員の男がニコリとして握手を求め、それなら自分で探してくれという。空港の礼拝室でアスル（午後の祈り）のあと換金をすませ、メッカまでのタクシーを探す。値段を尋ねると一三〇リアル（約三五ドル）だという。高いというと、四人の相乗りタクシーを勧めてくれた。パキスタン人の親子とアフメッドというワシントン在住のバングラデシュ人アフメッドが相客となり英語が通じて心強い。アメリカ製の大型車なので時速一二〇キロで走ってもそれほどスピード感がない。メッカまでの約八〇キロ、砂漠の上に建設された広い高速道路を走る。メッカの手前十数キロのところで、車線がムスリム側と非ムスリム側に分かれ、ムスリム側には数か国語で書かれた「ムスリム以外は立ち入り禁止」という表示（日本語表示もあった）が立ち並び始める。クルアーンの書架立てを模した大きなゲートの前で検問、パスポートチェック。相客たちはフリーパスであったが、私はファーティハ（クルアーンの開端章）を誦んじてみろと係官に命じられる。ぎこちないアラビア語の発音でファーティハを唱え始めると、途中で「わかった。もう行け」。ゲートをくぐりしばらく走ると、意外に高い建物が並んでいるのが目に入ってくる。メッカの街だ。人口一三五万（二〇一四年）、かなりの大都会である。パキスタン人たちとタルビーヤ（ラッバイカッラーフンマ、ラッバイカ……アッラー＝あなたの御前にやって来ました。あなたに並ぶものはありません。称賛と恩恵と大権はあなただけに。の意味）を唱和しながら街中へ入っていく。大きなホテルや商店がぎっしり並ぶ街の中央通りの突き当たりに、大理石が敷き詰められた大きな広場があり、その向こうに黒い方形のマスジッド・アル・ハラーム（聖なる神殿）、カアバ聖殿（写真9）の威容が垣間見える。すでに夕暮れ迫る頃になっており、暮れかかる空を背に淡いグリーンの照明で彩られたモスクのミナレットが浮かび幻想的な光景が醸し出されていた。写真を撮りたくてたまらなかったが、アフメッドがいうにはサウジの宗教警察がおびただしい数の監視カメラをセットしていて、許可なく撮影すれば捕まってしまうとのこと。アフメッドとタクシーに同乗していたパキスタン人たちに迷惑をかけるわけにはいかないので、ここはまず巡礼行事を滞りなく行うことに専念しなければならない。涙を呑んで撮影を諦めた。

† カアバ聖殿

聖殿を取り巻く建物群の正面にあるホテルの一室をアフメッドとシェアしたあと、大急ぎでマグリブ（夕刻の礼拝）に駆けつける。すでに広場はぎっしりと祈りの人々で埋まっていて、列に割り込むようにわけ入ってサラート（礼拝）を行ったあと、モスクの中に入っていく。大理石の柱が並列し、絨毯が回廊の床に敷き詰

9　カアバ聖殿（出典 URL https://commons.wikimedia.org/wiki/File:Kaaba_111.jpg Author: Tahir mq, CC BY-SA 4.0, via Wikimedia Commons）

められている。ここで二ラカート（礼拝単位）の祈りを捧げたあと、タワーフ（カアバ聖殿の周りを時計と逆方向に七回まわること）の人の波に入る。いうまでもなくカアバ聖殿はイスラーム最大の聖地である。聖殿といっても高さ約一五メートル、側面は一二メートル、一五メートルの長方形の建物で、中には何もなく入場することはできない。東南角の外壁にはムスリムにとっての聖石である黒い石が固定されている（隕石であるともいわれている）。それを取りまく人の渦の同心円の内側に入り、少しでも聖なる黒石に近づこうとするが人が多すぎて難しい。ここを起点に七周した後、黒石の傍の「イブラヒムのお立ち台」というところでサラートを行い、聖殿にかけられた黒布に手を触れながらアッラーを讃える言葉を唱える。

† サアイ路

次にカアバ聖殿の東側にあるサアイ路（サアイの建物）に移動する。旧約聖書にも出てくるイブラヒムの妻の一人ハガルが幼子イスマイルの渇きをいやそうと水を求めて走り回ったという故事にならって、建物の中にあるサファーとマルワの丘になぞらえた二か所を三往復半するというもの。片道距離は三〜四〇〇メートルほど離れている。途中の二か所に緑色のランプがついていて、その間のみ駆け足をしなければならない。一回半行ったところでイシャー（夜半の祈り）が始まるので、黒石の周りを何重にも規則正しく囲んで立つ人々の輪の中に再度分け入り、サラートを行う。イスラームでは巡礼行事よりも日々の祈りを優先するのだ。最後のラカートのあと黒石の核心部に近づく。この部分はおびただしい数の巡礼者に触れられて摩耗してしまっており、樹脂が塗られて唇を縦にしたような形の金属に覆われている。殺到する男たちとぶつかり合い、力ずくの押し合いへし合いをしながらようやく近づいたもののかすかに手を触れることができただけであった。

再びサアイ路に戻り、残る二回の往復を終えた後、マルワ側で断髪の儀式。丸刈りにする男性が多いが、私は二〜三センチ程切るだけで許してもらった。サアイで丘と丘の往復で汗だくになったあと、ハガルがアッラーから授かったという地下にあるザムザムの泉から湧き出る水を飲む。冷たくておいしい。この水は現在ポンプで汲み上げられてメッカ全体に行き渡っているという。メッカ在住のバングラデシュ人が営むレストランで遅めの夕食の後、ホテルの相部屋に戻る。身体は疲れ切っていたのに念願の巡礼を終えることができた喜びと興奮が冷めやらずなかなか寝つけなかった。

翌朝、アザーン（礼拝の呼びかけ）を耳にしながら、ファジュル（夜明け前の礼拝）を行うために五時前、再びカアバ聖殿の周りに出掛ける。ここは二十四時間開いており、暗がりの中でタワーフ（カーバ聖殿の周りを時計と逆方向に七回まわること）を続けている人も多い。その輪に加わってしばらくするとタワーフはぴたりと止まりファジュルが始まる。サラート（礼拝）の後再びタワーフを終えてモスクの外に出るとようやく夜が明け始めた。そのあとホテルに戻って、ズフル（正午の礼拝）までぐっすり眠る。午後からはハッジ（大巡礼）で行われる行程をなぞってみようとタクシーでメッカの南東二〇キロほどのところにあるアラファートに向かう。ハッジであればものすごい数の人たちの群れの中で丸一日かけてこの

カアバ聖殿

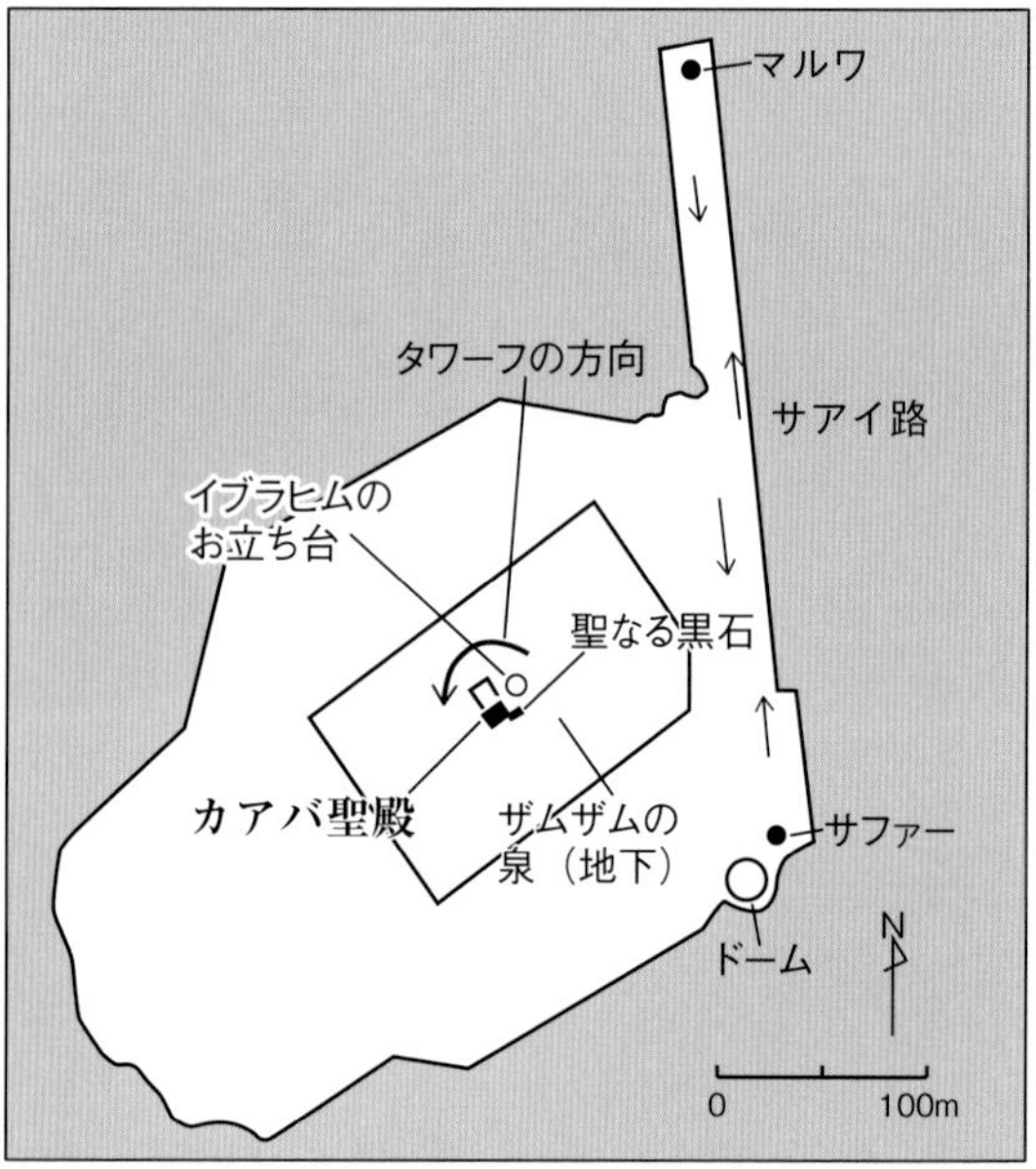

メッカからアラファート（『イスラーム事典』 平凡社、1982年をもとに作図）

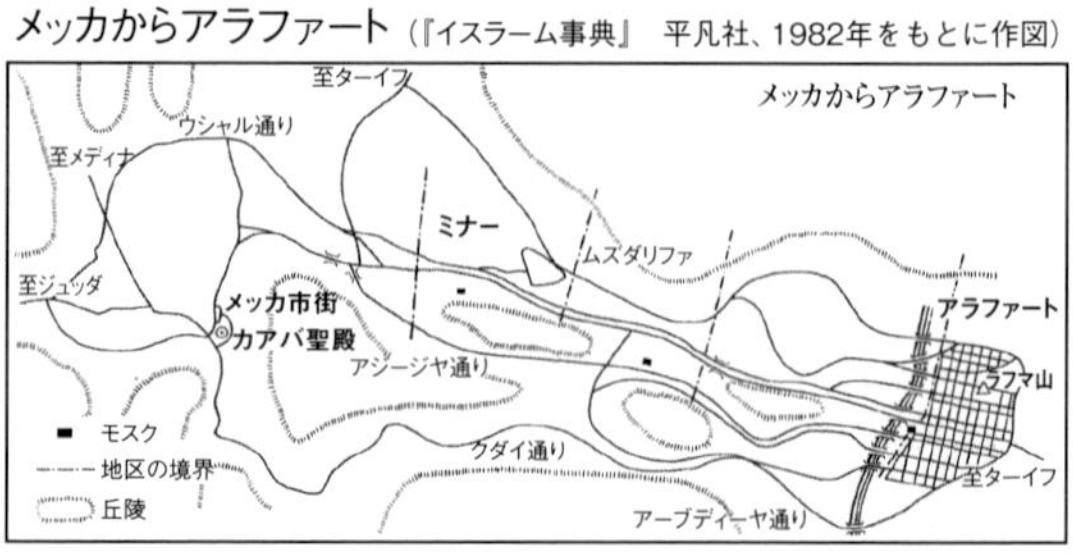

距離を歩かねばならないのである。

† アラファートからミナーへ

アラファートにあるラフマ山（慈悲の山）に登ってみる。ここは預言者ムハンマドが最後の巡礼を行い、この山頂から彼に従う十万の群衆に対して別離の説教を行ったところである。ここでムスリムたちは日没まで立ち尽くして悔い改めの儀式（ウクーフ）を行うのである。ハッジではここラフマ山から次の聖地ミナーに向かう途中にムズダリファにも立ち寄らねばならないのだが、この度はここを通り過ぎてミナーに移動する。ハッジ以外の時期では舗装された幅一〇〇メートル程の道路を車で移動することができる。途中かなりの数のトイレが完備されている。

ミナーには三本の石柱が立てられている。ここで悪魔に見立てた石柱に向かって石投げの儀式を行うのである。歩道から投げられた石はすり鉢状の下に設置されている大きな容器に拾い集められ、また上に運ばれる。新たにやってくる人々の石投げの儀式に使われるのだ。ウムラ（小巡礼）であれば人はまばらであるが、ハッジ（大巡礼）の時期には何百万という人がここに集まり大規模な喧騒状態となって、ハッジの中で最も危険な儀式になるという。

† メディナへ

翌朝、ファジュル（夜明け前の礼拝）をすませた後、バスでメディナに向かう（写真10）。ムハンマ

10　メッカ―メディナ間を走るバス

11　メディナへの移動路

ドがメッカを追われて、移動したルートはまさに荒野（写真11）。今でこそ高速道路が走っているが、当時は草木が一本もない砂と岩の大地を縫うようにラクダやロバで移動したことだろう。昼過ぎにメディナに着き、ズフル（正午の礼拝）に間に合うようにモスクに向かう。総大理石造りのモスクのアーチ部分はスペインのコルドバにあるメスキータのような黒褐色と白の縞模様になっている。巡礼時にはメディナの住民も含めて二〇万近くの収容力を持つという広大なモスクでのズフルのあと、緑色のドームの下のムハンマドの墓に向かう。近くには初代カリフ、アブー・バクル、二代目カリフ、オマールが埋葬されている。ムハンマドに啓示を与えたという天使ガブリエルの窓の下では多くの男たちが感極まって涙ぐんでいた。それを見た私もなぜかもらい泣きで涙が溢れ出そうになっていた。

巡礼中、ずっと行動をともにしたアフメッド（写真12）は、私が知らなかった巡礼儀礼の細かい部分までアドバイスしてくれた。彼に心より感謝してここで別れる。その日の夕刻のバスでメディナを発ち、夜半過ぎに大都会のジッダに着くことができた。メッカ巡礼の興奮さめやらぬまま翌々日、ジッダを離れ、エチオピアとチャドを訪れたあと、再びカイロに戻る。帰国するまで定められた礼拝の時間にはモスクや空港の礼拝室を訪れ、毎回すがすがしい気持ちでサラートを行ったことはいうまでもない。

12　アフメッドと私

5　アル・ワルティーラーニーのメッカ巡礼記

さて、私のメッカ巡礼については以上述べたとおりであるが一昔前の人はメッカにたどり着くまでどのような旅をしていたのだろうか。十八世紀の北アフリカを西から東へ横断してメッカにたどり着いた貴重な記録があるので、ここで取り上げてみよう。この話は第8章のサハラ長距離交易の話とも関連するので、その伏線として目を通していただければありがたい。

　一七七六年、ベルベル系のカビィレ族出身のアル・ワルティーラーニー（一七一〇～七九）は、現在アルジェリアのコンスタンティンから西へほぼ一〇〇キロ離れたブニ・ワルティーラーン村からメッカ巡礼の旅に出発した。彼が残した記録はフランス到来以前のオスマン帝国時代のマグレブ（モロッコ、アルジェリア、チュニジアなど北アフリカ海岸部）の政治、経済、社会情勢を知るための数少ない貴重な資料でもある。アル・ワルティーラーニーの家系は明確ではないが、スンニ派の非ベルベル人を父として、敬虔なムスリムの家族と導師（イスラームの指導者）を数多く輩出した部族の中で育ったといわれる。クルアーンに基づく宗教生活様式を厳格に守り、学問を修め、四度にわたるメッカ巡礼を果たした。

　彼はメッカ巡礼に先立って、コンスタンティンの南部に点在する預言者たちの墓に詣で、その後キャラバンに加わって地中海沿岸や山岳地帯を、時には砂漠を渡ってメッカをめざした。彼が残した記録は、ブニ・ワルティーラー

アル・ワルティーラーニーのメッカ巡礼地図

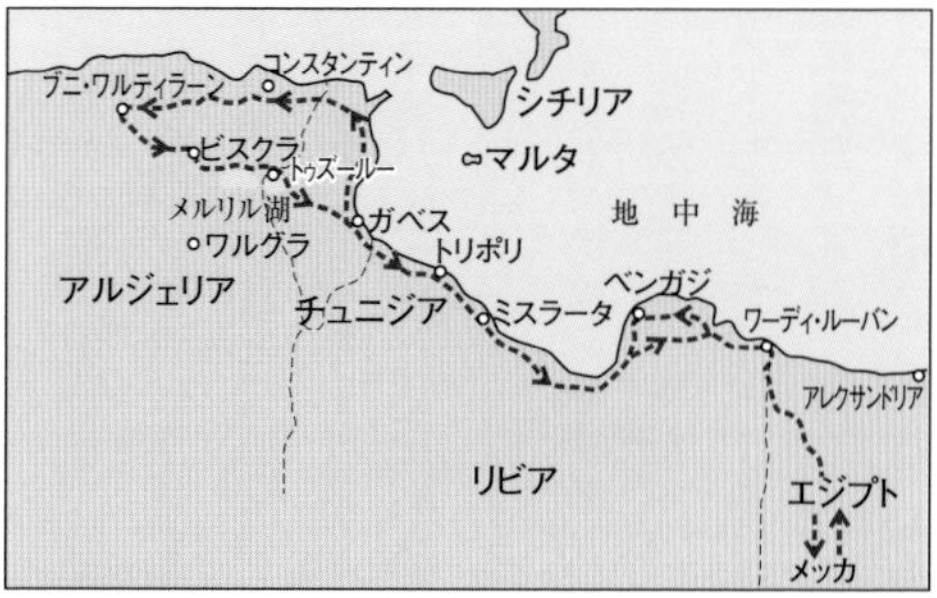

13　ビスクラ（アルジェリア）―トゥズールー（チュニジア）間の光景

14　トリポリ近郊の地中海沿岸

ンを出発して、ビスクラ、トゥズールー、トリポリ、ベンガジを経由。エジプトの国境に近いワーディ・ルーバンという町に達し、そこからメッカを往復した後、往路と幾分違ったルートを経て、再びブニ・ワルティーラーンに戻るまで（地図参照）の見聞録である。

当時は海賊が出没する危険な海路をたどることは避けられていた。彼の記録から、当時のキャラバンの様子はどのようなものであったのかうかがい知ることができる。

「まずキャラバンが出発する数か月前から、公的な触れ役が町や村をまわり、その計画が告知される。参加する人々はクルアーンの定める法規に従って、まずすべての借金を返済し、留守中に負債を代行する人間が誰もいないようにする。アル・ワルティーラーニーは、二人の妻のうちの一人、アウィシャとその妹、息子とその妻を伴い、五頭のロバにテント、寝具用絨毯、料理用道具などを積んでキャラバンに参加する。参加者は高級官僚、部族の首長、導師から召使い、乞食に至るまで、男女、子供を含めて総勢一万人に及んだ。皆、信仰深い人々ばかりで俗物根性、虚栄心などで加わるものはほとんどいなかった。キャラバンは移動する社会のようであった。

キャラバンの先頭には、長老もしくは首長が立ち、各巡礼者から賦課金を徴収し、道中で道案内人を雇う費用に充てる。時には斥候が放たれ、前方の障害を前もって知らせる。出発、到着時にはバッラーもしくはムナードゥブと呼ばれる触れ役が、荷の上げ下ろし、移動の宣言を受け持つ。キャラバンのリーダーはカーディ裁判（イスラーム法に基づく裁判）の権限を持ち、巡礼中の結婚、離婚、所持品売却の仲介その他のトラブルをイスラームに照らし合わせ、裁決を下す。またキャラバンには同部族、同地域、同村のグループをつくらせ、その中の一人が責任者になることもあった。トリポリまでは馬、ラバ、ロバを用いるか、または徒歩で行進し、その近郊で動物を土地の農民に売却するか、帰途につくまでの間、畑仕事用に賃貸する。トリポリからは砂漠が続くので荷の運搬や乗用にはラクダが用いられる。ラクダ引きが雇われることもあったが、ラクダ引きたちは巡礼者から見れば、信仰心のない悪賢い輩が多かったという。

キャラバンの途上で、人々は食糧、衣類の購買を繰り返していかねばならない。キャンプのつど市が開かれ、キャラバンの通過を前もって知っていた現地の人々も加わる。時には遊牧民が新鮮な食用肉、羊の皮などを売りにやってくることもある。またキャラバンは盗賊の襲撃にさらされることも珍しくないので、軍隊風に前衛、中衛、後衛が置かれ、状況によっては、ことさら武器などを誇示してその危険を避けようとした。しかし、少しでもキャラバンから離れると強盗に身ぐるみはがされることもよくある。ワルティーラーニーも三人の友とキャラバンに後れをとった時、十五人の盗賊に包囲されたが、トルコ剣を振りかざして運よく助かったこともある。

一日の行程が終わると、荷が下ろされテントが張られ、動物は羊飼い集団に守られて牧草地へ連れていかれる。夜には灯りがともされ、メシュウイと呼ばれる羊の丸焼き料理の香ばしい匂いがキャンプ全体に広がる。食後にはイシャー（夜の祈り）が行われ、クルアーンを詠唱する声が聞こえる。時にはこの祈りの後、月明かりの映える中を出発することもある。一日の旅程は水場、安全な場所を求めて日々変わるが、人々は一日中歩き続ける。道案内人も時には道を見失い、八方へ手をつくして、正しい道を見つけ出さねばならないこともある。日中の暑さはまるで砂の中で炭がくすぶっているような状態で、太陽は容赦なくイフラーム（巡礼着）を着た巡礼者の肩と頬の皮膚をズタズタにする。そのため喉の渇きがひどく、水の確保が人々の最大の関心事となる。水場では、ゲルバ（ヤギの革袋）に水を入れ家畜にも飲ますが、手持ちの水を使い果たすと、いつ到達するかわからない次の水場まで水無しで耐えねばならない、時には水のないルートを七日間も歩き続けなければならないこともある。水場に着くと人々は突進し、押し合いへし合いをして水を手に入れる。水をめぐっての暴力沙汰もよくある。時には部族同士の争いに発展し、キャラバンが分裂することもあった。ワルティーラーニーも争いによって無秩序状態になってしまったキャラバンに嫌気がさし、キャラバンから離れようとしたことも何度かあった。」

アルジェリア、チュニジア、トリポリタニアを見たワルティーラーニーは、十八世紀のオスマン帝国の支配が表面的なものにすぎず、その統治は人々の生活には深く及ばず、特に大都市の繁栄は地元の商人たちの力によるところが大きいという実情をみる。

フランスによるアルジェリア占領（一八三〇年）後は、各地域間のコミュニケーションが難しくなり、メッカへ向かうキャラバンは縮小していったが、巡礼は交易の税を免除された商品の輸送も行っていた。モロッコの人々は、靴、外套、毛布、絹や帯、タオル、インド産の薄い布などを、アルジェリア人は、トレムセンの帯や縁なし帽などを、チュニジア人は、シュシアと呼ばれる縁なし帽、ジャリッドの毛布、帯、カイロワンの絨毯、香料、タバコなどを売り、エジプト・アラビア方面からは、米、亜麻、綿布、インディゴ、モカのコーヒーなどを持ち帰り、売却した。第8章で詳しく述べることになる「サハラ長距離交易」は、砂漠の南北縦断ルートだけではなく、地中海南部の東西横断ルートにおいても活発だったことがわかる。

主要巡礼ルート（『イスラーム事典』 平凡社、1982年より引用）

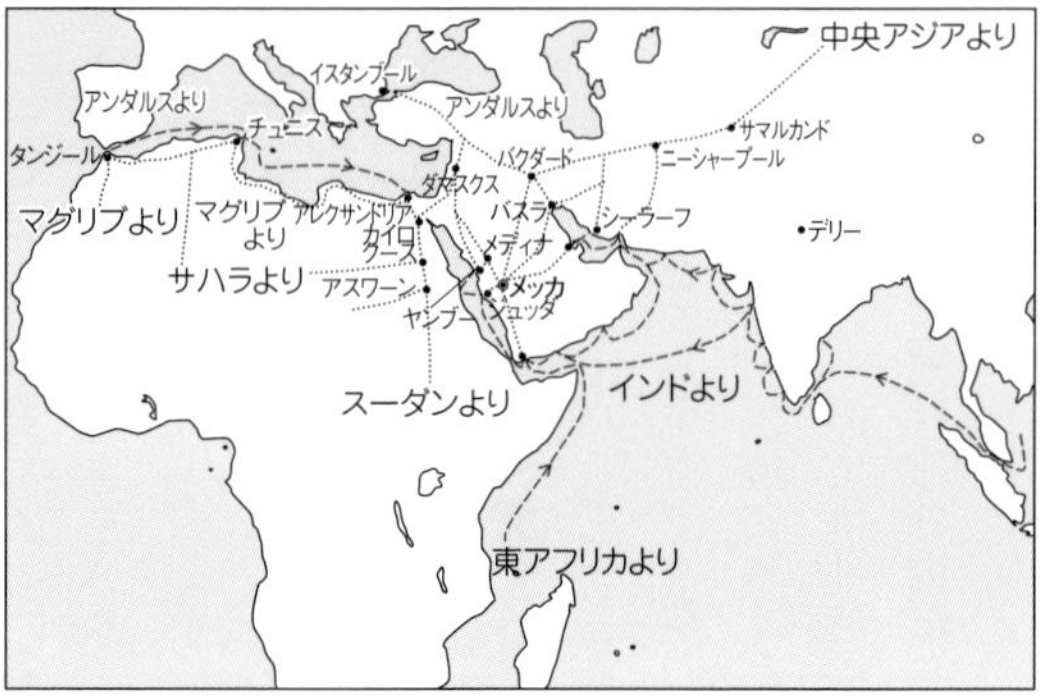

なお以上の記述は次の文献を引用している。

Sadock, H., "A travers la Berberie oriental du XVIII siècle avec le Voyageur Al-Warthilani," *Revew Afrique* 3e4e trim.1951, pp.315－399.

Emerit, M., "Les liaison terrestres entre le Soudan et l'afrique du Nord au XVIII Et au debut de XIX siècle" *Universite Alger Travaux de l'instotut de Recherches Sahariennes* Tome XI semester, 1954.

6　聖地カルバラーからバグダッドへ

† イスラーム帝都の始まり

さて冒頭のイラクの旅に話を戻そう。シーア派の聖地カルバラーを後にして、その日の夕刻ようやくバグダッドに入ることができた。バグダッドは世界最古の文明メソポタミアの肥沃な農村地帯の中央に位置し、東西の交易ルートの中心地としての地の利を有していた。七六二年、アッバース朝二代カリフ、アル・マンスールによって、チグリス川西岸の地に建設された都市である。生涯独身を通し、並外れた吝嗇家であったアル・マンスールは貯めこんだ資金をすべて費やして新都建設にあたった。新都バグダッドは「円城都市」と呼ばれ、周囲が城壁に囲まれ、内部は宮殿、政庁舎、裁判所、モスクなどが見事なまでに整然と配置された計画都市であったといわれる。城外では大きなスーク（市場）が開かれ、出入りする商人たちで大賑わいであった。貧しい人たち、病人たちには寄付によって集められたワクフと呼ばれる基金から援助金が交付されていた。また当時としては最先端の医療設備が用意され、病院では、外科手術、薬物療法など当時世界最高の治療技術が施された。イブン・シーナー、イブン・ルシュッドらの優れた医学者たちは、古代ギリシャの碩学アリストテレスが記した自然科学体系から多くのことを学んでいたという。学問、技術がまだ未発達であった当時のヨーロッパ世界に比べるとはるかに進展していた世界がそこにあった。『アラビアン・ナイト』によく登場する第五代カリフ、ハルン・アル・ラシード（アル・マンスールの孫にあたる）の時代（七八六～八〇九）バグダッドは全盛期を迎える。ラシードは遠くヨーロッパのカロリング朝フランク王国のカール大帝（在位七六八～八一四）とも交流があったという。

† 現在のバグダッド

現在の市街は、チグリス川東岸へも大きく広がっている。チグリス川に沿って、メインストリートの商業色豊かなサドゥーン通りがある。そしてその北にあるタハリール広場を越えてさらに伸びる通りがラシード通り（写真15）である。こちら側はモスクやマドラッサ（イスラーム学院、写真16）などが軒を連ね、古色然としたイスラーム情緒豊かな通りである。細い路地に分け入り、裏手のスークに入ると、まず目につくのは絨毯屋（写真17）。『アラビアン・ナイト』の空飛ぶ絨毯の物語の舞台は確かバグダッドであったと思う。街角には多くのジュース屋があり、絞りたての新鮮な果物ジュースを売っている。小さな子供が手を伸ばすと店の若い男は金を受け取らずにジュースを振る舞っていた。道を聞けば誰しもが親切に対応してくれるし、場所がわからなければ一緒になって探してくれる。暗くなってからの一人歩きも何の不安もない治安の良い町であった。

15　ラシード通り

16　マドラッサ（イスラーム学院）

17　絨毯屋

18　スーク

一九九一年には湾岸戦争で多国籍軍（主としてアメリカ軍）の空爆を受け、さらに二〇〇三年には、米軍の侵攻を受け、バグダッドでは多くの商店や民家も被弾し、数多くの犠牲者が出た。あの人の好いバグダッドの人たちにいったいどんな罪があったのだろうか。

7　バグダッドからモスールへ

†クテシフォンの遺跡

翌朝、郊外にあるササン朝ペルシャの首都であったクテシフォン（現地ではタイスフォンと呼びならわされている）の遺跡を訪ねて、マイクロバスでアル・マディンという地区に向かう。小さなバスストップで降りて、二〜三〇〇メートル歩くと巨大なアーチ状の建物が見えてきた。ササン朝、シャープール一世の時代に築かれた高さ三七メートルの巨大な宮殿（写真19）である。

シャープール一世で思い出すのは、イランのペルセポリスに近いナクシェ・ロスタンにあるアケメネス朝ペルシャ時代の王墓のあるところ（写真20）、その断崖の壁の下の部分にある大きな一枚岩である。その表面に馬上のシャープール一世にひざまづき、命乞いをするローマ皇帝ヴァレリアヌスが刻まれたレリーフ（写真21）がある。ササン朝ペルシャはその全盛時代、ローマ帝国を脅かす存在であったことはよく知られている（第3章参照）。

このクテシフォンは六三七年、イスラーム勢力に占領されるが、その時にこの宮殿の装飾品その他はすべて略奪されたという。「シルクロード」における交易が最も活発になった七世紀半ば以降、唐の都長安にはササン朝ペルシャより大量の商品が流れ込み、胡人と呼ばれるペルシャ系の人々が多数在住していた。ササン朝ペルシャ最後の王、ヤズデギルド三世の長子ペローズは唐王朝に援助を求めたが、返事はなかったという。王朝の最期は切なく哀れであるのは世の常であろうか。

翌朝、バグダッドのガラージュと呼ばれる大型バス・ターミナルからサマラ行きのバスに乗る。バグダッドから約一三キロ北上し、町に近づくと螺旋状のマルウィア・ミナレット（写真22）とモスクの黄金色のドームが見えてくる。二〇分ほど歩いてミナレットにたどりつき、すぐ登り始める。螺旋状に上がっていくので目眩を起こしそうになる。五二メートルの高さから見える町の中央には先程見たモスクの黄金色のドーム（写真23）が眩く輝いている。

サマラはアッバース朝八代カリフ、ムウタシムが一時（八三六〜八九二）、バグダッドに代わり首都としたところである。先代カリフのムアームーンが連れてきたトルコ系のマムルーク（白人奴隷）のせいでバグダッドの治安が悪化したことによる遷都であったといわれている。ここには大きなアル・ジュムアという大モスクが建造されたが現在モスクの建物はなく、ミナレットだけが残っている。もともとイラン系のムアームーンの時代より、王朝の流れはスンニ派からシーア派に代わっていた。そのた

19　クテシフォン（ササン朝ペルシャの宮殿跡）

20　ナクシェ・ロスタン（ペルセポリス）

21　シャープール一世とヴァレリアヌスのレリーフ

22　サマラのミナレット

めサマラはシーア派の聖地の一つとなっていったのである。

私はここでしばしサマラをめぐる歴史的感傷にふけっていたのであるが、実はこの町の中にサダム・フセインが造らせた毒ガス製造工場があったことをあとで聞いて驚いた。

†モスールへ

サマラから再び、北に向かう乗合タクシーを三度乗り継ぎ、チグリス川に沿った台地にあるアッシュールに向かう。アッシュールとはアッシリア帝国が生まれて最初の首都となったところである（第1章写真6、9頁地図参照）。そこにあるジッグラトに立ち寄ったあとモスールに向かうことにした。サマラで出会った日本人の大学講師、H氏としばらく旅をともにする。古ぼけた五人乗りの乗合タクシーには運転手以外に七〜八人の乗客が押し込まれる。このパターンはアフリカでよく体験したことなので、それほどの苦痛は感じない。その日の夜にモスールに到着。

23　サマラのモスク

†ニネヴェの遺跡

翌朝、涼しいうちにとチグリス川左岸にある、紀元前八世紀よりアッシリアの首都となったニネヴェの遺跡へ徒歩で向かう。川を渡り小高い丘に到着。この中央部にあるレンガの壁とトタン屋根におおわれたセナリブ宮殿跡（写真24）に入っていく。瓦解は激しいが、ここで見かけたいくつかの人頭有翼石像はまぎれもなくアッシリアのもの。しかし損傷が少ない石像はすべて一九世紀半ばに発掘を始めたイギリス隊、続いてフランス隊によって、ロンドンの大英博物館やパリのルーブル美術館に運ばれてしまった。大英博物館にはここから発掘された有名なアッシュールバニパル王のライオン狩りの石板レリーフ（写真25）があり、ルーブルでは完全な人頭有翼石像（写真26）を見ることができる。未発掘の台地を横切り、北側の城壁と共に復元されたアダド、ネルガル、シンの三つの門を見て回る。中央のネルガル門の北側には大きな広場が併せて復元されていた。サダム・フセインは湾岸戦争の勝利を確信し、戦勝祝いにこの門を背景にした一大祝典を計画し ていたといわれる。彼はアッシリア帝国時代の栄華のイメージを現在のイラクに再現させたかったのだろう（写真27）。

昼からH氏とモスール博物館を訪れる。二人で展示品についての解説（解釈？）をしたりされたりで楽しく閲覧する。第一室のハトラから出土したギリシャ彫刻の影響を受けた大理石の神像などの展示品が素晴らしかったので、ここからそれほど遠くないハトラ遺跡へも出掛けてみようという気になった。

† ハトラ遺跡

夕方、タクシーをチャーターしてハトラ遺跡まで南へ一二〇キロ、約二時間。ここにはパルティ

24　セナリブ宮殿跡

25　アッシリア王のライオン狩り　石板（大英博物館）

26　人頭有翼石像（ルーブル美術館）

27　ニネヴェ城壁中央部のネルガル門。ネルガルとはメソポタミア神話で、戦争、死、冥界の神

ア時代（前二四八頃〜後二二六）の壮麗な神殿を中心とした遺跡群（写真28）がある。パルティアはイラン系遊牧民によって建国されたとされるので、ここを訪れる前はもう少し素朴なつくりの建造物を想像していたのだが、これは明らかにギリシャ・ローマの影響を受けたものだ。洗練された様式からうかがえるパルティアの文化的レベルの高さに驚く。東はイランからアフガニスタンを経て中国へ、西はもちろんローマへと続く交易路の重要な拠点であったので、国の経済は交易、徴税などで大いに潤っていたことだろう。西のローマに対しては、戦争と平和の硬軟両方の姿勢をたくみに使い分けていたこの国は、バグダッドの近郊のクテシフォンを首都とするササン朝ペルシャの攻撃にはあえなく陥落した。侵攻したペルシャ人たちは破壊と略奪をほしいままにしたという。神殿の前にサナトルク二世の娘、ドゥシャリフをモデルにした女神の大理石像（写真29）が、強い日ざしの中に毅然と立っている。あたかも博物館に収められるよりも、自らこの場所に立つことを望んだかのように。

帰途、アッシリアのもう一つの首都であったニムルドに立ち寄ろうとしたが、運転手が夕闇迫る中、クルド人居住区を通過することに脅えて（クルド人は十九世紀末から民族的権利を主張し、反政府勢力として自治独立を要求している）、道を間違えてしまったためニムルドに着いたのはすでに夜九時を回っていた。ほとんど遺跡を見ることはできず、十時過ぎにモスールに戻る。ホテル近くの屋台で遅めの夕食。羊の臓物を炭火焼きしたもので、日本のホルモン焼きと似てい

28　ハトラのギリシャ・ローマ式神殿

29　ドゥシャリフをモデルにした女神の大理石像

る。その旨さと食事をともにした地元の男たちの思いやり溢れたウエルカムの雰囲気が忘れられない夜となった。

あれから二十数年、二〇一三年六月にはＩＳＩＬ（当初「イスラーム国」と日本語訳されていたが、これはムスリムと現在のイスラーム国家を侮辱するものであるというカイロのアル・アズハル大学のイスラーム法学者団体の抗議があり、さらに日本各地のモスクへの無理解な日本人による嫌がらせに対する日本在住のイスラーム関係者の再度の抗議によりメディアもようやく二年後の二〇一五年、過激派組織イスラミック・ステート、略してＩＳという表現に変更するようになった）がモスールへ侵攻。ＩＳはモスールを拠点として府庁舎や警察署、軍基地、空港などを制圧。周辺の油田地帯や銀行までも占領して財政基盤を固めて、シャリーア（イスラーム法）の歪曲された解釈のもとに多くの市民を虐殺した。二〇一五年二月には私たちが訪れたモスール博物館、三月にはハトラの遺跡をも徹底破壊してしまった。その二年後、米軍主導の有志連合の空爆支援とイラク政府軍による対ＩＳ掃討戦が展開し、半年後にモスールはようやく奪回された。しかし空爆、銃撃戦による街の崩壊、難民化したモスールの人たちの窮乏は目を覆うばかりであった。繰り返し報道されたその光景を思い浮かべると今でも胸が痛む。あの平和なモスールの町が一刻も早く復興することを心から願ってやまない。

8　ダマスカスからベイルートへ

†ダマスカス

私が中東に初めて足を踏み入れたのは三十年以上前の一九七四年のことだった。

最初はカイロからアテネに飛ぶ予定であったが、ギリシャとトルコがキプロス領有をめぐって軍事衝突したあおりをうけて、アテネの空港が閉鎖されてしまった。慌てて行き先を変更し、カイロでシリアとレバノンのヴィザを取得した後、混雑を極めるカイロ空港を発ち、到着した地点がシリアの首都ダマスカス（写真30）であった。空港バスで夜のダマスカス市内に入り、街の中央を東西に流れるバラダ川の北に広がる新市街の一角にある安ホテルへ。ここからは対岸の旧市街にあるウマイヤ・モスク（写真31）のミナレットがよく見える。

†ウマイヤ・モスク

ダマスカスは、ウマイヤ朝時代（六六一～七五〇）、首都に定められ、政治、商業、イスラーム文化の一つの中心地として繁栄した。現在もその歴史を引き継いだ活気ある街だ。エルサレムで就任したウマイヤ朝の初代カリフ、ムアーウィアは、正統カリフ時代にはシリア総督として剛腕を振るっていた。そのため支持者の多いこの地方にメッカから首都を移転したという。ウマイヤ・モスクは、イエスに洗礼を授けたヨハネを祭る教会としてローマ時代にすでに建てられたもので、さらにそれをウマイヤ朝第六代カリフ、ワリードが壮麗なモスクに増改築したものだ。広い中庭の中央部にはコリント式柱頭を頂く八本の柱に支えられた八角形の建物があり、それを取り囲む外壁にはきめ細

30　ダマスカスの水売り青年

31　ウマイヤ・モスク

32　モスクの内部

かなモザイクの装飾が施されている。中に入るとこれも大理石のコリント式円柱が大きな天井を支え、床全体にはあでやかな模様の絨毯が敷き詰められている。室内は涼しいので、礼拝を終えた人たちがそのままゆったりとくつろいでいることが多い（写真32）。まだ若かった私はここで礼拝のまねごとをしてみたところ、そのうちの一人が側に来て手取り足取り正しい礼拝法を教えてくれた。私はその十五年後に再度ここを訪れたのだが、すべてが何も変わらないままであった。いや、十五年どころか、これからも何百年たっても変わらぬ姿をとどめ続けていることだろう。

　ウマイヤ・モスクを出ると、その南側にサラディンの霊廟（写真33）がある。十字軍がカイロに迫っていた十二世紀末、エジプト、ファーティマ朝の宰相であったサラディンは、自ら王位を奪ってアイユーブ朝を興したあと、一一七四年、七百騎の精鋭を引き連れてカイロを出発。一一八七年にエルサレム郊外のヒッティーンの戦いで十字軍兵士三万を倒し、エルサレムを十字軍より奪回した。映画『キングダム・オブ・ヘヴン』（二〇〇五年、アメリカ、リドリー・スコット監督）では同監督の前作『グラディエイター』（二〇〇〇年）よりも史実をより忠実に再現（サラディンを演じたシリア出身の俳優ハッサン・マスードが見事に好演）されていた。サラディンは捕虜に対しても極めて寛大な取り扱いをしたので、敵味方を問わずその人格は高く評価され、ヨーロッパの詩や伝承にもその名声をとどめている（第4章参照）。

33　サラディンの霊廟

34　サラディンの柩

大理石の台の上には三角柱を寝かせたような柩が安置され、その右側の木製の台の上にも同様の柩がある。前者がサラディンのもの（写真34）で、後者がサラディンの忠実な従者のものだという。アラブ系の参拝客の人たちが、私の前後に途切れず続き、今も変わらない彼の人気ぶりがうかがえる。イラクの前大統領フセインはサラディンと生まれ故郷が同じティクリートだとことあるごとに強調していたのも記憶に新しい。

† ベイルート

さらに同年（一九七四年）ダマスカスからセルビスと呼ばれる乗合タクシーを飛ばして約三時間、レバノンの首都ベイルート（写真35）に向かった。ベイルートは当時「中東のパリ」ともいわれ、中心街ハムラ通りには高級ホテル、欧風の洗練された商店、レストラン、カフェなどが軒を連ねる華やかな大都会であった。しかしその翌年（一九七五年）から約十年間、レバノンでは内戦が荒れ狂った。それまで中東経済の中心地ベイルートには世界各国の商社、銀行その他がひしめきあっていたのだが、内戦以後はその中心は周辺諸国に分散してしまった。現在ベイルートは復興途上にあるが、閑散とした街並みにかつての華やかな面影を見出すのは難しい。

† バール・ベック遺跡

ベイルートから東へ八六キロ、山道を登ること約二時間。レバノン山脈とアンティレバノン山脈の山々に囲まれた細長い平地にバール・ベック神殿群の遺跡がある。近づくと、有名な六本の円柱が澄みきった青空を背景にそびえ立っていた。かつては五十四本の円柱に支えられていたジュピター神殿（写真36）である。古代ローマ時代、五賢帝からカラカラ帝の時代に至る七〜八〇年の間に建てられたもので、当初ここに住んでいた地元のセム系の人々が信仰していた太陽神バールと同一化した太陽神殿である。その南側にこれまた壮麗なバッカス神殿（写真37）がほぼ原型をとどめたままの姿で残されている。アテネのアクロポリスにあるパルテノンとほぼ同規模であるという。単に規模

35　ベイルートの街

36　バール・ベックのジュピター神殿

37　バッカス（ディオニソス）神殿

が大きいだけでなく円柱の頭部には動物、植物文様が華麗に刻み込まれ、その芸の細かさも至るところで目につく。これだけの神殿群を支えるには相当な人口と経済基盤が必要である。古代ローマの人々はこの地に住むセム系の人々との交易や徴税によって富を築き、経費を捻出していたのだろう。同時代、中国で栄えていた漢と「シルクロード」を経由して行われた交易活動もその経済活動の一翼を担っていたのかもしれない。

†パルミラへ

再度、ダマスカスを訪れた一九八九年。その北東二三〇キロ離れたパルミラに向かった。遺跡のすぐ隣にあるホテルに荷を置くやただちに八月末の焼けつくような暑さの中、胸躍らせてパルミラの遺跡（写真38）に入っていった。ローマとパルティアの中間に位置したパルミラはかつて東西交易の要衝・隊商都市であった。この重要性に鑑み、ローマはパルミラの人々に市民権を与えて、帝国の属州としては最高級の身分を保証していた。それにもかかわらず、三世紀後半に登場したゼノビア女王は、ローマに敵対した。二七四年、パルミラはローマのアウレリアヌス帝による総攻撃を受け陥落する。アウレリアヌスはゼノビアを鎖に縛りつけ、凱旋行進でローマ市民の前に引き出したという。

入り口付近にある太陽神を祭るバール（ベル）神殿（写真39）を覗いたあと、凱旋門をくぐり、長い列柱道路を北西方向に向かって歩く。その中ほどに大きな円形劇場と四面門があり、その南側にアゴラ（広場）がある。ローマ時代には、ここでさぞかし華やかな市が開かれたことだろう。

中国からの絹（写真40）もまたここで盛んに取引されていた。パルミラ博物館には大理石板に浮彫りにされた埋葬者の肖像が並ぶ墓室が再現されている。これらの墓室から出土した布は、まぎれもなく中国製の絹であった。

夕刻、遺跡の西側の、かつての墓地であった丘陵地に登り、パルミラ遺跡の全容を見渡す。夕陽に遺跡がピンク色に染まり美しい。今までの旅で幾度となくこのような光景を目にしてきたが、いつもそれらの都市や国家の

38　パルミラの列柱道路

39　バール（ベル）神殿

40　中国からもたらされた絹

滅亡寸前の落日の輝きが重なって見える。このパルミラもまたローマ帝国末期、やがて衰えていく運命を予知して最後の美しい輝きを放っていたことだろう。わずかな距離を移動するだけで濃密に凝縮された歴史に触れることができる中東の旅の素晴らしさを心行くまで味わいつつ、その至福感は、その夜のパルミラの安ホテルの中庭で地元の人たちとともに飲んだアラック（ブドウやナツメヤシを発酵させた蒸留酒）に溶け合い、心地よい酔いにまどろんでいった……。

9　現代の中東情勢

この二十数年後の二〇一三年に先述のようにＩＳはイラクのモスールを占領し、博物館を略奪し貴重な展示物を略奪し、ハトラの遺跡を破壊した。続いて二〇一五年、このパルミラのバール神殿や凱旋門を破壊した。さらに遺跡に眠る金塊のありかを聞き出そうと、パルミラ博物館の館長で考古学者であるハレド・アサドを拷問し、応じなかった彼の首を切断し、遺体を遺跡の円柱に吊るしたという痛々しい報道がなされた。

翌二〇一六年、シリア政府軍がロシア空軍支援のもと半年がかりでパルミラの奪回に成功したが、遺跡の復興にはまったく見通しが立っていないという。シリアに関しては、周知のように二〇一一年に始まった「アラブの春」以来、アサド政権と自由シリア軍、アルカイダ系のアル・ヌスラ戦線、ＩＳＩＬ（ＩＳ）の四つ巴の戦いが泥沼化した。ロシアの支援の下に各派の対立を巧みに利用した現アサド政権による攻撃が反政府軍を追い詰め、アレッポをはじめとするシリア北部を完全に荒廃させてしまった。あの人懐っこい人々は故郷を追われ、難民となって追い詰められている。そして人類の文明の揺籃の地からかけがえのない遺産が無残にも崩壊していくのを座して見るほかないとは、実に歯痒く辛いことだ。

> 「国際人権団体アムネスティ・インターナショナルは、シリアの首都ダマスカス近郊の軍事刑務所で二〇一一～十五年のあいだに毎週絞首刑が執行されていたとする報告書を公表した。計五千～一万三千人が処刑されたと推計。アサド政権が政策として組織的に実施したもので、「人道に対する犯罪だ」と非難している。アムネスティは、二〇一五年十二月からの一年間に刑務所の元看守や元軍事法廷判事ら八十四人から聞き取り調査を実施。その結果ダマスカス北方にあるサイドナヤ軍事刑務所で毎週一～二回、二〇～五〇人が処刑されていた。多くが反体制デモの参加者、人権活動家、ジャーナリストら民間人だと言う。」（『朝日新聞』二〇一七年二月八日）

ひたすら自らの権力維持のため、金属破片が飛び散るクラスター爆弾やサリンなど化学兵器（北朝鮮からの技術援助があったともいわれている）を用いて自国民を攻撃する現アサド大統領とその政権は、国際社会から激しい糾弾にさらされて然るべきであろう。

また自らの権力維持という点に関しては、現在のサウジアラビア王国政府もまた同様である。二〇一八年十月、トルコのサウジ大使館でサウジのジャーナリスト、ジャマル・カショギ氏が暗殺された。カショギ氏は王政に対して、批判的な言動を繰り返していたジャーナリストである。暗殺指令を出したのはムハンマド皇太子であるという疑惑が強まる中、当時のトランプ米大統領はアメリカからの武器購入に多大な資金を拠出するサウジを忖度して、この疑いを隠蔽してしまった。日本もまたそれに追随している。サウジ国内では外国人ジャーナリストの活動は厳禁され、この国の実態をつかめる手段は皆無に近い。国内では報道の自由はおろか、表現の自由もなく王政を批判すればただちにテロリスト扱いされる。二〇一六年には国内のテロ事件で四十七人が処刑されたというが、この中には反政府活動家も多く含まれていたという。

第5、6章で述べる中国のウイグル人イスラーム教徒への弾圧に対しては、本来ならばイスラームの聖地メッカとメディナを管理する立場のサウジアラビアが先頭に立って声をあげるべきであるが、中国に対しては一言も発していない。これはイスラーム法の遵守を大義として王族の莫大な富と権力を守ろうとする姿勢が、中国共産党に対する忠誠を大義として反政府運動を厳しく取り締まる中国政府の姿勢とまったく同質のものであるからだろう。イスラームの根本的教義は為政者の富と権力のみを守るものではないことは自明の理である。巡礼を通して体感したイスラーム教徒の清澄な信仰は、サウジアラビアの政治体制とはまったく別物であることを最後に強調しておきたい。

第3章

古代地中海世界

エーゲ海に沈む夕陽

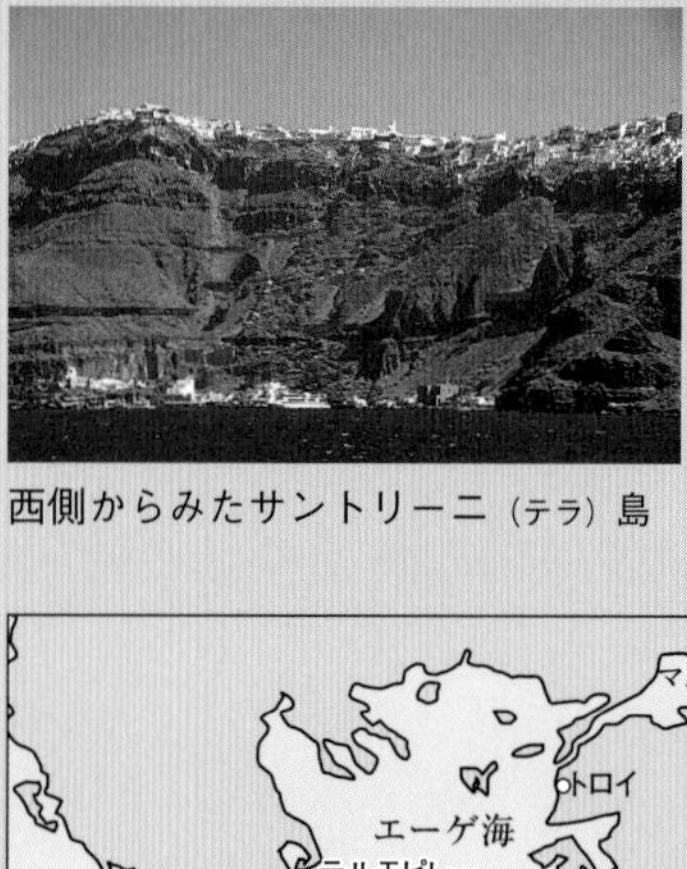

西側からみたサントリーニ（テラ）島

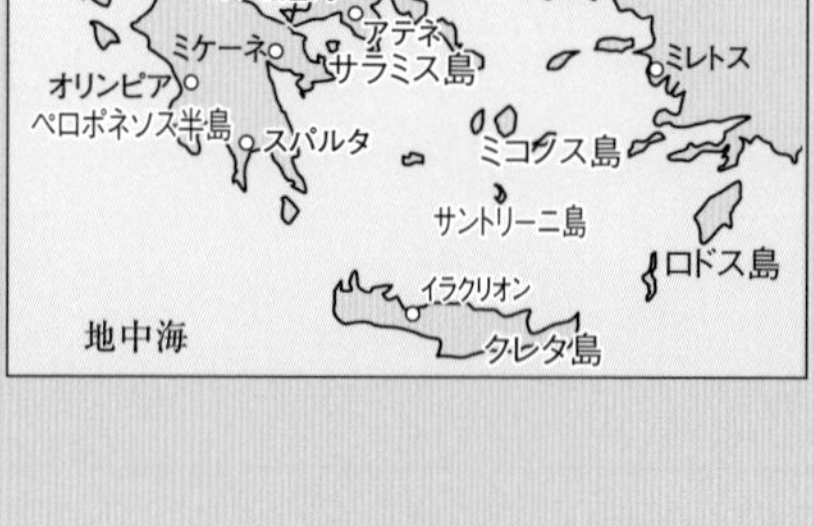

二〇一二年夏、サントリーニ（テラ）島（写真）を夕刻に出発する高速船でクレタ島のイラクリオンに向かう。約二時間の船旅である。五〇年前、たまたまアテネから飛び乗ったエーゲ海クルーズ船は、夕刻同じ頃サントリーニを出発して、クレタ島に着いたのは翌朝だった。初めて見たエーゲ海の濃いインクを溶かしたような紺碧の海に映える日没、夜明けの太陽の光が強烈な印象を残した。ここから始まるギリシャの旅は五〇年前の私の海外旅行の出発点であった。第3章では古代ギリシャ、古代ローマなど地中海を取り巻く世界について触れてみようと思う。

1　ギリシャ
――エーゲ文明――

† クレタ文明（前三〇〇〇頃〜前一四〇〇頃）

夕闇迫る頃、海に延ばされた防波堤の先、十三世紀初頭にヴェネツィア統治下にあった時代に建造されたクレタ島の要塞が右手に見えてくる。船はゆっくりとイラクリオンの港に入り接岸する。さてこのエーゲ海を含めた地中海世界ではどのような歴史が展開されていったのだろうか。

ヨーロッパの歴史を語るにはどうしてもこのクレタ島から始まってしまう。後期旧石器時代から新石器時代にかけての集落の遺跡は、ペロポネソス半島東部やキクラデス諸島などギリシャ各地で発掘されているが、それ以後の華やかなギリシャ・ローマの文化につながる話となると、やはりどうしてもこの島から始めなければならない。

翌朝さっそくクレタ（ミノア）文明（前三〇〇〇頃〜前一四〇〇年頃）の象徴とされるクノッソス宮殿に出かける。初めて訪れた一九七三年には、伝説通り立体的に各部屋と廊下と階段が複雑に入り組んだまさに迷宮という印象が強かったが、今回訪れてみると、むしろ非常に秩序だった計画性に基づいて建設された宮殿であることがよくわかる。北の入り口から入ると、右手に牛の背に手をついて宙返りする若者の壁画がある（写真1）。

中庭右手には王座がある部屋があり、背後にグリフィン（空想の獣）が壁に描かれている。中庭正面には、顔は左向き、上半身は正面を向き、下半身は左向きというまさにエジプト絵画の描き方そのものの「ユリの王子」と呼ばれる壁画がある。残念ながらこれらは複製であり、本物はイラクリオン博物館に展示されている（写真2）。初期青銅器時代と呼ばれるこの時期、クレタ島から地中海を挟んでわずかな距離にあるエジプト古王国との間に頻繁な往来があったことは間違いない。古代エーゲ文明が、ヨーロッパ文明の始まりであると教科書では記されているが、エーゲ文明そのものがエジプトをはじめとして当時すでに地中海世界で活発に交易活動に従事していたフェニキア人などの外来文化を包摂し、発展していったものであると考えるべきだろう。

1（上） クノッソス宮殿の壁画
2（中） ユリの王子
3（下） クノッソス宮殿の倉庫に置かれた壺

中庭の西側には倉庫があり、そこにいくつかの大きな壺が並べられている（写真3）。当時クレタ島からエジプトにもたらされた交易品の代表的なものはオリーブ・オイルとワインであったので、おそらくこれらは食品の保存、運搬のために使用された容器であったのだろう。

しかしこの宮殿には周囲に城壁や堀が築かれた形跡がないのはなぜだろう。このことにより「防壁のない宮殿など考えられない、これは屈葬体を入れたもので、この建物は巨大な墓地センターである」という説が一時唱えられたことがあった。ともあれ、この宮殿らしき壮麗な建物がつくられた背景には、当時すでに強力な権力の存在があったことは疑う余地はない。

ホメーロスの『オデュッセイア』によると、この宮殿のミノス王はクレタ島の九十の都市を支配し、専制的海洋国家を打ち立てたという。故郷イタケーに帰り着いたオデュッセウスが、彼の妻ペネロペイア妃に言い寄る求婚者たちと対決する前、自らの正体を隠して妃に語りかけた言葉の中に次のようなものがある。

「葡萄酒色の大海の間只中に、クレテなる土地があり、美しく肥沃でもあり、四方を海に囲まれております。住民は数えきれないほど多く九〇の町があります。（中略）それらの町の一つであるクノソスは大都で、ここには大神ゼウスと親しく語り合うことを許されたミノスが、九年にわたって王位にありました」（『オデュッセイア』第十九歌、松平千秋訳、一九九四年）

では、このクレタ文明の祖先はどこからやってきたのだろうか。近年の考古学が明らかにしたことは、前六〇〇〇年頃、小アジアにいた古代アナトリア人がエーゲ海にやってきた。そしてエーゲ海に点在するキクラゲス諸島では、前三四〇〇年頃からクレタ島との往来が始まった。彼らは農耕文化を島々に伝え、クレタ島に巨大な集落の遺跡を残した。イラクリオン博物館では、この島で発掘されたオリジナルの発掘物にお目にかかれる。このクノッソスの宮殿を発掘したイギリスの考古学者Ａ・エバンズによって名付けられた、「パリの女」と呼ばれる美しい壁画の断片にもここで再会することができた。この絵の輪郭線がギリシャの壺と同じ形をしていることにお気づきになられたであろうか（写真４）。

✝ミケーネ文明（前一五〇〇頃〜前一一〇〇頃）

しかしこのクレタ文明は前一六〇〇年頃より崩壊が始まる。その原因として南下してきたミケーネ人の侵入によるものとされてきたのだが、約五十年前に、当時起こったサントリーニ（テラ）島の火山爆発による津波がクレタ文明を滅ぼしたのだという説をギリシャの考古学者マリナトスが唱えた。その後の研究では津波後もクレタ文明は弱体化しつつ、またミケーネ人の侵入も受けなが

4　「パリの女」（イラクリオン博物館）

らも、少なくともその後数百年は生き延びたという説が有力視されている。

前十五世紀頃、バルカン半島から南下してきたミケーネ人がギリシャ本土に住み着き、クレタと同様地中海交易を活発に行い優れた青銅器を造った。ミケーネ文明はペロポネソス半島の中心部で栄え、前十一世紀頃にはクレタ文明を滅亡に追いやったとされる。

ローカルバスに乗ってアテネから海岸沿いに西へ進み、コリント運河を渡る（写真5）。この運河はエーゲ海とコリンティアコスの間の地峡に開削されたものだ。狭い地峡に運河を造ろうという発想は、すでに古代ギリシャ時代からあったということがよくわかる。何度も開削が繰り返されながら現在の形になったのは、一八九三年のことだという。ペロポネソス半島に入り、アルゴス平野に近づくとすぐ左手の丘の上にミケーネの城砦跡（写真6）が見えてくる。

クノッソスと比べると、いかにも防備で固められた軍事要塞の風が漂っている。ここからアガメムノンが軍勢を率いてエーゲ海対岸のトロイに押し寄せたのか、とホメーロスの叙事詩「イーリアス」の物語を思い浮かべ、しばしいにしえの戦いに思いを馳せる。クレタ文明が、華やかで開放的であるのに比べて、ミケーネ文明は、堅牢で閉鎖的であるといえるだろう。現在はトルコ領内にある「トロイ」の遺跡（写真7）にも以前訪れたことがあるが、海岸線は約三千年の間にすっかり西方に後退していた。だだっ広い平野の中の小さな丘の上にある遺跡は、ドラマティックな伝説を偲ぶには、あまりにも味気ない光景だった。

このミケーネとトロイ、両方の遺跡を発見したのがドイツの考古学研究者シュリー

5　コリント運河

6　ミケーネの城塞跡

マンである。少年時代は経済的、家庭的に恵まれない環境で過ごしたが、職や国を転々としながら財を成し、人生の後半を遺跡の発掘にささげた。その動機は子供時代に父から聞かされたギリシャ神話のトロイ伝説に心動かされたこととされているが、純粋に考古学的関心があったのか、それとも野心によるものなのか、なかなか毀誉褒貶の多い人物である。二十年ほど前、カリフォルニア大学のD・トレイル教授が『シュリーマン、黄金と偽りのトロイ』を出版した。シュリーマンの自己顕示欲の強さ、偽善性を暴く内容のもので一時話題になった。たとえそれが事実であったとしてもシュリーマンの業績そのものは否定することはできない。シュリーマンの名は歴史に残るが、D・トレイルの名はそのうち消えるだろう。ただし、シュリーマンの時代、トロイ戦争が前十三～十二世紀に起こったということは史実とされていたわけであるが、それは考古学的に実証されたものではなかった。今日の遺跡発掘物の科学的調査においても、その真実性は未だにはっきりと証明されているわけではない。

7　トロイの遺跡

　トロイ戦争の真偽についてはいったん置いておくことにして、当時ミケーネは、銅と錫の合金である青銅の武器を製造するためになんとしても錫が欲しくて、錫が豊富に産出されるエーゲ海の対岸への侵攻を試みた。それを阻止しようとする小アジアの大国ヒッタイトと軍事的に対抗していたとする説は、トロイ戦争と相通じるものがあり、かなり真実に近いのではないだろうか。

　このミケーネ世界も前一二〇〇年頃から衰退していく。その要因としては北方からのドーリス人の南下によるものと従来考えられてきたが、今日ではこの説はほぼ否定されている。時を同じくしてヒッタイト王国の崩壊、エジプト新王国の没落が起こっていたのであるが、これらを誘発した「海の民」が地中海世界を席巻していたことによって、ミケーネ世界も一連の動きに巻き込まれたのだとされる説が現在では有力である。さらに、当時このあたりで多発した地震、気候変動などによる自然災害、または国内における勢力争いなどの様々な原因が複合的に作用してミケーネ世界が崩壊したのだろうと推測されている。

以降四百年にも及ぶ「ギリシャの暗黒時代」といわれる時代に入り、クレタ・ミケーネを中心とするエーゲ文明は終焉する。その後、再びギリシャが輝きを取り戻すまでには、長い雌伏の年月を待たなければならなかった。

2 ギリシャ
――ポリス（都市国家）の時代――

† 都市国家の誕生

さて二〇一〇年、ギリシャは財政赤字に陥り、それが引き金となってヨーロッパ全体を揺るがす経済危機を巻き起こしたことはまだ記憶に新しい。これは明らかにその数年前の二〇〇四年、二十一世紀最初のオリンピックが発祥の地アテネで開かれ、開催国ギリシャがこれに膨大な費用をかけ過ぎたことに端を発していた。このオリンピックは、ギリシャの「暗黒時代」が明けて、各地にポリスと呼ばれる都市国家が成立し始めた前七七六年に初めて開催された競技大会をその起源とする。

アテネからバスで約五時間、コリントス湾に沿って半円を描くようにペロポネソス半島を西南に進むと、その名もオリンピアという小さな町に到着する。この町の南に広がるオリンピア遺跡内の東側にあるスタジアムは、一スタディオン（約一九〇メートル）の距離を走る競争のみであったという初期オリンピックの痕跡をとどめている。

8　オリンピアのスタジアム

遠足でやってきた若者たちが競争に興じる光景にちょうど出会った（写真8）。

　近代オリンピックの聖火は中央北にあるゼウスの妃ヘラを祭った神殿で灯される（写真9）。確かに聖火をかかげて、競技場まで走る走者の姿は美しい。しかしこの儀式、特に走者のリレーという形は一九三六年のベルリン・オリンピックの時、ナチスによって国威発揚のため考え出されたものだともいわれている。このスタイルはその後も継承され、二〇二〇年にはコロナ禍で翌年に延期された東京オリンピックのため、凹面鏡を使って太陽から採火する古代から伝わる儀式が無人で行われたことは記憶に新しい。

　この近代オリンピックの基となったオリンピア祭を盛り上げたのが当時の諸ポリス（都市国家）であった。前八世紀頃から成立し前五世紀には最盛期となるポリスの数は、ギリシャ本土だけで一五〇を超え、地中海世界全体に広がるギリシャ植民地も入れるとその数は千を超えていたといわれる。これらのポリスの中でも隆盛を極めたのが古代民主政治を成立させたアテネと、軍事国家スパルタであった。

9　ヘラの神殿（オリンピックの聖火が灯されるところ）

†ペルシャ戦争、栄光への死闘（前五〇〇～前四四九）

　アテネは地中海の島々に海外植民都市を持つようになり、他国との交易にも積極的に乗り出した。すでに地中海で活発な交易活動を展開していたフェニキア人たちは自分たちの活動がアテネに妨げられているのを不満とし、西アジアの大帝国アケメネス朝ペルシャに支援を求めた。ペルシャ王ダリウス一世（在位前五二二～前四八六）はアテネの東、エーゲ海の対岸に建設されたギリシャ人の植民都市ミレトスの不穏な動きをもかねてから疎ましく思っていた。ミレトスはかつて前六世紀、ギリシャ哲学の源流であるタレス、アナクシマンドロス、アナクシメネスらの自然哲学者たちを育んだ地である。

ダリウス一世は、ついにアテネに向かって軍を動かす（前四九二年）。ペルシャ軍が上陸地点に選んだのはアテネの東四〇キロに位置するマラトンの海岸であった。アテネの総指揮官ミルティアデスは約一万人の重装歩兵を率いて海岸を見下ろす丘の上から上陸直後のペルシャ軍に奇襲攻撃をかけた。歴史家ヘロドトスによれば、アテネ側の死者はわずか一九二人。ペルシャ側は六四〇〇人の死者をここに残して海上に立ち去った（前四九〇年、マラトンの戦い）。

現在のマラトンの海岸に立ち寄ってみた。トロイと同じく海が南に後退し、アテネ軍が駆け下りた丘も遠くになってしまっているために、この電光石火の戦いを偲ぶことは難しい。ミルティアデスはその翌年、この時の傷がもとで亡くなった。マラトンの街の入り口に毅然と立つ彼の銅像を除いて、ここには戦いを思い起こさせるものは何もない（写真10）。

その十年後、ダリウスの息子三代王クセルクセスが再度大軍を率いてギリシャに攻め込んできた。スパルタはマラトンの戦いの時には参加しなかったが、この度は共闘を申し出た。海に開かれたアテネと比べて、国が山に囲まれ閉鎖的なスパルタは、厳しい軍事訓練を自国民男子に課して一騎当千の強者に育て上げていた。戦場は、アテネの北北西約二〇〇キロに位置する現在のラミアの街の近郊テルモピレー。アテネと結ぶ南北に貫くハイウェイのかたわらにこの時の記念碑が設けられている（写真11・12）。車で通過す

11（上）　テルモピレーの戦場
12（下）　ラミア郊外に立つ記念碑

10　マラトン入り口に立つミルティアデスの像

る観光客もいったんここで降りて歴史に思いを馳せることができる場所である。

スパルタ王レオニダス率いる三百名は、片方が海に面した崖になっている地形（現在はマラトンと同じく海岸線が後退してその地形は確認しづらい）を利用して、総勢三〇万人（ヘロドトスは二三一万七六一〇人としている）と推定されるペルシャの大軍を勇猛果敢に迎え撃つ。しかし間道を抜けて背後に回ったペルシャ軍に挟撃され、レオニダス以下三百名のスパルタ兵は全滅。この知らせを聞いたアテネの最高司令官テミストクレスは、アテネの女、子供、老人を速やかに疎開させ、サラミス湾の入り口で建造したばかりの三百隻の三段櫂船にアテネの男子全員を乗り込ませ待機させた。サラミス水道はちょうど本州から明石海峡を隔てて淡路島を望むくらいの幅である（写真13）。この戦術は見事に成功し、六百隻の三段櫂船で攻撃してきたペルシャの海軍を狭いサラミス水道におびき寄せて次々に沈めた。ギリシャ連合軍の大勝利であった。

† アテネの繁栄

撤退したペルシャ軍は、再度遠征を計画するが、内乱その他の国内事情により計画は頓挫してしまう。この間アテネは、ペルシャの再度の襲来に備えて、同盟を結ぶ諸ポリスに戦時分担金を供出させていた。アテネは、この資金をミコノス島から四キロ南西にあるデロス島のアポロン神殿（写真14）の金庫に保管していたが、しかし戦争が中断したため、アテネはこれらの資金を転用して市

14（上）　デロス島のアポロン神殿
15（下）　パルテノン神殿

13　サラミス水道

の中心にあるアクロポリスの丘に繁栄の象徴としてパルテノン神殿（写真15）を建設する。

丘のふもとにはアゴラ（広場）があり、民会や裁判がここで行われた。市も並び大勢の人で賑わった。買物は奴隷を従えた男性の役目であったということが興味深い。男たちはここでよもやま話に花を咲かせ、政治や哲学論議も活発に交わされた。各地には円形劇場（写真16・17）が建設され、そこでは、アイスキュロス、ソフォクレスらギリシャ悲劇作家による格調高い作品が競演された。アテネを頂点とするポリス社会は本格的な栄光の時代を迎えるようになった。

アテネ民主政の完成者といわれるペリクレス（在任前四四三～前四二九）を指導者に頂いたアテネはこの時期、最盛期を迎える。直接民主制を基本として、市民（十八歳以上の男子）約四万人全員が参政権を有し、市民総会を国家の最高決定機関とするなど後世に大きな影響を残した。しかし、この輝かしい民主制の完成は、ペルシャ戦争、ポリス間の戦争などでアテネが獲得した奴隷（約七～一〇万人）による労働によって支えられていたことも忘れてはならない。

アテネが衰退期に差しかかる頃（前四〇〇年頃）、ソクラテスやプラトン（写真18）ら叡知溢れる哲学者たちが登場する。偉大な思想は平穏な時ではなく、むしろ不安定な時代の中でより洗練され深化していくものだろう。ソフィスト（詭弁家）たちの活躍が始まったのも、この頃からであった。

16（上・夏）・17（下・春）　エピダウロス劇場

18　ソクラテス（左）とプラトン（右）　アカデミーの入り口（アテネ）

3　ポリスの凋落とアレクサンドロス

†ペロポソネス戦争——スパルタとの戦い

一方、アテネの繁栄に反感を抱いたスパルタは、スパルタを覇者と仰ぐペロポネソス同盟の諸ポリスを率いてアテネに攻勢をかける。ペリクレスは、物資の補給を確保する外港ピレウスと結ばれた堅固な城壁で籠城作戦を決め込む。この城壁は、ペルシャ戦争直後にあのテミストクレスによって築かれたものだ。目先のきく彼は、次の戦いの相手はスパルタだと睨んで防衛力を強化していたのだが、アテネ市民はテミストクレスの先見の明を理解することができず、城壁建設に絡む収賄容疑で彼をアテネから追放してしまった。行き場を失ったテミストクレスは、なんと仇敵ペルシャに亡命する。この類稀な指導者をクセルクセスの次の王アルタクセルクセスは丁重に迎え入れた。来たるべきアテネとの次の戦争の時には、ペルシャ側の総司令官を務めてもらおうと考えたからだ。しかし、テミストクレスは祖国に弓引くことを拒み、アルタクセルクセスの歓待に謝意を表しつつも自害の道を選んだ。

　この城壁のおかげで、海から十分な物資を調達することができ、スパルタからの攻撃を防いできたアテネだが、やがて思わぬ災いが振りかかる。アジア方面で発生したペストが黒海を行き来する船に入り込んだネズミを通して、アテネに持ち込まれたのであった。ペリクレスをはじめとして、アテネの人口の三分の一が犠牲となった。

　何度かの休戦を挟みながら、それでもアテネは優勢な海軍を活用して戦い続けた。だが最終局面において、なんとスパルタはペルシャの海軍の力を借りて戦いを有利に展開する。ついにアテネは降伏せざるをえなかった。ギリシャ全体の衰退の大きな要因となるこのアテネ対スパルタの戦い、ペロポネソス戦争（前四三一～四〇四）はこうして終結した。スパルタが敗戦後のアテネに要求したのは、城壁の破壊のみであったという。現在のアテネからピレウス港に向かう道路の両側にはわずかながらその城壁の痕跡と思われる壁を見ることができる。

現在ピレウス港の近くには、ギリシャ海軍基地があるが、港は二〇一六年、長引くギリシャの財政危機の中、債務返済を迫られたため中国に売却されてしまった。周知のように中国は中央ユーラシアの国々を次々に買収しながら、この港をさらにヨーロッパへの足掛かりとして強権的に「一帯一路」の拡充を図っている。

† 古代マケドニア王国

アテネ、スパルタをはじめとするギリシャのポリス社会が勢いを失っていく動きとは逆に、徐々に勢力を拡大させていったのはギリシャ北部、バルカン半島の中央部にあるマケドニアであった。ややこしいが現在のマケドニアは、旧ユーゴスラビアから独立して新たにできた国で、首都スコピエを中心にギリシャとの国境の北方に位置する。古代ギリシャ時代のマケドニアはその南、ギリシャ国内の北部の地域である。マケドニア独立時からギリシャは、マケドニアに国名の紛らわしさを避けるために改名を要求してきたのだが、マケドニアは頑として応じなかった。これに対しギリシャは国交を断絶しＥＵ加盟を認めなかった。しかし二〇一九年、マケドニアは国名を「北マケドニア共和国」と改名してギリシャとの融和を図り、ＥＵ加盟を実現させた。国民の過半数が名よりも実を選んだのだ。

古代マケドニア人と呼ばれる人々は、先述のドーリス人たちが南下したといわれている頃にはすでにこの両地域およびブルガリアにかけて住みついていたといわれる。

† アレクサンドロスと東方遠征

ペロポネソス戦争終了の四十数年後の前三五九年、すでにこの地に成立していたマケドニア王国の王として即位したのが、アレクサンドロスの父フィリッポス二世であった。現在のギリシャ第二の都市テッサロニキから約六〇キロ西南西の地点にその古都ヴェルギナがある。一九七八年にここで発掘が行われ、墳墓から多数の黄金副葬品が発見された。分析の結果、これらはフィリッポス二世のものだとわかった。マケドニアの首都は前四一三年にこのヴェルギナからテッサロニキの西約四〇キロ離れたペラに移転された（写真19）。現在ここでは大規模な宮殿跡の発掘が進み、見事なモザイクが施された床跡を見ることができる。そのそばに建設された博物館では獅子と戦う若き日のアレクサンドロスが描かれたモザイクも展示されている（写真20）。

父フィリッポス二世が息子アレクサンドロスにつけた家庭教師が、ギリシャの学問を集大成した碩学アリストテレスだった。映画『アレキサンダー』（オリバー・ストーン監督、二〇〇四年）では、アレクサンドロスが若き日に盟友プトレマイオスとともにアリストテレスの薫陶を受けて、アジアに出征したと描かれている。実際には学問の人アリストテレスと行動の人アレクサンドロスとの共通点はあまりないようにも思えるが、「私は生きることを父から、美しく生きることをアリストテレスに学んだ。」という記録が残されているので事実だったかもしれない。フィリッポス二世はカイロネイアの戦い（前三三八年）でアテネ・テーバイ連合軍を打ち破ってギリシャ全土をコリント同盟の下に統一することに成功したが、その二年後に暗殺されてしまう。

若干二十歳にして父に代わって王位に着いたアレクサンドロスは、かつてギリシャ全土を荒廃させたペルシャに対する報復と、父王暗殺の黒幕がペルシャであったという疑念から、まず小アジアに向けて東方遠征を開始する（前三三四年）。率いた兵力は長槍部隊を中心に四万人を超えていた。まず現在のトルコに渡り、緒戦のグラニコス川の戦いでペルシャ軍に勝利をおさめる。次いでイッソスの戦い（前三三三年）では宿敵ペルシャのダレイオス三世の身近まで迫って敗走させた。ペルシャ軍は総勢六〇万人。歴史的な勝利であった。彼の戦術は極めて正攻法で、愛馬ブー

19（上）　マケドニア王国の首都ペラ（テッサロニキ郊外）
20（下）　アレクサンドロスが描かれたモザイク

ケファラスにまたがり身を危険にさらしながら勇敢に先頭で戦い兵士たちを奮い立たせた。

その後彼はいったん引き上げてエジプトに向かう。途中フェニキア人たちの港湾、都市国家のシドンやティルスを滅ぼした後、エジプトに入りナイルのデルタ地帯に都市を建設した（前三三二年）。その名もアレクサンドリアである。この街はこの後地中海世界の文化、経済の一大拠点となって繁栄していく。

アレクサンドロスはその後再びペルシャに向かい、二十数万の歩兵と騎兵を率いたダリウス三世の軍を破る（ガウガメラの戦い）。古都バビロン（第2章写真2～4参照）に入城した時には、重税に苦しむペルシャの住民から大喝采を受けたという。ついでペルセポリスに入り、宮殿を完膚なきまで焼き払ってしまった。一二〇年前のペルシャ戦争時、アテネが焼かれたことに対する報復だった。ここで彼はいったん戦争を収束させる。壮大なペルセポリスの宮殿跡は、現在世界遺産となっており、往時のアケメネス朝ペルシャの繁栄を偲ぶことができる。

軍はさらに東進するのであるが、興味深いことにはその途上、彼はペルシャ帝国領内のバクトリアの王女と結婚をした。また自身もペルシャ風の衣装を着け、マケドニア兵とペルシャ女性の集団結婚を取り行い、同行の学者に各地の地理・風俗の調査をさせるなど現地との融和に努めた。軍は東に進撃を続け、バクトリア、ソグディアナなど中央アジアを席巻していく。被征服者は逐次軍に組み入れられていったので、兵力はどんどん増強されていった。そして、ついにカイバル峠（写真21）を越えてインダス河に達する。

インドはその当時、内乱状態に明け暮れていたが、

アレクサンドロスの遠征進路

21　カイバル峠からアフガニスタン側を見下ろす

この時ばかりは結束してアレクサンドロスの侵攻に立ち向かう。さすがの百戦錬磨のアレクサンドロスも、象を繰り出して反撃するインド軍には苦戦した。また屈強の兵隊たちの中には、疲労と厭戦気分が立ち始めていた。アレクサンドロス自身も胸に矢を受けて負傷し、ついに撤退を決意する。

ギリシャを発ってすでに八年が過ぎていた。帰国途上、アレクサンドロスはバビロンで病に倒れ、死去する。三十二歳の若さであった（前三二三年）。父親フィリッポスの行動力と、王家出身の母親の美しい容姿を受け継いだ軍略の天才アレクサンドロスは、その後伝説となって遠い東南アジアにまでその名は広まっていく。当時東の中国は春秋戦国時代、「諸子百家」と呼ばれる思想家たちが活躍した時代のことであった。

†「ヘレニズム」の時代

この後、アレクサンドロスが前三三四年から前三二三年にわたって征服した広大な世界は、その後マケドニアのアンティゴノス朝、エジプトのプトレマイオス朝、中央アジアのセレウコス朝などの王政国家に三分割される。いわゆる「ヘレニズム」時代の到来である。

「ヘレニズム」という語句は十九世紀ドイツの歴史学者ドロイゼンによる造語であり、そこにはギリシャ文化のオリエント世界への拡大という意味が込められている。しかしこの用語にはギリシャを含むヨーロッパ側から見たアジアに対する優越の目線が潜んでおり、たびたび問題視されてきた。ヘロドトスによるペルシャ戦争の記述においても、主として欧米の歴史学者、あるいは彼らに追随する日本人学者らによってその解釈は主としてヨーロッパからの視座で語られてきた。そしてそれにより今日までヨーロッパ中心の世界史観が既定のものとして形成されてきた。アレクサンドロスの東方遠征によってギリシャ文化がアジア世界に大きな広がりを見せたことは疑いない事実ではある。しかし、一方、アジアの諸地域はそれを自分たちの世界にギリシャ的なものを混淆させ、固有の文化を創り出し、それらをヨーロッパに還元していったことも見落としてはならない。

第6章で触れるバクトリアのギリシャ人国家、インド北西部のガンダーラにおけるクシャーナ朝などでは現地固有の文化と仏教文化、ギリシャ文化の見事な融合が見られる。さらにはアレクサンドロスはイスラームの聖典クルアーンの中ではイスカンダルとなって聖者化されているのは興味深い。西から東への一方的な伝播のみでなく東から西という相互のプロセスにもっと焦点を当て、ギリシャのオリエント化という逆の視点を持つことがより重層的な「ヘレニズム」の発見につながるのではないだろうか。アジアとヨーロッパを水平に見つめ合う歴史観が今後さらに構築されることを期待しよう。

さて、三つの「ヘレニズム国家」は、続く二〇〇年ほどの間に次に登場するローマに順次滅ぼされることになる。西のイタリア半島からはローマの足音が聞こえてくるようだ。その後マケドニア王国も前一四八年、ローマの属州となり、次に述べるローマの属州となってその支配下に入る。

† ギリシャ文化が残したもの

五世紀半ばの西ローマ帝国滅亡以後、ギリシャの地はゲルマン系、スラブ系の民族移動にさらされたが、東ローマ（ビザンツ）がかろうじてその支配を持続させた。しかし一四五三年に東ローマが、オスマン帝国によって陥落すると、以後一八二七年のギリシャ独立まで長期にわたりイスラーム勢力の支配下に入っていくことになる。長い冬の時代を経て、ようやく独立したギリシャはその後現在に至るまで中流国家の地位に甘んじてはいるが、しかしそれは「古代の栄光」が消滅したということではありえない。

アテネの全盛時代にすでに完成の域に達した古代ギリシャ文化は、後発のヨーロッパ文化に継承され鼓舞する役割を担っていく。パルテノンをはじめとする建築や彫刻、プラトン、アリストテレスらの哲学思想、アイスキュロス、ソフォクレス、エウリピデス等の三大悲劇作家の作品等々……。ヨーロッパの近代は、ギリシャを手本に覚醒されていった。そして、洋の東西を問わず現在に至るまで、ギリシャが生み出した文化遺産は世界共有の財産となっている。

4　ローマ
——建国からイタリア半島統一まで——

二〇一六年六月、ギリシャをめぐる再度の旅を終え、ローマ空港で帰国の乗り継ぎ便を待つことになった。出発まではまだ数時間ある。ふとタクシーを使ってローマを一回りして見ようという考えが浮かんだ。今まで貧乏旅行ばかりしてきた私にとってこれは考えられない贅沢な話だ。ローマ史の専門家でもない私だが、すでに十数回はここを訪れている。だがこの美しい街をもう一度眺めてみたいという誘惑に勝てなかった。急いでタクシーの運転手——なかなかのローマ美人だ——と値段交渉をして車に乗り込み、市の中心部に向かって走ること約三十分。市内の中心部へ。年々増える観光客の波に圧倒されながら、まずローマ発祥の地カンピドーリオの丘（写真22）とパラティーノの丘（写真23）に立ち寄る。ここは、ローマ人が初めて定住したといわれる七つの丘のうちの二つである。

†ローマの始まり

ローマ建国の伝説は、神話の中にあるトロイ戦争から逃れ、地中海各地を放浪していたアエネアスから始まる。彼はこの地にたどり着き、ラテン人たちに迎えられやがて王となった。アエネアスから数えて十六代目のヌミトルは、弟アムリウスに騙されて王位を追われる。テヴェレ川に流されたヌミトルの孫である双子の兄弟ロムルスとレムスはオオカミに育てられ、やがて成人して祖父の仇を討つ。しかし二人は王位を争い、その結果ロムルスが勝利をおさめ

ローマ市街地

た。ロムルスはパラティーノの丘に都を建てて、十七代目の王となった。彼がローマを都としたのが前七五三年四月二十一日のこととされる。現在もローマではこの日をイタリアの建国記念日として毎年祝賀行事が行われている。カンピドーリオの丘には、ローマの最高神ユピテルの神殿がある。以後、ロムルスを初代王として王政ローマの歴史が刻まれる。

同じ時期、ギリシャではアテネやスパルタをはじめとする都市国家が次々と誕生していた。アテネに民主政治が芽生え始めたのと同じ頃、ローマでも王政が終了して共和政が始まった。エトルリア出身といわれる七代王タルクィニウスが、クーデターで倒された。これを機に以後独裁を避けるため二名のコンスル（執政官）と、貴族（パトリキ）による合議が行われるための元老院（写真24）と、平民（プレブス）たちによる平民会がつくられて、権力の分散が図られた。

†ローマの統一

ラテン人を主とするローマは、イタリア半島各地に割拠する諸民族との

22（上）　カンピドーリオの丘（ミケランジェロ設計による広場）
23（下）　パラティーノの丘

24　フォロ・ロマーノに残る元老院の建物

激しい戦いにのぞみ、ヴォルスキ人（前四三一年）、エトルリア人（前三九六年）、サムニテス人（前三四三〜二九〇年）たちを苦戦の末、次々に屈服させていく。この苛酷な戦いのプロセスの中で貴族と平民は否が応でも妥協しあい、協力をせざるを得なくなり、貴族は次第に平民の要求を受け入れていく。その結果十二表法（前四五一年）、リキニウス・セクスティウス法（前三六七年）、ホルテンシウス法（前二八七年）などが制定され両者は対等の権利を有することになり、これらは後の見事に体系化されたローマ法として集大成されることになる。哲学、演劇などに素晴らしい才能を見せたギリシャとは対照的にローマは法律・軍事・土木建築など現実に適した社会組織をつくることに長けていた。

前二七二年、ローマは南イタリアのギリシャ人都市タ－ラントを攻略し、イタリア半島全土統一に成功する。アレクサンドロスの死後わずか七十年あまり後のことであった。

5　地中海の覇者への道

†第一次ポエニ戦争（前二六四〜二四一）

半島を統一した後、ローマは目の前に広がる地中海に本格的に乗り出していく。ローマの前に立ちはだかったのは、ギリシャ衰退後勢いを盛り返したフェニキア人の都市国家カルタゴであった。カルタゴはすでに地中海の覇者であり、ギリシャ都市であったシチリアのシラクーサも支配下においていた。

私は一九七五年と一九七九年のサハラ砂漠縦断（第8章）を終えたあと、このカルタゴの遺跡に二度立ち寄った。夏の終わりの地中海からの風の心地よい涼しさに身を任せていると（写真25）、逆にあのいまいましいサハラの熱風を懐かしくさえ思ったものだった。ポエニ戦争の歴史を知らなければここが単なる古代ローマの対岸の

25　カルタゴの遺跡

小さな町にしか見えなかっただろう。

三次にわたるポエニ戦争は激しく、悲惨なものであった。第一次ポエニ戦争はシチリア島をめぐる戦いであった。一二〇隻の五段櫂船を繰り出すカルタゴは緒戦を有利に進める。これに対し海軍を持たないローマは苦戦を強いられた。しかし、裕福な市民たちが私財を投げ出して二百隻の同規模の船をつくり応戦した。そして激戦の結果、カルタゴの将軍ハミルカル・バルカスを降伏に追い込む。ローマがシチリアの覇権を手にして戦いはいったん終了したが、カルタゴの将軍ハミルカル・バルカスは、カルタゴ支配下のイベリア半島に撤退した後、そこを拠点に復讐の機会を伺う。

†第二次ポエニ戦争（前二一九～二〇一）

彼の死後、遺志を継いだのは長男ハンニバルであった。アフリカ象を引き連れたハンニバルのアルプス越えはあまりにも有名な話だ。彼はイタリアへの進軍中にぶつかったガリア人を味方に引き入れながら半島を席捲し、ローマに対して連戦連勝を重ねる。彼の軍事才能が遺憾なく発揮されたのは、半島東部のカンネーの戦い（前二一六年）であった。少数の歩兵と騎兵を自在に組み合わせて七万のローマ軍をほぼ全滅させたのだ。しかしローマへの道は険しかった。ローマは直接対決を避け、持久戦に持ち込む戦略をとってハンニバルの軍が消耗するのを待った。ハンニバルは戦略家であるだけでなく、優れた政治家でもあったので、ローマ同盟国がローマから離反することを期待したのであるが、しかし思うように事態は進まず、その後十二年にわたってイタリア半島各地で転戦を続けねばならなかった。

ハンニバルが留守の間、ローマはカルタゴの前線基地のイベリア半島にスキピオ将軍を進攻させる。彼はスペインを攻略し勝利をおさめ、さらに本拠地カルタゴに向かった。それと知り急遽帰国したハンニバルはカルタゴの郊外ザマでスキピオと対戦した（前二〇二年）。スキピオはカルタゴの象軍の進撃をかわし、カンネーの戦いでハンニバルが用いたのと同様の戦略を駆使してハンニバルを敗北に追い込む。

遂にカルタゴはすべてローマが提示する条件を全面的に受け入れ、覇権のすべてを失った。ただし「ハンニバルの引き渡し」だけには応じなかったという。彼はその後小アジアに亡命したが、ローマのさらなる追及の末に毒をあおった。六十四年の生涯であった。華々しいカンネーの戦いぶりを思うといささか物足りない人生の幕引きのようにも思えるが、飢えと寒さに耐え、兵馬とともに雪に覆われたピレネーとアルプスを越えて、ローマの大軍を包囲殲滅させた戦いぶりは世界戦史の中でも秀逸であり、今日に至るまで人々の記憶に深く刻まれている。スキピオもまたハンニバルの死と同年の前一八三年に、降りかかった収賄罪容疑を晴らすことができないまま病気で五十二年の生涯を閉じた。

† 第三次ポエニ戦争（前一四九〜前一四六）

その後ローマは再度カルタゴに戦いを仕掛け、第三次ポエニ戦争を起こす。ローマの容赦ない攻撃でカルタゴは壊滅。男は全員殺害、女子供は奴隷として売却、建物すべてが焼きつくされ、跡地には食物が育たないように塩がまかれたという徹底ぶりである。長年にわたるカルタゴ対ローマの対決は、これをもって終結した。そして前九〜二世紀にわたり地中海交易の繁栄に貢献したカルタゴの歴史も、人々の記憶から消し去られてしまった。

同じ頃、ローマはアレクサンドロスの揺籃の地マケドニアとギリシャ都市国家コリント（写真26）への征服戦争にも勝利をおさめていた。一五〇年ほどの間に、ローマは涙ぐましい統一完成国家形成への揺籃期から残虐な侵略征服国家へと変貌を遂げてしまったのだ。

† 北アフリカのローマ遺跡

ローマによって滅亡に追いやられたカルタゴの旧占有地では、やがてローマ人によって新たな街づくりが行われる。後の北アフリカ、イスラーム勢力の拠点となる

26　コリント

カイロワン（第8章参照）から一〇〇キロ余り北西に向かったところ、標高約一〇〇〇メートルの山中にマクタールの遺跡（以下一一〇頁のローマの最大領域図参照）がある。中央部には大浴場（写真27）を中心に住居跡が広がり、後述するトラヤヌス帝の凱旋門とフォルム（広場）がある（写真28）。北方のダキア（現ルーマニア）、東方のパルティア、アルメニアなどへの遠征を行い、ローマ帝国の領土を最大限に押し広げたトラヤヌス帝の名声にあやかり建てられたものである。

　同じくカイロワンより、西の地中海に臨むスースを経由して、南約八〇キロにあるエルジェム（写真29～31）をめざす。ここもカルタゴ人の居留地であった。オリーブ畑が連なり、丸々と肥えた羊が草を食むのどかな光景が広がる。バスを降りると南側に大きな円形闘技場が姿を現す。ローマのコロッセオに次ぐ大きさを誇り約三万五〇〇〇人の観衆を収容できたという。ローマのコロッセオは剣闘士たちの戦いが繰り広げられるフィールドが掘り起こされてしまっているが、エルジェム

29（上）・30（中）・31（下）　エルジェムの円形闘技場

27（上）　マクタール、大浴場と住居跡
28（下）　トラヤヌスの凱旋門とフォルム

のそれは当時のままである。しかしその闘技場建設に使われた石材はカイロワンのモスク建設に流用されてしまったという。その割には比較的原型をとどめているように見える。三世紀、後述の軍人皇帝の時代、ゴルディアヌス一世（在位二二五～二二四）の時代の建築物である。

さらにチュニスから、南に約一〇〇キロ、山間部に入っていったところにドウッガの遺跡（写真32～34）がある。ここも前二世紀まではカルタゴ支配下のヌミディア王国のマシニッサ王の所有地であったが、第三次ポエニ戦争後、ローマの支配下に組み込まれた。特に丘の最上部にそびえるゼウス、ヘラ、アテネの神殿センターが圧巻である。さらに二世紀頃には円形劇場なども完成し、街は繁栄期を迎える。後のローマ帝国の広がりを如実に物語るマクタール、エルジェム、ドウッガ、これらの街々はすべて、地中海沿岸部ではなく内陸部の平地、もしくは山地に建設されたものである。生活物資の輸送に手間暇がかかる内陸部にここまで立派な街づくりが行われたのはなぜだろうか。私はサハラ砂漠を越えて運ばれる金をめぐる交易と関連があったのではないかと考えている。これに関しては第8章で詳しく述べることになろう。

32（上）　ドウッガの遺跡　神殿センター
33（中）　円形劇場
34（下）　街中の石畳の道

†ローマ社会の変容

さてポエニ戦争をはじめとして多くの長期にわたる征服戦争は、兵士として出征した中小農民の没落をもたらした。留守中の農民の家族労働で得た収穫物は、征服地からの穀物の流入で供給過剰となり価格が下落した。その結果、彼らは土地を捨てざるをえなくなり、故郷を離れ手放された土地は貴族たち富裕階層によって買い占められた。

スキピオの孫にあたるグラックス兄弟が大土地所有を制限して無産市民に分配しようとこころみたが、富裕階層に虐殺され、改革案は消されてしまった。さらに富裕階層は征服地から連れられた奴隷による大規模農業を展開し、その利益で私兵を養成して互いに権力を争い合う。「内乱の世紀」百年の始まりである。

ここから先のローマ史のストーリーは、シェークスピアの劇作品をはじめとして数多くの小説、ハリウッド制作の映画に何度も繰り返し脚色されて描かれ、よく知られた話であるので改めて語る必要はないかもしれないが、このドラマティックなストーリーの一部を簡略に述べることにする。

6　劇的世界、内乱の世紀

「内乱の世紀」約百年の前半約五十年は、富裕階層から執政官となった平民会を基盤とするマリウスと、元老院を基盤とするスッラの激しい戦いに明け暮れる。この身分的対立は、その後のローマの政治の中心的構図となる。後半の五十年、最初に登場したのが剣奴スパルタカスの反乱（前七三～前七一）を鎮圧した大富豪クラッススと、地中海に跋扈する海賊を壊滅し一躍その名を轟かせたローマの将軍、政治家ポンペイウスであった。彼はまた小アジアからエーゲ海に至る世界を手中に収め、ローマに激しく刃向かっていたポントス（現トルコのアナトリア地方の黒海南東岸にあった王国）の王ミトリダテスをも苦戦の末に下し、さらに名声を高めていった（第1章参照）。この二人にうまく取り入って出世の道を歩みだしたのが、ユリウス・カエサルであった。「内乱の世紀」の前六〇～五三年、三者は非公式に協力関係を築きあった。カエサルは、妻に先立たれたポンペイウスに自分の娘ユリアを嫁がせる。また富豪のクラッススからは資金を借りてカエサルが乗り出したのは、今なおローマに従属しないガリア（現フランス・ベルギー・スイスなどの地域）の平定であった。これはカエサルの軍事的業績を上げる絶好のチャンスだった。軍事才能に恵まれた彼は、各地で勝利を重ねていく。そして遠征途中、何度も帰還して派手な凱旋パレードを行ったり、戦利品をばらまくなどして平民の支持を取りつけていく。

† 第一回三頭政治

クラッスス、ポンペイウス、カエサルの三人は、互いに権謀術数を駆使しながら協力関係を築いていく。これが「第一回三頭政治」と呼ばれるものである。

ガリア遠征中、とりわけ激戦であったのはアレシア（現在のリヨンの近く）におけるヴェルチンジェトリックス率いるガリア連合軍との戦い（前五二年）であった。彼はガリア諸族をまとめた強固な軍団でカエサルを何度も窮地に追い込んだが、最終的には立てこもっていた砦で百戦錬磨のカエサル軍にじわじわと絞めつけられ、遂に降伏を余儀なくされた。ヴェルチンジェトリックスは捕らえられ、ローマの石の牢獄で六年間過ごしたのち刑死した。まだ二十代半ばだった。今日フランスでは、彼はジャンヌ・ダルクとともに祖国のために戦った愛国者として祭られている。

カエサルはガリア遠征中、ローマに戦いの記録をこまめに綴っていた。それをもとに編集されたものが『ガリア戦記』で、ローマ史上屈指の名著として今日まで読み続けられている。カエサルがガリアで転戦中、クラッススがパルティアで戦死。ローマで指導者として評価されるための資産は十分であるが、軍事的業績が足りないと自覚していたクラッスス本人の焦りの結果であった。ポンペイウスの方は妻であり、カエサルの娘でもあったユリアと死別したために、もはやカエサルに対する義理はなくなった。ポンペイウスはカエサルの留守中、元老院とのつながりを強め、単独のコンスル（執政官）への道を画策し始めた。

† カエサルの時代

事態を知ったカエサルは、ローマへの帰還を急ぐ。イタリア北部のルビコン川。小さな川であるが、ここを超えてローマに向かう時、軍隊は武装を解除しなければならないという掟があった。その有名な川を目前にして渡ることをためらう兵士に彼は檄をとばした。「賽《さい》は投げられた」。カエサルの軍はローマ市中に向かった。ポンペイウスが集めた軍勢はにわかづくりの若い兵士ばかりであった。百戦錬磨の兵士を揃えたカエサルの軍には到底太刀打ちできない。ポンペイウスはアドリア海を渡って対岸のデュッラキウム（現アルバニアのドゥラス、写真35）に陣を構える（前四八年）。いったん追撃をかわしたものの次のファルサロスの戦いで大敗北を喫し、エジプトへ逃走する。

その時、エジプト・プトレマイオス朝では王位を争って骨肉の争いが繰り広げられていた。不穏な政情下、ポンペイウスはアレクサンドリア（写真36）に上陸しようとするものの、その寸前、何者かに舟上で暗殺された。彼を追跡してきたカエサルに差し出されたのは、ポンペイウスの首であった。

カエサルはここで王位を争うクレオパトラに出会う。彼女はすでに弟プトレマイオス三世とともに王位についていたのだが、二人は互いに争っていた。彼女の美貌と才智に篭絡されたカエサルは、クレオパトラの側について彼女を改めて王位につけた。彼女はカエサルとの間に子供をもうける。エジプトをも掌中に入れたカエサル絶頂の時である。カエサルは元老院を武力でおさえこみ、唯一人のコンスル

35（上）　ドゥラス（現アルバニア）
36（下）　アレクサンドリア（エジプト）

（執政官）、そして終身の独裁官となった。旧態依然とした元老院では、拡大しつつある新しいローマに十分な対応ができなくなっていたことを、以前から指摘していたカエサルは、独裁政に近い強力な体制を構築してこれに対処しようとした。しかし、彼の独裁に反発する若い共和派の元老議員たちによってカエサルは暗殺される（前四四年三月十五日）。

† 第二回三頭政治

この報復に即座に立ち上がったのが、カエサルのガリア戦役に従軍し、カエサルの右腕ともいわれたマルクス・アントニウスであった。彼は元老院の前で暗殺直後に血にまみれたカエサルのトガ（白長衣）を掲げながら、不安におびえるローマ市民に向かってカエサルの遺書を読みあげる。遺言は、後継者にはカエサルの養子（姪の息子）であるオクタヴィアヌスを、また財産の一部は市民に分け与えるというものだった。市民はこれに鼓舞され、ブルータスをはじめとする暗殺者の家々に火を放ち彼らをローマから追放した。アントニウスは、後継者が自分でなかったことに内心落胆しながらも、遺言によってカエサルの養子となったオクタヴィアヌスとともに暗殺者たちを追い詰め、マケドニアで彼らを討ち取った（前四二年、フィリッピの戦い）。

アントニウスはオクタヴィアヌス、レピドゥスと「第二回三頭政治」を立ち上げ、さらに軍事業績をあげようと東地中海に遠征する。その帰途、クレオパトラと出会ってしまう。アントニウスは、キケロによると、「肉体が丈夫なだけがとりえの無教養で酒と女にバカ騒ぎする剣闘士なみの男」だったらしい。

† エジプト征服

アントニウスは、せっかく獲得した領土を元老院の承認なしにクレオパトラに与えてしまう。ローマ市民の怒りは大変なものだった。ここで立ち上がったのがオクタヴィアヌスだった。彼はギリシャ東部沖、アクティウムの海戦

（前三一年）でアントニウス・クレオパトラ連合軍を打ち破る。ここにクレオパトラを最後の女王としたエジプト・プトレマイオス朝は滅亡し、ローマの支配下に入った。

ローマに凱旋したオクタヴィアヌスは、三頭政治を復活することなく、共和政への復帰宣言をして、政策決定の権限を元老院に返還した。これに感激した元老院はオクタヴィアヌスにプリンプチェプス（第一人者）、インペラトゥール（最高司令官）、アウグストゥス（尊厳なる人）などの称号を次々と与える。これに気を良くしたオクタヴィアヌスはカエサルの構想を実現するため帝政を打ち立てる。皮肉なことに共和政復帰は共和制自滅への道となり、強力な権力を手に入れたオクタヴァアヌスは、ローマ帝国初代皇帝アウグストゥスとなる（写真37）。

37　アウグストゥス像

7　ローマ
——帝政の時代——

† パクスロマーナ（ローマによる平和）

アウグストゥスの時代に首都ローマは美しい街に変貌していき、永遠の都の基礎が築かれた。属州からは莫大な富と奴隷がローマに流れ込み、ローマ市民は無償で食料を与えられ労働から解放された。彼らの政治への関心をそらせるため、巨大な競技場や大浴場などの娯楽施設も各地で次々につくられていった。「パンとサーカス」を与えられた市民は、剣闘士の戦い、宴会、浴場での雑談などで一日の大半を過ごした。剣闘士は特別に訓練された奴隷で、内乱の時代に市中で暴れまわったスパルタクスも養成所を脱走した剣奴だった。アウグストゥスの時代に首都ローマは見事に整備され、帝政国家の礎が築かれる。アウグストゥスから五賢帝の時代までの約二百年をパクスロマーナ（ローマによる平和）の時代という。「私は粘土のローマを受け取り、大理石のローマにして返した」と自画自賛の言葉を残し、紀元後一四年、アウグストゥスは死去した（写真38・39）。

　アウグストゥスの時世、後年歴史を大きくぬり変えることになる事件が二つ起こった。その一つは北方でゲルマン民族が反乱を起こした。紀元九年、現ドイツの北西部トイトブルクでローマの三軍団が全滅。かろうじて防備だけは保つことはできた。もう一つの出来事は帝国の片隅にあるユダヤ属州のエルサレムの近郊ベツレヘムで、のちにキリスト（救世主）と崇められるイエス・キリストがひっそりと誕生していたことである。

　ではこのあたりでいったんローマを離れてキリスト教、ユダヤ教、イスラームの聖地エルサレムに足を向けてみよう。

38（上）・39（下）　アウグストゥスの墓
（38：1976年撮影、39：2015年撮影）

8　エルサレム
——聖地の世界——

　一九八九年、イスラエルのベングリオン空港では、入国時の厳しいチェックを予想していたが、完全にフリーパス。スタンプはパスポートにではなく、出入国カードに押された。パスポートにイスラエルの入国スタンプがあれば、エジプト以外のアラブ諸国への入国は認められないからだ。空港からエルサレムまでの約四五キロ、バスで約一時間走る。新市街にあるホテルに荷を置き、早速旧市街に。周囲四・五キロの城壁に囲まれた旧市街には多くの門がある。現在の壁は十六世紀オスマン帝国のスレイマン帝時代に築かれたものである。まずヤッフォ門（写真40）から中に入る。

† エルサレムの聖地

壁内一平方キロメートルの内外にはキリスト教、イスラーム教、ユダヤ教の聖地がひしめいている。各教徒はそれぞれ割り当てられた地区に住んでいる。門を入ってすぐ左にあるのがキリスト教区にあるゴルゴダの丘の聖墳墓教会（写真41）で、イエスが十字架にかけられた場所の上に建てられたものだ。内部は正教風な装飾がほどこされている。ギリシャ正教、アルメニア使徒教会、ローマ・カトリック各派による共同管理が行われているが、礼拝は各自の形式で行われている。この小さな建物と敷地内の礼拝所では所有区画をめぐって諍いが絶えないという。さらにエチオピア教会、コプト正教会なども所有権を主張するが、各宗派の間にはステイタス・クオと呼ばれる現状維持の取り決めがあり、現在この縄張り争い

40（上） ヤッフォ門
41（下） 聖墳墓教会

エルサレム市街図

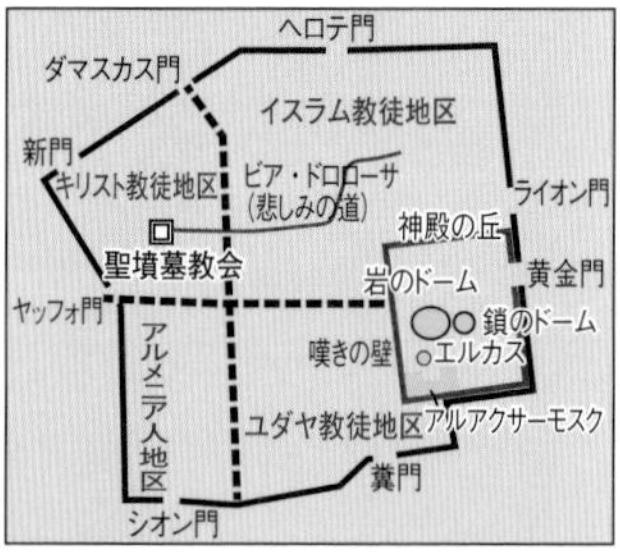

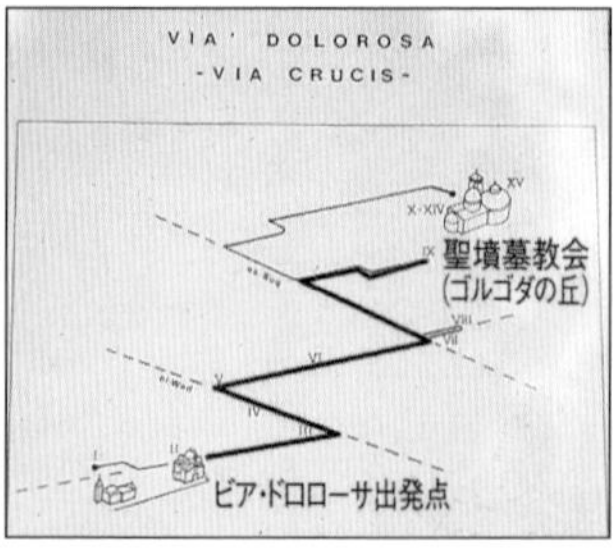

ビア・ドロローサの地図
（現地撮影）

は取りあえず沈静化されているとのこと。キリスト教の聖地は俗の極みでもあるようだ。

イエスが十字架を担いでのぼった約五〇〇メートルの坂道（悲しみの道、ビア・ドロローサ）の出発点はイスラーム地区にあり、ここでイエスは裁判にかけられた。現在は小学校になっている（写真42）。道の両側にはアラブ人の商店が並ぶが、シャッターは下ろされたままだ（写真43、エルサレム市街図参照）。世界中から沢山の巡礼グループがここにやってきて、それぞれ祈りを唱えながら一歩一歩登りイエスの受難を追体験している。キリスト教徒にとってここは巡礼のハイライトになるのだが、俗人の私といえば、歩きながら思い浮かべるのはせいぜい映画『ベン・ハー』や『偉大な生涯の物語』に出てくるイエスの姿ぐらいである。

丘の向こうを見ると、ひと際目立つ黄金の屋根の建物がある。岩のドーム（写真44）だ。ここはもとユダヤ王ソロモンによって建てられた大神殿だったが、ローマ軍によってほとんどが破壊されてしまった（七〇年、第一次ユダヤ戦争）。神殿の西側だけが残され、これが現在の嘆きの壁となっているところである。今も熱心なユダヤ教

44（上）岩のドーム
45（下）嘆きの壁

42（上）イエスの裁判が行われた所
43（下）ビア・ドロローサ

徒たちが、滅びた神殿を偲んで祈りを捧げる（写真45）。ドームの中には、ユダヤ・キリスト・イスラーム共通の始祖であるアブラハムが、生贄として息子イサクを神に捧げようとした岩の台があり、これを取り囲むように建物が造られている。またイスラームの開祖ムハンマドは、天使ガブリエルに導かれここから昇天したとされている。そのためイスラーム教徒にとってもここは重要な聖地である。このドームはイスラーム、ウマイヤ朝第五代カリフ、アブドルマリクによって建てられたものだ。建物はイスラーム教徒によって、嘆きの壁だけはユダヤ教徒によって管理されている。

シオン（エルサレムの古代の名）門から出たところがシオン山で、聖母昇天教会がある。ここにはユダヤ最初の王ダビデの墓があり、二階は、イエスが殺される前夜、弟子たちと過ごした最後の晩餐の部屋（写真46）である。重々しい石造りの部屋でミラノのサンタ・マリア・デル・グラツィエ教会に描かれたあの有名なダビンチの壁画「最後の晩餐」（写真47）のイメージとはずいぶん違う。これはルネッサンスの頃になると、小アジアから伝わってきたキリスト教は、すっかりヨーロッパのものになってしまい、画家たちが想像する聖書の世界も、西洋風なものになってしまった。そして私たち日本人も、ヨーロッパ経由で入ってきたキリスト教を、あたかも西洋の宗教であるかのように印象づけられていることによるものかもしれない。

46（上）　最後の晩餐が行われた建物
47（下）　サンタ・マリア・デ・グラッツィエ教会の食堂の壁に描かれた壁画（修復前、ミラノ）

† ソロモンとシバの女王

ダビデの息子ソロモンの時代（前九六〇～九二二）、ユダヤ人の王国（ヘブライ王国）は最盛期になる。ソロモンはイエスの祖先であると聖書はいう。「南の国」のシバの女王は、賢王の誉れ高いソロモンの噂を聞き、乳香などの宝物をたずさえてエルサレムにやってきた。そしてソロモンとの間に子をもうけた（ソロモンの死後ユダヤは北のイスラエル（前九二二～前七二二）と南のユダ（前九二二～前五八六）に分裂）。

話は少々飛ぶが、このエルサレム訪問の四年前、イエメンが統一される前の一九八五年のことになるが、北イエメンにあるこの伝説の女王の宮殿跡を訪れた。標高二三六〇メートルの首都サヌアから山道を下り、ルブ・アルハリ砂漠の西端を走り古代にダムが建設されていたマアリブ（写真48）へ向かう。しかし、ここからは移動手段がない。思いきって通りがかりのランドクルーザーを運転していた、腰にジャンビア（イエメンの伝統的短剣）を巻き付けたイエメン人（写真49）たちに頼み込んで、宮殿跡（写真50）までに連れていってもらった。荒涼とした丘に突如数本の角柱が突き立って現れる。砂だらけになりながら遺跡に近づき、いにしえの伝説に想いを馳せる。その後宮殿は発掘作業を経て、現在は立派な姿になっているとのこと。

また近くは二〇一二年、エチオピアの北部にある古都アクスムを訪れた時、ここでもシバの女王の宮殿（写真51）

48（上）マアリブのダム
49（下）イエメンの男たち

50（上）シバの女王の神殿（イエメン）
51（下）アクスム（エチオピア）にあるシバの女王の神殿

にお目にかかった。エチオピア王国の初代の王メネリク一世は、ソロモンとシバの間に生まれた子であるという。さてイエメンとエチオピア、どちらが本物だろうか。それとも「南の国」とはイエメンからエチオピアにわたる広範囲を指したものなのだろうか。

†ベツレヘム――イエスの生誕の地

城壁内外にはその他にも見どころが多くあり、あちこち見てまわった。次はイエスゆかりの地に急ごう。壁門の一つダマスカス門からバスに乗り、イエス生誕の地ベツレヘムに向かう。南西に七キロほど走ると、小高い丘の上に家々が現れる。ベツレヘムの町だ。バスを降りて少し歩いていくと聖降誕教会（写真52）がある。イエスが誕生したとされる厩の洞窟の上に建てられた教会だ。こちらもキリスト教各派の共同で管理されている。大理石柱が連なる廊下を通っていくと中央正面に祭壇があり、その下にイエスが生まれたとされる洞窟がある。岩壁にはひっそりと小さな十字架がかけられていた（写真53）。

教会から出ると、何やら外が騒がしい。アラブ人多数が住むここベツレヘム（写真54）では、たびたびイスラエルの兵士や警官に対する投石事件が起こる。私が外に出る直前に衝突が起こったらしい。イスラエルの兵士が完全武装で通りを走り回っている。二千年前の世界から

52（上）　聖降誕教会（ベツレヘム）
53（下）　イエスの誕生地の上に描かれた十字架

54　ベツレヘムの街

急に現実の世界に引き戻された。

†ナザレ、ガリラヤ湖——イエス伝説の始まり

翌朝、イエスが青少幼年時代を過ごしたナザレと、ガリラヤ湖に向かう。ナザレの町にはマリアが大天使ガブリエルより受胎を告げられた受胎告知教会とイエスが成長した家（写真55）の上に建てられた聖ヨセフ教会が並んで建っている。

ナザレからガリラヤ湖へ向かう途中、うとうとしているとバスの乗客から歓声が起こった。急いで窓の外を見ると、あたりは荒れ果てた土色の丘陵地帯。ヨーロッパからやってきた十字軍が、エジプト、アイユーブ朝イスラーム軍を率いるサラディンに惨敗したヒッティーン戦い（一一八七年）の古戦場（写真56）にさしかかっていた。イスラーム軍は枯れ草に火をつけ、十字軍を丘の上に追い詰め壊滅させた。この戦い以後、十字軍はもはやエルサレムを奪回することはできなかった。十字軍兵士とイスラーム戦士が入り乱れて死闘を繰り広げる戦いの様子が映画『キングダム・オブ・ヘヴン』（二〇〇五年、アメリカ、リドリー・スコット監督）で生々しく再現されている。

55（上）　イエスと家族の住居跡（ナザレ）
56（下）　ヒッティーン

57（上）　ティベリアとゴラン高原
58（下）　ガリラヤ湖

ガリラヤ湖畔にティベリアという町がある。ローマ帝政第二代皇帝ティベリウスの名を冠したこの町の北側に茶褐色の剥げた大地が広がっている。ゴラン高原（写真57）だ。一九六七年、第三次中東（六日）戦争後、イスラエルがシリアより奪って、占領した地域である。ティベリアから船でガリラヤ湖（写真58）を北上する。陽光がさんさんと湖面に輝き、すがすがしい風景が広がる。ここガリラヤ湖のほとりでイエスの伝道の旅は始まった。

現在のイスラエルとゴラン高原

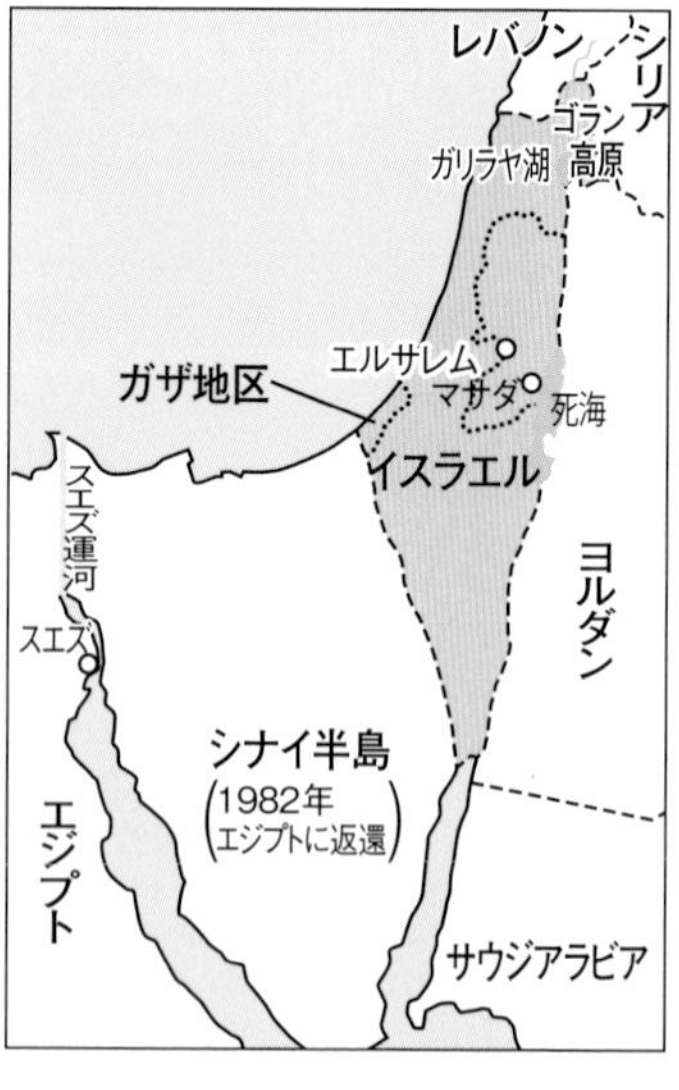

† イエス磔刑と死海

彼はなぜ殺されたのか？　そしてなぜ神となったのか？　ユダヤ教とは、モーセの十戒をもとにした教えであるが、その律法は次第に人々を束縛し抑圧するものとなっていった。イエスはそれを厳しく批判し、律法の尺度で罪人とされた人々――徴税人、難病や身体に障碍を持つ人々、娼婦たち――に語りかけ癒しを与えながら湖をめぐっていく。漁夫ペトロたちは、弟子となってイエスに従ってともに伝道をする。イエスの評判はエルサレムにまで広がり、それを妬む大祭司たちは、イエスを抹殺するため奸計をめぐらし彼をローマ帝国への反逆者に仕立て上げた。

イエスが磔刑に処せられ葬られた三日後、様子を見にきた女性たちが墓穴で見たのはイエスがまとっていた亜麻布だけだった。すると突然天使が現れ、「あの方はここにはおられない。死から復活された。」といった。弟子たちは、はじめそれを信じることができなかったが、彼らの前にイエスが再び現れたことにより回心し、そして復活の証言者となって地中海沿岸の旅に出かけていった。

「自分にしてもらいたいことを他人にもしなさい」「隣人を愛しなさい」など、ガリラヤ湖のほとりで語られたイエ

スの言葉は、その後福音書に記され黄金律となって、ヨーロッパ社会に広がっていった

　ヨルダン川（写真59）は、ガリラヤ湖から流れ出し死海に通じる。イエスはこの川で洗者ヨハネより洗礼を受けた。ヨハネは、堕落したユダヤ教を批判する原始教団に属しており、ヨルダン川周辺で人々に洗礼を授けながら「悔い改めよ」と教えていた。イエスの思想の原点はヨハネにあるといえる（イエスの宣教の第一声「悔い改めよ。天国は近づいた。」マタイによる福音書四）。

　死海は大地溝帯（死海からアフリカ南部マラウイのニアサ湖に至る全長七〇〇〇キロに及ぶ大断層地帯。図参照）にあり、海面下三八五メートルにできた湖である（地図参照）。岩盤の塩が溶け出し、海水の濃度は通常の六倍にもなる。湖水に浸かってみるとぽっかり体が浮かび上がった（写真60）。途端、前日ヨルダン川で足を滑らせた時の傷に強烈な痛みが走り、のたうちまわると今度は目にも塩水が入り散々な

大地溝帯（グレートリフトバレー）概念図

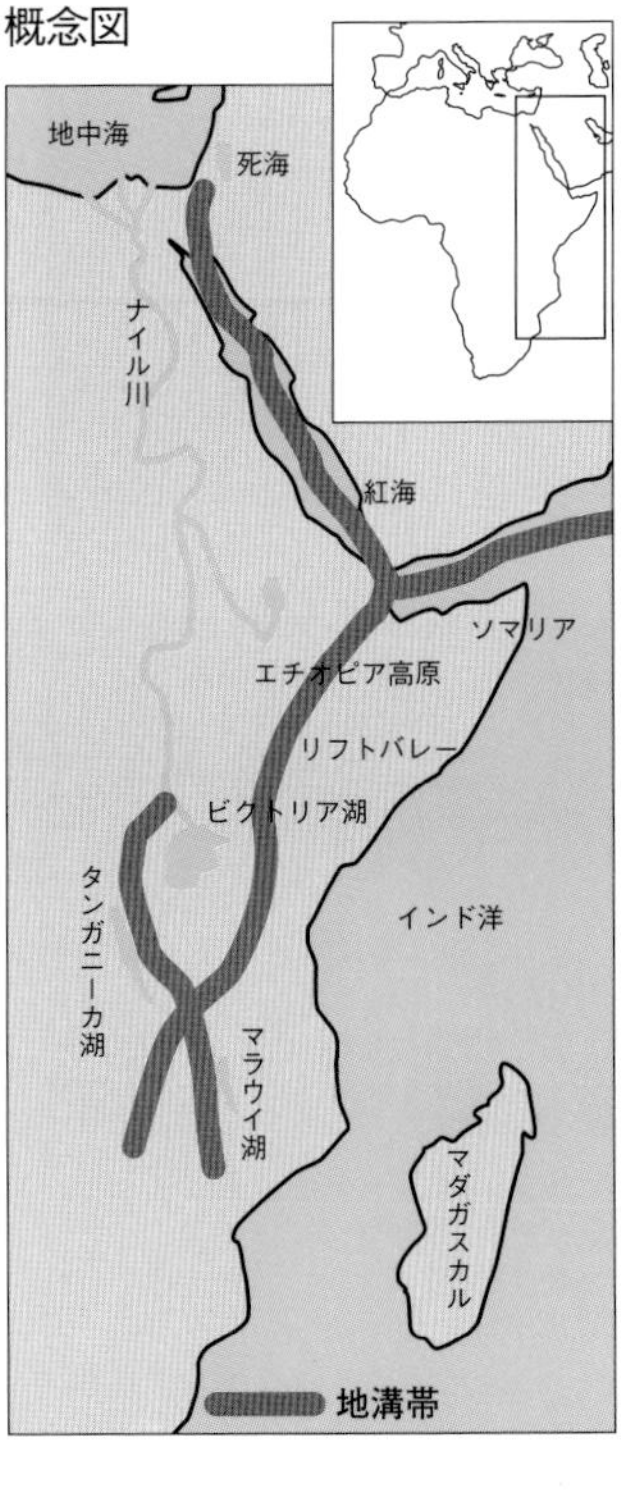

59（上）ヨルダン川上流部
60（下）死海

水遊びになってしまった。

†第一次ユダヤ戦争——マサダの戦い（七〇〜七三）

旅は死海をさらに南に進む。いよいよマサダの要塞に近づいてきた。多神教を信じるローマ帝国において、ユダヤは唯一の神を信じる特殊な地域で、ユダヤ人は納税を拒否するなど、ローマと絶えず摩擦を起こしていた。皇帝ネロの時代にユダヤ人征伐を命ぜられた将軍ウェスパシアヌスは、ネロの死後皇帝（在位六九〜七九）となり、ユダヤ戦役を息子ティトスに委ねた。ティトスは、エルサレム制圧をめざし、まずその周辺地域から攻撃を始めた。次々に街はローマの手に落ち、数か月後ついにエルサレムは陥落。街に火が放たれ大神殿は炎上した。ローマ兵士は神殿の宝物を略奪してローマに持ち帰った。多くの人々が殺され、生き残った者は奴隷として売られた。わずかではあるが抵抗を続けた者もいた。過激派「熱心党」のメンバー九五〇余名は、死海の南方にあるマサダの

61（上）　マサダへのロープ・ウエイ
62（中）　ローマ軍が築いたスロープ
63（下）　マサダの砦

砦に立てこもって徹底抗戦をした。砦は四方絶壁の山頂にあり、荒涼とした砂漠にそそり立つ天然の要塞である。攻めあぐねたローマ軍は、捕虜のユダヤ人を使って砂を運ばせスロープをつくり始めた。三年をかけてようやく頂上にたどり着いたが、しかしローマ兵が砦に突入する直前、女性や子供を含むほぼ全員が集団自決を遂げていた。わずかに生き残った者からの聞き取りによって『ユダヤ戦記』が記され、この出来事は後世まで広く知られるようになった。

現在は頂上までロープウェイ（写真61）で登ることができる。砦の西側には今もローマによってつくられたスロープ（写真62）が残されている。東は荒野の向こうに死海を望む壮大な絶景が広がるが。しかし砦の中（写真63）に入ると、マサダの悲劇を知る者にとって、ここは鬼気迫るものを感ぜずにはいられない。この戦いによって第一次ユダヤ戦争は終決する。マサダの悲劇によって、やがてこの地はユダヤ人の聖地となり、世界遺産にも登録されている。

† 第二次ユダヤ戦争——ユダヤ人がエルサレムから追放される

第一次ユダヤ戦争後のハドリアヌス帝時代（後述）、エルサレムはローマ植民市として再建されたが、再びこの地からローマに対する反乱が起こった。第二次ユダヤ戦争（一三二～一三五）である。またエルサレムの住人はすべて虐殺される。それ以後ユダヤ人はエルサレムに入ることは決して許されなかった。しかし年に一度、第一次ユダヤ戦争のエルサレム陥落記念日にだけ、取り壊しを免れた神殿の壁にすがって嘆き祈ることだけは許された。これが現在のユダヤ教徒の聖地、前述の嘆きの壁（写真64）である。祖国を失ったユダヤ人たちは、その後世界を放浪することになった。二十世紀半ば、ローマによる虐殺をはるかに上回るナチス・ドイツによるホロコーストの犠牲となる運命を誰が予想しえただろうか。今日もユダヤ教の聖典タルムードを片手に壁にすがりつき、祈

64　嘆きの壁

り続けるユダヤ人は皆、民族の悲惨な運命を背負っているのだ。

† 再びエルサレムにて

ユダヤ教、キリスト教、イスラーム教、各々の聖地が隣り合わせのエルサレム。これほど接近しているのだから共存すればよいのにと思うのだが、お互い譲れない歴史を持っている。旅を終え混迷はさらに深まった。政治は妥協だが、宗教はなかなか妥協できない。両方が絡まるユダヤ教徒とイスラーム教徒の悲劇はまだまだ続きそうだ。

エルサレムに滞在していた八日間、毎晩夕食後散歩していた新市街の一番の繁華街ベン・ユダ通り（写真65）には、欧米風のあか抜けしたレストランやカフェが建ち並んで、モダンな雰囲気をかもしだし、平和な空気に満ちている。しかし、若い男女が皆銃を持っていることには少し驚く。周囲を敵対するアラブ諸国に包囲されているイスラエルにすれば、自衛のための国民皆兵制なのだから当然なのかもしれない。しかし、ユダヤ人にとっては約一八〇〇年に及ぶディアスポラを生き延び、ようやく手に入れた約束の土地であっても、かたや三千年以上この地に住み続けてきたパレスチナの人々を武力で追い出してよいものなのか。

65　ベン・ユダ通り（エルサレム）

† イスラエルによるエルサレム占領

第一次世界大戦中の一九一七年、イギリスは戦争継続の資金供出をユダヤ人財閥に頼ったため、その見返りに、パレスチナにユダヤ人国家の建設を認めるというバルフォア宣言を出した。これは一九一五年のフセイン・マクマホン協定（戦後、オスマン帝国から取り戻した土地をアラブ人に与えるというもの）、一九一六年のサイクス・ピコ条約（オスマン帝国から取り戻した土地を英仏で分割するというもの）とともに、相互に矛盾し、後の中東の政治的混乱の原因ともなったイギリスの三枚舌といわれる政策の一つであった。第二次大戦中の悲惨極まるホロコーストを経て、一九四八年、国連はパレスチナにユダヤ人国家イスラエルの建設を認めたが、これは当時パレスチナに住んでいたアラブ人たちを追放することを意味していた。その直後の第一次中東戦争、続いて起こった一九五六〜五七年の第二次、一九六七年の第三次、一九七四年の第四次中東戦争でイスラエルとパレスチナは領有地をめぐる争いを繰り返してきた。

一九八七年よりパレスチナでは、インティファーダと呼ばれるイスラエルに対する住民による抵抗運動が始まった。この抵抗運動は、ビア・ドロローサでも見られたような商店の閉鎖、デモ、イスラエル商品のボイコット、税不払いなどの非暴力の形態で行われ、イスラエル治安部隊に対しては、銃器を使用せず、投石などに戦術を限定するものであった。しかしその後、ノルウェーの仲介によってＰＬＯ（パレスチナ解放戦線）と、イスラエル政府との暫定自治協定が結ばれ、和解への道が開かれたかに見えたが、ラビン首相暗殺後のイスラエルに首相として強硬派のシャロン、ネタニヤフらが出てくるに及んで、再度対立に火がつき現在も依然として激化の一途をたどっている。

かって新市街はイスラエルに、旧市街はパレスチナ（イスラエル建国時はヨルダン領、五〇年代以降パレスチナ人が移住）に属していたが、一九六七年の第三次中東戦争でイスラエルがパレスチナに勝利してから、旧市街も彼らのものとして、エルサレムを新しいイスラエルの首都と宣言した。しかし国際連合をはじめとする国際社会はこれを認めず、首都はテルアビブとした。パレスチナ側は、エルサレムの東部を自分たちの首都と主張している。イスラエルと国交を持つ国々も、テルアビブに大使館や領事館を置いていた。

二〇一六年十二月、国連安保理はイスラエルのパレスチナ占領地への入植活動を国際法に違反しているとして、東エルサレムを含む占領地でのすべての入植活動を中止するよう求める決議を可決した。しかし二〇一七年、前年にアメリカ大統領選に勝利したトランプは、親イスラエルの立場から、この決議を翻すかのようにエルサレムをイスラエルの首都として承認した。さらに安保理でのアメリカに対する非難決議は、アメリカの拒否権で否決される。パレスチナのアッバス大統領は、このエルサレムをイスラエルの首都とする案を「歴史のごみ箱に投げ捨てる」と拒否し、これまでに何度も繰り返された相互の和平提案は白紙に戻るどころか、大きく後退してしまった。パレスチナの地に平和が訪れる日は永遠に訪れないのであろうか。

9　ローマ、最盛から衰亡へ

さて、再びローマの歴史に目を向けてみよう。アウグストゥスの直属の血統は途絶えていたので貴族の名門クラウディウス家のティベリウスが第二代皇帝となる。第三代のカリギュラ、第五代のネロは暴虐な皇帝としてよく知られている。しかし多少の混乱はあったものの帝国全体は元老院によってよくコントロールされていたので、大きく乱れることはなかった。

†帝政前期

初代皇帝アウグストゥスから数えて第五代目の皇帝が暴虐な皇帝として有名なネロ（在位五四～六八）であった。ギリシャ文化に心酔して、芸術家を気取って円形劇場で自らの歌を観衆に聞かせたりする一方、母、弟、妻を次々殺害したうえ、ローマの大火事のあとは映画『クオ・ヴァディス』（マービン・ルロイ監督、アメリカ、一九五一年）にも描かれていたようにキリスト教徒を大迫害したことでもよく知られている。これらの目に余るネロの行状に、彼の抹殺を図ろうとする元老院の追っ手を逃れるも最後は自殺に追いやられる。

ネロの後に立った三人の皇帝、ガルバ、オトー、ヴィテリウスが権力

66　ティトスの凱旋門

争いや、内部対立などで相次いで殺害されたあと帝位に着いたのは、フラウィウス家のウェスパシアヌスであった。「エルサレム」の項でも述べた「第一次ユダヤ戦争」でネロの命令下ユダヤ討伐に向かった将軍であった。彼は次の皇帝となる息子ティトスとともにエルサレムを陥落させ、ユダヤ人残存兵力をマサダに追い詰めて集団自殺に追いやった人物である。現在のローマの中心部、フォロ・ロマーノのカンピドーリオの丘から眺めて右奥に凱旋門（写真66）がある。これはティトスがローマに凱旋した時につくらせたものだ。またティトス（在位七九～八一）の統治時代七九年にはヴェスヴィオス火山の噴火によりポンペイ（写真67・68）の街がすべて埋没するという大事件があった。

✝ 五賢帝の時代

九六年に元老院議員から皇帝となったネルヴァは皇帝の世襲制度を改めるため、娘にローマ中から最も優秀な男を探し出して結婚させて帝位を継がすことにした。ネルヴァからマルクス・アウレリウスに至る五人の皇帝の統治時代は「五賢帝時代」といわれ、古代ローマが最も安定し、繁栄した時代であった。スペイン総督であったトラヤヌス帝（在位九八～一一七）の時代には、ローマの領土は最大となり、まさに地中海を帝国の内海とする大国家が築かれることになるのである。彼によるダキア（ルーマニア）遠征の様子を彫り刻んだ巨大な円柱（写真69）が現在のローマ、トラヤヌス広場の一角にそびえている。

次のハドリアヌス帝（在位一一七～一三八）は、在位期間の大半を属州視察旅行に

67　ポンペイの住居跡と街路

68　水道（現在でも使える）

費やし、国境防衛線の補強に努めた。この時点をもってローマは攻勢から守勢へと立場を変えたといえよう。しかし一三二〜一三四年、ユダヤで反乱が起こり、再び軍を派遣する。先述の「第二次ユダヤ戦争」である。この時以来、ユダヤ人は祖国を亡くし、世界各地に離散（ディアスポラ）することになるのである。ギリシャ文化に深く傾倒していたハドリアヌスはアテネをはじめギリシャ各地に長期滞在した。現在のアテネのアゴラにはハドリアヌスの凱旋門が建っている（写真70）。また現在のトルコのエーゲ海に面したエフェソスには、典型的なコリント様式の柱に囲まれた「ハドリアヌスの神殿」（写真71）がある。当時の皇帝崇拝を象徴する建物である。

次のアントニウス・ピウス（在位一三八〜一六一）の時代は、目立った戦争もなく平和な時代であった。先述の前一四九〜一四六年の第三次ポエニ戦争でローマによって灰燼に帰されたカルタゴにはその後ローマ風の街が建設され、その中央にはアントニウス・ピウスの大浴場跡（写真72）を見ることができる。

五賢帝時代の最後を飾るのは、『自省録』の著者としてよく知られる哲人皇帝マルクス・アウレリウス（在位一六一〜一八〇、写真73・74）である。第5章に

69（上）　トラヤヌスの記念柱（ローマ）
70（下）　ハドリアヌスの凱旋門（アテネ）

71　ハドリアヌスの神殿（エフェソス）

登場する中国の後漢時代（二五〜二二〇）の九七年、西域都護の班超は部下の甘英を西に派遣した。彼は東地中海のあたりまでたどり着き、この頃のローマ帝国に接したのであろう。それに対する返礼が後漢の王室に届いたとされる。差出人「大秦王安敦」はこのマルクス・アウレリウス・アントニウスではないかと考えられている。

彼の在位期間中の大半は北方のゲルマン民族の侵入に対する防備に費やされた。ローマ（特に西ローマ帝国）の滅亡原因はこのゲルマン民族侵入とされるが、マルクス・アウレリウス帝の時代にはしっかりと帝国の防備を固めていたのだ。映画『グラディエーター』（R・スコット監督、アメリカ、二〇〇〇年）の中に、皇帝とともに描かれていたラッセル・クロウ演ずるマクシムスには、実在のモデルがいた。この攻防戦で、ゲルマン系ナリステの族長を一騎打ちで倒したヴァレリアヌス・マクシミニアス将軍がその人であるといわれている。映画では、最後にマクシムスと決闘する皇帝の息子コモドゥスは実際でも闘技場に剣闘士のいでたちで現れていたという記述（E・ギボン『ローマ帝国衰亡史』一七七六年）もある。

愚帝コモドゥスとその後の三人の皇帝の後を継いだセプティミウス・セヴェルス（在位一九三〜二一一）は現在のリビア、トリポリの東一三〇キロにあるレプティス・

73（上）・74（下）　マルクス・アウレリウス騎馬像（上：1974年撮影と下：2015年撮影）

72　ローマが占領後にカルタゴの地に建てたアントニゥスの大浴場

マグナ出身である。初めてのアフリカ出身の皇帝であり、黒人の血が混じっていたかもしれない。レプティス・マグナの遺跡の入り口には、彼の功績を讃えた見事な凱旋門（写真75）が建てられ、

遺跡内部にはローマ式円形劇場（写真76・77）が海岸に面して建っている。暑さにうだる日中に観客席に座ると地中海から吹き抜ける海風が心地よい。さらにトリポリから西へ六五キロ行くと、舞台背景の壁が三層になっているサブラタの円形劇場がある（写真78・79）。

セプティミウス・セヴェルスは晩年、帝国の守りを固めるため、現在のイングランド北部ヨークに遠征してその地で亡くなる。セヴェルス帝は生前息子たちに

75　セプティミウス・セヴェルス（レプティス・マグナ、リビア）の記念凱旋門（1990年修復中）

78（上）・79（下）　サブラタ（トリポリの西）の円形劇場

76（上）・77（下）　円形劇場（レプティス・マグナ）

兄弟仲良くするようにと言い残していたが、長男のカラカラは共同皇帝であった弟ゲタを殺害して単独の皇帝となる。二一二年には「アントニウス法」を公布してローマ全土の自由民に市民権を付与するという大盤振る舞いをやったが、これは増税のためであったといわれる。当時彼が駐屯していたアレクサンドリアでは市民の間に帝の弟殺しを揶揄する歌がはやったので、カラカラ帝はこれらの市民を大量虐殺した。カラカラ帝はネロ以来のとんでもない皇帝であった。しかしローマの属州では民衆に人気があったのか、現モロッコ内陸部、メクネスの街の近郊にあるヴォルビリスの遺跡（写真80）にはこの傍若無人なカラカラ帝を記念する凱旋門（写真81）が建っている。この遺跡は北のタンジール門からは南西方向にメインストリートであるデクマヌス・マクシムス通りが伸びていて、その両側には多数の住居跡があり、往時の繁栄ぶりを彷彿とさせる。特に住居の大理石の床面に施されたモザイク模様（写真82）は当時の人々の生活レベルの高さをうかがわせる。帝都ローマは「三世紀の危機」の時代に入り、大きく揺らいでいたが、北アフリカ西辺のこの地では相変わらず裕福な生活が続いていたことがよくわかる。このメインストリートの南端にカラカラ帝の凱旋門が建っている。セプティミウス・セヴェルス帝の妃、すなわちカラカラ帝の母親ユリア・ドムナに捧げられたものだという。カラカラ帝はこの母親さえも抹殺しようとした。この帝を暗殺した近衛長官マク

80（上） アポロン神殿（ヴォルビリス）
81（下） カラカラ帝の凱旋門

82 住居跡に残るモザイク画

リヌス（元老院の推挙を得て次の皇帝に就く）はこの母親に対しても屈辱的な扱いをしたので、ユリア・ドムナは耐え切れず自害してしまう。

†軍人皇帝時代

二二六年、東方ではササン朝ペルシャがパルティアを倒し勢力を拡げていき（第2章参照）、東方からの危機が高まる。これまでは北方からのゲルマン人の南下だけを押さえていればよかったのであるが、東部防衛にも兵力を割かねばならなくなり帝国の防衛力低下が顕著になっていった。二三五～三〇五年は「軍人皇帝時代」といわれ、軍人出身の皇帝が次々と立ったが、国内は乱れ、五十年間に二十六人の皇帝のうち二十四人は殺害されるという異常な事態に陥った。この時代はまた「三世紀の危機」ともいわれる。

二六〇年にササン朝ペルシャに遠征したヴァレリアヌス帝は、敗戦の結果捕虜となり、多額の身代金を払って釈放されたがローマの名誉は著しく傷つけられた。アケメネス・ペルシャ朝時代に建造されたペルセポリスの北にナクシエ・ロスタンという大きな岩の岩壁がある。ここに歴代の王の墓が刻まれている。その下方にササン朝の王シャープール一世が馬上から、跪いて許しを請うヴァレリアヌスを

83　パルミラの四面門

ローマ帝国最大領域図

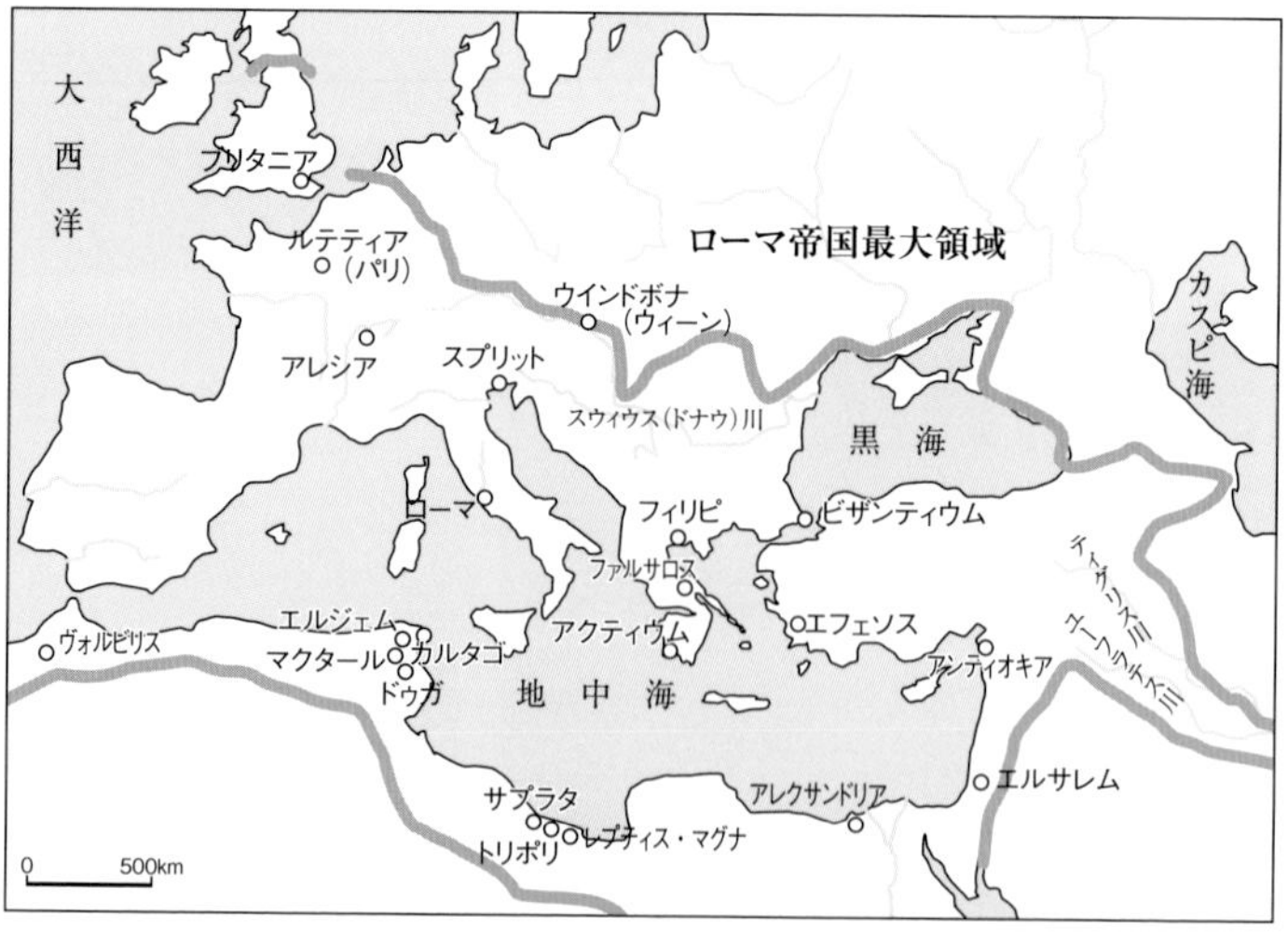

見下ろしているレリーフ（第2章写真21参照）が残っている。

屈辱のヴァレリアヌスとは逆にローマに落日の栄光をもたらした皇帝もいる。ローマに反乱を起こしたパルミラ（写真83）の将軍オデナトスの遺志を継いだ妻ゼノヴィア（女王を名乗る）を降伏させたアウレリウアヌスである（第2章参照）。

† 四帝分治制

この混乱期の事態を収拾したのが最後の軍人皇帝ディオクレティアヌス（二八四〜三〇五）である。彼は広大になりすぎたローマの全土を一人の皇帝が統治するのはもはや不可能と考え、テトルキア（四頭政）を制定して、ローマを二人の正帝と二人の副帝が統治することにした。税制を整備し、教会財産などの没収も行い帝国の財政を安定させようというのだ。賢帝といわれたディオクレティアヌスは晩年、アドリア海の北端、現在のクロアチアのスプリット（写真

84　スプリット（クロアチア）

85（右）　ディオクレティアヌス宮殿の入り口
86（左）　ディオクレティアヌス帝の胸像（地下宮殿内）

84）に引退した。今でもスプリットの街の地下には大きな宮殿跡（写真85・86）が残っている。

しかし彼の死後、帝位をめぐる争いが再燃し、これに勝ち抜いたコンスタンティヌスが帝位に就く。彼がキリスト教を公認した有名なミラノ勅令は、三一三年のことであった。ディオクレティアヌス帝の死後、キリスト教徒に対する迫害は下火になっていたが、帝位争奪戦のさなか、コンスタンティヌス帝は十字架のお告げを夢に見てこれが勝利につながったという。彼の凱旋門はコロッセオの近くに建っている（写真87）。

三三〇年、彼は東方の地への遷都を実行する。一つはササン朝ペルシャの攻撃に備えるためであったが、もう一つは異教の神々を祭る神殿が多いローマではキリスト教徒は信仰生活を送りづらいだろうというのである。この町がやがてコンスタンティノープルと命名され、東ローマ、ビザンツの首都となる。

87　コンスタンティヌスの凱旋門（ローマ）

†ローマの終焉

帝の死後再び帝位争いが続き、混乱を収拾するため、三八〇年に後を継いだテオドシウス帝はキリスト教の国教化を定める。揺れ動く人心をまとめて、帝国の支配を強化するためであった。テオドシウスの死後三九五年、ローマは東西に分裂する。これに先立つ三七五年、東方では中国で劣勢となり、トルコ系を含む諸民族を吸収しながら西へ移動してきたといわれるフン族（次章参照）が、黒海北岸に定住していたゲルマン系の東ゴート族を屈服させる。この動きに伴って、西ゴート族がドナウ川南岸の帝国領内に移住し、四一〇年には族長アラリックに率いられてローマに侵攻する。さらに四五五年ガイセリックに率いられたヴァンダル族も、ローマを陥れる。その後西ゴートはイベリア半島に、ヴァンダルはカルタゴに拠点を移すが、ローマの弱体化は誰の目にも明らかだった。ローマを震え上がらせたフン族の首領アッティラは、それに先立つ四五一年のカタラウニの決戦で、ローマ、東ゴート連合軍と血みどろの戦いに敗れ、その二年後に急死し、その勢力は分散してしまっていた。

　四七六年、ローマに臣従していた西ゴート族の傭兵隊長オドアケルが最後の西ローマ皇帝ロムルス・アウグストゥスを廃位させ、西ローマ帝国はあっけなく滅亡ということになった。最後の皇帝は捕らわれることも戦死することなく去っていったのであるから、まさにあっけなくという表現が似つかわしい。それに対して東ローマ（ビザンツ）帝国は、オスマン帝国に滅ぼされる一四五三年まで、なお約千年の命脈を保つのである（次章参照）。

　滅亡という表現さえもふさわしくない四七六年のローマ帝国の終焉、しかしそこに至るまで古代ギリシャ文化を受け継ぎ、地中海を取り囲み、世界史上にも稀なスケールの大きい多様な世界を創り出したこの偉大な国の歴史をひとまとめにして語る言葉はもはや必要ないであろう。

第4章

ビザンツ帝国と東ヨーロッパの世界

金角湾（イスタンブール）

ビザンツ（東ローマ）帝国は、西ローマ帝国と同様に地中海世界に軸足を置きながら現在の東ヨーロッパ、中央ユーラシア世界にまで大きな影響力を及ぼした。この国は一四五三年、オスマン帝国によって滅ぼされるまで千年以上の長きにわたって命脈を保った。しかしすでに世界地図から消え去ったこの帝国の姿を私たちは即座に思い描くことはなかなか難しい。

この国はどのような歴史を展開していったのだろうか。ビザンツ帝国に組み込まれ、その強い影響を受けた東ヨーロッパの国々も含めて、中世ヨーロッパの大きな歴史のうねりの中でこの帝国の興亡の歴史を見ていくことにしよう。

祈り（デェーシス）のイエス・キリストのモザイク壁画（聖ソフィア寺院）

1　ビザンツの歴史（1）

† コンスタンティノープルの陥落

一四五三年五月、オスマン帝国の二十三歳のスルタン、メフメット二世（在位一四五一～八一）はビザンツに対して、降伏する者には生命、財産に危害は加えないと通告してきた。しかしビザンツ側は誰も降伏しない。メフメットはハンガリー製の砲身八メートルの大砲を使って攻撃を開始する。しかし海からの攻撃では北東側の金角湾（写真・扉）には入り口に太い鎖が張られているため、オスマン軍の艦隊の侵入は阻まれる。そこでメフメットは夜闇に紛れて、対岸の陸地に船を運び上げ、翌朝には金角湾に艦隊を浮かべた。

五月二十九日深夜、総攻撃が始まる。最後のビザンツ皇帝コンスタンティヌス十一世は最後の祈りを済ませて聖ソフィア寺院から先頭に立ってオスマン軍に突入していった。難攻不落といわれたコンスタンティノープルはオスマン軍の無数の火砲によって無残に崩れ落ちた。戦いが終わった後、皇帝の遺体は見つけることができなかったといわれる。

四七六年の西ローマ帝国滅亡はあっけなかったが、その後約千年永らえた東ローマ帝国、ビザンツはその首都コンスタンティノープルの陥落によってこのように壮絶な、そして悲劇的な終幕を迎えたのである。

† ビザンツの始まり

三九五年、テオドシウス帝の死後、ローマ帝国は東西に分割された。長男ア

コンスタンティノープルの攻防概略図

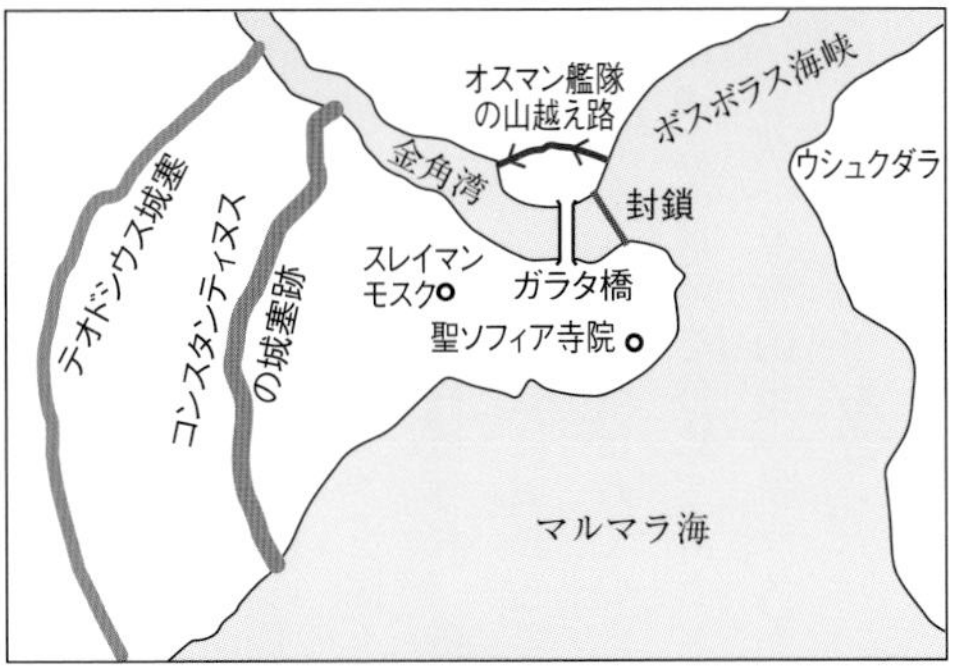

ルカディウスが東の、次男ホノリウスが西の皇帝を引き継いだ。西ローマはこの前後よりゲルマン諸国によって浸食され、もはや死に体になっており、帝国の中心は東に移行して、繁栄の中心はコンスタンティノープルであった。

東ローマ帝国の起源をいつにするかということに関しては諸説があるが、ここでは三三〇年、コンスタンティヌス帝がローマ帝国の首都をコンスタンティノープルに遷都した時点を起源とする。彼は主教座聖堂として聖（ハギア）ソフィア教会を建設した。その後三七九年、東方の正帝として就いたテオドシウス帝の時代、オベリスクを高々と配した現スルタン・アフメド広場をはじめ、いくつかの広場や街並みが整備されていった。元老院も設置され、古代ローマの伝統を継ぐ存在として都が整えられていった。この新しい都には多数の人々が集まり、大都会に成長していく。コンスタンティノープルは「新しいローマ」となり、もともとこの地に住んでいたギリシャ人と呼ばれていた人々も自分たちは「ローマ人」であると考えるようになった。コンスタンティノープルは周辺の地域を含めてもともとビザンティウムと呼ばれていたので東ローマは次第にビザンツと称されるようになる。ビザンツ帝国を「キリスト教化されたギリシャ人のローマ帝国」（井上浩一『世界の歴史』十一、中央公論社）とするのは言い得て妙である。

† フン族との戦い

この新しい帝国にとって最も悩ましいことは、もう何年にもわたりフン族と総称される中央アジア由来の遊牧民の攻撃にさらされてきたことだった。東から来た彼らは、現在のロシア、東ヨーロッパに至る広大な領域を支配していた。四世紀には、東西ローマ帝国の領域へもたびたび侵入してくるようになり、ローマ市民は「神の禍」と恐れ慄いていた。テオドシウス二世の時代（在位四〇八～四五〇）には、コンスタンティノープル西側には強靭な城壁が造られて、フン族に対する防衛に全力が注がれた。コンスタンティノープルにはすでに陸海を囲む城壁が張り巡らされていたが、さらに幾重にも壁を張り巡らせて難攻不落の都市造りに励んだ（写真1）。

しかしフン族の首領アッティラは、バルカン半島を突き抜け、ソフィアを占領し、城壁の目前まで進撃してきた。

反撃する軍隊を持たなかったビザンツは、どうすることもできずに敗北を認め、莫大な賠償金を金塊などで支払って不平等な講和条約を結んだ。

フン族はその後、西ローマにも食指を伸ばし、一時期はローマに接近し、市民を恐怖で震え上がらせた。西ではホノリウスの死後、跡を継いだヴァレンティニアヌス三世の姉ホノリアが、人質としてローマに滞在していたフネリック（ヴァンダル王国のガイセリックの息子）にそそのかされ、弟から帝位を奪う手段としてアッティラに結婚をほのめかすような文書を送りつけていた。ホノリアとの結婚に目がくらみ、持参金代わりに西ローマ帝国領土の半分を要求したアッティラには、もはやビザンツは眼中から消えうせる。しかし四五一年、カタラウニ（現シャロン・アン・シャンパーニュ）の戦いで西ローマを守る将軍アエティウスが、東ゴート族の首長テオドリックと結成した同盟軍に敗れ、その二年後の四五三年、アッティラはゴート族の女性との婚礼式中に吐血して死去する。アッティラのもくろみはあえなく崩れ去ったのだ。この一連の事件によってビザンツはフン族の侵入をまぬがれることができたのだ。

フン族とは、秦漢時代より中国を脅かし（古来、匈奴との結びつきが唱えられている）、中央ユーラシアからヨーロッパに至る広大な地域を移動、征服してきた騎馬民族である。彼らは文字を持たなかったため、その歴史はヨーロッパ側からのみ語られ、周縁の蛮族とされてしまった。しかし彼らこそが古代においては世界の中心で活躍していた民族であった。今このように書いているローマ、ビザンツ史も、フン族から見るとまったく異なった世界であったかもしれない。

1　5世紀前半に建造されたテオドシウス二世の城壁

† 初期ビザンツの最盛期

テオドシウス二世の二代後に登場したユスティニアヌス（在位五二七～五六五）は、初期ビザンツの最盛期を築いた皇帝としてよく知られる。彼のめざすところはゲルマン諸国によって奪われた領土を奪回して、古代ローマ帝国を再興することであった。まず東で敵対するササン朝ペルシャの王ホスロー一世に金塊を贈り、和平条約を交わす。次には北アフリカに侵攻し、まずカルタゴを都とするヴァンダル王国を奪還（五三三年）。同年シチリア島制圧後さらにイタリアに遠征して、東ゴート王国を倒し（五五五年）、イベリア半島東南部も西ゴート王国から奪回することに成功した。この時点でビザンツは、その後続く千年の歴史を通して最大の版図を有することになった。

この遠征の少し前、ビザンツの厳しい増税政策に対する不満から大暴動が起きた（ニカの反乱、五三二年）。身の危険を感じたユスティニアヌスが、コンスタンティノープルから逃げ出そうとした時、妃テオドラは「皇帝の衣装は最

初期ビザンツの最盛期

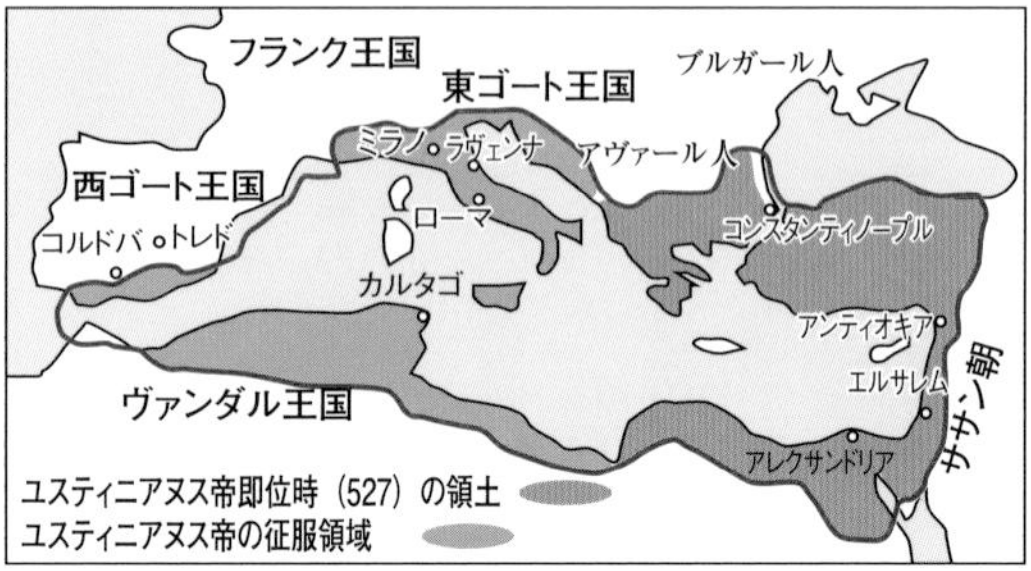

2　537年、ユスティニアヌス帝によって再建された聖ソフィア教会

3　ユスティニアヌス帝時代に創られた聖カタリーナ修道院、中にイスラームのモスクが増設されている（この背後の山が「モーゼの十戒」で知られるシナイ山であることから、キリスト教、イスラーム、ユダヤ教の聖地でもある）

高に美しい死に装束です」と叫んだ。その言葉に鼓舞されて、ユスティニアヌスは武力で反乱を鎮圧したことはよく知られた逸話である。

その後ユスティニアヌスは焼け落ちた聖ソフィア寺院（写真2）を再建し、またローマ法の集大成「ローマ法大全」を編纂し、後世にその名を不動のものとした。東方正教会（写真3、カタリーナ修道院はその一つ）も発展してビザンツ帝国の精神的支柱となり貧者、寡婦、孤児、病人などに対して福祉事業を行うことによって人々の信望を集めるようになり、またそれに伴って教会の政治的発言も増していった。

しかし成果目覚ましい領土回復と帝国の基盤強化とは裏腹に、国内では大変な事態が発生した。五四三年、エジプトに上陸したといわれるペストがコンスタンティノープルに侵入してきたのだ。ペストによってコンスタンティノープルの人口は、数年間で半分になってしまった。ユスティニアヌス帝自身もペストに罹患したが、奇跡的に死を逃れた。かつての帝国の首都ローマにも、ユスティニアヌスによる征服の戦乱に加えてこの被害が及び、ローマの人口は一時期五百人を下回ったともいわれる。

† イスラームの台頭

彼の息子ユスティニアヌス二世（在位五六五〜五七八）の時代、攻勢に転じてきた東のササン朝ペルシャとの戦いに備えて、中央ユーラシアの遊牧民、突厥と同盟を結んだことがあった。ビザンツはこの時期、成果は上げられなかったものの中央ユーラシアの歴史の一角にも食い込もうとしていたのである。

ペルシャとの戦いが長引く中、アラビア半島ではイスラーム勢力が拡大してくる。六二九年、シリア滞在中のヘラクレイオス一世（在位六一〇〜六四一）に対して、ムハンマドの死（六三二年）後、初代カリフ（後継者）となるアブー・バクルは改宗を迫る使者を派遣してきた。使者は殺害されたが、ビザンツはやがて報復を受けることになる。

ビザンツは防衛を最大の国家課題としてきたのだが、ムハンマドの死後の正統カリフ時代（六三二〜六六一）、ビザンツ軍は、守りを託されたヘラクレイオス帝の弟テオドロスが戦死して、シリア全土を失ってしまう（六三六年）。さらにアレクサンドリアも包囲攻撃され、エジプトも奪われてしまう。この後イスラーム軍は、ササン朝ペルシャの首都クテシフォン（写真4）を陥落させた。六五一年、長きにわたってビザンツを苦しめたササン朝ペルシャは滅亡に追いやられる（第1章、第2章参照）。以後ビザンツにとってイスラーム勢力が最大の敵となる。

一九八九年、私はバグダッドの南東、チグリス川東岸にあるクテシフォンのササン朝ペルシャ宮殿跡を訪れた。もはや外郭だけしか残ってはいなかったが、大きなアーチ状の屋根を頂いた建物は壮大なもので、かってはローマ、ビザンツ両帝国をも脅かした西アジアの強国の残影かと思うと寂しくなってしまった。

†東方正教会の発展

さてビザンツはキリスト教を国教として国家の権威づけとしてきたが、教義をめぐる様々な論争が巻き起こった。最大の争点は父なる神と子イエスの関係をどう位置付けるのかということであった。子イエスは父に従属するのか、対等であるのか、または二者は一体であるのか、これは当時の社会にとっては一大問題であり、ローマ・カトリックは二者にさらに精霊も加えた三位一体説をとり、その他を異端として排除した。ビザンツ世界ではそれぞれの解釈により、各派に分裂していく。

皇帝の正教会における権限は強力で、レオン三世（在位七一七～七四一）の時代には聖画像崇拝禁止令（イコノクラテス）が公布された。偶像崇拝を基本的に禁止するイスラームに対する対抗意識がありありと見える。これは後に解除されたものの、聖像の位置づけをめぐる神学論争は幼子イエスを抱く聖母マリアの立像やイエスの磔刑の十字架を崇拝

4　バグダッドの南に残るクテシフォンの遺跡

するローマ・カトリック教会と袂を分かつきっかけとなった。イコノクラテスの嵐が吹き抜ける中、ビザンツ第二の都市テッサロニキの聖ディミトリウス教会（写真5）では、柱の表面に描かれたイコン画（聖画像）が消されようとしていた。教会の修道士たちはこの柱に大理石を被せてイコン画を隠した。現在その痕跡を見ることができる（写真6）。

軍人皇帝ニケフォロス二世（在位九六三～九六九）の時代には、一時イスラームに奪われていたクレタ、キプロス、アレッポ、アンティオキアなどが奪回される。この後、キプロスではギリシャ正教のキッコー修道院が中西部のトロードス山中に建設される。内部に美しいモザイク画がちりばめた清楚な建物が今も変わらず静かに佇んでいる（写真7・8）。

しかしニケフォロス二世は妃テオファノに裏切られ寝室で暗殺されてしまう。このテオファノも、暗殺の協力者で、次の皇帝となったヨハネス一世に裏切られ島流しに遭い寂しい余生を送ることになる。テオファノの前夫ロマノス二世（在位九五九～九六三）はすでに亡くなっていたが、二人の

5　聖ディミトリウス教会（テッサロニキ）

6　残っていたイコン画

間に生まれた正嫡バシレイオス二世が次の皇帝の座に就いた。このバシレイオス二世（在位九七六〜一〇二五）こそ「ブルガリア人殺し」の異名を持つ残忍ながらかつビザンツに再度の繁栄をもたらした皇帝である。後で述べるように、彼は先頭に立ってブルガリア戦争を遂行し、ブルガリアをビザンツ帝国に併合し、同時に東部にも兵を進め、アルメニア、グルジア等の君主領を併合している。ビザンツの拡大に常に攻撃的な姿勢を維持してきたバシレイオス帝であるが、ブルガリア戦からの帰途、現在のギリシャ、デルフィの近くに清楚なギリシャ正教会を建立している。オシオス・ルーカス教会（写真9）である。バシレイオス帝のまた異なった面を見るようで興味深い。

11〜12世紀のビザンツ

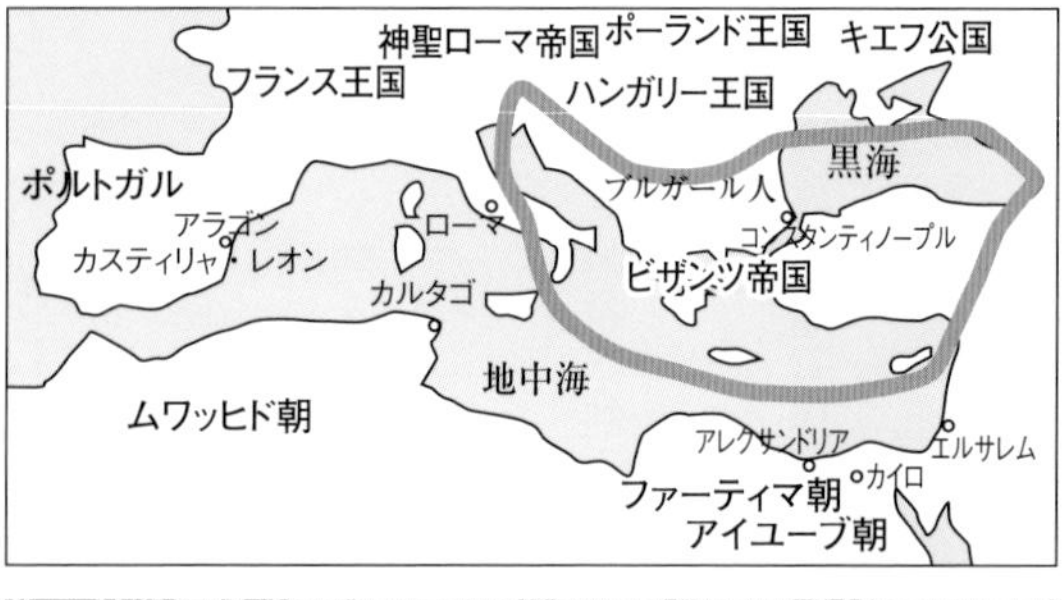

9　オシオス・ルーカス教会（ギリシャ、デルフィ）

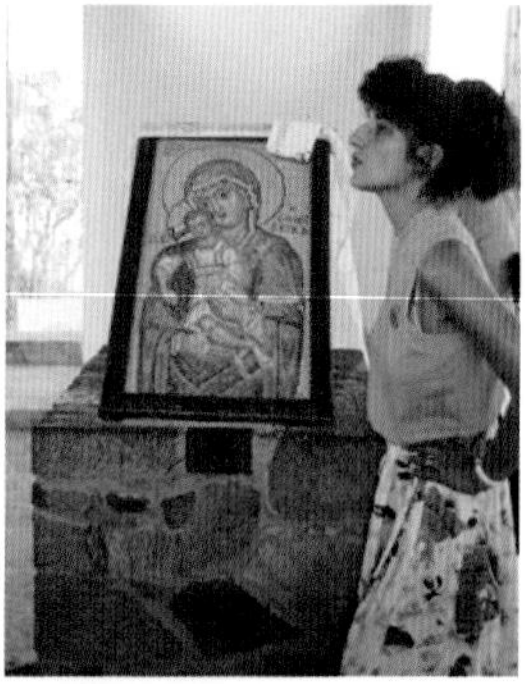

7（上）・8（下）　キプロス共和国のキッコー修道院

2 ビザンツ帝国をとりまく世界

バシレイオス帝の時代、広大な版図を回復したビザンツは、かつての繁栄を再び取り戻したかのように思われた。ここで一時はビザンツに組み込まれたブルガリア、ルーマニア、そして周辺国ハンガリーの三国、及びビザンツと深い関係を持ち続けたロシアについて、少し寄り道してみよう。

(1) ブルガリア

二〇一八年、私は東ヨーロッパの国々を訪れた。劇的なベルリンの壁の崩壊、それに続く旧ソ連の衛星諸国で巻き起こった民主化の嵐からすでに三十年近くが経っていた。これらの国々は現在どのように様変わりしたのだろう。前回訪れたのは改革前の一九八六年のことだから三十二年ぶりのブルガリアだ。当時のブルガリアは決して明るい世界ではなかった。社会主義的硬直というか、隠しようのない貧困と、何かにつけて融通の利かない重苦しい雰囲気が漂っていたものだが、今はその空気が一掃されたとはいわないまでもかなり開放的な世界に変わってきたことだけは確かである。以前はニコリともしなかったホテルやレストランの従業員が、今では営業スマイルを自然に身に着けて観光客に対応するようになった。

†ブルガリアの始まり

まずブルガリアの歴史をざっと見ていこう。五世紀の西ローマ帝国滅亡後、中央ユーラシア方面から移動してきたトルコ系のブルガール人が、東ヨーロッパ一帯に居住し始める。同時期、この地域で移動を繰り返していたスラブ人と混血同化して生まれたのがブルガリア人である。正確には人口の多かったスラブ人に吸収されたという方が正しいだろう。この国の歴史の浮き沈みはかなり激しい。まずはブルガリアと称される国がプリスカ、続いてプレスラフを中心に築かれた（第一次ブルガリア帝国、六八一〜一〇一八）。

† リラの僧院

一九八六年春、私は初めてのブルガリアの旅で、首都ソフィアから、早朝発のローカルバスで約三時間、南方に一二〇キロ離れたリラ山地の奥深い森の中に佇むリラの僧院（写真10・11）に向かった。時が閉じ込められたようなこの僧院は、第一次ブルガリア王国末期の十一世紀、修道士イワン・リルスキーによって建立された。ビザンツ様式の円屋根を支える柱や壁が白と茶で統一され、一見地味に見える外観に比して、内部はイエス・キリストや聖母マリア、聖人たちを描いたイコンや、壁画の色鮮やかさに驚かされる。この僧院に滞在中は、山間部の冷気とあいまって、終始さわやかな気分であった。

10（上）・11（下）　11世紀頃、ブルガリアに建立されたリラの僧院とその内部（1833年焼失、その後再建）

† プリスカ、プレスラフの遺跡

二度目のブルガリアの旅は二〇一八年、まずソフィアから東北東へ約三五〇キロ、列車で約六時間かけてシューメンという小さな町に向かった。さらにその郊外に足を伸ばしてプリスカ、プレスラフの遺跡にたどり着く（写真12）。

プリスカは第一次ブルガリア帝国の首都で、プレスラフはその防衛拠点であった。今はだだっ広い平原に石造りの宮殿の土台部分だけしか残っていないが、かなり規模の大きなものであったと思われる。一一八五年に再登場する第二次ブルガリア帝国の首都ヴィリコ・タルノボが周囲を山々に囲まれた地勢的条件を満たしていたのに比べると、あらゆる方向から攻め込まれる無防備な平原のど真ん中に建設されたのはどうしてだろう。

ブルガリア帝国は東ヨーロッパ随一の大国となり、常にビザンツ帝国を脅かした。第一次ブルガリア帝国は八一一年、ビザンツのニケフォロス一世（在位八〇二～八一一）の侵攻を受ける。ニケフォロス一世はプリスカを焼き払ったが、帰途待ち伏せしたブルガリア勢に襲われて戦死。兵士たちはニケフォロスの頭蓋骨を酒杯にして勝利を祝ったという逸話がある。ブルガリア人にとっては溜飲が下がる戦いであった。

シメオン一世（在位八九三～九二七）の時代、領土はマケドニア、ギリシャのペロポネソス半島にまで及び最盛期を

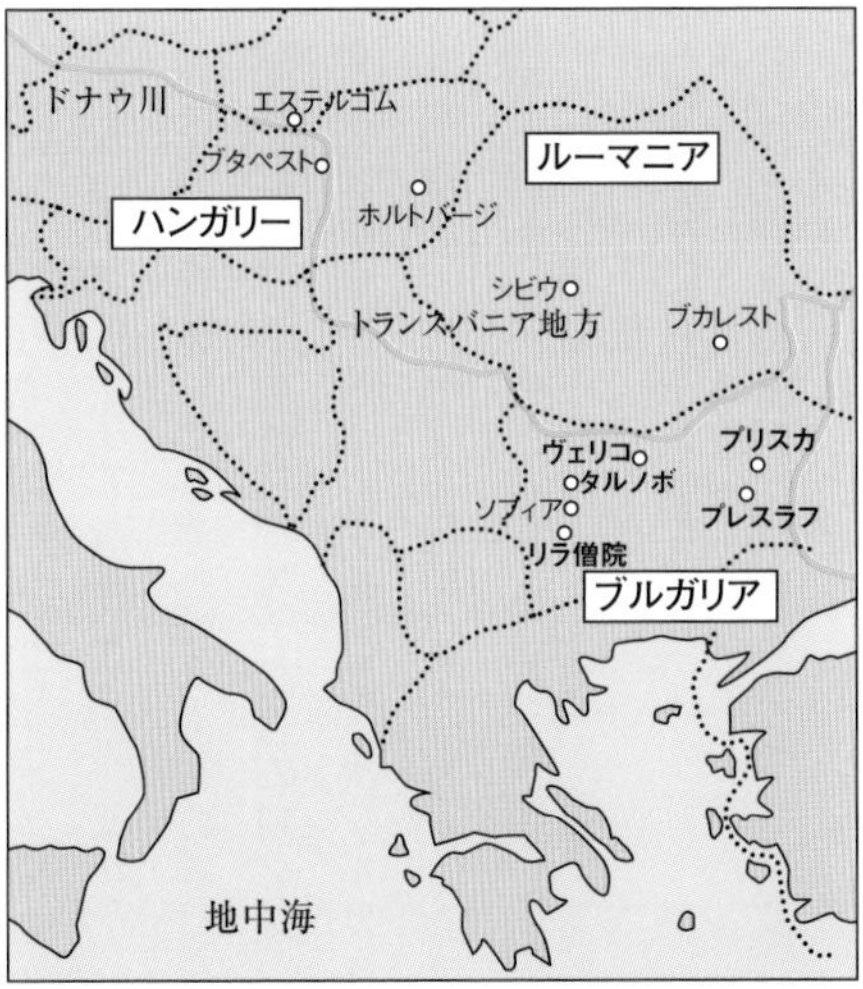

12　第一次ブルガリア帝国発祥の地。プリスカの宮殿跡

13　第二次ブルガリア帝国建国の地。ヴィリコ・タルノボ

迎えた。しかしその後バシレイオス二世率いるビザンツ軍による再度の攻撃によって敗北する（一〇一四年）。先述のように「ブルガリア人殺し」と呼ばれたバシレイオスは、捕虜にした一万五〇〇〇人のブルガリア兵を百人ずつのグループに分け、それぞれの九九人の両目をくりぬき、残りの一人だけを道案内のため片目にして国に送り返したという。戻ってきた盲目の兵士たちの列を見たブルガリア王サムイルは驚きのあまり倒れ、二日後に亡くなったという。さらに四年後の一〇一八年、第一次ブルガリア帝国はビザンツ帝国に併合され、滅亡する。

その後約一七〇年を経てヴィリコ・タルノボ（ソフィアから東方に約二〇〇キロ、写真13）でビザンツに対する反乱が続発し勝利（一一八五年）。その二年後にこの地に第二次ブルガリア帝国（〜一三九三）が誕生する。

† 第二次ブルガリア帝国

ブルガリアを東西に横切るバルカン山脈の東部に築かれた新たな首都ヴィリコ・タルノボは、蛇行するセントラ川を下方に眺める崖の上に築かれた。周辺は緑の丘が連なり風光明媚な街である。

全盛時代を極めたイヴァン・アッセン二世（在位一二一八〜四一）の時代に建造された数々のブルガリア正教会の壁には素晴らしいフレスコ画（聖ペテロ・聖パウロ教会、写真14）が残されており、当時の文化レベルの高さを物語っている。しかしこの地もモンゴル人の侵入（一二四一年）に揺れ動き、やがて一三六三年、後のティムール帝国との対決で有名なバヤジド一世率いるトルコ、オスマン帝国軍の支配に組み込まれていく。

その後長い年月を経て一九〇八年に独立するまで、彼らはオスマン帝国に抵抗し続けた。ブルガリアはトルコにとってバルカン半島、およびヨーロッパ侵攻へのきわめて重要な足掛かりとなるところに位置する。残念なことにトルコに侵略、支配された

14　聖ペテロ・聖パウロ教会のフレスコ画

五五〇年近くの間に残念なことに、ブルガリアの文化、風習、宗教、言語は著しく破壊されてしまった。

ブルガリア建国一三〇〇年を記念して国家事業として製作された『略奪の大地』（一九八一年、リュミドル・スタイコフ監督）という映画をご存じだろうか。オスマン帝国では、周囲の国々のキリスト教徒の少年を拉致して改宗させ、その後に軍事訓練を施して強力なイスラーム戦士に仕立て上げるデウシルメ（強制徴用）という制度があった。映画のストーリーは、ブルガリアの山村でオスマン軍によって拉致され、その後戦士に育て上げられた将軍カイイブラヒムが故郷の村にやってきて、かつての同郷の住民に改宗を迫るところから始る。カイイブラヒムは、拒んだ者を串刺し刑に処し、自分の父親や弟まで惨殺する。抵抗者は無残にも次々に処刑されていくが、ブルガリア人は自分たちの信仰を守り、弾圧に耐えていった。ブルガリアの国民的覚醒と独立に至る苦難の歴史を重厚に描いた大作だ。

ブルガリアは第二次大戦の時、日独伊三国同盟に味方して敗戦を迎えた。その後独立したものの、ソ連の衛星国として東側陣営の一員として社会主義国家となった。一九八九年に端を発した一連の東欧民主化の流れの中でついに共産党政権は崩壊する。

二〇一八年の首都ソフィアの街並みは、以前に比べて明るく近代化されたものの、まだ観光客も少なく、静寂な空気が漂っていた。二〇〇七年にＥＵに加盟した当時、ブルガリアはＥＵの最貧国であったが、政府は若年労働者が西ヨーロッパに流出することを防ぐため、ＩＴ産業に力を入れるようになり、現在は活況を呈しているようだ。

(2) ルーマニア

†チャウチェスクの遺産

ブルガリアの隣国ルーマニアもまた複雑な歴史を歩んだ国である。ビザンツに直接支配されることはなかったが、東西に分裂する前の古代ローマ帝国時代には、一時その支配下に入ったこともある。首都ブカレストでは前回（一九八六年）の旅では訪れることができなかった「国民の館」（写真15）の見学に出掛けた。訪れることができなかったというより、当時はまだ完成していなかったのである。チャウチェスク政権時代の一九八四年に着工されたが、その時はまだ七割ほどしかできあがっておらず、一九八九年には、チャウチェスク処刑によって建設は中断された。その後建設が再開され、一九九七年に完成した建物は、アメリカ、ペンタゴンに次ぐ世界第二位の規模を誇る代物だった。部屋数三千以上、天井、床、壁はすべて大理石の上に純金の装飾が施され、木材は最高級のトランシルバニア産のものだ。総工費一五〇〇億円をかけたといわれる成金趣味の巨大宮殿である。しかし建物内部の芸術性はもう一つで、この旅で次に訪れることになるブダペストのハンガリー国会議事堂（写真16）にははるかに及ばない。建設再開時には巨大ショッピングモールに作り替えようという声もあったが、独裁時代の反面教師として歴史に残そうということになった。

　一九八六年、チャウチェスク時代には、街のレストラン、カフェにはコーヒーも紅茶もなかった。すべてチャウチェスクが独占していたからだ。街中では闇ドルの交換に目を血走らせた若者が走り回り、治安も決して良くはなかった。しかし人々は親切で頼み事にはとことん面倒を見てくれるようなところがあった。当時の私は、ルーマニア

15（上）　ブカレストの「国民の館」
16（中）　ハンガリー国会議事堂
17（下）　トランシルバニア地方のシビウの街

はスラブ系ではなくラテン系だから熱い血が流れているのかなと単純に考えていた。しかしその後ルーマニアの歴史をさらに学ぶと諸民族と各国勢力が幾重にも重なり合い、複雑に絡み合った構造が次第に見えてきた。

ルーマニアの先住民族は、トラキア系ダキア人といわれるが、二世紀の初めの一〇六〜一〇九年、先述のローマ帝国五賢帝時代の二代目トラヤヌス帝による征服以後、ローマ人の植民が始まった。ルーマニアがラテン系であるといわれる所以である。しかしその後スラブ人と混血共存が始まり、マジャール人によってつくられたハンガリーによる西からの拡大、神聖ローマ帝国（九六二〜一八〇六）のザクセン人の入植、ブルガリアと同じくオスマン帝国による攻勢、ハプスブルク家による支配構造が幾重にも重なり、現在のルーマニアという多様性を包括した国家が形造られた。特にルーマニア中部、北西部のトランシルバニア地方は国境線が何度も引き直され、シギショアラ、ブラショフ、シビウ（写真17）などの街並みを眺めるとまるでドイツの一地方にいるかのような錯覚に陥る。

現在のルーマニアは多くの若者が西ヨーロッパ諸国に出稼ぎに行き、地方の村には老人と子供の姿しか見かけなくなったという。特に新しい産業もなく、多くの優秀な頭脳も西ヨーロッパ諸国に流れてしまった。医療現場においては、必要な医者の数が半分にも満たないという。民主化後の課題は深刻なようだ。

（3）ハンガリー

†ドナウの真珠

ハンガリーもまたルーマニアと同じくビザンツに直接組み込まれることはなかったが、前一世紀にはローマ帝国に占領された後、四世紀まで属州パンノニアと呼ばれた。四世紀後半には先述のフン族がローマ人を駆逐した。

一九八六年にハンガリーを訪れた時には、これが社会主義の国かと思うほど首都ブダペストの街には華やかさが漂っていたが、今回（二〇一八年）さらに洗練された輝きを放っていた。観光客もブルガリア、ルーマニアに比べるとはるかに多く、この二か国ではほとんど見かけなかった中国人旅行者も多く、まるでパリかプラハのような賑わいを見せていた。西のブダと東のペストの街の間を流れるドナウ川周辺の光景は、何度見ても飽きることがない。「美しき青きドナウ」という表現はウィーンよりもこの国にこそふさわしいように思われる。

†ハンガリー王国

ハンガリーは、もともとヴォルガ川とウラル山脈の間に住んでいたウラル系遊牧民に起源を持つ騎馬民族マジャール人が、九世紀の終わりにドナウ流域に移動してきてつくり上げた国である。しかし九五五年、オットー一世率いる東フランク王国（現ドイツの原形）軍に敗れる。オットー一世はこの功績をローマ教皇に認められ、神聖ローマ皇帝の称号を得る（九六二年。神聖ローマ帝国はこれ以降一八〇六年、ナポレオンによって解体されるまで存続した）。一〇〇一年、マジャール人の王イシュトバーン（写真18）が、この神聖ローマ帝国と友好関係を結び、キリスト教を受け入れ、現在のスロヴァキアとの国境、エステルゴム（西に向かって流れるドナウ川が南に大きく旋回する地点、写真19・20）で初代王としての戴冠式をあげる。これがハンガリー王国の始まりである。

18　聖イシュトバーン教会の聖なる右手の礼拝堂

20　エステルゴム大聖堂

19　ハンガリー王国誕生の地エステルゴム

21　ハンガリーの平原を疾走する騎馬民族の子孫

今回の旅ではハンガリー中央部（ブダペストから西に約五〇〇キロ）、今なお牧畜民族が生活するホルトバージを訪ねた。ブスタと呼ばれる広大な草原地帯を馬で駆けめぐった先祖マジャール人の伝統を受け継ぐ人々とも出会うことができた（写真21）。

† ユダヤ人弾圧

再びブダペストに戻り、ブダとペストの間にかかる通称くさり橋（写真22）を見ながら、以前見たハンガリー映画『暗い日曜日』（一九九九年、ロルフ・シューベル監督）を思い浮かべる。戦争の足音が近づく一九三〇年代、この橋の中央部から年若いドイツ人ハンスが飛び降り自殺を試みる。川に飛び込んで、彼を救ったのはレストランのユダヤ人オーナー、ラズロだった。ラズロは店で働くイロナという美しい女性と愛人関係にあった。しかしイロナはその店でピアノを弾くアンドラーシュにも恋をする。ラズロは煩悶の末「すべてを失うよりも半分だけでも我慢する」といって二人の関係を受け入れる。ラズロとアンドラーシュの間には不思議な友情さえ生まれ、イロナは二人の男性を同時に愛することになる。一方、ハンスもイロナの魅力の虜になり、彼女にプロポーズするが断られて自殺を図ったのであった。このような筋書きだけを書くと、単なる男女の恋愛物語のように思えるが、このストーリーの根底に流れるのは、第二次世界大戦下、ハンガリーを覆ったナチズムに対する強い怒りである。

全編を通じてシャンソン歌手ダミアが歌う「暗い日曜日」がバックに流れる。映画では登場人物アンドラーシュがこの歌を作曲したことになっている。アンドラーシュは、戦争の進行に伴いナチスの幹部となって、店にやってきたハンスに演奏を

22　ブダペストのくさり橋。手前がブダ、対岸がペストの街

無理強いされ、抵抗の自殺をする。その少し後、ユダヤ人狩りにあったラズロを助け出すためハンスに頼み込んだイロナは、その代償としてハンスに体を与える。にもかかわらずハンスは命の恩人ラズロをアウシュビッツに送ってしまうのだ。列車が出発する時のラズロの表情には胸迫るものがあった。五十年後、この店にやってきたハンスは、食事中に突然死する……。映画の冒頭はこのシーンから始まり、サスペンス調に謎を追っていき、見る者を飽きさせない。

†ハンガリーの現在

ドナウ川はこの国の歴史も男女の葛藤もすべて飲み込んでゆったりと流れてゆく。ライトアップされたブダの王宮とくさり橋の夜景をペスト側のホテルの窓から眺めていると、映画の中の人物がまるで実在していたかのように脳裏に再現されるのであった。

ハンガリーは東欧革命の端緒を開いた国であるが、残念なことに現在、強権的なオルバン首相によって独裁国家に戻りつつある。コロナ対策を口実に、首相権限を大幅、無期限に拡大延長する法案を強行採決し、ＥＵからも強い非難を浴びている。他の旧東欧諸国と同様、民主主義が危機に瀕する国の一つになってしまった。

陸伝いにアジアとつながる中・東欧の国家の歴史は、様々な民族の対立と融合を繰り返す中で幾重にも織り重ねられて陰影ある文化をつくりだしていった。これらの国々を訪れる人々は、西欧にはない歴史の襞に静かな感動を覚えるであろう。

（４）ロシア

さてバシレイオス二世の時代、中盛期のビザンチンに話を戻そう。バシレイオスが帝位に就いてほぼ十年後の九八七年、専制君主化するバシレイオスに対する不満から貴族によるクーデターが起こった。この頃ロシアでは、南下したノルマン人の一派がスラブ人と混血同化してルーシーと呼ばれる集団を形成していた。このルーシーこそがロシアの語源である。ルーシーたちがドニェプル川流域に打ち立てた国がキエフ公国であった。十世紀末、キエフ公国のウラジミール一世は、ビザンツの聖ソフィア寺院で行われた典礼に参加したロシア使節からギリシャ正教の素晴らしさを伝え聞いていたので、当時勃発した内乱に苦しんでいたバシレイオスの要請に応じて数千の援軍を送った。その結果内乱の鎮圧に成功し、バシレイオスは答礼に妹のアンナをウラジミールに嫁がせた。

　ウラジミールは、ギリシャ正教を改めロシア正教を国教と定め、国家の権威づけを行った。キエフのドニェプル川西岸のウラジミールの丘には十字架を抱く大きなウラジミール聖公像が立っている。キエフ公国はこのウラジミール一世（在位九八〇～一〇一五）の時代、最盛期を迎える。キエフの中心部ネザレジノスティ広場から北数百メートルのところにあるソフィア大聖堂（写真23）は、ちょうどその頃建てられたものだ。当初の建物はモンゴルの襲来で大きな被害を受けて、大部分は破損していたが、十七～八世紀にかけて大改修が行われた。内部、中央祭壇上のドームの天井に描かれたキリストと聖母マリアの大きなモザイク壁画はもとからのものだという。

　数ある歴史的建造物の中で圧巻なものはなんといってもペチェールスカ大修道院（写真24）であろう。ドニェプル川西岸の丘陵地一帯は、緑豊かな広大な公園になっているが、その南の一角にやはりソフィア大聖堂と同じく、キエフ公国最盛期の一〇五一年に建立されたこのペチェールスカ大修道院が建っている。中央には高さ九六メートルの大鐘楼があり、ここに上るとこの大修道院の全貌をうかがうことができる。ゆったりと流れる広い川幅のドニェプル川の展望が素晴らしい。

南側には地下墓地への入り口があり、ここから縦横に張り巡らされた地下通路に入っていく。この地下墓地には修道院の長い歴史が集約されている。ここで生涯信仰生活を送った修道僧たちのミイラ化した遺体が、聖衣をかけられて通路に沿って安置されている。厳粛な空気に包まれているため、それほどの不気味さは感じられない。一九九八年にも再びここを訪れたが、観光客が増えたためか、公開されている地下通路はやや短くなってしまったようだ。

このキエフ公国は一二四〇年、東方よりバトゥ率いるモンゴル西征軍の攻撃により破壊され、ロシアの産みの親としての使命を終える。モンゴル人による支配は、キプチャク・ハーン国としてその後約二五〇年続き、ロシアは「タタール（モンゴル）人のくびき」に苦しめられることになる。

一四五三年、ビザンツの首都コンスタンティノープルが、オスマン帝国の攻撃によって陥落。その後の一四七二年、イワン三世はビザンチン最後の皇帝コンスタンティヌス十一世の姪ソフィア（ローマに亡命していた）を妃に迎えて、ローマの伝統を継承した。イワン三世はクレムリンの地からモスクワ大公国を興し、ロシアはようやく「タタール人のくびき」から解き放たれることになる。やがてモスクワはローマ、コンスタンティノープルに続いて自称第三のローマになるというのである。

23　ソフィア大聖堂

24　ペチェールスカ大修道院（左側が大鐘楼）

3　ビザンツとローマ・カトリック

†セルジューク朝トルコの台頭

さて、ビザンツ中期の黄金時代をつくり上げたバシレイオス二世が亡くなる（一〇二五年）と、ビザンツは再度混乱と危機の時代を迎える。西ヨーロッパからの十字軍遠征も間近に迫っていた。

中央ユーラシアから西へと移動しつつあったセルジューク朝トルコは、一〇五五年にバグダッド入りを果たし、イスラーム、アッバース朝のカリフよりスルタンの称号を与えられて、さらにアナトリアからシリア方面に進出した。東の覇者はアラブからトルコに移行した。

ビザンツ軍はマンジケントの戦い（一〇七一年）でトルコに惨敗を喫する。ビザンツ皇帝ロマノス四世は捕虜となり、奴隷と同様に耳輪をつけられてスルタンの前に引き出された。一〇七七年にはセルジューク朝はコンスタンティノープルの目と鼻の先、ニケイアに首都を定め、ビザンツに対峙する。

†十字軍の遠征

この危機のさなか、ビザンツの帝位についたコムネノス家のアレクシオス一世（在位一〇八一～一一一八）は、窮乏する財政再建に奔走しながら、セルジューク朝の侵入を食い止めるため、先述のイコノクラテス（聖画像崇拝禁止令）に端を発した教会の主導権をめぐって対立が続いていたローマ教皇ウルバン二世に救いを求め

十字軍の遠征路

た。それはローマ・カトリック、ギリシャ正教共通の聖地エルサレムをイスラームより奪回することに協力をしてほしいというものであったが、しかしそこにはビザンツの敵同士を戦わせ、双方を消耗させ、あわよくば全キリスト教会の主導権を握ろうというアレクシオス一世のしたたかな戦略が秘められていた。ウルバン二世側も同じくこれをキリスト教世界におけるローマ・カトリックの優位の証とすべく、この要請に応じることにした。

クレルモン宗教会議で十字軍の結成が高々に宣言され、フランス、ノルマンの騎士を中心に約二万人が海を渡る。一〇九六年の第一回十字軍遠征であった。「聖戦」の呼びかけに熱狂した人々は「神はそれを欲し給う」と叫んだという。教会は「聖遺物と金銀、トルコの女」という餌をちらつかせ、また遠征に参加したものは今までの罪は免ぜられるとして十字軍への参加を煽った。十字軍の兵士の中には当時の社会の荒くれ者やあぶれ者も少なからずいたわけである。

十字軍は何の応戦準備もしていなかったトルコ側の占領地区を次々に奪回し、一〇九九年にはエルサレムを陥落させた。この時の六週間にわたるこの町の包囲戦で、約四万人のイスラーム教徒が虐殺された。金銀を体内に隠しているとされたトルコ人たちは腹を切り裂かれ、婦女子は凌辱され、この包囲戦は凄惨を極めたという。そしてビザンツ皇帝に忠誠を誓ったにもかかわらず十字軍兵士たちは、エルサレムに王国（一〇九九～一二九一）を建てた。

† イスラームの反撃

トルコを含むイスラーム側は、ようやく事態の深刻さを理解し、モスルの太守ザンギーを中心に統一戦線を組み、エデッサなど一部の奪われた領土を奪い返す。この救援に駆けつけようとした第二回十字軍（一一四七～四九）は、ダマスカスでイスラーム軍に撃退されエルサレムに到達することもできなかった。

第三回十字軍（一一八九～九二）は、神聖ローマ皇帝フリードリヒ、フランス王フィリップ二世、イギリス王リチャード一世ら各国の君主率いる連合軍であったが、最後までサラディン（エルサレムの項参照）と戦い続けたのは、リチャード一世だけであった。先述のように、エルサレムはすでに一一八七年のヒッティーンの戦いで、エジプト・

アイユーブ朝宰相サラディン（一一三八～九八）によって、イスラーム側に奪回されていた。しかしサラディンは十字軍の残虐行為に対する報復は一切行わず、兵士たちを船に乗せて故郷に送り返した。この寛大な行為に対しては十字軍側からも称賛が寄せられている。サラディンの墓（第2章写真33・34参照）はダマスカスのウマイヤ・モスクの裏手にあり、今でも多くの弔問客が絶えない。

続く第四回十字軍（一二〇四年）では、兵士の輸送を請け負ったヴェネツィアの商人たちの策動により、十字軍兵士が向かったのはエルサレムではなく、なんとコンスタンティノープルであった。コンスタンティノープルにあったヴェネツィア人の商業特権が、アレクシオス一世の息子、皇帝ヨハネス二世（在位一一一八～四三、写真25）によって取り上げられていたからであった。十字軍来襲の直前にクーデターを繰り返し、前帝を殺害して帝位を手に入れたばかりのビザンツの皇帝アレクシオス五世は、この攻撃を避けようと手を尽くしていたが逃亡せざるを得なくなり、しかも逃亡先で殺害されてしまう。コンスタンティノープルはこの時点で一時的に歴史の舞台から姿を消すことになる。ビザンチン様式のヴェネツィアのサンマルコ大聖堂の入り口上部に飾られている青銅製の四頭の馬は、この時コンスタンティノープルから持ち去られたものである（写真26・27）。

コンスタンティノープルを占領した十字軍は、フランドル伯ボードゥアンを皇

25　聖ソフィア大聖堂のモザイク画。左がヨハネス二世、右が妃エイレーヌ（ハンガリー王女）

26（上）・27（下）　ヴェネツィア、サンマルコ大聖堂の青銅騎馬像

帝としてラテン帝国（一二〇四～六一）を建てる。しかしラテン帝国は一一八五年、ビザンツに対して反乱を起こし、独立していたブルガリアとのアドリアノープルの戦い（一二〇五年）に敗れ、ボードゥアンは捕らえられ獄死してしまう（写真28・29）。

帝国奪回の試みは、ニカイアに落ち延びていたラスカリス家のテオドロス一世の跡を継いだ「狡猾なギリシャ人」と称されるミカエル八世パレオロゴス（在位一二六一～八二）によって達成される。ミカエル八世はその名のとおり、コンスタンティノープルの総主教を騙したり、ニカイア国の摂政を暗殺したりと権謀術数を重ねてきた人物であった。しかも一二六一年七月ヴェネツィア艦隊が黒海方面に出動した隙をねらって無人の城壁を越え、コンスタンティノープルの奪回に成功したのであった。

✝ビザンツとシチリア

イタリア半島のつま先に連なる三角の形をしたシチリア島は、地中海のちょうど真ん中に位置しているため、古代より覇権を争う周辺諸国の垂涎の的となってきた。この小さな島を一回りするだけで古代ギリシャ、ローマ、ビザンツ、イスラーム、ノルマン、神聖ローマといった各時代の歴史遺産が回り舞台のように目まぐるしく目の前に展開されてゆく。正に島ごとが博物館になっている奇跡の島といえるだろう。

ギリシャ人によってまず開かれたこの島は、ギリシャ文化を基層としてその後次々と入れ替わる支配者によって多様な文化が積み上げられていった。この島はどのような変遷を経てそれらの輝きを増していったのだろうか。数多くある文化遺産をいくつか訪れながらその歴史を紐解いてみよう。

28・29　ブルガリアで捕らわれたボードゥアン（ヴェリコ・タルノボ、第二次ブルガリア帝国時代をテーマにした展示場）

紀元前よりギリシャ人はこの島に植民都市をつくり交易活動を活発に行っていたが、シラクーサはその中でも最も重要な都市でアルキメデスの出身地でもある。その後カルタゴのフェニキア人が勢力を伸ばし、シラクーサ、メッシーナを除く全土を支配した。しかしカルタゴはポエニ戦争によってローマに滅ぼされ、シチリアはローマ帝国の属州となる。西ローマ帝国滅亡後、シチリアはカルタゴに拠点を持つゲルマン系ヴァンダル族による支配を経て、ビザンツに組み込まれる（五三三年、ユスティニアヌス帝によるシチリア征服。本章、初期ビザンツの最盛期参照）。

その後のシチリアはイスラームの侵略を受けるが、イスラームの広範囲な交易ネットワークの一員として経済的には大いに繁栄していくことになる。それと同時にイスラーム文化もこの地に根づいていく。後年、ノルマン人（北欧から南下してパレルモを攻略し、一〇七一年ノルマン王朝を興す）によって構築されたノルマン王宮やパレルモ郊外にあるモンレアーレ大聖堂を訪れると、そこにはビザンツとアラブが見事に融合した建築物にお目にかかれる。金箔のモザ

30（上）・31（中）・32（下）　パレルモ郊外のモンレアーレ聖堂のモザイク画

イクで埋め尽くされた壁面、鍾乳石飾りの天井、まばゆいばかりの輝きが交錯し、さながら宝石箱の中に入り込んだような気分になる（写真30～32）。

ヨーロッパの産業革命以前のバグダッドは世界最大の都として栄え、学問、文化、科学が著しい発展を遂げていた（第2章参照）。シチリアもアラブ、ギリシャ、インドなど様々な文化圏の影響を受け、多言語、多宗教の開放的文化を開花させていったのだ。

† フリードリッヒ二世と十字軍

さて十字軍の話に戻るが一二二八年にはローマ教皇インノケンティウス三世の再度の呼びかけによって第五回十字軍が発令される。これに気乗りしないまま応じたのが神聖ローマ皇帝でありシチリア王でもあったフリードリヒ二世（在位一二二〇～五〇）であった。彼は、神聖ローマ皇帝ハインリヒ六世とシチリア

33　パレルモのカテドラーレ（大聖堂）

34　フリードリヒ二世の墓

王女コンスタンツェの間に生まれ、幼い頃からシチリアでラテン語、ギリシャ哲学など多文化の学問をイスラームの学者によってその薫陶を受け、アラビア語も修得していた。

そしてフリードリヒ二世は、サラディンの甥にあたるアイユーブ朝スルタン、アル・カミールとアラビア語で直接手紙をやり取りして和平条約の締結を成し遂げる。これは十字軍遠征の歴史上において、初めて戦わずしてエルサレムにおける諸権利をキリスト教とイスラーム双方で公平に分担するという画期的な出来事であった。しかしこれを不満とするローマ教皇インノケンティウス三世はフリードリヒ二世を破門にしてしまう。かって皇帝がローマ教皇の権力に平伏した屈辱的な歴史があったが（一〇七七年、カノッサの屈辱）、イスラームを通して近代的視野を持っていたフリードリヒ二世はびくともしなかったという。現在フリードリッヒ二世の遺体は、パレルモのカテドラーレ（大聖堂）にさりげなく納められている（写真33・34）。肖像画がないのが残念だ。

しかしフリードリヒ二世による和平も二十年後には破られた。ヨーロッパ側からはルイ九世による第六回（一二四八～一二五四）、第七回十字軍（一二七〇～七二）が、エジプト、北アフリカに送られるが、完全な失敗に終わる。これによって二世紀に及ぶヨーロッパ中世の最大の愚行、十字軍遠征はあっけなく幕を閉じることになった。この失敗によりローマ教皇の権威は著しく失墜して、その代わりに西ヨーロッパ各国の王権が強化され、各地で商業活動が活発になり、中世ヨーロッパの歴史は大きく変動していくことになる。十字軍とイスラームの戦いを利用して、存続と発展を維持しようとしたビザンツのもくろみは完全に失敗に終わってしまった。

4　ビザンツの歴史（2）

† ビザンツ落日の輝き

さて先述の「狡猾なギリシャ人」といわれたミカエル八世の次の皇帝アンドロニコス二世（在位一二八二～

一三二八）の時代、芸術に造詣の深い傑出した文人がビザンツに登場した。その名はメトキテス。自然科学、修辞学、哲学などに通じ、人文主義運動の先駆者の一人といわれる。イスタンブールの旧市街にカーリエ・ジャーミィと呼ばれるモスク（現在は博物館）がある（写真35）。オスマン帝国によるビザンツ征服後、聖ソフィア寺院はモスクに変えられ、聖書物語として描かれたギリシャ正教のモザイク画は、すべて漆喰に塗り固められ隠されてしまった。現在では漆喰は剥がされ、見事なモザイク画を目にすることができるが、このカーリエ・ジャーミィもまた同様の憂き目にあった。ここはもともと十一世紀に創設されたギリシャ正教のコーラ修道院で、第四回十字軍のコンスタンティノープル占領以来、荒れるに任されていたのが、アンドロニコス二世時代末期に大臣を務めていた文人テオドロス・メトキテス（一二六〇

36（上）　内部のフレスコ画
37（中）　チマブーエの聖母子
38（下）　ジョットの聖フランチェスコ
（37・38はルーブル美術館展示）

35　カーリエ・ジャーミィ

頃〜一三三二）が、その価値の高さを理解して修復したものである。その後オスマン帝国時代に漆喰で被われてしまったが、一九四七年以後修復作業が行われ、その下から出てきたものは素晴らしいモザイク画とフレスコ画（写真36）であった。写真に見られるような写実性とその鮮明な色使いは後のイタリアルネサンスの初期の画家チマブーエ（写真37）やジョット（写真38）たちにも影響を与えたのではないかともいわれている。この時期、すでにビザンツからイタリアルネサンスへの足掛かりが生まれていたという証左である。

古代ギリシャ時代、アテネと覇権を争ったスパルタの西方タイゲストス山中に、今は廃墟となった城塞都市ミストラ（写真39）がある。ビザンツ末期の十四世紀、地方総督の根拠地であったこの地に宮殿や教会などが建てられ、政府高官たちの住居が立ち並び、多くの文化人たちも出入りした。

コンスタンティノープル陥落の前年の一四五二年、ここで最期を迎えたプレトン（本名はゲオルギス・ゲミストス。イタリア、フィレンツェのメディチ家に招聘され、尊敬する古代ギリシャの哲学者プラトンにあやかり、改名）はギリシャ文化の再生を強く訴えていた。遺跡内の教会（写真40）の壁にはビザンツのイコン画に比べると表情や色彩感が豊かになった聖母子などのフレスコ画（写真41）が一面に描かれている。滅びゆくビザンツは後にフィレンツェで花開くルネサンスの芽生えでもあったことを、こ

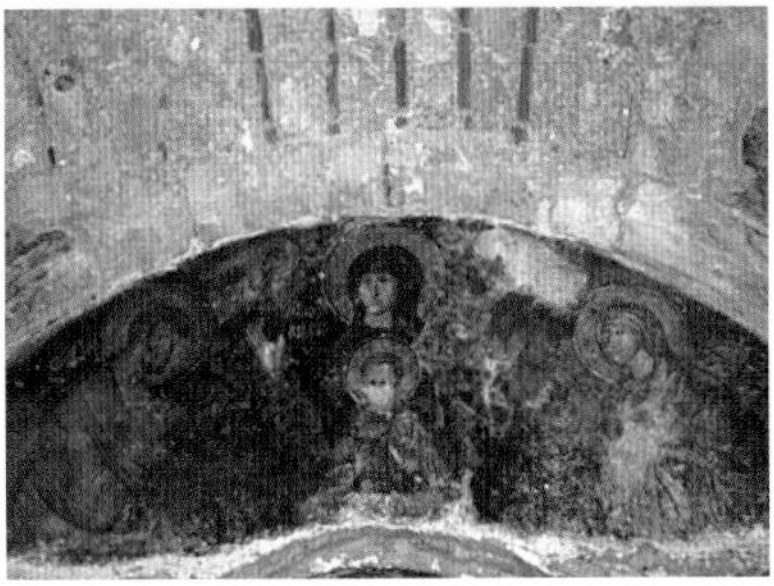

40（上）聖ディミトリウス教会
41（下）聖母子を描いたフレスコ画

39 スパルタの街を見下ろすミストラ城塞

こでも確認することができる。ビザンツ帝国の最後の皇帝となるコンスタンティヌス十一世（在位一四四九～一四五三）は、ここで戴冠式を挙げた。

†ビザンツ世界の終焉

歴史の変動はアジア方面でも顕著であった。十二～三世紀、中央ユーラシアに覇権を拡大したモンゴル勢力は、一二五八年第五代ハーン、フビライの弟フラグ・ハーンがアッバース朝の首都バグダッドを陥落させ、イル・ハーン国を打ち立てる。モンゴル人勢力の西進に押し出されるようにセルジュークに続くトルコ系勢力がアナトリア方面に流入する。一二九九年にアナトリアに建国されたオスマン朝は一三二六年、ビザンツの要都ブルサを攻略しこの地をオルハン（在位一三二六～六二）が首都とする。

この間、ビザンツでは凄惨な帝位争奪戦が続き、先述のミカエル八世の二代あとのアンドロニコス三世の息子ヨハネス五世（在位一三四七～九一）の摂政カンタクゼノスは、帝国第二の都市テッサロニキで起こった反乱をオスマン朝の支援を得て鎮圧する。反乱勢力は当時バルカン半島の西半分を制圧していたセルビアのドゥシャン王（在位一三三一～五五）

42　ギア・トリアダ修道院

43　ヴァルラーム修道院

の力も借りようとしていた。しかし反乱への加勢を足掛かりに、コンスタンティノープル征服も視野に入れていたドゥシャン王はこのさなかに死去する。

　現在のギリシャ北部、テッサリア平原にメテオラと呼ばれる奇岩群とその上に建てられた修道院がある。九世紀頃からこの地にギリシャ正教徒が住み着いていたのであるが、さらに多くの修道士たちが戦乱を逃れてこの地に移住してきた。この地をセルビアに組み込んだドゥシャン王が彼らに保護を与えたため、厳しい自然環境と困難な生活条件にもかかわらず、多くの修道院が建設された。オスマン帝国支配下に入ってもその活動は保証されたので、メテオラの修道院群（写真42～45）は現在に至るまで存続している。

† オスマン帝国による包囲

　さてドゥシャン王の死後もこの地にとどまっていたオスマン軍は、西進してバルカン半島に拠点を築く。やがてここを足掛かりに一三八九年のコソボの戦いでセルビアを征服し、先述のように一三九三年にはブルガリアも支配下におさめてしまう。オスマン帝国はその勢力拡大を背景に一三九六～一四〇二年、コンスタンティノープルを包囲する。ビザンツ皇帝マヌエル二世（在位一三九一～一四二五）は西側のキリスト教勢力に援軍を求めてはるかイングランドまで旅する。しかし、十字軍の遠征で懲りていた西側のキリスト教側の反応は冷淡なものであった。

　一四〇二年、中央ユーラシア西部を征服しつつあったティムールがオスマン帝国のスルタン、バヤジド一世に戦

44　メガロ・メテオン修道院の僧

45　修道院に登るための滑車と網袋。昔は修道士も生活物資もこれで運ばれた

15世紀　ビザンツ帝国の陥落とオスマン帝国

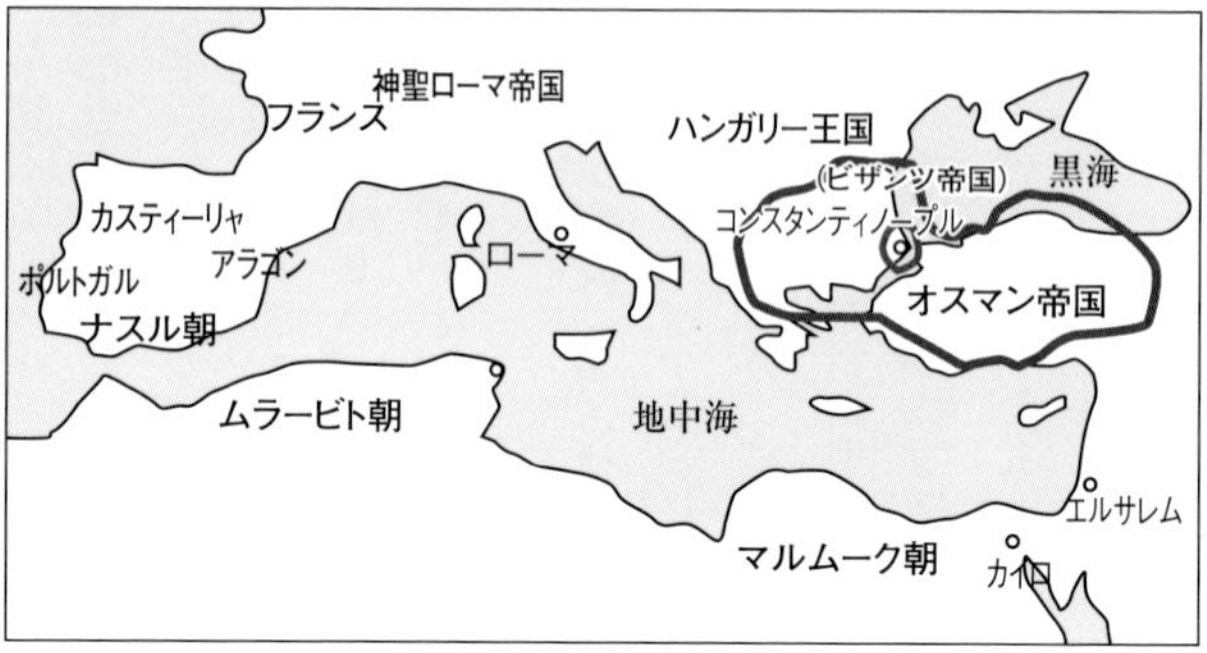

いを挑んできた。バヤジド一世は踵を返し、アンカラに向かう。が、ここで待ち構えていたティムール軍に敗れてしまう。しかしティムールはこのあと中国、明朝への遠征の途上の一四〇五年に客死する。ビザンツにとって勢力復興の千載一遇のチャンスであった。しかしその後の十年間、キリスト教側が手をこまねいている間に、オスマン帝国は復活する。

　ビザンツ最後の皇帝となったコンスタンティヌス十一世は、運命の一四五三年を迎える。ビザンツ帝国はもはやコンスタンティノープルを残すだけになっていた……。

　古代ローマ帝国による支配領域を受け継ぎ、さらに地中海世界への覇権を広げ、ギリシャ正教と皇帝を中心として大帝国を築いてきたビザンツは約千年もの間、常に外敵と戦いながらなんとか生きながらえてきた。しかしその末期において、かつてのビザンツ領はことごとくオスマン帝国に併合されてしまった。コンスタンティノープルを舞台に活躍していた商人たちは、イタリアの海岸都市ヴェネツィアやジェノバに移住して行き、コンスタンティノープルの人口は減少し、宮殿の周りはもはや廃墟と化していたという。

　今日の私たちにとってビザンツ帝国をイメージすることはなかなか難しい。世界地図にビザンツという名はどこにもなく、かつての帝都はイスタンブールという名に置き換えられてからすでに五百年以上が過ぎてしまったのだから。

第5章

古代中国への旅

——麦積山、炳霊寺、三星堆——

永泰公主（則天武后の孫娘）墓（西安　乾陵博物館）

私が初めて中国を旅したのは一九八三年であった。それまでは旅行社を通した団体旅行（しかも驚くほど高額）しか許可していなかった中国が、この年前後からようやく個人旅行を認め始めたからだった。まず以前から憧れていた中国西域の「シルクロード」に入ることが旅の第一目的であった。その二～三年前に放映されたＮＨＫの番組「シルクロード」を見て、憧れがさらにかき立てられ、またなぜ個人旅行を認めないのかという苛立ちが相当鬱積していた時期でもあった。それからは数えるのも煩わしいほど中国を旅した。大きな国なので一～二か月間の旅もしばしばであった。

現在「シルクロード」は中国による覇権拡大の象徴とされる「一帯一路」のイメージと重なり、その魅力が低下したと感じるのは私だけではないだろう。それでも中国の歴史に触れることへの興味はつきない。二〇一六年夏、ほぼ十年ぶりに中国に出かけてみた。今までに訪れることができなかった麦積山《ばくせきざん》、炳霊寺《へいれいじ》、三星堆《さんせいたい》をめぐる旅である。

1　仏教伝来の足跡

† 西安から麦積山へ

今回の旅の出発点は、三十数年前と同じく西安である。世界各地をめぐって何十年ぶりかで同じ場所に立ってみると、まったく変わらないところもあれば、すっかり変わってしまったところもある。中国はまさに後者の典型で、そのめまぐるしい変貌ぶりには驚かされる。世界中で中国ほど短期間に街の景観が大きく変わってしまった国やその国内の都市は他には見当たらない。

参考までに一九八三年当時の西安（写真１）の街の描写を引用させていただく。

「西安とはいうまでもなく三〇〇〇年以上の昔から中国の歴史に登場する古都である。周の鎬京、秦の咸陽、漢の長安、隋の大興城、唐の長安など、各時代の首都はすべて現在の西安の近郊、もしくは現在の西安市をも含めたより広い地域に重なり合う。であるため、各時代の歴史と文化が数多くの層をつくり、複雑多岐にわたってそのなごりをとどめている……はずであるが、現在の西安市内からそれらを嗅ぎ取ることは難しい。（中略）列車が滑り

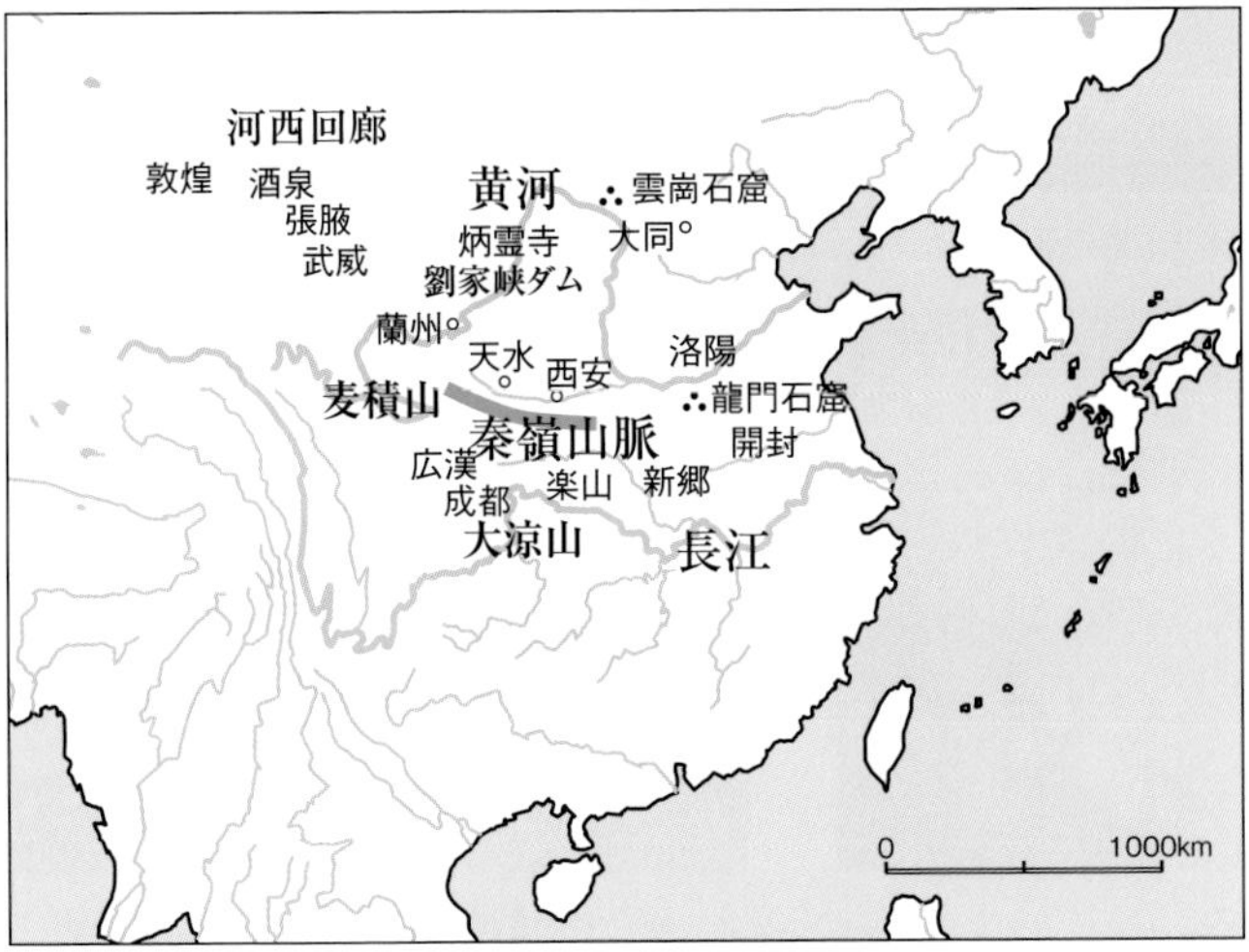

込んだ駅を出ると広場があり、あちこちに向いて走る膨大な数の自転車、大きな荷物を傍らに列車を待つ人々で雑然としている。道路は広く、数十年先を見越した車社会への対応がなされているような感じがする。通りを行くと両側にはくすんだ茶褐色の煉瓦造りの家々が立ち並び、商店やホテルがその間を縫って顔をのぞかせるような、あまり垢抜けしない町である……」（拙著『全世界紀行』二〇〇三年、「中国の旅」より）

現在では火車站（汽車の駅）前の広場はすっかり整備され、周りには建物が計画的に配置され超近代的な街並みへと変貌していた（写真2）。膨大な数の自転車、大きな荷物を傍らに列車を待つ人々の姿は今はまったく見当たらない。しかし駅の構内に入ると、乗車券購入に並ぶ長蛇の列は昔と変わらない。ただ人が割り込めないように一列の鉄柵が何本も張り巡らされている。それでも窓口付近には何やかや理由をつけながら割り込もう

1　1983 年の西安

3　1983年当時の火車の車内

2　現在（2016 年）の西安

4　2016年現在の車内

とする人間が後を絶たない。列車が到着する直前まではプラットホームに入れない点は、以前と同じであるが、以前は列車が到着すると、人々が改札口から我先にプラットホームに殺到して座席を奪い合ったものだが、今は大半の列車が座席指定なので、そういった光景はまったく見られなくなった。寝台付きの長距離列車の車内は、以前は人や大きな荷物、ぶら下げられた衣類などでごった返していた（写真3）が、今は日中でも横になれるベッド兼用の実にゆったりとした清潔な座席が用意されている。走行時の騒音もまったくなく、車内出入り口の上には時速を示すデジタル表示があるなんとも垢抜けしたインテリアである（写真4）。

さて列車は黄河に沿って西に走り、四時間で甘粛省天水県の天水火車站に着く。ここには中国四大石窟寺院の一つ麦積山石窟がある。後の三つは大同の雲崗石窟（写真5）、洛陽の龍門石窟（写真6）敦煌の莫高窟（写真7）を指すが、この麦積山石窟だけはいずれ行ける時にと思っ

7（上） 敦煌莫高窟入口
8（下） 第十五窟の涅槃仏

5 雲崗の大石仏窟

6 龍門の石窟

9 麦積山

て先送りしていたのであるが、あっという間に二〜三十年たってしまっていた。

天水火車站からはバスで東南に約五〇キロ、一時間近く走っていくと左手に確かに収穫後の麦穂を高く積み上げたような形をした岩山が見えてくる（写真9）。秦嶺山脈の西端にそびえる麦積山である。標高は一四二一メートルとそれほど高くないが、独特な形をしていて遠くからでもはっきりわかる。

† 五胡十六国時代と仏教の伝来

歴史はずっと遡るが、後漢（二五〜二二〇）が衰退して魏、蜀、呉の三国時代（二二〇〜二八〇）が始まる。魏から帝位を剥奪し呉を倒して中国統一を果たした晋（二六五〜三一六）の時代の後半、華北に五胡（匈奴・鮮卑・羯《けつ》・氐《てい》・羌《きょう》）と呼ばれる非漢民族が北西より移動し、漢民族ともあわせて離合集散を繰り返す動乱時代が生まれた。五胡十六国時代（三〇四〜四三九）である。ユーラシアの西の世界ではフン族やゲルマン諸民族が移動を繰り返す古代ローマ時代の末期にあたる。中国では、五胡と呼ばれる非漢民族による怒涛のような襲来は華北の地に掠奪と殺戮の嵐をもたらした。その真っ只中の三一〇年、洛陽に一人の仏僧が訪れていた。「シルクロード」の天山南路のオアシス都市、亀茲国《きじこく》（クチャ、**写真10・11**）からやってきた仏図澄《ぶっとちょう》（?〜三四八）である。

洛陽の大混乱期、彼は郊外に身を潜めていた。しかし目前で人々の命が奪われていく無情さに、慈悲を重んじる仏の教えを身に付けていた仏図澄は、当時華北の地に後趙国を建て、猛威を奮っていた石勒《せきろく》（羯族出身）に面会を求めた。仏図澄

10　スバシ故城（クチャ郊外の仏教遺跡）

11　クチャの金曜市（岩塩が売られている）仏図澄、鳩摩羅什は亀茲国（現在のクチャ）出身である

は石勒に対しては、予言を操る呪術師として振る舞い、次第に彼の尊敬を勝ち得た。石勒の保護の下で各地に仏寺を建て始めた仏図澄は、民衆に教えを説き始めた。当時の中国では、道教や儒教といった高度な精神文化がすでに確立しており、西域から入ってきた新しい宗教の受容は決して容易ではなかったであろうが、明日の命も定かでない人々の中に、仏の教えは砂に浸み込む水のように深く浸透していったのだろう。

この仏図澄に続いて、同じく亀茲国からやってきた仏僧、鳩摩羅什《くまらじゅう》（三四四～四一三）が五胡十六国時代の前秦、後秦に相次いで迎えられ、四〇一年から長安でサンスクリット語の漢語訳を行い、中国における仏教発展に尽くした。彼はインドのナーガルジュナの教えを基に「色即是空」「空即是色」に表現される大乗仏教の思想を広めていった。

インドから西域を通って中国に入ってきた仏教の流れの中で、やがて西方ガンダーラで生まれた仏像がこの地にもたらされる。民衆にとってこれらの美しい仏像は理屈抜きに人々の心を摑んだのだろう。

また五胡の襲来を逃れた晋（以後西晋と称される）の王族の一人、司馬睿《しばえい》（二七六～三二二）は建康（現在の南京）の地に東晋（三一七～四二〇）を建国する（さらに東晋に続く王朝、宋、斉、梁、陳は南朝と呼ばれる）。東晋からも仏教の教えを求めてインドにたどり着き、仏典を持ち帰り、教えを広めた僧、法顕（三三七？～四二二？）がいる（後述）。戦乱が続く華北の地を統一した北魏（鮮卑一族によって建国、三八六～五三六）には、大同に雲崗、洛陽に龍門の大石窟寺院が建造された。以後隋唐に至り、中国に仏教文化が花開くことになる。

2　麦積山と炳霊寺
——二つの石窟寺院——

† 麦積山石窟寺院

さて、麦積山に話を戻そう。仏教が西域を経て中国に伝わったこの五胡十六国時代に、羌族（チベット系）の族長姚萇《ようちょう》によって建てられたのが後秦（三八四～四一七）で、この麦積山に石窟寺院の建築が始まった。以後麦積山には十八世紀、清（一六四四～一九一二）末までの約千数百年間に一九四の石窟が開削され、七二〇〇を超える仏像が彫り刻まれた。

現在、垂直の岩壁にはジグザグ型が上部にまで伸びる鉄製の梯子と、各石窟を効率よく移動するための水平の桟道が張り巡らされ、開放されている多くの石窟を訪ねることができる。まず正面に現れるのは巨大な大仏と二体の観音像である（写真12）。

12　麦積山の大石仏

中央に大仏、左右に菩薩が寄り添いこちらを見下ろしている。高さは約一六メートル、岩を削り骨格をつくりその上に粘土を塗って型を整え、その上に色彩を施して仕上げる石胎塑像である。奥に進んでいくと第四窟には、七仏閣と呼ばれる七つの石窟が並び両側には色鮮やかな金剛力士像がある（写真13）。六世紀の北周（五五六～五八一）から隋（五八一～六一八）にかけてつくられたものという。奈良東大寺にある運慶の金剛力士像を思わせる写実的で力強い仁王像だ。

第一二一窟では北魏（三八六～五三四）の時代につくられたという優しい表情をした仏像とそれを囲む菩薩や比丘（写真14）を見ることができる。仏像はガンダーラ（現パキスタン北部）に始まり、次章（第6章）でたどる仏教伝来の道をたどり、長い

13　第四窟金剛力士像

14　第121窟の菩薩と比丘

時代を経て五胡十六国時代の中国に伝えられたものだ。

ガンダーラで仏像が誕生するまでは、インドではブッダを直接描くことはなくその足跡、菩提樹、法輪などが仏の象徴として描かれていた。ガンダーラで生まれた仏像はギリシャ彫刻の影響を受けた（第6章参照）もので、顔容は目がくぼみ、鼻筋が通り、衣の襞は深く流れ、表情は豊かである。しかし東進するにつれてその表情は庶民的ともいえる穏やかで丸みのあるものへと変貌していく。人々の間に仏教が受け入れられていった何よりの証拠である。北魏時代には、現在の大同には雲崗、洛陽に龍門の石窟寺院が建立されているが、騎馬民族鮮卑に似つかわしい雲崗の大石仏（写真5）から、女性的ともいえる優しい表情をした龍門の盧遮那仏《るしゃなぶつ》（写真15）へと変化していく過程も同様であろう。

また一二七窟には、石窟の天井におびただしい数の仏像が彫り刻まれている（千仏洞と称される）が、これも雲崗の石窟寺院（写真16）と共通している。小さな仏像一つ一つには、寄進をした富裕層ばかりでなく製作に関わった庶民たちの願いも込められているようだ。

第五窟には隋唐（六一八〜九〇七）時代の色彩豊かな中央の釈迦像と、左右には菩薩像（写真17）がある。この赤、白、青、緑、黄色の鮮やかな彩色には、鉱物顔料が使われている。特に青はアフガニスタンにしか産出しないラピスラズリであろう。この時代の西方との活発な交易の存在をうかがえる。仏像の光背に描かれている飛天（伎芸天）は有名な敦煌莫高窟《とんこうばっこうくつ》の天井壁画（写真18）にも多く描かれている。こちらも同じく五胡十六国時代の氏族（チベット系）によって建てられた前秦（三五一〜三九四）時代に造営が始まり、元（一二七一〜一三六八）の時代まで続いたとされる。

15　龍門の盧遮那仏

16　雲崗（大同）の千仏洞

「シルクロード」仏教の象徴ともいえる飛天（伎芸天）のルーツは、アケメネス朝ペルシャで生まれたゾロアスター教の最高神アフラ・マツダ、あるいはキリスト教の有翼の天使に由来するといわれる。ゾロアスター教の神学においては、この世は善神と悪神の戦いの歴史で、両者の対立を裁く正義の神アフラ・マツダは最高神とされる（写真19）。ここにも壮大な東西交流の流れの一端を垣間見ることができる。

† 蘭州と黄河

さて、天水火車站から再び列車に乗り、甘粛省の省都蘭州に向かう。黄河は青海省バヤンカラ山脈韓から東に向かって流れ、ここ蘭州で大きく北へと向きを変える。ここは古くより「シルクロード」の要衝で、現在も漢民族に次いで回族が多く住む西北一の工業都市として発展している。回族にイスラームを信仰する人々が多かったので、日本ではイスラームが「回教」と呼ばれていた。黄河に面した広い敷地に大きなイスラームのモスクが新築されていた（写真20）。訪れてみると、すでにウルムチで始まっていた中国政府によるイスラーム弾圧（本章末部および次章参照）の

17　釈迦と菩薩（第五窟）

18　飛天（伎芸天）敦煌莫高窟

19　アフラ・マツダ（善神）とアーリマン（悪神）（ペルセポリス）

影響が表れていたのか、建物、敷地にはまったく誰もいなかった。西域をめざす旅人は、古来よりここで黄河を渡って北西に向かった。この蘭州の街も西安と同じく一昔前とは驚くほどの変容だ（写真21）。この蘭州の街歩きはまず黄河との出会いから始まる。

再度、三〇数年前に蘭州を訪れた時点での描写を引用させていただく。

「駅前から南北に走る通り、天水路を徒歩で北へ向かう。雁灘《がんたん》公園という砂州につくられた人造池を中心として木々の茂る公園を素通りし、肥料の匂いが鼻をつく畑と農家の間の道を歩くこと約一キロ。突然眼の前に黄河が姿を現わした（写真22）。堤防工事のためのクレーン車の側でくつろいでいる数人の男たちを除くと周囲には誰もいない。ここでは黄河の赤茶けた水のざわめき以外にほとんど物音らしいものはない。高さ一メートルほどの堤防の石垣を下りて、岸辺に立ち、水面をじっとながめる。黄河という言葉のイメージとはあまりにもかけ離れた河水の色を一体どのように表現すればよいのだろう。少なくとも黄色ではない。赤茶けたレンガに近い色をしている。揚子江の方がむしろ、ミルクコーヒー色の川面に陽光が映えて、黄色く見える……」（『神戸新聞』一九八三年十月二十八日、「中国一人旅」私記より）

20　新築のモスク（蘭州）

21　黄河（2016年）

22　黄河（1983年）

蘭州の街は常に黄河の流れとともに歩んできた。そして黄河の水は、この河が育んできた古代中国の人々の生活を鮮明に思い巡らせてくれる。

中国最初の王朝・夏を建国した伝説上の人物、禹《う》については司馬遷の『史記・夏本紀』に詳しい。禹は「敏捷で、勤勉で徳、徳があり、親しみ深く、信用のおける人となり（中略）全く人の模範であった」（小竹文夫・武夫訳、一九九五年）。そして洪水に苦しむ人々の願いに応えて、山を切り拓き水路を作るなど、荒れ狂う黄河に全身全霊をもって立ち向かい、十三年の年月を経てようやく全土の治水に成功する。人々の信頼を勝ち得た禹は、やがて中国最初の王朝夏の初代王に推挙される。「天下の諸侯はみな（中略）禹のところに来たのでついに禹は天子の位につき、南面して天下を率いた。国号を夏后といい……」（同前）。

伝説の王朝といわれた夏については、現在河南省二里頭村で発掘中の二里頭遺跡が、炭素十四での年代測定法により、殷よりもさらに古いものであることが確認されている。しかしそれを裏付ける文字資料が欠けているため、ここがはたして伝説の夏であるかは確定には至っていないが現代の中国史・考古学界では、夏王朝は実在したものとみなされているようだ。

23　禹王殿（開封）

24　大禹治水図山（故宮博物院）

同じく河南省の開封の火車站の南側には禹王台公園がある。明代の初め、禹の治水の功績を記念して、台上に禹王廟が建てられた。その後、禹王台と改称され、現在に至っている。禹はここでも治水の神として禹王殿（写真23）に祭られ、地元の人々の信仰の対象となっている。

また北京の故宮博物院には高さ二メートル、重さ五トンを超える巨大な玉製の「大禹治水図山」（清代、乾隆帝時代に作られた、（写真24）があり、禹が先頭に立って鑿《のみ》を振るい、労働者たちが削岩し、水を汲み上げ、黄河の水をさんざん苦労しながら手なずけようとしているさまが見事に表現されている。

黄河下流渭水盆地に大規模な潅漑事業を行い、始皇帝登場に先立つ秦王朝など、この川をめぐって展開された人間のドラマに思いは尽きない。この蘭州の少し上流地点の黄河に一九五八年から十五年の歳月をかけて劉家峡ダムが築き上げられた。これによって大規模な水量調節が可能になり、三千年の間に一五〇〇回も氾濫を起こした暴れ者の黄河の水は完全に手なずけられたことになる。

† 炳霊寺石窟

さてこれから蘭州西汽車站（バスターミナル）から汽車（バス）で約二時間、この劉家峡ダム（写真25）に向かう。そこからモーターボートに乗り換えて約一時間、今回の旅の目的地の一つ、炳霊寺に向かう。三十数年前の旅の途上ここにも立ち寄る予定であったが、劉家峡ダムから炳霊寺に向かう船の予約は満席で一週間も待たねばならないといわれ、西域へ向かう旅路を急いでいた私は、やむなく諦めねばならなかった。劉家峡のダ

25　劉家峡ダム

26　土砂が水底に沈んで青く澄んだ水

27　炳霊寺船着き場前

ム湖の船着き場には、多くの観光客が乗船の順番に列をなしている。一昔前にはよく見られた欧米人のバックパッカーはまったくいなくなり、今は中国人観光客ばかりである。一時間弱の待ち時間でモーターボートに乗れた。出航からしばらくの間は黄河の水が青く澄んでいることに気づく（写真26）。ダムによって河水に大量に含まれている土砂が水底に沈んでいるためだ。やがて上流に向かい、河水が黄河らしい赤茶けた色になる頃、船は、両岸が切り立った断崖状（写真27）となった一方の岸辺に分け入ってゆく。黄河の流れが激しい勢いで大地を侵食したのであろう。炳霊寺にたどり着くためには陸路はなく、この黄河を遡るしかないのだ。諸民族による激しい移動が行われた河西回廊の入り口に位置するにもかかわらず、炳霊寺の石窟が荒廃することなくその景観が守られてきたのはこの入りくんだ地形のおかげだろう。

炳霊寺石窟は、麦積山石窟と同じく五胡十六国時代につくられ始めた。最初の開削は西秦（三八五～四三一）時代の四二〇年頃であった。西秦はモンゴル系の鮮卑の乞伏《きっぷく》氏によって建てられた。炳霊寺一帯はこの西秦国の一大仏教聖地で当時の名称は明らかではないが、唐代では竜興寺、宋代では霊巌寺と呼ばれていた。その後チベット族が侵入して以来、チベット語で千仏万仏という意味を持つ炳霊寺という名称になった（陳舜臣『長安から河西回廊へ』〈NHKシルクロード第一巻〉一九八〇年）。

西秦以後、北魏・北周・隋・唐・宋・元・明・清の千数百年間、各王朝により石窟はどんどん拡張され、現在では一八四の石窟と六七九の石仏、土で作られた塑像（仏像）が八十二体数えられている。麦積山石窟と同じく、各石窟はそれぞれ王朝ごとの特色ある芸術様式が表現されている。まず最初に目を引くものは、見上げる

28　炳霊寺大石仏

29　十一面観音（第七〇窟）

ような岩壁に掘られた高さ二七メートル唐代の摩崖仏（写真28）であろう。奈良の東大寺の大仏が高さ一六メートルなので、それよりもはるかに大きい。この大石仏の両側の岩壁に木製の歩道が張り巡らされ、これらに誘われて岩面に掘られた石窟群の中に、また巨大な天然洞窟の中へと仏像と壁画を訪ねて回ることができる。

　興味を引くのは北魏から隋への移行期の王朝、北周（五五七〜五八一）時代に原型が造られ、唐代（六一八〜九〇七）および明の時代（一三六八〜一六四四）の間に作り直されたものである。第七十窟には木と粘土でつくられた八本の手を持つ十一面観音（写真29）の塑像が中央に置かれ、背景には色鮮やかに飛天が描かれている。また第八十二窟にはハスの上に交脚したふくよかな顔立ちの仏像（写真30）がある。これはチベット仏教最大の学僧でもあったツォンカパをモデルにしたものだといわれている。背後にはチベット仏教を思わせる鮮やかな色彩の顔料で壁画が描かれている。

　石窟群の中で、最も古いとされるのが一六九窟である。これは唐代の大きな摩崖仏の左上にあり、もともとあった巨大な天然洞窟であるが、壁の片隅に「西秦建弘元年」すなわち四二〇年という刻文が発見されたことから特定されたものである。敦煌の莫高窟《ばっこうくつ》で造営年が記されている最古のものは五三八年とされているので、炳霊寺石窟の方が百年あまり古いということになる。この炳霊寺の造営の約二十年前（三九九年）、先述の東晋（三一七〜四二〇）の僧侶、当時六十五歳の法顕（三三四？〜四二二？）が仏典を求めて長安を発ち、ゴビ砂漠、タクラマカン砂漠（この旅は苛酷を極め、彼の著『仏国記』には「ただ死人の枯骨を標識とするだけである」（長澤和俊訳）と記されている）を横断してインドに達し、各種の仏典を収集し、海路を経て南京にたどり着いている。帰還したのが七十九歳の時だったというのが驚きである。

　彼の死の前後に、東晋は南朝の宋（四二〇〜四七九）に取って代わられるが、宋、斉、梁、陳と続く南朝では高度に洗練された仏教文化が花開く。南北朝時代、この炳霊寺石窟が造営される少し前の北魏（北朝）の時代には、仏教は

30　蓮の上の交脚仏像（第八二窟）

各地に根付いていくのであるが、南の世界、江南の地にも仏教がしっかりと伝わっていたのである。

この蘭州から北北西に数百キロ移動すると、そこは河西回廊、中国西域への入り口である。前漢（前二二二～後八）の武帝（在位前一四一～八七）の時代、漢の西へ覇権拡大、交易路の確保のため四つのオアシス都市、武威、張掖、酒泉、敦煌に四郡と呼ばれる前線基地をつくった。河西回廊とは北にゴビ砂漠、南に祁連《きれん》山脈に挟まれた細長い回廊地帯のことをいう。ここを通過していわゆる「シルクロード」が中央アジアへと伸びているのだ。ここから先は前著『全世界紀行』で詳しく述べたので今回は割愛させていただく。

3　長江文明と黄河文明の接点
——三星堆遺跡——

†「古蜀国」について

さて、次に麦積山、炳霊寺の両石窟が造営された五胡十六国時代からさらに千数百年さかのぼる前十一世紀半ばの話である。先述の夏王朝の遺構であると推定される二里頭遺跡の発掘前までは、黄河文明を担った最初の王朝は殷（前一六〇〇頃～前一〇五〇頃）とされていた。殷は初代湯王が夏を滅ぼして建てた王朝であったが、殷墟から発掘された亀の甲に刻まれた甲骨文字（写真31）からは、国名は「商」とされている。湯王から数えて三十代目紂王の時代の末期に起こった戦いが、牧野の戦いと呼ばれる。この殷もしくは商に戦いを挑んだのは、現在の陝西省西部にある周であった。一介の小さな農耕国家にすぎなかった周は、この牧野の戦いに大勝利を収める。この王朝交代劇を創り出した歴史的背景とはどのようなものであったのだろうか。

『史記』によれば、周の文王（西伯）は「善を積み重ね、諸侯はみな彼に心を向けています。これでは、そのうち帝に背くようになりましょう。」（『史記』、殷本紀）と讒言され、殷の紂王に捕らわれてしまう。家臣や仲間が紂王に多くの貢物をしたので文王は許された。しかし紂王は残虐極まりない王であり、討伐した部族の長の息女妲己《だっき》を愛人として、有名な「酒池肉林」（写真32）の宴を張り、「炮烙《ほうらく》の刑」（銅の柱に油を塗り、炭火を下に焚いて罪人にその上を渡らせ焚死させる刑罰『史記』）を見せて妲己を愉しませたといわれている。『史記』は戦いの勝者である周側の記録に依拠して書かれたものであり、牧野の戦いに先立って「勧善懲悪」を唱えた勝者の論理であることは疑いない。殷「商」は当時のエジプト、メソポタミア、インダス世界など西方世界と交流を持ち、紅玉髄などの宝石や青銅器製作技術を採り入れていた。また中国世界では圧倒的な軍事力を誇り、黄河に沿った周辺世界を支配下に置いていた。紂王の先代の父王の妃の一人、婦好の墓が一九七六年に発掘され、出土した亀の甲に刻まれた文字から、立派な女性であったようだ。殷が必ずしも絶対悪としての存在ではなかったことは、近年着々と論証されている。

『史記』に戻ると、文王は五十年の在位後、亡くなる。その子武王は即位して「太公望が師となり、周公旦が輔となり」（『史記』、周本紀）、文王の後を継いだ。武王は「殷王紂は、夫人の言を用いて、自ら天命を失い、天地人の正道を壊し（た）、（中略）それゆえ今われ発（武王）はここに敬（つつし）んで天の罰を行う」（同前）と宣言して全軍の士気をあおり、紂王に戦いを挑んだ。それに先立ち太公望は、周が殷に対して有効な関係を持ち続けるように見せかけながら、殷の周辺国家に離反をうながしていた。殷にもたらされる青銅の供給も妨害して、殷の軍事力低下を図る。おりしも殷の東南方面で反乱がおこり、その鎮圧に殷の精鋭

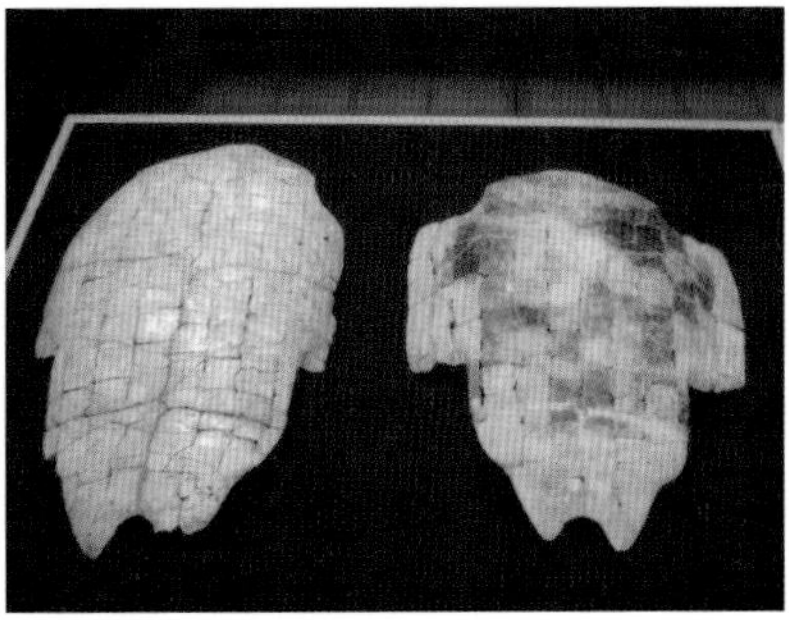

31　甲骨文字が刻まれた亀の甲（浙江省博物館、杭州）

32　殷代の青銅製酒器（同）特に殷代の発掘物には酒器が多いという。儀式、日常生活で飲酒が好まれていたのであろうか

軍が導入された隙に、周は諸国に対して同盟工作をした。「武王は商郊（殷の都の郊外）牧野にいって誓いを立てた。（中略）庸、蜀、羌、髳、微、卢、彭、濮の八国蛮夷の人々よ、汝らの盾をならべ、矛を立てよ。わしは今誓いを立てよう」（同前）。周は「牧誓八国」と呼ばれた周辺国家と共に西方から軍を起こす。この「牧誓八国」として、周と同盟を結び牧野の戦いに参加した国の中に「蜀」の文字が見える。後に述べる長江中流域の「古蜀国」である。この時の殷の軍勢は精鋭軍抜きであっても七〇万を超える大軍であったという。しかし太公望率いる連合軍は、撤退に動く士気の低い殷の軍勢の隙を突いて見事逆転勝利をおさめる。「紂王の兵は総崩れとなって紂王に背いた。紂王は走って引き返し、鹿台の上に登って、珠玉を身につけて自ら火に焼けて死んだ」（同前）。

殷から周への王朝交代を決定づけた牧野の戦いは、現在の河南省新郷市にある牧野公園付近で行われたという。周の武王は、太公望に与えた斉（現・山東省）をはじめ、戦功あった者を中心にして同盟国を周辺に配置し、封建制国家を完成させていく。「古蜀国」の存在が明らかになるにつれて、長江中流域にすでに成熟した文明、長江文明の存在が説得力を持ち始め、殷周交代劇に見られる黄河文明とのつながりが熱く論ぜられるようになったのである。

† 成都から三星堆遺跡へ

「三国志」蜀の都があったことで知られる現在の四川省の省都成都市。ここも中国内陸部の経済の中心地としての発展が目覚ましい。二十数年前には背丈の低い建物が連なっていた成都の中心街にある、南北に走る人民路は今や高層建築の連なる大都会（写真33）へと変貌を遂げている。人民路の東南約五キロにある成都汽車站（バスターミナル）から北約四〇キロの広漢市に向かい、終点で乗り換えると計一時間半ほどで三星堆博物館前に着く。

一九二九年、土地を開墾する農民たちが二つの洞穴から玉器を見つけた。その後長らく発掘は中断されていたが一九八一年頃から四川省文物委員会らによって考古学的発掘調査が進み、一九八五年にはこれが「古蜀国」の遺跡であることが判明した。翌一九八六年には各種の貴重な玉器・金器・青銅器等が出土して一大ニュースとなった。やがてここに博物館の建設計画が進められ、一九九七年には別館も完成、一般公開された。

博物館と称されているが、ここは前十九～十七世紀に建設された土の城壁で囲まれた城郭都市跡（南壁一八〇〇メートル、東壁一一〇〇メートル、西壁六〇〇メートル）で、広い敷地に祭祀《さいし》坑や宮殿建築、住居跡、墓地などがそれぞれ発掘された場所に再現された野外博物館（写真34）である。もちろん玉器・金器・青銅器等の出土品は室内で丁寧に展示されている。中でも次の数点は特筆に値する。

33　現在の成都の街並み

34　三星堆博物館

青銅突目仮面（写真35）——一九八六年に発掘され、世界を驚かせた巨大な青銅製の仮面である。幅約一・五メートル、高さ約六十五センチ、長さ一六・五センチの大きく突き出た眼孔と広がった耳、大きな鼻が異様な感じを抱かせる。仮面といわれるが人間が付けていたとは考えられない。やはり当時の人々が崇めていた神の顔立ちを具現化したものであったのだろう。

青銅立人像（写真36）——見上げるような高さ（約二・五メートル）の青銅製の人物像。祭司ではないかともいわれている。身に着けている長衣は当時の古蜀国の人たちが纏っていたものだろう。腕のなかに抱かれていたものは何だろう。人々が憧れていた神、もしくは

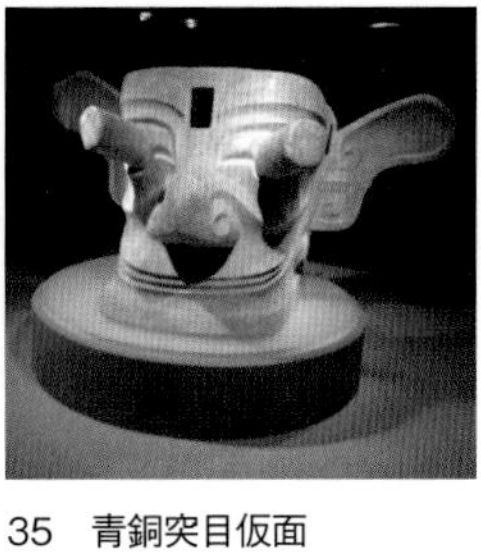
35　青銅突目仮面

36　青銅立人像

宗教的な象徴物だろうか。

青銅神樹（写真37）——神が宿る樹木をかたどった古蜀国の人々の信仰の象徴と言われている。高さ約四メートル。てっぺんから見下ろすためには四階まで上らねばならない。樹木の枝には九つの丸い皿が設けられ、それぞれに鳥がとまっている。当時、九つあると信じられていた太陽と、太陽と人間世界の間を飛び交う鳥であると考えられている。古蜀国には非常に優れた青銅加工技術があったことがよくわかる。

その他、貼金銅人頭像と呼ばれる金箔でできた金面を被せた青銅人頭像（写真38）が多数あり、やや吊り上がった眼と広がる耳は共通しているが、そのすべてが少しずつ異なった表情をしているのが興味深い。

成都市内には二〇〇七年に開設された金城遺址博物館（写真39）がある。二〇〇一年に建設工事中に地中から発見された遺跡現場の上に建設され、ここで出土した品々が展示されている。三星堆博物館と同様に太陽神鳥（写真40）をはじめ、青銅、石製の人物像、金箔で覆われた仮面（写真38）、玉璧、玉器、その他が数多く展示されている。驚かされるのは大量のマンモスの牙（写真41・42）である。当然象牙と同じく装飾品、骨器などの素材として使われたのであろうが、新石器時代末から夏殷周王朝時代にかけても中国内陸部にはマンモスが生息していたのだ。これらの出土品は素人目にも三星堆すなわち「古蜀国」との類似性が強く感じられる。

現段階では、長江中流のこの地には黄河文明の時期に先立って、もしくは並行して

37　青銅神樹

38　青銅人頭像（金箔で覆われた仮面）

39　金城遺址博物館

長江文明が花開いていたと考えるのが自然である。長江文明の中に登場した国々は黄河文明に位置づけられる国々と共存、競合しながら古代中国を形づくってきたと考えてもおかしくはない。三星堆文化は新石器時代から殷末周初まで約二千年続いたとされる。この遺跡の発掘により数千年の中華文明の起源の存在が明らかにされた。しかし「古蜀国」についてはまだまだ多くの謎があり、今後の研究の成果がさらに中国古代史を面白くするだろう。

40　太陽神鳥

41　マンモスの牙

42　マンモスが生息する光景

† イ族と「古蜀国」

二〇一七年十月二十八日、NHKで放映された『中国謎の民、長江文明を築いた悲劇の民族』は、この古蜀国との関連を持つ民族とその現代に生きる姿を描いたドキュメンタリーであった。内容が秀逸だったので、引用させていただきながらその歴史的背景に触れていきたい。

　成都の南、車で十時間ほど登ると標高三〇〇〇メートルを超える山並みがあり、その一角にある大涼山を中心にイ族と呼ばれる人々が住んでいる。中国内に住むイ族の人口は約八七一万（二〇一〇年）で、五十六あるという少数民族の中では人口は多い方だといわれる。彼らの一部は大涼山周囲に約二百の村を作って居住しており、山頂近くの四季吉村は人口約七百人のイ族がほぼ自給自足の生活を営んでいる。村にたどり着くためには最終的には五三メートルに及ぶ鉄製の梯子をよじ登らねばならない。人々は土と木で作った家に住み、羊を放牧飼育している。彼らは羊毛製のチャルワという服をまとい、春に畑でソバの種をまき、秋に収穫したソバ粉を練って主食とする。春にはピモと呼ばれるシャーマンを先頭に隊列を組み、大涼山の山頂に集まる。ソバの大量収穫を祈願する祭りのためである。

先程述べた古蜀国を再現した三星堆博物館は、この大涼山の北四五〇キロのところにある。イ族の郷土史家の調査によれば、このピモが唱える経文が彼らにまつわる故事を伝えている。そしてそれを記した文字が、五千年前に古蜀国で使われていた文字と酷似していて、そのなかに出てくる祖先の霊が宿るといわれる仮面は、青銅突目仮面と類似している。さらに青銅立人像（写真36）は、青銅神樹の下で種まきと収穫の日取りを神に尋ねているシャーマンであるかもしれないという。

古蜀国は新石器時代の末期、今から五千年ほど前に姿を現し、夏殷周王朝時代まで存続していたが、しかしその後突如姿を消した。その原因は、まず前八世紀頃には周に服属していた秦が、法家の商鞅を宰相として国の基盤を築いたことで有名な孝公の子、第二十六代君主恵文王の時代、前四世紀頃から軍事力を増強させ、南の古蜀国に攻め入り、前三一二年これを滅ぼした（『史記』秦本紀）。人々は定住の地を求めて南へ逃れた。そして前二世紀には漢の武帝の支配下に入り、次いで三世紀には三国時代、蜀の諸葛亮孔明による攻撃にさらされる。この時点ではイ族はまだ平原地帯で暮らしていたが十三世紀、元のフビライによる攻撃によって大量殺害が起こり、生き残った人々は標高の高い地に逃れ、そこで城壁を築き、やぐらを建て、警戒を怠らないようになったという。経文に書かれた記録を頼りに祖先が移動した経路をたどると、今の大涼山に行き着くことになるという。このプ

43　楽山市の磨崖仏

44　楽山市

ロセスは現在の東南アジア北部に住む少数民族の移動の歴史的背景とも共通するものがある。

大涼山の北、二〇〇キロには巨大な摩崖仏で有名な楽山（写真43・44）がある。麓の町は観光客のおかげで経済的に潤っている。現在の四季吉村の若者はそこに出稼ぎにいく。イ族の人々が育てた羊は、食肉としての需要が大きい。画面は出稼ぎに行った村長の息子が帰郷するシーンとなる。彼は父親に四季吉村にヒツジの肉の加工工場を作れば人々の生活は豊かになると進言する。しかし村長である父親は、金が入ってくるともめ事が多くなり平和に暮らす人々の生活が混乱すると息子を諭す。またソバの収穫期には、子供たちが出稼ぎでいないため、働き手に困る家には村人が助けの手を差し伸べるシーンなどが紹介される。経済発展著しい中国の現在と伝統を守ろうとする人々の日常のやり取りが、長期取材により生き生きと記録されている。中国の正史ではわからない古蜀の歴史と、人々の営みを垣間見ることができる貴重な作品であった。

4　「中国」を作った民族

中国という名称は、前六世紀の史書『書経』の中ですでに表現されている。中国大陸を制した王朝を中国（中華）と呼び、そこに住む優れた文化を持つもの＝漢民族という意味を含んでいる。そして周囲の異民族には四夷（東夷、西戎、北狄、南蛮）という蔑称を用いた。この中には多くの民族、国々が存在していた。しかし十三世紀のモンゴルのユーラシア制覇によって、種々の問題点があったとしても世界史上稀に見る広大な地域が帝国として一つにまとめられ、それまで諸民族の対立と融合を繰り返す中で主導権を維持してきたとされる漢民族もこの時ばかりはモンゴルの支配に甘んじなければならなかった。しかし、この時のモンゴルもすでに単一の民族で構成されていたのではなかった。トルコ系の突厥《とっくつ》、ウイグル、キルギス人等、唐代に胡人と呼ばれた渡来のペルシャ人、「シルクロード」の中継貿易に活躍したイラン系のソグド人、タジク人、モンゴルに吸収された契丹、金の女真、チンギスハーンによる征服戦争で最後まで敵対し、やはり滅ぼされたチベット系の西夏（タングート）等々、実に多くの民族がすでに包括されており、その結果モンゴル民族と総称されていたのだ。

同じことは漢民族についても当てはまる。漢とはもともとは三世紀初めの秦朝滅亡後、次代の主導をめぐって楚の項羽と対立した劉邦の出身地名であり、彼が戦いに率いた国（漢）をもとにして打ち建てられた王朝が漢と称され、それが次第に民族を指す名称になった。漢民族は秦以前から西北方面で騎馬遊牧民族として国家を築いていた匈奴との戦いにも邁進せねばならなかった。その戦いとは決して単なる戦闘行為だけではなく、休戦時には様々な相互交流を重ねて、互いに相手を自分たちの世界に引き入れる動きも同時併行していた。さらに漢王朝が衰退し三国時代を経て五胡十六国時代（三〇四～四三九）には、先述のようにこの匈奴をはじめ、鮮卑（モンゴル系？）、羯（イラン系？）、氐、羌（チベット系）などの騎馬遊牧民族が漢民族と対立融合を繰り返しながら華北の世界の覇権をめぐり縦横無尽に駆け巡った。

隋、唐、宋の時代を経て、モンゴル帝国の第五代ハーン、フビライ（在位一二六〇～九四）によって元が建国され、従属せざるをえなかった時点での漢民族とは、すでにもう様々な民族の寄り合い所帯と化していて、もはや純然たる単一民族でなくなっていた。先述のフビライ時代の元軍によって壊滅され、少数民族として位置づけられているイ族もこの寄り合い所帯の中に含まれるのだ。

さらに一三六八年、元は明によって滅ぼされ、モンゴル民族は北方へ逃れた。しかし漢民族による王朝が復活したといっても、実際のところ明はすでにモンゴル民族との混合世界だったのだ。その後一六四四年、明は北方の満州女真族を主体とする清に取って代わられる。清朝最盛期の乾隆帝（在位一七三五～九五）の時代には五族協和主義が掲げられた。満、漢、モンゴル、チベット、トルコ各民族の協調を唱えることが、実態としての混合社会の安定には是非とも必要であったのである。

清朝末期に太平天国の乱を引き起こした洪秀全（一八一三～六四）（写真45～47）は、逆に「反清復明」のスローガンを掲げて清王朝に反旗を翻した。これは異民族である満州女真族王朝に対する「漢民族」の主権復興が叫ばれたものであるが、その「漢民族」はすでに混合民族化されていたものであり、「復明」というのは単なる政治的スローガンにすぎないものであった。

一九一二年に辛亥革命を指導して中華民国（一九一二〜四九）成立を宣言した孫文（洪秀全と同じ広州出身）（写真48・49）もまた、彼が唱えた「三民主義」では民権、民生と並んで民族が三本柱の一つになっている。しかしこの「民族」とても「漢民族」の主権奪回ということだ。

現在の中国共産党もその点だけはまったく変わらない。現在、「漢民族」を「中華民族」と言い換え、「愛国」の名のもとに異民族であるチベット、ウイグル、モンゴル人たちの宗教、言語、文化は破壊されつつある。また一九九七年にイギリスから返還された香港に対しては、五十年間の「一国二制度」を保証していたにもかかわらず、これも「国家安全法」の名のもとに国際的な約束事を完全に破ってしまった。残念なことに諸外国は数か国だけが「遺憾」の声明を出しただけで、日本を含めた大多数の国々は眉をひそめながらもこれを傍観している。ただアメリカで二〇二一年一月十八日、トランプ大統領の任期終了の二日前になってポンペオ国務長官が、中国によるウイグル人弾圧虐待を「ジェノサイド」（民族虐殺）と認定したという声明をようやく出した。しかしこれとても中国の猛烈な反発を買っただけで、この声明に同調する国は今のところ（二〇二一年二月末日）現われていない。かつては中国が経済的に豊かになれば国民は自由と民主主義を希望するだろうという淡い楽観論が国際

45　瞻園（江南の名園、洪秀全の住居であった）

46　太平天国歴史博物館

47　洪秀全像

48　中山陵（南京）

49　中山陵地下にある孫文像

社会にはあったのだが、中国の姿勢が高圧的な覇権主義になってしまった現在に及んで、その期待は完全に打ち砕かれてしまった。今後さらに国際社会は団結して中国に対する批判の声を強めていかなければならない。

　中国の歴史に登場する統一王朝の寿命は短いもので秦が十五年、隋が三十七年、長いもので漢（前漢と後漢を併せて）四〇七年、唐が二八九年、宋（北宋と南宋を併せて）が三一八年、元が九十七年、明が二七六年、清が二九六年、平均するとほぼ二〇二年となる。現在の中華人民共和国（一九四九〜）は二〇二〇年現在、すでに七十一年経っているが、二〇二年経過するにはあと一三一年ということになろう。もちろん単純計算上の年数ではあるが。さてそれまでいくつの少数民族が生き残っていられるだろうか。特に二〇一七年頃から「強制収容所」が設置され、ウイグル族に対する漢化政策が強行されている新疆ウイグル自治区では、現在多数のモスクが閉鎖または破壊され、カフェなどに改装されているという（『朝日新聞』二〇二〇年十月十五日）。また新疆ウイグル自治区をデジタル管理社会形成の実験場とみなし、街には無数のカメラが設置され、すべてのウイグル人の家の入り口には識別コードが張られ、ムスリム（イスラーム教徒）のあらゆる情報が収集され分析が進められている。隠しカメラを持った取材者が、地方政府の担当者に「ウイグル族に対する人権侵害では」と問い正すと「（ウイグル族には）もともと人権がないんだ。だから侵害ではない」と平然と答える様子が映し出されていた（ＢＳ世界のドキュメンタリー「中国デジタル統治の内側で。潜入新疆ウイグル自治区」二〇二〇年十二月十一日再放送 イギリス hardcash production 二〇一九年制作）。ここまで来るともはや中国が主張する「内政の問題」ではない。またウイグル人女性に対して強制的に不妊手術が行われているという報道も見られる。かつてナチスがユダヤ人に対して行った「ホロコースト」に匹敵する民族抹殺に対して世界すべての国が「人道の問題」として強い姿勢で対峙していかなければならない。

　中国がこのような国家政策を続けることは、ここまで述べてきた民族間の争いを乗り越えて築き上げてきた長く輝かしい歴史と華やかな文化を、自ら抹殺するという自己否定に他ならない。現在の中国共産党の愚行は、中国史の汚点となって歴史に刻まれることになるだろう。

第6章

中央ユーラシアの世界

――「シルクロード」をとりまく国々――

ウルムチからクンジュラブ峠に向かうバス

「シルクロード」……。かつて唐の長安から遥か西のコンスタンティノープルを経てローマに通じたこの道はユーラシア大陸のほぼ全域を貫き、紀元前後には往来が可能になったといわれる。特にユーラシア大陸中央部を東西に貫くオアシスづたいに移動するこのルートについて、私たち日本人はこの「シルクロード」という言葉の響きに、ノスタルジックなものを感じている。

しかしこの「シルクロード」という表現には交易と文化のみでなく宗教、政治に至る様々な要素が含まれているため、かえって具体的な実体感が乏しく漠然とした曖昧さも併せ持っていることも否めない。ここまでの歴史記述にはそのことを踏まえて「シルクロード」と記してきたし、この章以降もそうしたい。

中央ユーラシアの歴史は様々な民族の生活様式、風習、宗教などが次第に融合、混淆し、新たな文化が次々と生み出されていったものであるが、これは同時に強力な民族が、周辺の弱小民族を征服、吸収していった歴史でもある。

今日の中国とユーラシアに住む諸民族との軋轢や、中国共産党によって現在推し進められている「一帯一路」なるものの政策は、西のヨーロッパにまでつながる経済圏構想を、否、覇権を拡大しようとする野心が否が応でも露見し、ノスタルジアはどこかへ吹き飛んでしまいそうにもなる。

しかしここでは、歴史の中にわずかでもロマンを見出し、「シルクロード」という後世の呼称が登場する以前の、中央アジアも包み込む、より大きな中央ユーラシアの世界にも目を向けながら、ダイナミックな歴史のうねりを実感することに徹してみたいものである。

1　新疆ウイグル自治区からパキスタンとの国境へ

今回の旅のルートは「シルクロード」のほぼ中間、ウルムチを出発点としてパミール高原とカラコルム山脈の間に位置するクンジュラブ峠からパキスタンのペシャワルまでをたどり、その途上アフガニスタン、さらに北インドへ向かうことになる。

✝ウルムチとウイグルの歴史

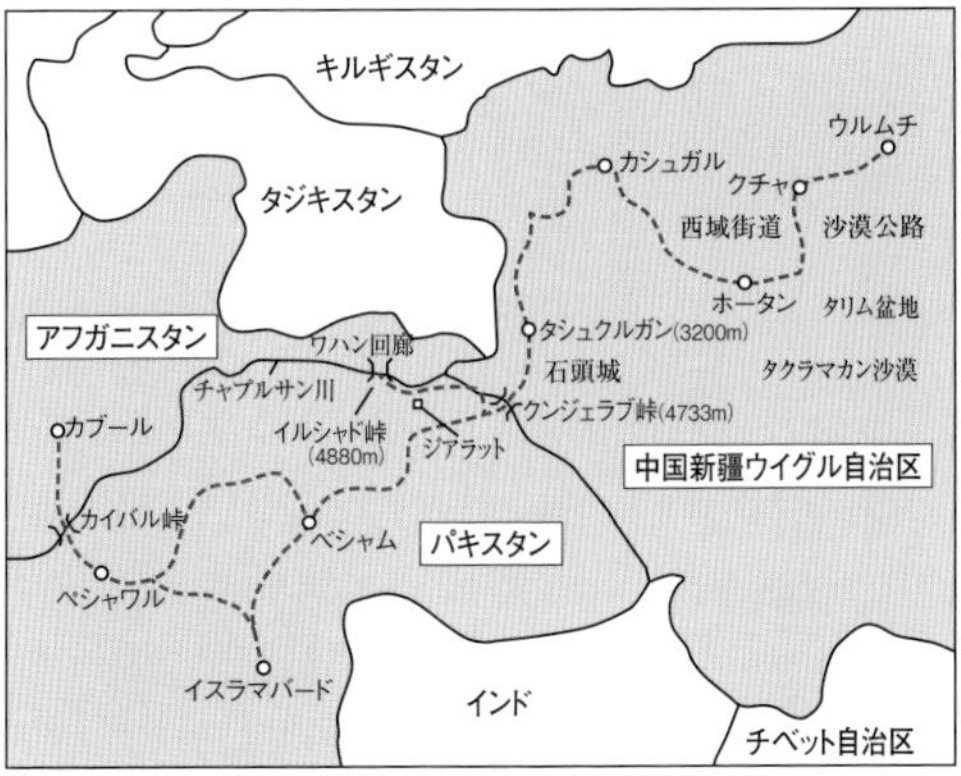

二〇〇三年七月、バンコクから成都経由でウルムチに向かった。中国入国時には当時オープンしたばかりの成都新空港でサーズ（重症急性呼吸器症候群）の検査の洗礼を受ける。この年は東アジアを中心にサーズが猛威を振るっていたからだ。新疆ウイグル自治区の区都ウルムチは私にとっては十五年ぶり、三度目の訪問となる。最初に訪れたのは一九八三年であったので、三十七年前になる。当時は中国への個人旅行が解禁されて間もない頃で、このウルムチから西は未開放地域ということで、外国人旅行者の個人としての入域は認められていなかった。昨今のウルムチの様変わりは目覚ましいものであるが、当時は田舎の大都会という印象であった（写真1・2）。

時代は遡り七〇二年、唐代の則天武后（在位六九〇～七〇五）の時、西域統治の拠点、安西都護府（天山南路のトルファン、クチャに置かれていた）を分割して、現在のウルムチ近郊に北庭都護府が設置された。西北部における突厥《とっくつ》や吐蕃

（チベット系）の動向の監視を強化するためである。六世紀、ユーラシア大陸の東西にわたって大遊牧帝国を建設していたトルコ系の突厥は、唐の太宗の時代、いったん弱体化していたがまた勢いを取り戻しつつあった。しかし同じくトルコ系のウイグルに滅ぼされる（七四四年）。その後、ウイグルはキルギスの攻撃を受けて崩壊し（八四〇年）、東部天山に逃れ、北庭都護府の近くに首都ビシュバリクを構築し、そこを中心に天山ウイグル王国を建てる。ウイグルはその後モンゴルに服属することになる。

やがて清代、乾隆帝（在位一七三五〜九五）による天山以北のジュンガル遠征後の一七六三年、清はこの地に迪化《てきか》城を築き、イスラーム化した南のウイグル人に対する征服拠点とした。ウイグル人は、近隣のキルギス人やカザフ人と同様イスラーム教徒が多数を占めており、十九世紀半ばウズベキスタンの軍人ビグにより、一時この地域にイスラーム国家が樹立されたことがあった。しかし一八六〇年に清に征服され、新しい国境地域を意味する「新疆《しんきょう》」という名がつけられ、正式に新疆省となって、省都は迪化市に置かれることになった（一八八二年）。新中国が成立した時には自治区となり、民族の主体性は保証されるという建前であった。人口は当初二五五万（一九二八年）であったが、その後中国政府の政策により多数の漢民族が移住し、現在は一九〇〇万を超えている（漢民族人口は約九〇〇万、二〇一二年）一九五五年にはこの区都名はウルムチ（烏魯木齊）と改名され、現在人口三五五万（二〇一九年）の中国北西部最大の都市となった。

だがウイグル人は漢民族とは異なるルーツ、言語、宗教を持っており、自らを中国人であるとみなすことをよしと

1　1983 年のウルムチ

2　1988 年のウルムチ

せず、次第に民族独立運動の気運が高まっていく。これに対し中国政府はウイグル人の言語、文化、宗教など彼らの民族を形成するすべての要素を徹底的に管理し、思想改造を行うようになった。そして「彼らの血筋を絶て」、「彼らのルーツを壊せ」と繰り返し、過激なスローガンを掲げた。

その結果、近年ウルムチでは共産党政権による弾圧や漢民族重視政策に対する不満が噴出する事件が相次いだ。二〇〇九年、広東省の玩具工場でのウイグル人労働者殺傷における政府の対応を不満とする暴動が発生。政府当局の発表による死者は一九二余人であるが、実際には三千人以上で、負傷者一七二一名の犠牲者（新華社通信）が出たとされる。そして二〇一三年、「天安門広場自動車突入事件」。翌年には習近平国家主席が同自治区を初めて視察した直後の「ウルムチ駅爆発事件」と自爆テロが相次いだ。

中国政府はこれらをイスラーム過激派ＩＳ（Islamic State）の影響と位置づけて大規模な「強制収容所」を設置し、ウイグル人総人口約一〇〇〇万のうち一〇分の一にあたる百万人をその施設に収容し始めた。総人口というのは女性、子供を含めた数なので成人男子のおよそ四、五人に一人が拘束されていることになる。ウイグル人の思想的指導者とされるイスラーム学者ムハンマド・サリヒ氏（八十二歳）もこの「強制収容所」に収監され、二〇一八年一月に死亡した（『ニューズウィーク日本語版』二〇一八年二月二十日）。

中国政府の厳しい報道統制により、外国メディアによる直接取材は困難を極め、実態は必ずしも明らかにされてはいないが、暴力や拷問で政治的洗脳を行うその実状は報道されている内容以上のものと考えられる。また女性に対しては組織的に不妊手術が強制され、これはまさにジェノサイド（民族虐殺）であるとアメリカは非難の声明を出した（『ニューズウィーク』二〇二〇年七月十六日）。それに対し中国側は、この政策を非難する欧米の国々やメディアに対して、「人道的な職業訓練センター」だと主張しその批判をかわそうとしている一方、中国との経済的関係を重視する日本政府はこれを強く非難できないのが現状である。

†ウルムチからホータンへ

　翌朝、ウルムチ中央部の高台にある紅山公園から市内を展望する（写真3）。色鮮やかな近代的ビルディングが折り重なって建っている。以前は探すのに苦労したレストランも小綺麗なものがいくつもオープンしている。「シルクロード」の天山南路方面に向かうバスもかつては旧式であったのに、今では欧米、日本から輸入された新型のバスが取って代わっている（写真4）。縦に三列の寝台が設けられたバスで、タクラマカン砂漠中央部の砂漠公路（写真5）を南下し、西域南道のオアシス都市ホータンをめざす。砂漠の中に建設された舗装道路なので、バスの揺れは比較的少ない。この十五年前カシュガルの公安局でホータンへの個人旅行を申請したが、許可が下りなかった。それだけに今回の旅には是非ともホータンを組み込みたかった。

　私は一九七四年、まだ中国側の旅行が許されなかった頃、「シルクロード」の西半分、イスタンブールからインドのニューデリーまでを一か月半かけ、現地の交通機関を利用しながら旅したことがあった。そして中国への個人旅行が解禁された一九八三年には前著『全世界紀行――民族と歴史、そして冒険』に記したように北京からウルムチまで、その六年後にはウルムチから天山南路に沿ってカシュガルからタシュクルガンまで足を伸ばした。しかし全長一万キロを超える「シルクロード」

3　2003年のウルムチ

4　ウルムチ汽車站

5　砂漠公路（カシュガル－ホータン間）

の中で、中国のタシュクルガンからパキスタンのペシャワルまでの数百キロのみ、まだ足跡を残していなかったので、今回の旅はこれらをつなぎ、全「シルクロード」の旅を完成させようというわけである。ただしこの数百キロを移動するだけならば、あまりにも簡単すぎるので、中国、もしくはパキスタン国境を越えて徒歩または現地の交通手段を使って再度アフガニスタン入りを試みようというのが今回の旅のもう一つの主目的であった。ウルムチ出発の翌朝、ホータンに着く。

† ホータン

ホータンは、中国西域タクラマカン砂漠の南西部に位置する人口約二〇万の小都市。うち約八三パーセントをウイグル族、十六・六パーセントを漢族が占める。漢語では和田、于闐《うてん》、于寘《うてん》とも書かれ、またコータンとも発音される。

ホータンの南にそびえる崑崙山脈からはユルン・カシュ川（白玉川、写真6）、とカラ・カシュ川（黒玉川）が流れ出し、ホータンはこの両河に挟まれている。川の名称が示すように、ホータンでは古代より良質の玉《ぎょく》を産出することでよく知られる。今でも街中では玉石を売る店が沢山見かけられる（写真7）。また玉と並んで絹製の絨毯を生産する工場兼販売所も数多くある（写真8）。その昔、ホータン王は中国から嫁いでくる王女の冠の中に、蚕種を隠し持ってこさせて、中国から養蚕技術を盗みとったという有名な話がある。

7　ホータンの玉

6　ユルン・カシュ（白玉川）

8　ホータンの絨毯工場

前一世紀頃からホータン王国は西に位置する莎車（ヤルカンド）と攻防を繰り返したが、後漢時代初め、西域都護に任ぜられた班超に征服され漢の支配下に組み込まれる。二世紀にはクシャーナ朝のカニシカ（後述）のインド支配に助力をしたという。五世紀には仏典を求めてインドをめざした東晋の僧、法顕（三三七〜四二二、第5章参照）が立ち寄り、七世紀には唐の僧玄奘三蔵（六〇二〜六六四）が滞在し、その著『大唐西域記』には詳細な記録が記されている。その後吐蕃（チベット）の支配を受けるが再び唐に服属する。宋（九八〇〜一一二七）とは朝貢関係を結んでいたが、一〇〇八年にはイスラーム勢力が進攻してくる。次の元の時代（一二七一〜一三六八）の初期、マルコポーロが訪れ、次のように記録した。「住民は大ハーンに臣属し、全てイスラーム教徒である。多くの町や村があるが首都ホータンは最も立派で王国の名もここからきている。どんな物資も豊富にあり、木綿、亜麻、大麻、小麦、葡萄酒なども同様である。住民は葡萄園、庭園、畑などを所有し、商業、手工業を業としている」（『東方見聞録』第一編三十六）。

† カシュガル

ホータンからヤルカンド経由で懐かしいカシュガルをめざす。バスで約九時間の行程だ。ホータンを発ちしばらくすると人相のあまり良くないウイグル人がトランプ賭博を呼びかけ始めた。やがて乗客数人の男たちで盛り上がり、時折彼らの視線がこちらに向く。加わらないかという誘いだ。以前にもコルラ-クチャ間のバスの中で同じ光景（写真9）に出会い、何やらイカサマ臭く感じていたので無視し続けた。すると、人相の悪いウイグル人の一人が、私の後ろの席に座っていた若い母親と小さな子供に近づき、最初少額を賭けて小さな子供に勝たせて安心感を持たせ、同じことを母親にも繰り返す。金額は次第に大きくなっていくが、依然として母親に勝たせ続ける。最後に一気に三〇〇〇元（約五〇〇〇〇円）となった時、母親は躊躇したが、

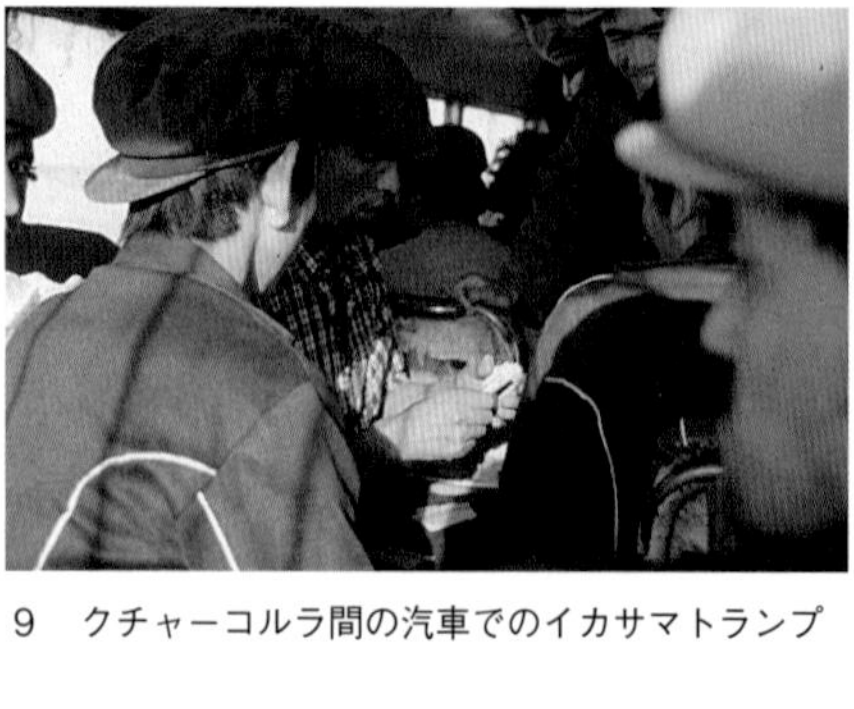

9　クチャーコルラ間の汽車でのイカサマトランプ

回りの男たちがはやし続けるので、とうとう賭けてしまい、見事騙しとられてしまった。最後の時点で私は首を横に振り、やめろと合図を送ったが間に合わなかった。母親と子供は金を返せと大声で泣き出し、バスは停車。車掌が中に入るが、もちろん金は帰ってこない。賭けに加わっていた男たちは皆バスを降りていった。やはり全員グルだったのだ。もう少し早めに気づいていれば、本気で止めるよう合図を送ってやれたのにと悔やむが後の祭り。

十五年前に訪れたカシュガルの町並みの変わりようもかなりのもの（写真10・11）。エィティガル・モスク（写真12）西側にあった職人街は都市再開発のためすべて取り壊されていた。まず中国−アフガニスタン国境の状況を知るために、公安局外事科、中国国際旅行社、特殊な旅行を扱う民営の旅行代理店などを回ってみた。しかし結論としてここ数年は国境がオープンされる可能性はないだろうとのことであった。

周知のように、二〇〇一年の九・一一事件後の十月七日、アメリカは、テロの首謀者オサマ・ビン・ラディンを隠匿しているとみなして、アフガニスタンのタリバーンの軍事施設やアルカイダの訓練施設などへの報復攻撃に踏み切った。対するタリバーン政権の最高指導者オマル師（二〇一三年死亡）は米英に対するジハード（聖戦）を宣言。タリバーンに敵

11　カシュガルの街（2003年）

12　エィティガル・モスク

10　普通にすれ違う漢人とウイグル人（1988年）

対していた北部軍事同盟はこれをチャンスとみなし、十一月には首都カブールを奪回した。このため、タリバーン、アルカイダの残存勢力がアフガニスタンから中国へと越境することが予想されたので、中国政府は当時この地域の警戒を強めていたのだ。

先述のように現在の中国は、国家として拡大路線を取り続けており、当然のことながら自ら勝ち取った国境は決して譲れない不可侵なものとしている。しかし中央ユーラシアの人々にとって、彼らは移動する民族であり、国境という概念は存在しない。史書に登場するものだけでも、唐代までに匈奴、鮮卑、柔然、突厥、ウイグルなどの騎馬遊牧民族が中央アジアの世界を縦横無尽に行き交った。宋代になると、さらに契丹（遼）、タングート（西夏）、女真（金）が次々に名乗りをあげる。これらの騎馬遊牧民族の歴史の流れの中に生き続けてきたモンゴル人たちの勢力が急速拡大するのが、十二世紀のチンギス・ハーンの登場によってである。モンゴル人たちは、他の騎馬遊牧民族のすべてを臣属させる。第五代ハーンのフビライの時代には元が建国され、中央アジアのみならず、東西ユーラシア全域にわたって大帝国を築き上げ、国境を持たない騎馬遊牧国家としてその頂点に立つことになる。この時点においてはまさに中国は中央ユーラシアに組み込まれたと解釈する方が歴史を理解しやすくなるだろう。

中国の王朝の変遷を中央アジアの歴史の基軸として捉えると世界史の本質に迫ることはできないと考える。

† クンジュラブ峠

翌昼すぎ、カシュガルの街の西側に移動した国際バスの発着所よりパキスタンに向う。十五年前と同じルートでパミール高原に分け入っていく。以前よりも道路状況が良くなったので、二時間ほど早く午後九時にはタシュクルガンに到着。これは北京時間なので、現地では二時間ほどずれているように感じる。以前は日没直後に見た町はずれにある石頭城（写真13・14）は、今回は日没前に訪れることができた。石頭城が最初に築かれたのは漢代のことであるが、唐・元代にわたって拡張工事が進められ、清代の光緒二十八年（一九〇二年）には、西方の国境を監視する必要から堅固な城郭が増築され、清の領土拡張の象徴とされた。
翌朝、タシュクルガンの町のはずれで中国側のイミグレーションと税関によるチェック。ここでもサーズ検査に時間がかかる。ようやく出発したバスの窓越しに、このあたりがアフガニスタンとの国境かと思われる西側の谷の切れ目に目を凝らす。標高四七〇〇メートルのクンジュラブ峠（写真15）を難無く通過して、パキスタン側の検問所に到着。バスの乗客の大半を占めるパキスタン人がワーッと歓声を上げる。彼らにとって、何かと規制の強い中国は窮屈だったのかもしれない。

バスはぐんぐん高度を下げてパキスタン側の税関があるススト へ。ここでもまたサーズの検査を受ける。ここでは中国式の赤外線による高熱感知機器ではなく、絆創膏を額に張って数分後に変色していたら熱があるとみなされる簡単な検査。絆創膏が変色した人たちも近くの小川の水で額を冷やして再度の検査で全員パス。夕方にイスラマバードからここへやってくるはずのガイドは、カラコルム・ハイウェイが土砂崩れで一時的に通行不能になったため、到着できなかった。

13　石頭城（1988年）

14　石頭城（2003年）

15　クンジュラブ峠（4700m）

16　チャプルサン川

翌昼、ガイドのシャヒーン（三十一歳）とコックのイブラヒム（四十五歳）がようやく到着。カシュガルから同じバスでやってきた若い日本人旅行者のＴ君も同乗することになり、運転手を含めて五人で午後三時にジープで出発。チャプルサン川（写真16）を見下ろす岸壁に沿って切り開かれたつけられた道を西へ約二時間。シャウレザブ（ウルドゥ語で美しい緑の意）という村のゲストハウスで一泊。ガイドのシャヒーンはここから東にあるシムシャール村出身でガッシャーブルムⅡ（八〇三五メートル）の頂きに立った登山家でもあるという。夜、外に出ると久しぶりに満天の星空を仰ぐことができた。

†ジアラット

翌朝、ポーター四名を集めてジアラットに向かって出発。ゲストハウスのオーナーのアラサルハン（五十三歳）もポーターに加わる。現金収入を得る絶好のチャンスになるのだろう。ポーターたちは自転車でジアラットに向かう。ジアラットには当地のイスラーム聖者バーバクンディの剣を祭った聖廟があり、翌朝旅立つ私たちの旅の無事を祈る儀式が執り行われた（写真17）。

フランスのテレビ局がこの地方の男たちによるブズカシという首のないヤギの胴体を馬上で取り合う競技を取材するために、前日からスタッフを数名送り込んでいた。その競技を私たちも見物しようとしばらく待機する。しかしこれはいわゆるヤラセの撮影で、近郊からやってきた相手チームが到着して挨拶をかわすところから何度も撮り直しが行われ、じらされた馬が一頭逃走してしまって、ヤラセがストップしてしまった。ここでわれわれは見切りをつけ、徒歩で出発。チャプルサン川の右岸に沿って西へ向かい、ヤルシャルドというところ

17　ジアラット、聖者バーバクンディに旅の無事を祈ってくれる村人

で露営。近くにいた牧畜民ワヒの人たちの宿営地を訪ねる。彼らは二〇〇頭以上のヤギを飼い、ヨーグルトやチーズを作って生計を立てている。夕暮れ時に、ヤギを石囲いに追い込もうと走り回る犬がかわいい。

ワヒの人たちの中には目の青い金髪の人もいる（写真18）。一瞬、約二三〇〇年前にこのあたりまで進軍してきたアレキサンダー大王が残したギリシャ人の血を引くのかなとも思ってしまうが、それは単なる知識の結び付け。二三〇〇年も経てば、様々な民族の混血と同化が重なり、その系統を明らかにするのはほとんど不可能に近い。「シルクロード」の歴史をたどるとなれば、漢の武帝の時代、匈奴を挟撃するため、西方の大月氏国との同盟を結ぶ使命を託されて西方に向かった張騫（?〜前一一四）による西域行から話を始めるのが定番であろうが、東西交流の歴史という視座に立てば話をさらに約千年遡り、先述のように中央ユーラシアを舞台にした騎馬遊牧民族、もしくは移動集団の動きから触れなければならないだろう。

18　アフガニスタン、国境付近で放牧生活をするワヒの人

† スキタイ人

前十世紀頃、西アジア方面では北カフカス、黒海北岸にかけて分布していたといわれるスキタイ人が、中央アジア方面にまで足を延ばし、匈奴とも何らかのつながりを持っていた可能性が近年指摘されている。双方の墓などから発掘される金製の装身具などに似通った点がいくつもあるからだ。近年はスキタイが作り始めた鉄製馬具がそのまま匈奴に伝わったことが実証されている。スキタイ人は、馬の口にはめる鉄製の銜《はみ》を考案することなどにより、騎乗技術を高め、移動距離を大幅に伸ばすことができたといわれる。彼らは前五五〇年、西アジアに成立したアケメネス朝ペルシャを北方で散々てこずらせたが、やがて臣従して第3章で述べたペルシャ戦争ではペルシャ軍に組み込まれる。

ペルセポリスの百柱の間（儀式の間）の石段の壁には、ダリウス大王に秀馬を献上するスキタイ人のレリーフ（写真19）が描かれている。ダリウスの時代、アケメネス朝ペルシャは、インダス川まで版図を広げ、ペルシャ軍に従ったギリシャ人たちも現在のインド、パキスタン北部に住み着いた。さらにアレクサンドロス率いる東方遠征、セレウコス朝による東方領土の守備などで、後世「シルクロード」として語られる歴史以前から、すでに多くの人々が中央ユーラシアを移動していたのである。

話はすっかり古代に戻ってしまったが、ヤルシャルドの露営に戻そう。夕食にはコックのイブラヒムがなんとオニギリとみそ汁を作ってくれる。数多くの日本人のトレッカーを世話してきた経験からか、至れり尽くせりのサービス。

自前の一人用のテントで久しぶりにシュラフ（寝袋）にもぐり、ぐっすりと眠る。

†イルシャド峠とワハン回廊

翌朝、七時半にテントをたたんで出発。北からイルシャド川がチャプルサン川に合流する地点ズイウルチャ（標高四一〇〇メートル）を右折するとルートは急な登りとなり、ややスピードダウン。遥か西に見える五五〇〇メートルほどのピーク下よりクンズサル氷河が南に張り出し、東に直角に曲がってコズヤズという名の氷河になるという（写真20）。標高四二五〇メートルのイルシャドの平原地帯にテントを設営（写真21）。昨日ワヒの人たちから購入してここまで連れてきたヤギを解体。すぐに肉と内蔵を炒めて食べる。アフリカでも何度も同じような経験をしたが、屠った直後のヤギの肉は弾力があって実にうまい（写真22・23）。

19　馬を貢物とするスキタイ人（イラン、ペルセポリス、アパダナ宮のレリーフ）

20　クンズサル氷河とコズヤズ氷河

夜、シュラフ（寝袋）に横になっていると、シャヒーンがやってきて、「明日峠まで行くのは正式な許可を得ていない。やはり止めておこう。」とすまなそうに言い出す。「明日は待機するポーターたちには黙っておいて、ゲストハウスのオーナーのアラサルハンのみ同行させ、トレッキングで少し高いところまで行くだけだ」ということにして、実際には峠まで行ってしまえばどうだと切り返し、無理やり納得させてしまう。

イルシャド峠の北に位置するワハン回廊は先述の法顕、玄奘、後にはマルコポーロも通過しているが、唐代、安史の乱（七五五〜七六三）に先立つ七四七年、高句麗出身の武将、高仙芝が率いた軍の移動経路でもあった。高仙芝は吐蕃（チベット）討伐、ギルギット制圧の成功により当時の皇帝玄宗に認められ、安西四鎮の節度使となった。しかし七五〇年に高仙芝により討伐された石国（タシケント）は、西のアッバース朝イ

21　テント地（4250 m）

22（上）・23（下）　ヤギとその肉

スラーム軍（第2章参照）の救援を求めた。翌年、高仙芝は数万の軍勢を引き連れワハン回廊を西進してタラスでこの敵軍を迎え撃ったが、敗れ去った。イスラーム軍は、その時捕虜とした二万の唐兵をサマルカンドに連行した。その捕虜兵士たちが修得していた製紙技術によってこの土地での紙の生産が始まり、それがイスラーム世界からやがてヨーロッパへと伝わっていくことになる（長安に召喚された高仙芝は、安史の乱で長安・洛陽間の要衝潼関を守り安禄山軍の西方進出を阻止したが、讒言《ざんげん》にあって玄宗の命により七五五年、陣中で処刑された）。

　十九世紀後半からこのワハン回廊は、英露による植民地陣取り合戦の最前線となるが、一八七五年の英露パミール協定により、東西約二〇〇キロ、南北約一〇数キロの間に設定された緩衝地帯に組み込まれた。現在アフガニスタンの東北部に細長く突き出した国境線がそれにあたる。ここにはキルギス族、ワヒ族の人たちが居住しているが、国際

24　イルシャド峠（4880 m）

25　峠にてシャヒーン（左）とアラサルハン（右）

26　アフガニスタン側のワハン回廊

的には閉鎖されたままで外国人の入域は許可されていない。

翌朝、七時に出発。正面のキルギス峠を左に見ながら右側斜面を登り始めると雲が広がり、雨も降りだし、次第にきつくなってくる。仕方なく写真を撮れるだけ撮って引き返そうとすると、やがて天気は少しずつ回復し、目の前にイルシャド峠（写真24・地図参照）が姿を現す。登りは苦しかったが雪を踏みしめ、午前十時四十五分ようやく峠に到着。北のアフガニスタン側から強い風が吹き上げてくる。標高四八八〇メートル、無人のパキスタン―アフガニスタンの国境である。シャヒーンとアラサルハンと肩を組んで写真撮影（写真25）。北側足元のアフガニスタン側のワハン回廊を挟むように幾重にも稜線が折り重なっている（写真26）。一時は黙ってここを越え、アフガニスタンに不法入国をして、ワハン側をしばらく散策して帰ってこようとも考えたのだが、ガイドやポーター、T君にも迷惑をかける可能性があるので、今回はここでおとなしく引き下がり、改めて再度カイバル峠越えでアフガニスタン入りをすることにした。

翌朝、やや強く降り始めた雨の中、下山開始。ズイウルドゥを経て一昨日と同じ地点ヤルシャルドにテント設営。服やシュラフが雨に濡れ始め、ややつらい一夜を過ごしたが、翌明け方には雨もあがり、朝食後テントを乾かしてから出発。午前九時、ジアラット着。待っていてくれたジープでスストを経由して、そのままカリマバード（フンザ）に向かい、再度アフガニスタン入りのためペシャワルを目指すことにする。

2　仏教伝来ルート
――カラコルム・ハイウェイからカイバル峠――

パキスタン北部のフンザからペシャワルへ、カラコルム・ハイウェイを南下し、スワート渓谷を通過してペシャワルに至る道は「シルクロード」上の仏教伝来のルートでもあった。このルートをたどり、さらにペシャワルからカイバル峠を越えて三〇年ぶりに入国した当時のアフガニスタンについてお話ししたい。

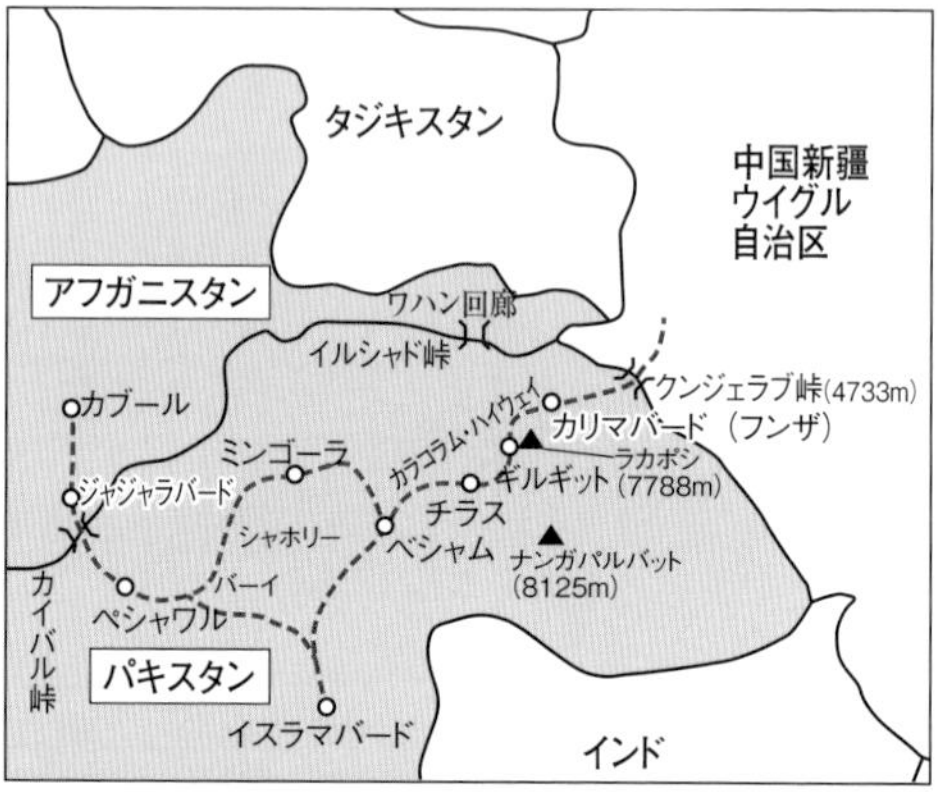

27　フンザ

28　ラカポシ（7788m）

二〇〇一年十月に始まった米軍の爆撃後、首都カブールの表情はどのように変わったのだろうか。

† フンザからチラスへ

二〇〇三年八月五日夕刻、イルシャド峠への旅を無事終えてカリマバード（フンザ、写真27）に到着。ホテルの窓からは、フンザ川を挟んでフンザの谷の全景を見下ろすことができる。谷のはるか上にはラカポシ（七七八八メートル）、デュラン（七二四三メートル）など氷雪を纏った七〇〇〇メートルを超える山々が夕陽に映えて美しい。

翌朝、ジープをチャーターしてドゥイカルという高台に登り、さらに展望を楽しむ。山容の大きなラカポシ（写真28）が目の前に迫る。坂道を上り下りする時に収穫期のアプリコット（アンズ）が多くの住居の屋根に干されている

（写真29）のを見かける。乾燥させるとビタミン豊かな保存食ともなる。

このフンザの中心街バザールロードの北端にフンザ藩王の城、バンディット城（写真30）がある。十七世紀、インドに大きな繁栄をもたらしたムガール帝国の第六代皇帝アウラングゼーブ（在位一六五八～一七〇七）の死後、帝国は分裂して、独立した州やその周囲にあった諸領邦がイギリス東インド会社と同盟を結んで各地に藩王国（土侯国）が成立する。ヒンドゥー王国の場合は藩王をマハーラージャ（王）と称するがフンザはイスラーム王国なのでナワーブ（太守）と称していた。

城の建築に関わった大工職人の多くが、かつてチベットの一部であったバルチスタン出身であったので、でき上がったこの宮殿兼要塞は、ラサなどで見られるものと同じく典型的なチベット様式である。世界遺産にはまだ登録はされていないが、有力候補であるという。この砦から続くバザールロードの両側には土産物屋が立ち並び、観光地然としていて私にとっては興ざめであったので、足早にホテルに戻る。

翌朝、ジープでフンザの南西方向にある小村アーリアバードに向かい、ここからカラコルム・ハ

30　バンディット城

29　フンザ特産のアンズ

31　カルガーの磨崖仏

イウェイを南下するバスに乗り換えギルギットのバスターミナルは街からかなり離れていたので、スズキ（日本車の相乗りタクシー）で市街へ。ギルギットは、メインストリートには小規模ではあるが銀行、ホテル、バザール、旅行代理店などが建ち並ぶパキスタン北部を代表する都会である。タクシーで郊外にあるカルガーの磨崖仏（写真31）を見に行く。住宅地を出るとすぐに悪路となるが、三十分ほどでたどり着いた。「シルクロード」はインドから中国への仏教伝来ルートでもある。カラコルム・ハイウェイ沿いに点在する岩壁上の仏教関係の刻画がそれを物語り、近年歴史好きな旅行者の脚光を集めている。カルガーの磨崖仏はガンダーラの影響下の仏像かと期待していたが、ギルギット川の支流カルガー川の断崖三〇メートルほどの上部に刻まれていたのは、やや丸顔の可愛らしいブッダであった。

翌朝、イスラマバード行き二十人乗りのギュウギュウ詰めのワゴンに乗ってチラスに向う。途中、東のスカルドゥ方面から流れてくるインダス川がギルギット川に合流する地点（写真32）がある。ここからはインダス川に沿ってカラコルム・ハイウェイを南下することになる。もう少し南下した地点で見えるはずであったカラコルムの名峰ナンガパルバット（八一二五メートル）は残念ながら雲に隠れてその全貌を見ることはできなかった。カラコルム・ハイウェイは、下るにしたがってトラック・コンボイなどの交通量が増し、その渋滞のせいでチラスに着いたのは夕刻前。すぐにインダス川の河原に下りて、ホテルの従業員に教えられたとおりに歩き回ると、あたりに転がっている大きい岩の表面には見事なガンダーラ様式のストゥパと仏像（写真33）が刻まれていた。このチラス岩絵の数は、仏教登場前の先史時代から十世紀頃にかけて描かれた動物や各種文様など約三〇〇〇点にもおよぶという。

ストゥパ（仏塔）はインドでは仏像が登場する以前、ブッダのシンボルであった。ストゥパの他に聖樹、仏足跡、法輪なども仏を表象するモチーフとして描かれてきたが、クシャーナ朝（一～三世紀）時代、ガンダーラにおいて初めて仏像が登場した。堀の深

32　インダス川とギルギット川の合流地点

い顔立ちに深い襞《ひだ》の衣をまとった仏像は、ギリシャの神々の彫像の影響を色濃く受けたもので、ヘレニズム（ギリシャ風の）文化の代表格といえるものである。カラコルム・ハイウェイ沿いに中国へ伝播したとすればそれまでのシンボルであるストゥパと並んで仏像が描かれていることは少しも不思議ではない。

†ミンゴーラ

さてチラスからミンゴーラへ向かうには、ベシャムでバスを乗り換え、インダス川沿いのカラコルム・ハイウェイから東に折れねばならない。標高二一三四メートルのシャングラ峠を越えると、緑豊かな世界が広がるスワート渓谷である。その中心地ミンゴーラ（写真34）もまたギルギットと同じくかなりの大都会である。

翌日は一日かけて街の周辺にあるブトカラ、ウデグラム、ラジャ・ギラ、ゴグラグ、カーリガイなどの仏教遺跡を散策する。イスラーム世界の中で仏教の痕跡をたどるのは実に楽しい。その希少価値が出会いの喜びを倍加させるからだ。これらの中で最も見ごたえがあったのは、ミンゴーラから東十数キロの地点にあるマングラウール村の郊外にあったシャホリーの磨崖仏（写真35）だ。車を残して山懐に入り、村の子供ににわか案内人になってもらい歩くこと三十分、巨大な岩の表面に見事に彫

34　ミンゴーラ

35　シャホリーの磨崖仏

33　チラスの岩絵

られた仏像に出会うことができた。それはガンダーラ様式の顔ではなく、東洋風の柔和な顔立ちの仏像であった。

†ペシャワル

さて、このミンゴーラからミニバスに乗り込み、三時間ほどでペシャワルへ。

ペシャワルから再度アフガニスタン入りをめざす。

三十年前、私は下痢と吐き気に苦しみながらこのペシャワルにたどり着き、二〜三日の休養後、帰りを急ぐためほとんど何も見ることができず、列車でインドに向かった。今回はガンダーラ仏像が数多く展示されているペシャワル博物館をはじめ、近郊のガンダーラの代表的な寺院とされるタフティ・バーイ（写真36・37）などを訪れ、念願であったガンダーラ文化に浸る三日間を過ごすことができた。また同時にカイバル峠越えのパーミッションを取るために役所回りを繰り返し、無事取得することができ、三十年ぶりのアフガニスタン入国が実現した。

ペシャワル市街地を出て、ジャムルードにあるカイバル門（写真38）をくぐるとトライバル・エリアと呼ばれる地帯に入る。長年パキスタン政府の管理下に入ろうとしない民族の自治居住区である。ここを通過する外国人は必ず警護兵を一人付き添わせねばならない。タクシーに兵を乗せて再出発。カイバル峠（写真39）に向かってぐんぐん高度を上げる。三十年前にここを下った時には、ただでさえ暑い気温の上昇とともにまつわりつく湿気に、みるみる体力を奪われてしまった。今回は体調も良いし、気温も下がっていくので何も苦しいことはない。しかし前回の思い出

36（上）・37（下）　タフティ・バーイ寺院

が脳裏をかすめるとなんとなく下痢が始まりそうな予感がしてしまう。峠の一番高いところにランディ・コタール（写真40）という小さな町があり、そこから少し下ると、トルハムというパキスタン―アフガニスタン国境。そこを歩いて通過。行き交うのは両国の商人や知り合いを訪ね合う現地の人々のみ。出入国はまったく問題なし。

38　カイバルの門

39　カイバル峠

40　ランディ・コタール

3　アフガニスタン再入国

†カブール

アフガニスタン側から、客が満杯になると出発するミニバスに乗り込みジャララバードに向かって舗装された道路を約一時間半。途中昼食休憩をとり、一路カブールに向かう。舗装道路は途中で切れる。休憩時に道路から少し離れた半砂漠地帯に入って小用を足していると、バスの乗客たちが手を振って戻ってこいと合図をしている。そうだ、このあたりはまだ地雷処理が終わっていないのだ。途中、大型の戦車が放置されていた（写真41）。一九七九年に侵入した旧ソ連軍の戦車をムジャヒディーンと呼ばれたアフガニスタンの抵抗勢力が奪取し、さらにそれをタリバーンが奪い、二〇〇一年の米軍による空爆で敗走したタリバーンが乗り捨てたものだという。平和そのものであった三十年前と比べると、その後のアフガニスタンの歴史の変動はすさまじい。

さてカブール（写真42）に着いて、なんとか捜し当てたのが一泊五〇ドルのホテル。高額のうえバス・トイレ無しの部屋。将来の発展を見込んで、主にイラン人らの建設業者によって建てられたものだという。

翌朝、三十年前にも訪れたカブール博物館（写真43）に向かう。略奪のあとも痛々しく、崩壊寸前の建物の中には、前に見たバクトリア時代のギリシャ文字を刻んだ粘土板や、クシャーナ朝のカニシカ王（後述）の石像（写真44）などがかろうじて残っていた。しかし損傷が激しく現在は修復中。この後、三十年前に体調を崩して訪れることができなかったところを片端から見て回ることにする。ムガール朝の始祖バーブルの墓は、博物館からそれほど遠くないところにある（ムガール朝は五代皇帝シャー・ジャハンが建てたター

41　打ち捨てられた戦車

42　カブールの街

43　カブール博物館

44　カニシカ王の石像

ジ・マハル（後述）で有名である）。

†ムガール帝国

インド・ムガール帝国の初代君主バーブル（一四八三～一五三〇）は、父方はティムールの三男、母方はチンギス・ハーンの次男チャガタイ・ハーンの子孫の娘であり、トルコ系、モンゴル系双方の血を引いていた。ティムールが首都としていたサマルカンドは、一五〇〇年頃のウズベク族の侵攻により荒廃した。その後はティムールの一族が奪回したが血族争いが絶えない状態になっていた。バーブルも三度にわたってサマルカンドの奪回を試みたが、いずれもうまくいかなかった。やがてバーブルはインドへの本格的な進出を考え始めるようになる。

一五二八年、パーニーパットの戦いでよく訓練された騎馬兵団と銃撃隊を巧みに使いインド・ローディ朝軍を破り、翌一五二九年には強力なラージプートのヒンドゥー君主ラーナー・サンガの大軍を、ムスリムとしてのジハード（聖戦）を宣言してハーヌーアの戦いで撃破するなど勝利を重ね、北インドの支配を確立した。

バーブルは軍事力に長けた優秀な指導者としてだけでなく、優れた文人としてもよく知られ、自らの半生を著述した回想録『バーブル・ナーマ』は文学・史料的価値が高く評価されており、多くの言語に翻訳されている。しかし彼が嫌っていた北インドの暑さと湿気は、戦いに明け暮れた彼の身体を蝕み、四十八歳の若さで長男フマーユーンに看取られながらアグラで生涯を終えた。遺言に従って彼の墓は、野心みなぎる若き日を過ごしたカブールに移された。バーブルはカブールに多くの庭園を建設し、宮殿の役割を果たす天幕を庭園に設置していたという。私が訪れた時には、広い庭園の花は残念ながら手入れが行き届かず、墓標も初代皇帝にしてはかなり質素であったことが印象的であった（写真45・46）。

ムガール帝国は、第二代皇帝フマーユーン（在位一五三〇～四〇、一五五五～五六、在位が二期にわたった理由は後述する）を経て、第三代皇帝アクバル帝（在位一五五六～一六〇五）の時代、北インドからアフガニスタンに至る広大な地域を征服して大帝国となる。徴税制度を整え、中央集権制度を確立したアクバルは、帝国の役人たちに官位を与え、維持する騎兵の数を定めるマンサブ制（官位軍事制）と、官位に応じて土地を割り当て徴税権を与えるジャーギール制を定め、軍事財政システムを安定させた。さらにイスラームとヒンドゥー教の融和政策をとり、帝国の繁栄の礎を築く。

ムガール帝国はインド的な国家のイメージが強いが、もともとは騎馬遊牧民族の中から登場したティムールが建てた王朝の流れをくむものであり、騎兵を巧みに使いこなし数々の勝利をおさめた初代のバーブルにも見られるように軍馬の使役を重視する伝統を大切にしてきた。アクバル帝のジャーギール制（官僚は付与されたジャーギールに応じて、戦時には騎馬を供出する義務があった）もまさに騎馬遊牧国家の線上に位置するものであろう。インド・ムガール帝国も中央ユーラシアの歴史に由来する帝国であったのだ。

二十世紀に入ってからのアフガニスタンはすさまじい政治混乱に見舞われた。一九二六年に成立したアフガニスタン王国は親ソ急進派やイスラーム主義勢力の台頭によりあっけなく崩壊し、一九七三年にアフガニスタン共和国となった。

前王ザーヒル・シャー（一九七三年、従兄にあたるダーウード元首相による共和制クーデターにより亡命同然の形でイタリアに移住し二〇〇二年、カブールに戻ってきた。二〇〇七年死亡）の父ナーディル・シャーの霊廟（写真47）を訪ねる。前回訪問時（一九七四年）には、カブール東の高台に建つ白亜のモスク風建築物を市街から眺めた記憶があるが、これも

45　丘の上に立つムガール朝初代皇帝バーブルの墓

46　墓のある丘から見た庭園の光景

タリバーンによる破壊で無残な姿をさらしていた。

街の中心部にあるチャハル・チャタバザールなどは、昔と同じような活気を取り戻してはいたが、街の至るところに残る爆撃によって崩壊した建物、砂ぼこりや排気ガス、ゴミの山などから行政処理能力の立ち遅れを強く感じてしまう。ただ救いは私がカブールを去る前日に一軒のスーパーマーケット（写真48）のオープンに立ち会うことができたことだった。治安が極度に悪化する貧しい地域では豊かさの象徴である豊富な商品が揃ったスーパーマーケットがまず最初の略奪の対象となるのだが、新しいスーパーマーケットの開業は、人々が近い将来の安定と発展への見通しに自信を深めつつあることの現れと受け止めることができた。

再訪を考えていたアフガニスタン東端のワハン回廊や、三十数年前に訪れたアフガニスタン北西部への再入域などの許可について問い合わせるため、外務省に隣接した辺境民族省を訪ねる。するとすぐに快く執務室に通され、ミルザ・アリという大臣が直接面会に応じてくれた。彼は若い頃、旅行ガイドをやっていて、日本人旅行者を何人もバーミヤンなどに案内したことがあると話してくれた。また現状ではまだ治安が良くないが、近い将来必ず安定する日がやってくるという明るい見通しを語っていた。私もそれを願っていたのだが、タリバーンの攻勢がまた強まってきた昨今の状況では、その見通しは残念ながら甘かったといわざるを得ない。

†再度、状況悪化するアフガニスタン

周知のように一九八九年、ソ連軍が撤退した後、アメリカの支援を受けてソ連軍と戦っ

47　ナーディル・シャーの霊廟

48　開店したばかりのスーパーマーケット

ていた北部のムジャヒディーン（ジハードを遂行する者の意）はアフガニスタン統治に至る権力掌握を目指して互いに争い合った。内戦が全土に拡がりつつある時、南部の都市カンダハルを中心に立ち上がったイスラーム神学生の集団タリバーンがパキスタン北西部辺境から勢力を拡大した。一九九六年、タリバーンはカブールを占領し、アフガニスタン・イスラーム国の成立を宣言する。

二〇〇一年九月十一日のアメリカでの同時多発テロ事件の後、事件の首謀者オサマ・ビン・ラディン率いるアルカイダを支援していたとされるタリバーンに対して、報復を意図するアメリカ軍が十月七日に攻撃を開始した。同時多発テロ事件の前々日にはムジャヒディーンたちによる北部同盟の指導者マスード（写真49）がタリバーンによって暗殺されていた。約一か月後、アメリカ軍の支援を受けた北部同盟によってカブールは奪回される。十二月にはカルザイを暫定大統領とする新政権が発足した。カルザイはタリバーン勢力の強いカンダハルのパシュトゥーン人であり、北部同盟を構成する軍閥の代表者が政権の主要ポストにつき、ようやくアフガニスタンが再統一される希望が見え始めた。

私がカブールを訪れたのはその二年後であった。今から思えばこの時だけがアフガニスタンに束の間の安定がもたらされた時期であった。しかし二〇〇六年頃から南部、南東部においてタリバーンの攻撃が続発する。タリバーンは隣国パキスタンとの国境地帯で勢力回復していたのだ。同年七月にはＮＡＴＯ軍を中心とした国際支援部隊（ＩＳＡＦ）が国内全土に展開した。その中心となるアメリカ駐留軍の兵士数は二〇一〇年には約十万人に達した。翌二〇一一年五月二日、アメリカ軍は九・一一事件の首謀者オサマ・ビン・ラディンを潜伏先のアボッターバード（パキスタン）で殺害。これ以降アメリカ軍のアフガニスタン支援の大義名分は薄らぎ始める。アメリカ軍はオバマ政権時代に、一時タリバーン復活に伴う治安悪化を防止するため駐留軍の増強を図り、

49　カブールの街中に掲げられていた北部同盟の指導者故マスードの画像。やがて同じ場所にはタリバーンの象徴画像が掲げられることになろう

ＩＳＡＦもそれに従った。しかし「アフガニスタンの治安はアフガニスタン自身が守るべきもの」とした各国軍はそれぞれ撤退を開始することになる。

アメリカ、バイデン政権は九・一一事件から二十年となる節目の二〇二一年八月末をもってアフガニスタンから全面撤退することを宣言。アメリカ軍が去って、残されるアフガニスタン政府軍の脆弱さを見越し、政権奪取後の交渉を少しでも有利に持っていこうとタリバーンはさらに攻勢を強め、各州の州都を次々に陥落させる。同年八月十四日には北部の要衝マザリシャリフを、十五日朝にはパキスタンとつながる東部ジャララバードを制圧し、同日夕、とうとう首都カブールはさしたる抵抗もなくその支配下に組み込まれる。カルザイに続いて二〇一四年から大統領となっていたガニは沈みゆく船から船長が真っ先に脱出するかのように国外（カタール）に脱出していた。今後アフガニスタン国内では再度混乱の度合いが深まり、二十年にわたって各国軍と政府軍に犠牲を強いられてきたタリバーンによる報復、それにともなう内戦から逃れようとする難民の増加が懸念される現状になってしまった。

アフガニスタンへの再訪を強く希望する私をも含めて、アフガニスタンの一刻も早い復興と治安の安定が望まれる。ほぼ一週間のカブールでの滞在を終えて、再びバスで国境のトルハムの町に向かい、パキスタンに再入国し、カイバル峠を下ってペシャワルに戻り着くことができたのは、八月の下旬も押し迫った頃であった。

4　北インド

——ペシャワルからアグラへ——

仏教伝来のルートでもあった「シルクロード」。ここをたどった中国の仏僧、法顕や玄奘はインドにいったい何を見たのだろうか。今回はパキスタンからインドに入国し、その源流をたどり、ヒンドゥー教も含めた宗教芸術の原点を見つめてみる。

†ガンダーラの都、タクシラ

アフガニスタンからペシャワルに戻った翌日、ラホールに向かう大型バスに乗り、途中タクシラで下車する。アーリア人の移動に伴い、文明の中心がインダス川からガンジス川流域に移りつつあった紀元前六〇〇年頃、西北インドに誕生したガンダーラ国の首都がタクシャンラー（タクシラ）である。

以後この地は交易、学術の要衝として発展していくことになる。紀元前六世紀後半にはアケメネス朝ペルシャに、さらに紀元前三二六年には東方遠征中のアレクサンドロスに征服されるが、その結果ペルシャ、ギリシャの文化がインドの文化と融合して独特の世界が形造られた。

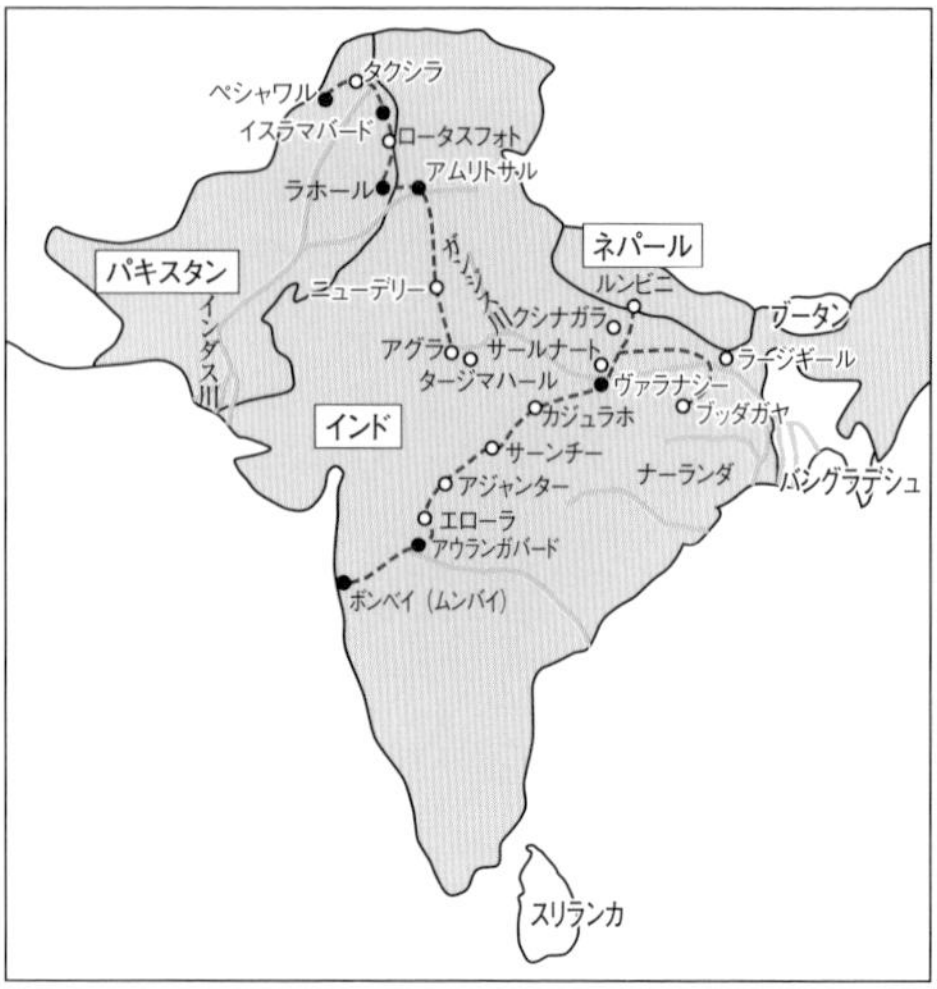

50（上）・51（下）　漆喰造りのガンダーラ仏像（当時タクシラ博物館は撮影禁止、上はペシャワル、下はラホール博物館で撮影したもの）

タクシラ博物館前に宿をとり、すぐに博物館に飛び込む。タクシラから出土した漆喰造りのガンダーラ仏像（写真50・51）が素晴らしい。ついでタンカと呼ばれる馬車タクシーを雇ってシルカップ遺跡（写真52）に向かう。紀元前二世紀にバクトリア王国のギリシャ人が侵攻し、彼らはタクシラの中心都市としてシルカップを建設した。南北に数百メートル続くメインストリートの両側には規則正しくストゥパが配置され、それを取り囲むように町並が広がっている。高度な計画に基づいた都市づくりに驚く。この中で街の博物館に収められているようなギリシャ風顔立ちのガンダーラ仏像がつくられていったのだろう。

†クシャーナ朝（一～三世紀）

前一五〇〇年頃、インド・アーリア人が中央ユーラシアから南下し、ヒンドゥクシュ山脈を越えてインドに入った。彼らはインダス川上流からガンジス川方面へと東進する。やがてガンジス川に沿ってマガダやコーサラなど十六大国と呼ばれる都市国家群（領域国家）を形成する。その北西端に位置したのがガンダーラ国であった。前六世紀にはアケメネス朝ペルシャの支配下に入り、この頃からギリシャ人たちが植民し始めたと考えられる。さらに前三二六年にはアレクサンドロスが侵攻し中心地タクシラを占拠する。アレクサンドロスの死後はセレウコス朝がこの地の支配を受け継ぐ。同じ頃、タクシラから出たマウリヤ朝チャンドラグプタ王が前三〇五年にセレウコス朝を破った後、現在のアフガニスタン南部からパキスタン北西部を支配する。マウリヤ朝のアショーカ王（前二六八頃～前二三二頃、写真53・54）が仏教を熱心に取り入れたおかげでガンダーラには多くのストゥパ（仏塔）が建てられた。前一八五年頃にはギリシャ系のバクトリア人がこの地に勢力を拡大し、ガンダーラを傘下におさめた。仏教教理問答「ミリンダの問い」で有名なメナンドロス王が仏教に帰依するのはこの少し後であった。やがて北方で匈奴

52　タクシラ、シルカップ遺跡

に敗れた月氏族が西へ移動し始める。そのうちバクトリア地方に南下したものが大月氏と呼ばれ、さらに五派に分かれ、そのうちのイラン系のクシャーナ族が他の四派を滅ぼして成立したのがクシャーナ朝であった。クシャーナ朝はインドの北西部にそびえるヒンドゥクシュ山脈を越えて現在のアフガニスタンに侵入し、先述のカイバル峠を越えてインドに侵攻してきたと考えられる。ガンダーラを支配したクシャーナ朝三代王カニシカの時代には、鋳造された貨幣にギリシャの神々の像が刻まれ、その影響下でそれまで仏の象徴であったストゥパ（仏塔）に代わってはじめて仏像がつくられるようになった。インドの歴史において、マウリヤ朝に続いて登場するクシャーナ朝もまた中央ユーラシアに源を持つ騎馬遊牧国家の流れを引き継ぐものである。

53（上）・54（下）　アショーカ王時代のライオン柱頭と石柱

† パキスタンからインドへ

翌朝、大型バスで、イスラマバードを経由してディナで下車。ロータス・フォート（写真55・56）に向かう。インド最後の王朝ムガール帝国第二代皇帝フマーユーンの時代、クーデターによりアフガン系スール朝を起こし、ムガール帝国の帝位を一時的に簒奪したシェール・シャー（在位一五四〇〜四五）は、ペシャワルからインド中心部へ向かう幹線路にこの壮大な城塞を築き上げた。一回りするのに五〜六キロは歩かねばならない長大かつ頑丈な城壁に囲まれている。移動する騎馬遊牧民族の伝統の流れを引くムガールの強力な戦闘能力を恐れたからだろう。その後、シェール・シャーの後を受け継いだ次男が恐怖政治を展開し、彼に弾圧されたアフガン貴族の不満を背景にフマーユーンは逆襲に転じ、一五五四年スールー朝の居城ラホールを占領してムガール朝の王座を奪回することに成功した。ここからラホールまではバスで三時間。

　これより話は三十数年前にさかのぼる。ラホールの町を出て、車で十数分走るとパキスタン側の国境に着く。三〇〇メートルほどの中間地帯を歩き、インドに入国。アムリトサルの駅から夜行列車でニューデリーに向かう時のこと。列車がプラットホームに入ってくる光景を見て驚いた。この駅が始発なのに車内は貧しい身なりの人たちでごったがえしていた。到着前にスピードを落とした列車にすでに乗り込んでいた乞食たちだ。この駅から乗ってくる客に、一ルピーで座席をゆずろうというのだ。私は強引に座席を奪取することができたが、真っ暗な車内は喧噪そのもの。列車はそのままプラットホームを離れる。話には聞いていたが、このインド入国時の乞食群の洗礼には本当に驚いてしまった。

　翌朝ニューデリーに着き、何が何でもタージ・マハル（写真57）だけは見なければとニューデリーから再び列車

55（上）・56（下）　ロータス・フォート

57　タージ・マハル

58　象嵌細工

でアグラに向かった。この時の私の旅は、エジプトのアレキサンドリアを起点に、「シルクロード」の西半分を陸路で移動してこのタージ・マハルを終着点とするものであった。

あまりにも有名なタージ・マハルとは、ムガール朝の全盛時代、第五代皇帝シャー・ジャハンが王妃ムムタージの死を悼み、十七年の歳月をかけてつくらせた壮麗な霊廟で、西のギリシャのパルテノンに匹敵する総大理石のイスラーム建築物である。近づくと正面入り口の壁から基底部にかけて、黒い大理石や宝石が白い大理石に埋め込まれた象嵌《ぞうがん》のアラベスクの装飾文様（写真58）が鮮やかに見えてきた。その時、私はエジプトからの長かった旅路を思い、不覚にも涙がこみ上げてきた。改めてこの旅の途上でも当時の感激が鮮明に思い出されるのであった。

5　中部インド、宗教芸術をめぐる旅

さてここからは、中国の「シルクロード」にも影響を及ぼした仏教とヒンドゥー教の宗教芸術をたどる旅を振り返ってみよう。

† エローラ

一九九一年、ボンベイ（現ムンバイ）の空港に着いた私はアウランガバードに向かい、有名なエローラとアジャンターの石窟寺院をめざした。旅の途中で知り合ったバルセロナ在住のスペイン人サルバドールと車をシェアしてデカン高原北西部の台地を走り、エローラ第一窟（写真59）へ。ここから第三十四窟まで丁寧に見ていく。第一窟から第十二窟までが仏教、第十三窟から第二十九窟までがヒンドゥー教、第三十窟から第三十四窟がジャイナ教の石彫が主に見ることができる。圧巻は何といっても第十六

59　エローラ第一窟

窟のカイラーサナータ寺院（写真60）。これは石材を積み上げたものではなく、大きな岩を上から掘り下げたものである。七五二年、デカンでチャールキヤ朝が倒れた後、新興のラーシュトラクータ朝の下で建立されたものという。叙事詩『マハーバーラタ』に描かれた大戦争、クルクシュトラ平原での十八日間の激闘の様子を岩面に刻んだレリーフ（写真61）が実に見事である。

† アジャンターの石窟群

翌朝はバスで北へ約一〇〇キロ、アジャンターへ向かう。五世紀、グプタ朝最盛期に開掘された石窟寺院である。入り口のところでの物売りが凄い。日本人と見れば集中攻撃。断ると必ず「あとで」と日本語で返ってくる。多くの日本人旅行者が断る時に、そういって逃げたのだろう。第一窟の持蓮華菩薩像（写真62）は実に鮮やかに当時の美しさを保持している。これは百年ほど前、日本に紹介された時、その表情が法隆寺の観音菩薩と共通様式であることが指摘されたものである。この観音菩薩像が描かれたのが七世紀であるので唐代（六一八～九〇七）初期に日本に伝わったと考えられなくもない。この菩薩像の周りに寄り添う女性たちの褐色の肌がなまめかしい（写真63）。第二窟にはブッダの前生物語、ジャータカが描かれ、第十九窟まで仏教関係の石彫が続く。ヒンドゥー教が圧倒的な勢いで成長していったグプタ朝時代は、インドにおける仏教芸術の完成期と重なり合う。この少し後に先述の僧玄奘が仏教の原点を求めてインドに入国している。

この日はここから北に向かうローカルバスに乗り、ジャルガオンという町でサルバドールと部屋をシェアして泊

60　カイラーサナータ寺院

61　岩に彫られたマハーバーラタ

まり、翌朝、列車でサーンチーに向かう。やってきた列車は何と、数時間遅れの昨夜発の夜行列車だという。サーンチーに着きすぐにストゥパのある丘をめざす。

先述のようにマウリヤ朝三代王で、仏教に改宗し敬虔な信者となったアショーカ王は、インド全土にストゥパをつくらせた。それらが基になって彼の死後百年を経てこの地にもストゥパが建立された（写真64）。お椀を伏せたようなストゥパを取り囲んで、鳥居に似た形のトラーナ（塔門）が東西南北にあり、その表面には仏足跡、法輪、ブッダの説教を聞きに来たゾウやシカなどの彫刻が細かく刻まれておりなかなか面白い（写真65）。

サーンチーの町中で食したチキンカレーがやや酸い味だなと思っていたところ、そ

62　アジャンター第一窟

63　ブッダの説教を聞く女性

64　サーンチーのストゥパ

65　トラーナ（塔門）

の夜半猛烈な腹痛を起こし、翌朝から激しい下痢が始まる。便意をこらえて早朝発の列車に乗り込む。途中下車したサルバドールと別れて、昼過ぎにジャンシ着。バスをいくつか乗り換え、暗闇迫る頃カジュラホへ。宿泊費の安いジャイナ教徒経営の宿に泊まる。夕食はベジタリアンであるジャイナ教徒用のターリー（やや大皿にのせた主食の米の周りに数種類の野菜が小さなお椀に小分けされたもの、写真66）。食欲がない時にはちょうどよい。

† カジュラホとヴァラナシー

翌日は全日をカジュラホの寺院見学に費やす。ここカジュラホには紀元一〇〇〇年頃、チャンデーラ王国時代に建立されたエロティックなヒンドゥー寺院が並び立つ。カンダリヤーマハーデーヴァ寺院のミトゥナ像（男女交合像、写真67・68）、デーヴィージャグダンベー寺院のシヴァとパールヴァティの像（写真69）などが素晴らしくエロティック。インド人のハネムーン風のカップ

67（上）・68（下）　カンダリヤーマハーデーヴァ寺院とミトゥナ（男女交合）像

69　デーヴィージャグダンベー寺院のミトゥナ像

66　街中のターリー売り

ルが熱心に見入り、ヨーロッパ人の若い旅行者のカップルが抱き合い始める。

翌日午後には体調も回復したのでバスでサトナに向かい、夜行列車でヴァラナシ（ベナレス）へ向かう。列車内で夕食を予約し忘れ、ひもじい思いをしていたところ、インド人車掌の一人が夕食を分けてあげようといってくれた。申し訳ないので断ったが、彼の心づかいに空腹感が瞬時に満たされる思いであった。午前五時にヴァラナシ（写真70）着。早朝にガンガー（ガンジス川）の沐浴の光景をボートに乗って眺める。積み上げられた木々の上に遺体が置かれ、男たちだけの立ち会いのもとに火がつけられていく。ガート（川に向かう階段）では犬が走り回り、人間の骨を取り合う。薪が足りず遺体が焼け残るとその部分は骨と灰とともにガンガーの流れに任せる。時折牛の遺体も流れてくる。その岸辺で多くのヒンドゥー教徒が全身を水中に沈める。信仰の力とはすごいものだ。

70　ガンジス川で沐浴を終えた家族（ヴァラナシ）

6　仏教四大聖地を巡る

仏教の四大聖地とは、ゴータマ・シッダルタ誕生の地ルンビニ、菩提樹の下で悟りを開きブッダ（悟る人）となったブッダガヤ、初めて説教活動を行ったサールナート、そしてブッダ入滅の地クシナガラをいう。これら四大聖地はインド北東部に集中しており、いずれもその間隔はそれほど離れておらず、一度の旅ですべてを訪れることができる。

ヴァラナシーを朝早く出発し、ゴーラクプールを経由して列車とバスを乗り継ぎ、国境を越えてネパールに入る。さらにバスに乗り継ぎ昼過ぎにはルンビニ（写真71）に到着。

シッダルタの母マーヤ夫人はルンビニの園で樹につかまり、シッダルタを産み落とした。シッダルタはすぐに歩き始め、その足跡には蓮の花が咲いたという伝説がある。ルンビニには現在マーヤ夫人の祠（写真72）があり、その前にシッダルタの産湯に使われた池がある。今は両方ともヒンドゥー教徒の信仰、沐浴の場となっている。ヒンドゥー教が仏教信仰を取り込んでしまった一例である。シッダルタはここで二十九歳まで過ごし、出家することになる。彼はマガダ国で六年間苦行に身を置いたが望む結果

71　ブッダ誕生の地　ルンビニ

73　マハーボディ寺院（〔大精舎〕ブッダガヤ）

72　マーヤ夫人の祠

74　大精舎の菩提樹（ここでブッダが悟りを開いた）

は得られなかった。そこで彼は現在のブッダガヤ（ボードガヤー、写真73、カルカッタから西に約四〇〇キロ）の地に向かい、この地で菩提樹の下で瞑想し悟りを開いた。以後彼はブッダ（仏陀、悟ったもの）と称されるようになる。シッダルタ三十五歳の時であった。現在のブッダガヤには六世紀に建立された大精舎があり、その一角に菩提樹（写真74）が今も残っている。

その後彼は、現在のヴァラナシ郊外のサールナートで初めて苦行時代の五人の仲間に説教を施した。現在のサールナートには、広い平原地帯に一際大きいダメーク・ストゥパ（写真75）があり、その東側にムルガンダ・クティ寺院がある。内部にはブッダの生涯の壁画（写真76）があり、これは日本人画家によって描かれたものであるとのこと。以後、クシナガラ（写真77・78）で最期を迎えるまでの四十五年間、ブッダは修行と説法の旅に勤しんだ。

クシナガラは、ルンビニ行きの出発点となるゴーラクプールからバスで約二時間と近い距離にあり、死期を悟ったブッダが、生まれ故郷のルンビニへ向かって歩いていた情景が想像できる。仏

75　サールナートのダーメク・ストゥパ

77　ブッダ最期の地クシナガラ

76　ブッダ誕生の壁画（ムルガンダ・クティ寺院）

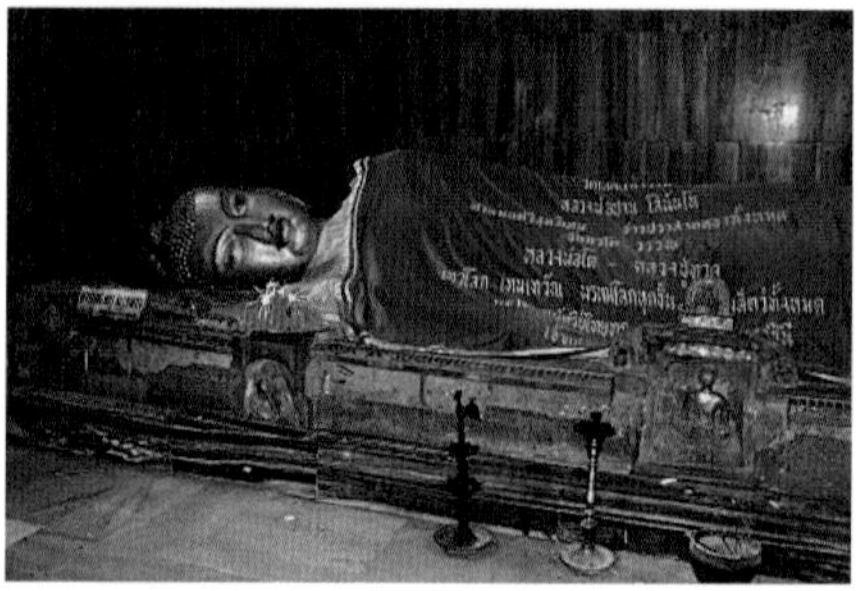

78　涅槃仏（ニールヴァナ）

滅は涅槃（ニールヴァナ）とも呼ばれる。ブッダが荼毘《だび》に付されたあと、彼の遺骨（仏舎利）をめぐって諸国間に争いが起こり、結局八つの国のストゥパに収められたという。

ブッダガヤから、バスで二時間、ナーランダ僧院跡（写真79）にも出掛けることができる。ナーランダは、五世紀に建立された仏教の研究、教育の一大センターである。七世紀半ば、ヴァルダナ朝時代に唐僧玄奘がここで学んでいた時には一万人以上の学僧がいたといわれる。レンガ造りの建物跡は驚くほど規模が大きい。ここからバスで三十分いくと、山々に囲まれた地にラージギールがある。かってのマガダ国の首都ラージャーグリハ（写真80）である。ブッダの修行地としてもよく知られている。ジャイナ教の開祖マハーヴィラもここで修行したという。現在は温泉地でもあり、ヒンドゥーの行者（写真81）たちで溢れかえっている。仏教の伝来ルートでもあった「シルクロード」の南の原点インドにはいくつもの多様な顔があった。

さてここに至るまで中国北西部、パキスタン、アフガニスタン、北インドと「シルクロード」（ドイツ人リヒトホーフェンによる命名）と称されてきた中央アジアを貫くオアシスの道の歴史を渡り歩い

79　ナーランダ僧院跡

80　竹林精舎跡（ラージャーグリハ）

81　修行後に水浴するヒンドゥー教徒

てきた。いうまでもないがこの「絹の道」は、単なる交易の道ではない。それ以前より大陸を縦横無尽に疾走する騎馬遊牧民族の生活の舞台として開かれていたところに、絹や金属などの物資が遠く西アジア方面とやりとりされるようになり、その移動ルートが次第に確定されてきた。そしてさらに北インドと結び付くことによって仏教という精神世界の移動が可能となった。インドで生まれた仏教は、このつながりを通してチベットや中国に伝わり、土着のボン教や道教世界とも混然一体化しながらやがて世界宗教として洗練化されていく。

　さらにそれに伴って思想、芸術などの文化交流が活性化し、それぞれの地域における独自性もより鮮明なものになっていく。中国、中央、西南アジア、インドと地域別に個々の歴史をたどっていくと、これらの地域世界は地下水のように底流でつながっていることが実感させられる。さらに中央ユーラシアという大きな地域的歴史的枠組みから俯瞰してみると、よりダイナミックな流れが見えてくる。

　第３、４章で述べた地中海世界とビザンツ、東欧の世界からは「ヘレニズム」とキリスト教、第１、２章で触れた西アジアの世界からも同様に「ヘレニズム」とキリスト教が中継され、さらにゾロアスター教、そしてイスラームが交易活動とともに伝播されてくる。この中央ユーラシアはまさに世界史が交錯し躍動する大舞台であったのだ。

第7章

チベット世界を歩く

カイラス山西面（標高四七七五メートルの第一キャンプ地点より）

映画『セブン・イヤーズ・イン・チベット』が劇場公開されたのが一九九七年。すでに二十数年がたつ。アイガー北壁初登頂で有名なオーストリアの登山家ハインリヒ・ハラーが、一九三九年ヒマラヤに分け入るが、第二次世界大戦の勃発に伴い、イギリス軍の捕虜となる。ここから決死の脱出行の結果たどり着いたのが、当時外国人には閉ざされていた禁断の地、チベットのラサだった。この映画は彼がここで少年時代のダライ・ラマと七年間を過ごした物語である。多くの方々がご覧になったと思われるので、詳しい解説は不要であろう（この映画は『薔薇の名前』（一九八六年、仏伊独）のジャン・ジャック・アノー監督の作品）。映画の大半はアルゼンチンで撮影されたとのことであるが、ラサのポタラ宮殿だけはおそらく現地撮影であろう。だとすればよく撮影が許可されたものだ。

映画のラストの字幕ではこう述べられている。「中国の占領により、一〇〇万のチベット人が命を落とし、六〇〇〇の寺院が破壊された。一九五九年、ダライ・ラマはインドに亡命するが、今も中国との平和的解決に努力し一九八九年にノーベル平和賞を受賞。ハラーとの友情は今も続いている」と。ハラーは二〇〇六年に死去したが、ダライ・ラマ十四世は現在も八十五歳で健在である。

1 ザンスカール
——インドの中のチベット——

†ラダック王国

私がチベットに関心を持ち始めたのは一九七〇年代半ばであった。文化大革命の残渣が残る当時の中国では、外国人旅行者の個人的な入国が厳しく制限されていた。ましてやチベットへの入域など思いも寄らぬところだった。しかしチベット文化に触れることが可能な地域が一か所だけあった。それは中国ではなくインド北部のラダック地方だ。ラダック地方には、かつて唐代中国と友好関係を結んでいた吐蕃《とばん》が南北に分裂して氏族割拠したあとも、チベットの一部として十世紀以降約八百年にわたってラダック王国が形成されていた。しかし十九世紀半ば、インド、シーク王国をはじめとする諸藩国によるカシミール連合軍が、この王国の征服に乗り出した。このカシミール連合軍の侵入を阻止するため、チベットはすぐに講和する。しかし一八四六年、すでにインド植民地化を進めていたイギリスは、西北パンジャブの支配権を求めて第一次シーク戦争を起こす。その結果、イギリスの傀儡王国ジャンムー・カシミール藩王国（一八四八～一九四七）が成立し、ラダック王国は、その藩王国の一部として併合された。さらにイギリスによるインド全土の植民地化を経てインドが独立した後もインド領内に組み込まれたままの形で現在に至っている。

インド支配下であるため中国の文化大革命による破壊を逃れたラダックは、チベットの歴史的建造物、社会システム、宗教的遺産を保持し続け、チベット文化を残すことができた。中国とインドの国境紛争以来、ラダックは外国人立入禁止地域となっていたが、一九七四年になってインド政府は外国人の立ち入りを許可した。これ以降多くの旅行者がラダックを訪れるようになり、現在では日本からのツアーも数多く実施され、ラダックおよびザンスカールへの

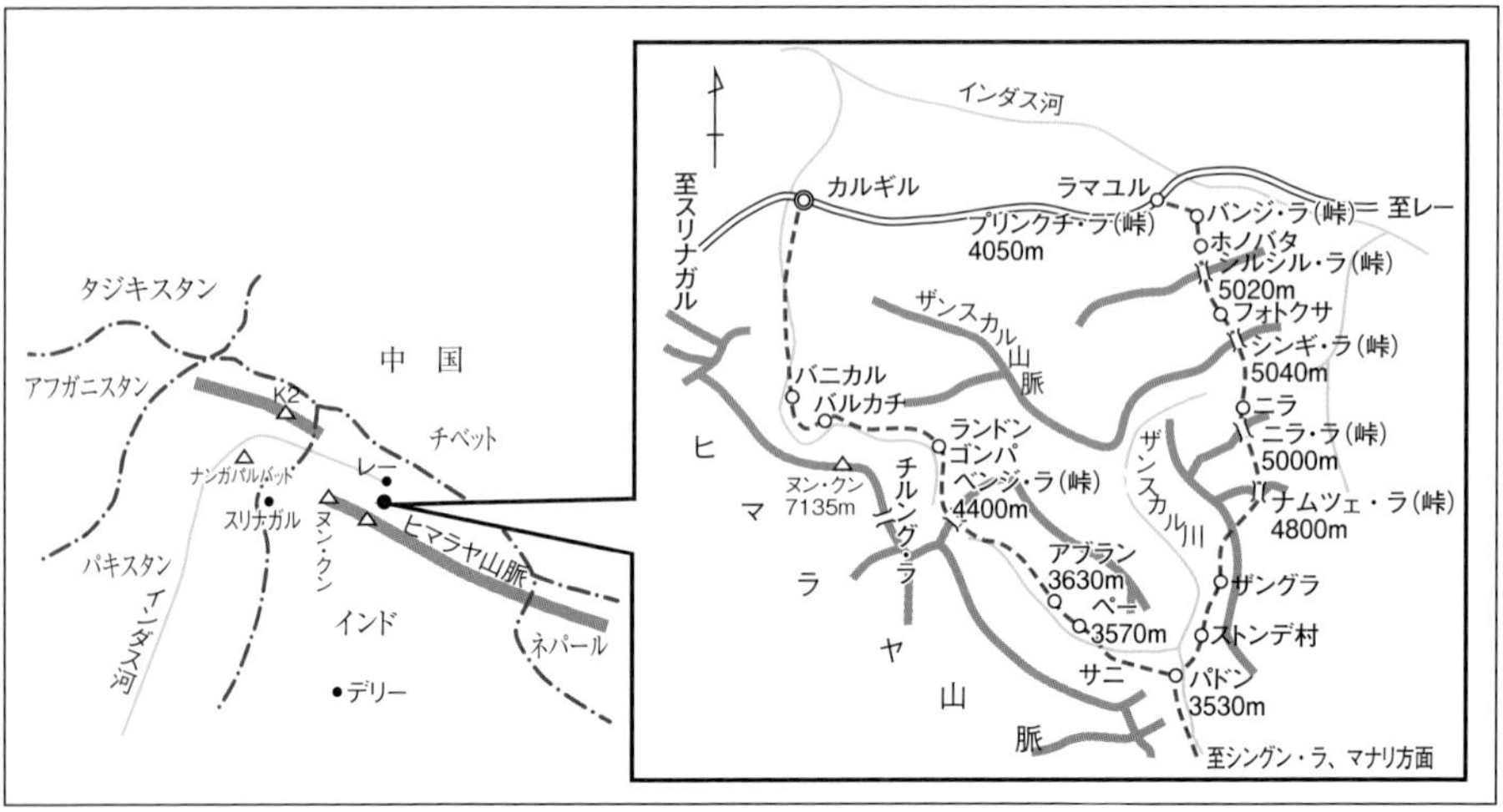

南里章二「秘境ザンスカルの旅」『岳人』369号を基に作成

入域はそれほど難しいものではなくなった。しかし四十数年前は、まだ秘境然とした空気に包まれていた。

前章で記したように、私がパキスタンのラホールからインドとの国境を越え、ニューデリー経由でタージ・マハルをめざしたのが一九七四年。その三年後、私はインド最北西部ラダック地方に屹立するキシュトワル・ヒマラヤをめざす登山隊八名の隊長として、再びインドに向かった。ジャンムー・カシミールの州都スリナガルを経て、ヒマラヤ山脈の最西部ゾージ峠を越えたところに小さな町カルギルがある。そこを私たちは登山活動の拠点とした。ここはカシミール紛争時、インド、パキスタンの停戦ラインが引かれたところだ。一九四九年の第一次印パ戦争以来、両国はたびたび武力衝突を繰り返してきた。紛争が収まり始めた一九七四年頃よりインド政府は、ようやくこの地域に外国人に対して入域を許可し始めた。しかし一九九九年より再び両国間の緊張が高まり、このカルギル地方においても激しい戦闘が勃発し、一時は核戦争の危機とまで騒がれた。現在もこの地域をめぐって印パ間は小規模の対立を繰り返しており、辛うじて和平は保たれているもののいつ戦闘が蒸し返されるかわからない。さらに一九六二年に起こった中国との北の国境紛争も最近再燃しつつある。「一帯一路」政策の拡大を推進する中国は、以前からインドに敵対するパキスタンの後ろ盾にもなっていて、インドは苦しい立ち回りを要求されている。

†ザンスカール調査行

インド・キシュトワル・ヒマラヤ登山活動の終了後、カルギルに戻った私は、隊員の一人とともにラダック地方の南西部、インドの中のチベット世界、ザンスカール踏査行に出発した。当時母校で世界史を講じる傍ら、研究を進めていた社会学、民族学の調査と、ザンスカール最奥部の未踏の地域を踏査するためである。

アブラン　ジャンムー・カシミール州政府の道路建設用トラック（写真1）の荷台に乗り、標高四四〇〇メートルのペンジ峠（このペンジ峠はイスラーム世界とチベット仏教世界の分水嶺でもある）を越え、標高三六三〇メートルのアブランに到着。当時アブランは戸数四十、人口約二七〇人の小さな村で、人々はドダ川の左岸沿いに約三キロにわたって農耕地を拓き、主として大麦をつくり（写真2）、羊、ヤギ、ヤクなどの放牧も行っていた。ザンスカールでは行政官はインド系、商業はイスラーム系、農耕牧畜は主としてチベット系の人々によって営まれている。私たちは彼らの民家の一室に泊まって、聞き取り調査を数日間続けた。

ヒマラヤ山脈とザンスカール山脈に挟まれたこの地は、冬の訪れが早く、九月下旬には雪が降り始め、翌年の五月まで外部との連絡は遮断されてしまう。私たちが訪れたのはちょうど大麦の刈り入れの時期で、人々

1　ペンジ峠を行く

2　アブラン村での刈り入れ

3　行政官とその住居

は来たるべき冬の備えに勤しんでいた。石を重ね梁《はり》に細い木を何本も渡し、泥土をかぶせた二階建ての家（写真3）の屋根には、不運よけのまじないとしてタルチェ（経文が書かれた白い布）が、旗のように長い木の枝先につけられて風にそよぎ、冬の燃料となる枯れ木、ヤクの糞や家畜の飼料となる草が山と積まれていた。アブラン滞在最後の日、大麦を発酵させたこの地方の地酒チャンを民家の人たちと飲み交わす。やがて彼らの口からはザンスカールの歌が飛び出し、ケロシン（灯油）を入れるタンクや、水用のポリタンクがドラム代わりとなり、いつの間にか大合唱となった。ザンスカールの歌はどことなく哀調を帯び、やさしくもの悲しげで、冬の間深い雪に閉ざされるこの村の人々の心情を歌いあげているかのようであった。

パドン　アブラン村からザンスカールの中心地パドンへは徒歩三日の行程である。村の小学校教師が荷を積んだ馬の手綱を引きながら同行してくれることになった（写真4）。右手にヒマラヤ山脈を、左手にザンスカール山脈を見ながらドダ河の左岸に沿って平坦な道を歩き続ける。右手のヒマラヤ山脈には、雪をまとったおそらくまだ名もない未踏の六〇〇〇メートル級の山々が連なっていた（写真5）。標高三五二〇メートルのパドン村（写真6）は約七十戸、人口は約六〇〇人（一九七七年当時）。ザンスカールの中心地である。この村の人々は半数以上がムスリムであり、商

4　小学校教師ツァリン

5　未踏の数千メートル峰

6　パドン村

業に携わっている人が多い。ちょうど私たちが入っていった九月はこの年のラマダーン（断食月）にあたり、夜明けから日没まで、飲み食いはまったくしていなかった。彼らはザンスカールの人口の大半を占めるチベット仏教徒とは通婚関係を結ばず、遠くの村から同じムスリムの相手を探し出しているようだ。チベット仏教徒は同じ村か比較的近い村から結婚相手を見つけるという。

　パドンでもアブランと同じく食生活に関しては伝統的なパターンが守られている。人々は朝食にはタキと呼ばれるアタ（大麦粉と小麦粉を混ぜたチャパティというインドのパンの原料）でつくったパンとグルグル茶や羊、ヤギの乳を、昼食夕食にはツアンパ（大麦粉）を茶の中に入れてこね回したコラックと呼ばれるものを主食に、副菜として野菜（ジャガイモ、豆、キャベツなど）、チュルペーと呼ばれる乾燥チーズなどを食べる。肉類としては、夏の間はニワトリ、小羊など小さな動物を屠ることもあるが、冬になると羊、ヤギなどを屠り食膳に供しているようである。また冬の間に、この羊やヤギの毛から糸をつくり、何か月もかかってグンジャと呼ばれる紫色、または白色の外套を仕上げる。さらにロクパと呼ばれるヤギの皮でつくったショールやポッポと呼ばれる靴などもつくられる。これらは主として女性の仕事である。夏の間も高地のため気温が低いのでこれらを一年通して身に着けている（写真7）。外界から閉ざされる冬の間、男たちはチャンを飲み、楽しく談笑し歌って過ごすという。アフリカと同様、女性の方がはるかに働き者だ。ザンスカールの人々の生活を、より詳しく知るためには、冬の間を通して、彼らと生活をともにしなければならないようである。現在では冬期でも航空便があり、ラダック地方の中心地レーまでは到達可能である。以前、冬の凍ったザンスカール川を徒歩で移動する現地の人たちを取材したＴＶ番組があった。今ではその時期に実施される旅行社のツアーもあるようだ。

7　グンジャを纏う若い女性

† ザンスカール踏査行

ザングラ　一週間のパドン滞在を終えて私たちはザンスカール川の支流にかけられた長さ約三〇メートルの吊り橋を渡り対岸のストンデ村で馬方のヌワンを雇い(写真8)、ザンラに向かった。ザンスカール川右岸を歩き、延々と続くマニ(経文を刻んだ石が積み上げられたもの、写真9)に沿って進み、アーチ状につくられたチョルテン(仏塔)をくぐるとザンラに到着する。ここにはかつてザンスカールを治めたといわれる王の宮殿として使われた家屋(写真10)がある。王の血筋をひく人は今で

8　ツァンパ(大麦粉)を捏ねるヌワン

9　マニ(経文)

11(上)・12(下)　チベット仏教の修行僧

10　昔の王の住居(ザングラ)

も実在するが、住居を含めて一般の人と何一つ変わらぬ生活をしているという。

さてここから当初の計画に従って北のラマユルを目指し、水平距離にして約二〇〇キロ、標高五〇〇〇メートル前後の峠がいくつも連なるルートの踏査に向かう。約十日間の行程である。このルートは、古来ザンスカールの人々の交易路として用いられてきたものであり、またチベット仏教僧の修行路としても使われている（踏査行の途上で修行僧たちに出会うこともしばしばであった、写真11・12）。かつては現地の人以外はほとんど歩いていないルートであったが、一九七七年の夏あたりから、ラダック地方の中心地レーで情報を得たヨーロッパ人たちの何人かが足を踏み入れ始めたという。しかし、私の知り得る限りその当時日本人はまだ誰も足を踏み入れていなかった。

ザングラを出発し、ザンスカール川に沿って、北に向かって平坦な道を一時間半ほど歩き、東に向かってナムツェ峠への斜面を登る。アプランから、パドン、ストンデ、ザングラと川に沿った平坦な道を歩いてきたので、急な登りは息苦しい。

ナムツェ峠　水の流れに沿って、三時間程登りつめると、正面に少しばかり雪のついたピークが見える。一体峠はどこだろうと不安にかられる頃、左手に峠のスカイラインが見えてきた。標高四八〇〇メートルのナムツェ峠（写真13）である。頂きにはマニがあり、タルチェが風にそよいでいた。峠から下は谷筋のみ木々が茂り、あとはまったく風化した砂岩の褐色の世界である。右側に見える山々の頂きにわずかに残雪が残っている。やがて風化した岩が奇怪な形で列をなして並んで

13　ナムツェ峠（4800m）

14　奇岩帯

いるのが見えてくる。トルコのカッパドキアのギュレメ村周辺の光景を思い出す。一つ一つがタケノコのような形をした岩が約二キロにわたって延々と続く壮観な眺めである（写真14）。途中川が西から北へ九〇度向きを変えるが、そのあたりが非常に険しく、馬に荷物を背負わせたままでは転落の危険があるので、三人で荷を分担してかつぎ、馬をほとんど空身にして断崖の登り下りを通過し、左岸から右岸に渡渉した地点でテントを張って宿泊。川の水が足を凍らせるほど冷たい。

ニラ峠　翌朝、危険箇所がまだ続くので、人力だけでが荷をかついで三十分ほど下り、再び馬に荷を積み直し、二時過ぎにニラ峠に向かって登り始める。峠のスカイラインは、疲れた体にはうらめしいが、なぜか目に浸み入るほど美しい（写真15）。四時半頃峠に立つ。五〇〇〇メートルをわずかに超える高さである。はるか下にニラの村、その下を流れるザンスカール河を越えて北側に異様な形をした黒々とした六〇〇〇メートルほどの岩峰の右側にシンギ峠が見える。途方もなく遠い。本当に明日越せるのだろうか。ここまでせっかく登った一五〇〇メートルほどの高さを三時間ほどで

15　ニラ峠（5000m）

16（上）・17（下）　シンギ峠（5040m）

18　奇怪な岩峰

下ってしまう。荷を背負った馬もやはり下りは苦しそうであるが、自分で適当な道を探してジグザグに、実に上手に下っていく。陽の沈む頃、ニラ村に入っていく。

シンギ峠とシルシル峠

翌朝、再び登りが始まる。長い下りでヒザがガクガクになっていたので、登りに入ると息苦しいけれどもほっとする。昨日のニラ峠への登りは、急激なものであったが、シンギ峠に至るまで傾斜はゆるいが距離が長い。すぐそこに峠が見えているのに歩いても歩いても近づかない。雲行きが怪しくなりやがて雨が降ってくる。高所での雨はつらい。いっぺんに体に寒さが浸み込んでくる。高度を上げるにしたがって雨が雹《ひょう》に変わる。午後六時に峠（写真16・17）にようやくたどり着く。五〇四〇メートル、このルートでの最高到達点である。はるか彼方に明日越すことになるシルシル峠が見える。シンギ峠の左手には昨日見えていた奇怪な岩峰（写真18）が、ガスの中から時折その姿を現す。陽が沈みかけていたので追いたてられるように一時間ほど下りて、水場でテントを張る。私たちの高度計では四五〇〇メートルの地点である。水も冷たく空気も冷たい。

翌朝、テント地からゆるい斜面を下り、北のシルシル峠に向かって登り続ける。峠は東西に長いコルの右側にあった。標高五〇二〇メートル。とうとう最後の大きな峠を越した。

翌朝、景観は一変。両側にそそりたつ巨大な茶褐色の断崖（写真19）の間を縫うように歩き始める。何度か靴をぬいで渡渉するが、水量が多く腰までもぐる深さである。流れもきついので、川底につけた足を思いきり踏ん張らねばならない（写真20）。心配したとおり岩角でかかとを切ってしまった。

19　シルシル峠下の断崖

20　渡渉地点

翌朝、ワンラ村（写真21）まで左岸をゆっくり歩く。川に水がなく緑もなく、風通しも悪いこの道を登ること一時間半ほどすると、プリングチ峠（四〇五〇メートル）に着く。先に着いていた馬方のヌワンと「キッキソッソラー」（チベット語で「峠越えに平安がありますように」の意）と最後の峠越えのあいさつを交わす。ここからゆるやかな道をしばらく下ると、目の前の丘の上にラマユルの白い石造りの寺院がそびえ立っていた（写真22）。有名なラマユルゴンパである。ここでヌワンと別れる。午後四時頃、カルギル方面からやってきたトラックに便乗させてもらい一か月近いザンスカールの旅を終え、最終目的地レーに着いたのは、この地域が雪に閉ざされる直前の九月下旬であった。

21　ワンラ村

22　ラマユル

✝ブータンにて

それから十数年後の夏、私はブータンを訪れ、西に位置する首都ティンプーから中央部にあるトンサに向かった。ブータンはチベット仏教を国教とする唯一の国である。十三世紀前半にチベットから仏教が伝えられ、土地の文化と混合しつつ人々の間に定着していった。しかし十七世紀には教義をめぐる対立が起こり、チベットから攻撃を受ける。この戦いを通してブータンはチベットからは自立した国家としての基盤を

23　パロ・ゾン

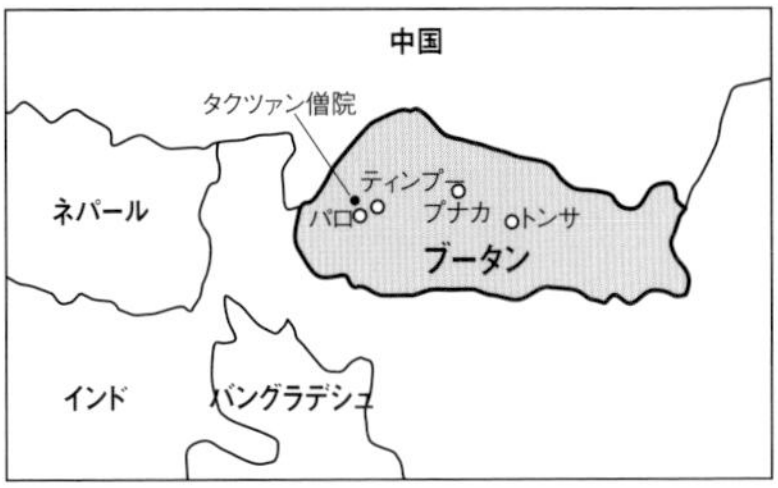

築く。しかし十九世紀には、インドを植民地とするイギリスによって保護領化され、またブータンをチベットの一部とし宗主権を主張する清による内政干渉を受けながらも一九四九年にはなんとか独立を勝ち取ることができた。その後しばらく鎖国状態が続いたが一九七一年には国連に加盟し、現在はブータン王国として、種々の問題をはらみながらも近代化の道を歩んでいる。

ブータン国内を東に移動する途中、高度三二〇〇メートルのドチェ峠、および三三五〇メートルのペレ峠をこの時は徒歩ではなく、現地のガイドが運転する車で越えた。どちらの峠にもザンスカールと同じく小さなストゥパ（仏塔）があり、その周りにタルチェと呼ばれる経文が書かれた白い布が多数木や竹にくくりつけられ風にそよいでいた。ガイドは、ここを通過する人々、皆「キッキソッソラー」という言葉を唱えるのだと教えてくれた。

ザンスカールでゴンパと呼ばれるチベット仏教寺院は、ブータンではゾン、もしくはラカンと呼ばれている。ブータンではゴンパは山深いところにある僧房を意味するという。ブータンの玄関口パロ（写真24・25）（このパロのゾンの下を流れるパロ・チューにかかる橋は、B・ベルトリッチ監督の映画『リトル・ブッダ』（一九九三年）の一シーンにも登場した）、タクツァン僧院（写真26）、ティンプー郊外のシムトカ、そして途中滞在したプナカ（写真27）、到着したトンサ（写真28）でそれぞれゾンを見学することができた。

24　パロ・チュー（川）に架かる橋

25　パロ・ゾン内での僧の踊り（修行）

26　タクツァン・ゾン

27　プナカ・ゾン（プナカは1955年までブータンの首都だった）

28　トンサ・ゾン

国家的建築物であるこれらのゾンは、それぞれ立派な造りである。あのつつましい村人の願いが込められたようなザンスカールの山深いところにあるゴンパが改めて懐かしく思い出されるのだった。

2　チベットの歴史

† 吐蕃王国（古代王朝）

二〇〇〇年夏、私は一か月にわたる中国の旅の途上、四川省の成都から空路ラサに入り、念願のポタラ宮（写真29～31）前の広場に立つことができた。青空を背景に高くそびえるポタラ宮はチベット仏教の総本山にふさわしい威容と建築の芸術性が見事に調和したまさに壮観としかいいようのない素晴らしい建造物であった。上部は茶色味を帯びた赤紫色の壁におおわれた紅宮と呼ばれるチベット仏教の宗教的聖域空間であり、紅宮の左右と下部をとりまく白亜の建物が白宮と呼ばれる。こちらはダライ・ラマが政務を執り行い、また私的生活居住空間でもある。七世紀にチベットを統一し、吐蕃王国の礎を築いたソンツェンガンポ（？〜六四九）の時代にその原型が構築されたとされる。紅宮内部には、ネパールから迎えた王女ティツゥンと、唐皇女の文成公主の二人を妻としたソンツェンガンポ王の像がある。唐の第二代皇帝太宗（李世民、在位六二六〜六四九）は吐蕃王国との友好関係を築きたかったのだ。吐蕃王国ではこの二人を妻に迎えることにより、チベット仏教を国是とした古代王朝が創設されることになる。チベット仏教とは、インドから伝えられた大乗仏教の教えを基に、インドでの仏教消滅の時期に唱えられた密教（呪術的、神秘主義的な傾向を持った瞑想を重視する仏教）が合体したものであり、チベット古来のボン教とも融合した。チベット独自の宗教体系である。

ここからしばらくチベットの歴史をさらに詳しくたどってみよう。

やがて吐蕃王国は七六三年、唐が安史の乱（唐の第六代皇帝玄宗の時代、節度使であった安禄山と史思明が起こした反乱）で弱体化したときには軍を進めて一時長安を占領し、河西回廊の敦煌をも傘

29（上）・30（中）・31（下）　ポタラ宮

下におさめる。敦煌莫高窟の壁画（写真33）には、この頃から明らかにチベット仏教の影響が見られるようになる。しかし九世紀半ばになると吐蕃の勢力は衰え王国は南北に分裂し、氏族割拠の時代が始まる。先述のラダック王国が形成されたのはこの百年ほど後のことである。

32　ジョカン寺（大昭寺）での五体投地

†モンゴルの支配

十二～十三世紀、チベットにはモンゴル勢力（写真34・35）が押し寄せる。モンゴル人たちはラサまでジャムチ（駅伝制）のルートを伸ばしチベット地域を支配下に置く。しかしこの支配のプロセスにおいてモンゴル人たちはチベット仏教に徐々に感化され、チベット仏教に対する信仰が徐々に高まっていった。モンゴルによる元を建国した五代目ハーン、フビライ（在位一二六〇～九四）は、国師としてチベット仏教僧パスパを迎え入れる。さらにフビライはチベットの支配をパスパに委ねる。パスパによってフビライは菩薩が化身した転輪聖王《てんりんじょうおう》とされ、一二六四年にフビライが元の首都として建設した大都（現在の北京）は菩薩王（チベット、モンゴルの仏教徒にとって大乗仏教が理想とする王）の都とされる。

一三六八年第十一代ハーン、トゴンテムルの時代、元は明朝（～一六四四）の攻撃により滅亡し、北部モンゴル高原に撤退する。しかしモンゴルはそのまま衰退した

33　敦煌莫高窟の壁画（中央に描かれているのはチベット王）

34　エルデニ・ゾー（カラコルム、元代のオゴタイ・ハーン時代の首都）

のではなく、王朝の奪回を求めて明朝に対して何度も巻き返しを図る。十五世紀にはチンギス・ハーンの直系と称するダヤン・ハーンが東モンゴルを統一し、その第三子アルタン・ハーンが後継者となる。アルタン・ハーンは、フビライに倣ってチベットからパスパの転生者といわれる仏教僧ソナムギャムツォを国師として迎え入れ、彼にダライ・ラマ三世の称号を与える（ソナムギャムツォの前世者二人に一世、二世の称号を与えたので）。ソナムギャムツォはアルタン・ハーンをフビライの転生者として転輪聖王の称号を与える。こうしてモンゴルとチベット仏教は相互依存する不可分の関係を結ぶことになったのである。

35　パオ（モンゴル語）またはゲル（中国語）（移動住居、ウランバートル郊外）

†チベット仏教の広がり

その後一六四四年に、明王朝を滅ぼした清朝満州女真族にもチベット仏教が広まり、その頃チベットを支配していたダライ・ラマ五世（一六一七〜八二）は、清朝ともモンゴルと同様な関係を結ぼうとする。清朝最盛期に帝位についた第四代康熙帝（在位一六六一〜一七二二）は、このダライ・ラマ五世を崇拝していた。ダライ・ラマ五世はすぐさま康熙帝を文殊菩薩の化身とする。このダライ・ラマ五世の時代、一六四五年にポタラ宮の本格的な造営が始まり、一六九四年に完成する。しかし一六七三年三藩の乱（もと明朝将軍の呉三桂は清朝に寝返り、その見返りに雲南地方の統治を任されていたのだが、不満が高じて広東、福建両州とともに清朝に対して起こした反乱）が起こった時、ダライ・ラマ五世が呉三桂との間に密約をかわしていたことが康熙帝に知られ両者の関係は悪化する。

この後双方にはダライ・ラマ六世の認証をめぐっての争いが起こる、この頃モンゴルのジュンガル部がラサを占領する。このモンゴル・ジュンガル部と手を組んだ清朝は、ついにチベットに侵攻を開始する。やがて清朝によるチベット支配が安定すると、清朝は次いでジュンガル部を切り捨てモンゴル勢力を封じてダライ・ラマ七世の認証権を確保しようとした。第六代乾隆帝（在位一七三五～九五）もまた熱心なチベット仏教徒となり、自らをフビライと同じく文殊菩薩が化身した転輪聖王と位置付けた。その上でジュンガルや新疆への遠征をたびたび行い、チベットの統治権を確実なものにしようと圧力をかけていく。清朝はその後西欧列強に侵略され弱体化し、チベットへの干渉も弱まる時期を挟むことになるが、現在の中華人民共和国の強圧的なチベット支配の道をつけたのはまさに康熙、乾隆帝による清朝路線を受け継いだものであるといえよう。

†中国によるチベット弾圧

さて十九世紀半ばにインドを植民地化したイギリスは、傀儡のジャンムー・カシミール藩王国（一八四八～一九四七）を成立させ、ラダック王国が藩王国の一部として併合されたことは先に見たとおりである。二十世紀に入るとイギリスによるインド植民地化がさらに推し進められ、一九〇四年には英領インドよりイギリス軍がチベットに侵攻するに至った。一八七八年に転生したとされるダライ・ラマ十三世（一八七六～一九三三）は、イギリスとの間にラサ条約に調印してイギリスの進駐を受け入れることになるが、清がチベットに対する宗主権を主張してイギリスと対立する。ダライ・ラマ十三世は一時北京に避難するが、一九〇八年にはラサに戻る。一九一〇年には清軍がチベットに侵攻。この時、ダライ・ラマ十三世は英領インドに亡命する。清はダライ・ラマ十三世の廃位を宣言するが、一九一一年の辛亥革命により清は滅亡。清に代わった中華民国は十三世の地位を保証する。翌一九一二年、情勢が好転したと見たダライ・ラマ十三世は、この時点で初めて正式にチベット独立宣言を行った。しかし周辺国の認可を得ることはできず、翌年ラサへ帰還。その後二十年間、独自にチベットの近代化を進めた。

第二次世界大戦が終了し、中国では一九四九年、毛沢東率いる共産党が蒋介石率いる国民党との内戦に勝利し、中華人民共和国の成立を宣言する。そしてほぼ同時にチベットに対して再度本格的な領土宣言を行い、一九五一年からは武力進駐を徐々に本格化させていく。冒頭の現在のダライ・ラマ十四世（一九三五～）は、四歳の時に転生を認定され一九四〇年に即位していた。映画『セブン・イヤーズ・イン・チベット』にはこの頃から七年間のダライ・ラマ十四世が描かれている。一九五九年には中国の侵攻を避けて、彼はインドのダラムサラに亡命し、中央チベット行政府（ガンデンポタン）を樹立する。以後中国に対しては高度な自治を主張するものの、独立を要求することはまったくなくなった。二〇一一年には自らの政治的権限を委譲する意向を表明した。このことによりダライ・ラマがチベットの政教両面における最高指導者であるというダライ・ラマ五世以来の伝統に終止符が打たれることになったのである（写真36・37）。

それにもかかわらず、中国共産党政権は、現在でもチベットに対して独立を恐れて強力な監視体制を敷いている。チベット仏教徒に対しても弾圧を強化しており、彼らの多くが抗議の焼身自殺に追い込まれる由々しき情勢は今なお継続している。インドのダージリン近郊にあるチベット難民センターには中国側による虐

38（上）・39（中）・40（下）　チベット難民センター（ダージリン）

36（上）・37（下）　ダライ・ラマ五世の夏宮

殺、放火などの実態を伝える生々しい写真の数々が掲げられている（写真38～40、二〇一二年訪問）。

3　聖山カイラスをめざす

十九世紀から二十世紀かけて中央アジアを広く探検したスウェーデンのS・ヘディン（一八六五～一九五二）は、ラダックより白馬にまたがって聖山カイラスをめざしたという。インドの中にありながら純然たるチベット文化が継承されているラダックのザンスカール地域と、現在のチベット自治区。私にとって、これら二つの地域をつなぐ意味でも次の目標と定めていたのが聖山カイラスをめぐる旅であった。

†三宗教の聖地カイラス

カイラス山（六六五八メートル）は、現在中国統治下にあるチベットにそびえている。

一九五〇年代の中国による武力制圧、六〇年代には中国の文化大革命によってチベット各地の寺院は破壊され、チベット仏教信仰の多くの象徴が失われた。しかし巡礼は禁止されたものの破壊されようもなかったカイラス山は、チベット仏教徒の聖地として人々の心の中に住み続けていたことだろう。一九八〇年代になって中国共産党は文革における宗教弾圧政策の誤りをようやく認め、聖地カイラスへの巡礼も復活することになった。

この山はまたインドのヒンドゥー教徒にとっても聖なる山である。三世紀頃、それまでの数百年にわたる伝承をもとにまとめ上げられた二大叙事詩の一つ『マハーバーラタ』の中にカイラス山が登場するという。その後カイラス山は、ヒンドゥーの三神、

ブラフマン、ヴィシュヌ、シヴァのうち、破壊と再生を司るシヴァ神の玉座としてヒンドゥー信仰の大きな象徴の一つとなった。またカイラス山の南西側にコバルトブルーの美しい湖面を見せるマナサロワール湖は、ヒンドゥー教徒にとって神々に礼拝を捧げる聖なる沐浴の場でもある。

さらに仏教伝来前のチベットでは、土着の宗教ボン教においてもカイラス山は長らく聖地とみなされてきた。その結果カイラス山は、ヒンドゥー教、ボン教、チベット仏教の順に聖地として崇められるようになった。またそれゆえにカイラス山は聖なる山なので、今でも登頂は許されていない。カイラス山に迫るには頂きを極める代わりに、三つの宗教の信者と同じくティコルと呼ばれる山の一番外側の周囲、全長五〇キロあまりを一周することになる。日本人として初めてこのティコルの一周を行ったのは、ネパール側から当時は禁断の地であったチベットへ僧に扮して入域を果たした河口慧海である（一九〇〇年＝明治三十三年）。

現在このカイラス山へのアクセスは決して難しいものではなく、日本の旅行社も数社がツアーを組んでいるが、費用がかなり高くつくので私はその半額で賄える一般公募で現地集合の形をとるツアーを選ぶことにした。

† カトマンズからチベット高原へ

二〇〇五年七月中旬、ネパールのカトマンドゥに集合。翌朝早くに旅行社が仕立てたバスでチベットとの国境コダリをめざす。このバスの中で以後カイラスへの旅をともにする仲間と初対面。日本人が私以外に一名、スイス、ドイツ、スロベニア、アメリカから各一名ずつ、シカゴ在住のインド人夫婦が一組、計八名のグループである。激しく雨が降り、ネパール側で崖崩れが起こったので、国境近くでバスを降りて歩く（写真41）。国境にかけられた中尼友好の橋を渡り中国に入

41　崖崩れ（ネパール、チベット国境間）

国。荷物の通関に手間取ったのでその夜はチベット側の町ザンムーで宿泊。三十人を超えるインド人巡礼客が同宿となり、ゲストハウスは騒然としていた

翌朝、荷物の受け取りが昼前になり、その日は三〇キロだけ西の標高三七五〇メートルのニャラムに移動。私たちの隊を支えるのは若いチベット人のガイドをトップに二台のランドクルーザーの運転手とトラックの運転手計三名と、ネパールから越境してきた炊事その他を賄うシェルパ四名の計八名。私たち旅行客と同数の輜重隊である。翌朝起床時にはシェルパが洗面器に湯を入れて持ってきてくれるし、モーニング・ティーのサービスもある。ニャラムを出発して三十分ほど走ったところにある農村に、チベット仏教カーギュ派の高僧ミラレパが瞑想していたという洞窟があり、それを包み込む形で五年前につくられたという小さなゴンパ（チベット仏教の寺院、写真42・43）があった。十一世紀に登場し詩人の魂を持ったミラレパは、三世紀のインドで大乗仏教を集大成したナーガールジュナ（竜樹）に深く影響を受けたという。

農村の周りの広々とした土地ではヤクや羊の放牧が行われ、ザンスカールを思い出す。茫漠とした高原地帯をひたすら走る。途中シシャパンマ（八〇一五メートル、写真44）が見える展望台があった。一九五〇～六〇年代にかけて、世界各国の登山隊がヒマラヤの八〇〇〇メートル峰の初登を争った時代があった。

42（上）・43（下）　チベット仏教僧ミラレパの僧院

44　シシャパンマ（8015m）

イギリス隊がエベレスト、イタリア隊がK2、日本隊がマナスルにそれぞれ登頂に成功したが、ただ一つ残っていた八〇〇〇メートル峰があった。それがネパール側からはゴサイタンと呼ばれていたこのシシャパンマだった。中国領にあるため外国隊は入山許可がとれなかったのだ。一九六四年に中国隊がようやく登頂に成功して、国際社会での中国の面目が保たれたいわくつきの山である。

近くの途中の草原で昼食をとるが、残ったライスやチャパティは近くにテントを張っている遊牧民たちに乞われて配られた。夕方、高原地帯に突如として現れたサガ（写真45）という大きな町に着く。町の中央部に一流ホテル然とした国際飯店があり、その周囲に銀行、郵便局、商店、ゲストハウスが建ち並ぶ。本来はここから二時間行程のキャンプ地に向かう予定であったが、降雨が激しいのでこのゲストハウス泊。遅れてたどり着いたインド人巡礼客も同宿したが、彼らは夜も騒がしい。

翌朝も広い高原地帯をひたすら走る。峠を越える時、車の中で「キキソッソラー」と運転手とシェルパが同時に唱える。ザンスカールやブータンでも聞かれた峠越えの安全と幸福を祈願する文句である。西から東にチベットを横断するブラマプトラ川の流れと逆にひたすら西に進む。遥か南方にアンナプルナ北面が見え隠れする。昼過ぎにパルヤンの町に着く。やや近代的なサガとはうって変わって泥壁の民家が立ち並ぶきわめてチベット的な町。中央部に大きなゴミの山があ

45　サガ（チベット第三の都会）

46　ヤクの糞を燃料としたストーブ

り、埃っぽい空気に早く去りたくなってくる。立ち寄った一軒家のストーブの傍には燃料となるヤクのフンが積まれていた。ここでもまたザンスカールを思い出す（写真46）。

この日はここから二時間行程のプラマプトラ川に注ぐ支流のある平原でキャンプ（写真48・49）。テント場から遥か南にひときわ大きなピラミッド型の山が見える。ダウラギリ（八一六七メートル、写真47）だ。先述の川口慧海はネパール側からこのダウラギリの西側を、雪中凍えるような岩陰での野営を繰り返しながらチベット側に入っていった。一九五〇年、ダウラギリの北面にはフランス偵察隊が入域して北壁はまさに絶壁で登頂不可能と報告している。この山の登頂に成功したのは、その十年後のスイス隊によってであった。

† カイラスを望む

翌朝、カイラスとマナサロワール地区に入るための検問所に到着。私たちのトラックの荷台にシェルパを乗せていたことが規則違反とかで通過にやや手間取る。広々とした高原地帯の単調な景色にやや眠気を催してきたが、峠を越えるとマナサロワール湖の真青な湖面が目に飛び込

48（上）　キャンプ地に張ったテント
49（下）　キャンプ地にやってきたチベット女性

47　ダウラギリ（8167m）

み、いっぺんに眠気が吹っとぶ。三時にマナサロワール湖着（写真50）。湖が見えるところにテントを張る。インド人巡礼団の人々もぞくぞく到着し、夕方までには大きなテント村ができた。湖畔に出向くと、さっそくインド人たちは裸になり沐浴を始めた。遠浅の湖の水はそれほど冷たくはない。北の彼方に頂きに、深々と雪を纏ったカイラス山（写真51）がようやく見えてきた。湖の南側にそびえるグルラ・マンダータ（七六九四メートル）は雲に隠れてまだその全容を見せない。満月がマナサロワール湖とテント村をこうこうと照らす。

翌朝は曇り空の中、インド人の巡礼団がグループごとに湖畔で火を取り囲み儀式を行い始める。「ナマシヴァヨー、ナマシヴァ、ハラハラボーレナマシヴァ」とシヴァ神を讃える合唱とともに香が炊かれ、各グループに同行してきたヒンドゥーの聖者が信者の一人一人に額に幸福を祈願する塗料を手で塗り込む（写真52・53）。昼前には大半のグループの儀式が終わったので、私たちは午後からマナサロワール湖を車で一周することにする。グ

52（上）・53（下）　ヒンドゥー教徒の宗教儀式

50（上）　マナサロワール湖
51（下）　カイラス山

ルラ・マンダータは相変わらず姿を見せない。マナサロワール湖のすぐ西にラカス湖（写真54）という湖がある。前者が標高四五八八メートルに対して、後者が四五七三メートルとやや水面が低い。その昔、ラカス湖の水に毒が含まれていたために、湖水を飲んだ人や動物が皆死んでしまったという言い伝えがあるためヒンドゥー教徒は「悪魔の湖」と呼ぶようになったという。しかし湖中に四つの島を持つラカス湖もマナサロワール湖の紺碧（写真55）には及ばないものの、美しい湖面をたたえている。車はそのままカイラス山の麓の街、タルチェン（写真56）に向かう。町を手前にした平原地帯は空港がいくつもできそうなほど広い。しかし町中はチベット風の白いとんがりテントと民家が立ち並ぶだけの小さなもの。泊まったゲストハウスの窓から明日いよいよ回り始めるカイラスの姿がくっきりと見えてきた（写真57）。

†ヒンドゥー教とは何か

さて、このカイラスをめざす多くのインド人が信仰するヒンドゥー教どのようなもので

54（上）　ラカス湖
55（下）　マナサロワール湖

56　タルチェン

57　カイラス山

あるのか。

　前章のインドの歴史では触れていなかったのでここで述べてみよう。インドの総人口十二億（二〇一四年）を含む約十八億人といういわゆるキリスト教、イスラームに次ぐ世界第三の宗教人口を持つヒンドゥー教。その成立の歴史を含めて簡単に振り返ってみよう。前章で見てきたように騎馬遊牧民族系のクシャーナ族によって、インド北部を中心に建国されたクシャーナ朝は、三世紀に、西のサーサーン朝ペルシャ（二二六～六五一）の勢力拡大に伴って衰退を余儀なくされ、北インドは混乱期に入る。三二〇年頃、北インドガンジス川中流域に、かってのマガダ国の有力諸侯の一人であったチャンドラグプタ一世が即位して、グプタ朝（～五五〇頃）が創設される。グプタ朝は、かってのクシャーナ朝の首都プルシャプラ（現ペシャワル）を受け継ぎ、その地を首都に定める。その頃クシャーナ朝時代以前から存在していたバラモン教文化を背景とした叙事詩『ラーマーヤナ』と『マハーバーラタ』が、民衆間に伝承された神話伝説を次々吸収しつつ徐々に形を整えられていった（叙事詩時代、前二〇〇頃～後三〇〇頃）。さらに詩聖カーリダーサによる「シャクンタラー」に代表されるようなサンスクリット文学も大衆の間に広まり、インド民族意識が盛り上がり、グプタ朝時代はインド古典文化の黄金時代となる。ヒンドゥー教は、かつて高貴なものであったバラモン文化が大衆化されることにより、庶民の宗教として自然形成されたものである。

　ヒンドゥー教は多神教で、数ある神々の中でも主要な地位を占めるのは、先述のようにブラフマー、ヴィシュヌ、シヴァの三神である。三十年ほど前、私がインド滞在中に親しくなった青年がこの三神を見事に説明してくれた。それによると、英語の神ＧＯＤはまさにヒンドゥー教の神々の属性をその頭文字で示したものである。ＧはGeneration（創造）のブラフマー神の、ＯはOrganization（秩序）のヴィシュヌ神の、ＤはDestroy（破壊）のシヴァ神の、それぞれの役割を示すものだという。単なる語呂合わせとも思ったが、感心してしまった。カイラスをその聖座とするシヴァ神は、ことのほか民衆の人気が高く、インド各地のヒンドゥー教寺院にはいつも熱心な信者が押し寄せている。やや抽象的なブラフマー、どことなく優しさを漂わせるヴィシュヌと違って、人々に畏怖の念を抱かせるシヴァには、人々の祈り心をかき立てる何か強いインパクトがあるのだろう。それ以前人々の心をとらえていた仏教は、ブッダをヴィシュヌ神の九番目の化身と位置づけられ、ヒンドゥー教の中に取り込まれてしまう。グプタ朝は六世紀、やはり遊牧騎馬民族エフタルの攻勢を受けて衰退するが、この後、前章で述べたイスラームを奉ずるムガール朝が十六世紀に登場するまで約千年間にわたって各地に群雄割拠する王国の大半は、ヒンドゥー教を奉じ続けることになる。

4 カイラス山周遊

翌朝、タルチェンからカイラス山一周の出発点のタルボチェ僧院跡へ。八名のメンバーのうちアメリカ人は高山病の影響で離脱し、またもともと湖畔での宗教儀式のみ参加する目的だったインド人夫婦が抜けて残り五名で出発。その前に、僧院跡の近くに広がる小さな丘が鳥葬場とのことで見学しに行く。ハゲワシが食べ残した死者の髪や入れ歯が散乱し、あまり気持ちのいいものではなかった。現地でパリクラマーと呼ばれるカイラス一周は、ヒンドゥー教徒とチベット仏教徒が時計回りと同じく右回りに、ボン（仏教伝来以前のチベットの古代宗教）教徒は反対方向の左回りで行う習慣がある。私たちは右回りで、二泊三日の行程で行くことになった。ガイドやシェルパたちが、九頭のヤクへの荷積みに忙しく立ち回っているのを尻目に一足早く出発（写真58）。

カイラス山の西面、黄金渓と呼ばれる川の左岸に沿って平坦な上り道を水平距離にして約十二キロ、四時間ほどの歩行でディラプクと呼ばれる標高四七七五メートルの第一キャンプ地点まで上っていく。途中左回りにカイラス巡礼を終えたボン教徒とすれ違う（写真59）。「デシデレー」（チベット語でこんにちは）と声を掛け合う。全体で二〇〇人を超すインド人巡礼団の諸グループも私たちとほぼ同時に動き始める。彼らの中の高齢者ややや肥満気味の男女は地元のチベット人が引く馬の背にまたがって進む。三日間で七二〇〇元（約一〇〇〇ドル）とのことだ。カイラス巡礼を果たそうとするインド人は富裕階層の人たちなのだろう。かつて中国との関係が険悪であった時には、インド人の中国入国は厳しく制限されていたが、現在はネパール経由でグループビザを取得して簡単に入国できるようになった。実際に見ることを楽しみにしていたチベット仏教徒たちの五体投地は残念ながらカイラス一周を終えるまでついぞ目にすることはできなかった。インド人巡礼団のパワーに押され切ってしまっているかのようであった。第一キャンプ地では、チベット人が数張りのテントを恒久的に張っていて、簡易宿泊所にもなっている。ここから見るカイラスの西北面壁は素晴らしい。河口慧海に続いてその二十七年後の一九二七年にここを訪れた長谷川伝次郎が撮影したこの角度からのカイラスはよく知られている（写真60）。夜中、仮設トイレに立とうとテントを出ると、その真ん前に大きなヤクが寝ていて、お互いにびっくりする。

さて翌日は水平距離にして二二キロの行程。渓流の左岸に付けられた道を右折したあたりから急に高度が上がり

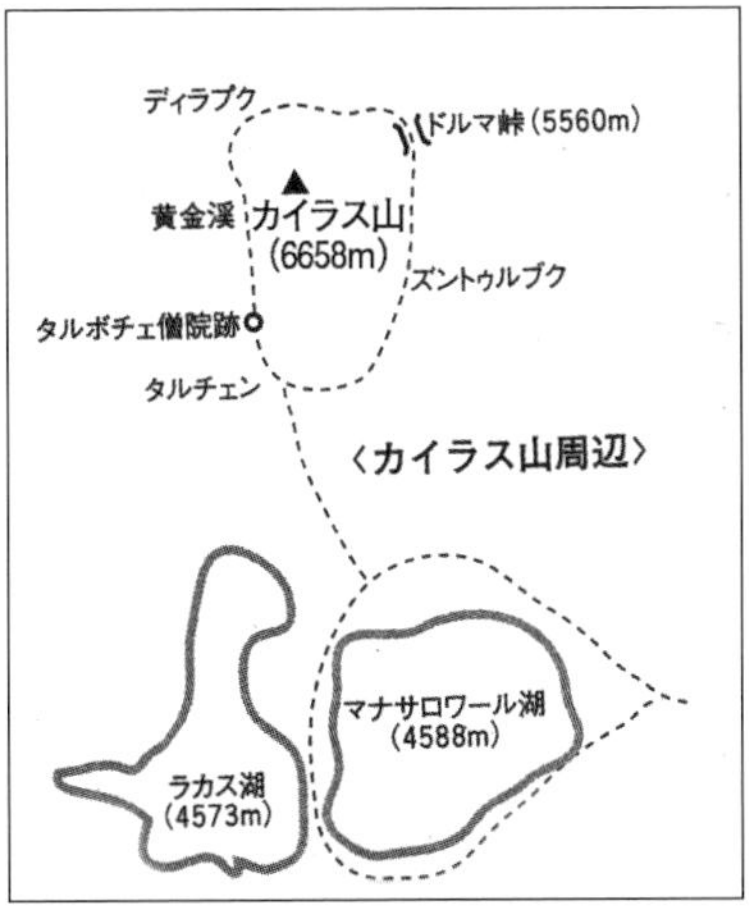

58　カイラス周遊への出発点

59　ボン教徒

始め、呼吸が苦しくなってくる。登りのスピードも徐々に落ちていく。標高五〇〇〇メートルの小さな峠を越えてからこのルートの最高地点ドルマ峠（五六五〇メートル、写真61・62）に昼過ぎようやく到着。ややだだっ広い峠（鞍部）であった。安全と幸運を祈願するためのタルチェと呼ばれる布が無数にたなびく。ここで昼食をとも思ったが、高度の影響を考え、少し下に降りることにする。ここからは東側の谷に入り、ガレ場の道を下ることになる。五体投地は上りには良いが下りにはいったいどうするのだろうという素朴な疑問がわいてくる（写真63）。高所の下りは急に疲れが出て足元がふらつくことがある。ゆっくりと時間をかけて下り続ける。東側の谷を流れる渓流の右岸に広がる湿地帯の一角に、ズントゥルプク（四七〇〇メートル）と呼ばれる二日目のテント地があった。この日は疲れのため珍しく食欲がなく、夕食はとらずにシュラフに潜り込む。

翌朝、チャパティ一枚とミルクティーの朝食後、九時半にゆっくりと出発。三日目の最後の行程は一四キロ、もう急な登りはない。一時間ほど歩いたところにニャラム近くで見た、チベット仏教の高僧ミラレパを祭る小さなゴンパが右上にあったので訪ねてみる。色彩豊かな仏像が五体並び立ってい

60　カイラス山西面

63　五体投地（この終着点ではじめて見る）

64　カイラス周遊の終着点

61（上）・62（下）　ドルマ峠（5650 m）

65　グルラ・マンダータ（7766m、チベット名ナムナニ）

た。ここから約二時間で終着点（写真64）へ。ヤクから荷物を降ろし、トラックに積み替える作業とあいまって、インド人巡礼団の迎えの車やトラックが集まり混雑きわまりない状態。カイラス一周を終えた余韻を感じる暇もなく、再び車で三日前のマナサロワール湖のキャンプ地へ。出発時には最後まで姿を見せることのなかったグルラ・マンダータ山（写真65）が夕陽に映え、湖面を挟んで屹立するカイラスの頂きと美しい対称をつくりあげていた。

第8章

アフリカの歴史世界

―サハラ長距離交易とスワヒリ世界―

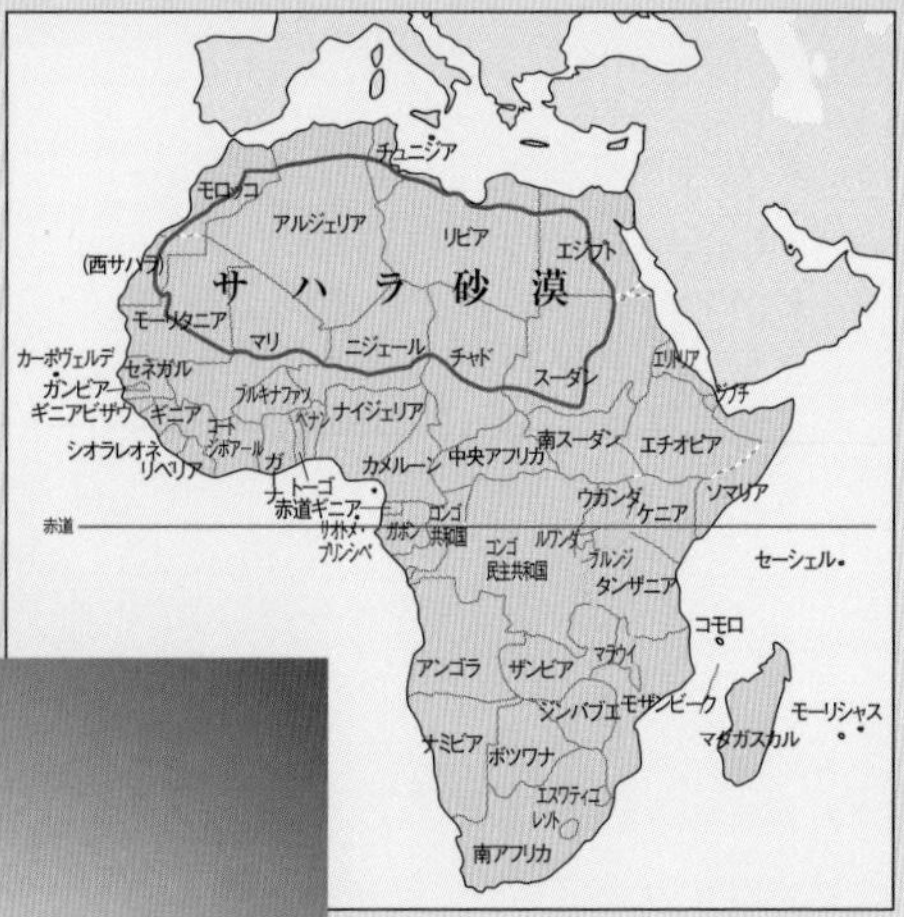

サハラ砂漠の地平線に沈む夕陽

地球儀を回してみると、改めてアフリカ大陸は大きいと実感させられる。南のケープタウンから赤道を通り抜け、北のチュニジアまで、その距離は地球の南北半分を覆い尽くし、東西は日本からイランのテヘランまでの距離に匹敵する。私たちはどうもヨーロッパを実際より大きく、アフリカを小さく認識しているようだ。だがアフリカ大陸はヨーロッパ全域の約五〜六倍もの大きさなのだ。

サハラ砂漠はこの広大なアフリカのナイル以西の北部ほぼ全域を覆い尽くす果てしない砂の大海である。マグレブ三国やエジプトなど地中海に面した地域をサハラ以北と称するのも、いかにこの砂漠が大陸の分水嶺となっているか想像していただけるだろう。だが、このサハラを越えていにしえから活発な交易活動が行われていた。この章ではサハラ長距離交易を基軸に、アフリカの歴史世界を振り返ってみることにする。まずこの交易活動の歴史に触れる前に、サハラを舞台にした近現代の状況を眺めておこう。

1　サハラをとりまく近現代の情勢

†アルカイダによる人質事件

二〇一三年一月十六日、アルジェリア南東部、リビアとの国境に近く、周りをサハラ砂漠に囲まれたインアメナスにある天然ガス精製プラントでイスラーム武装勢力による人質拘束事件が発生。アルジェリア軍が解放作戦に乗り出した。武装勢力との間で銃撃戦となり、その結果、人質三十七人、武装勢力三十二人が死亡。犠牲となった人質三十七人のうち十人が日本企業の日本人社員であったことで日本でも大きく報じられた。この事件を引き起こしたのはアルカイダ系の「イスラーム・マグレブ諸国のアルカイダ組織（ＡＱＩＭ）」であった。ＡＱＩＭとはアルジェリア内戦時の一九九八年に結成されたイスラーム過激派組織「宣教と戦闘のためのサラフィスト・グループ」（ＧＳＰＣ）の活動理念を受け継ぐテロリスト集団である。ＧＳＰＣは二〇〇八年、アルカイダに加入し、翌年ＡＱＩＭと改名した。ＡＱＩＭはアルジェリア内戦時に数万の市民を虐殺した武装イスラーム集団

1（上）・2（中）・3（下）　トンブクトゥを訪れた当時（1986年）のフランス大統領ミッテランを見物するために集まったトゥアレグの人々

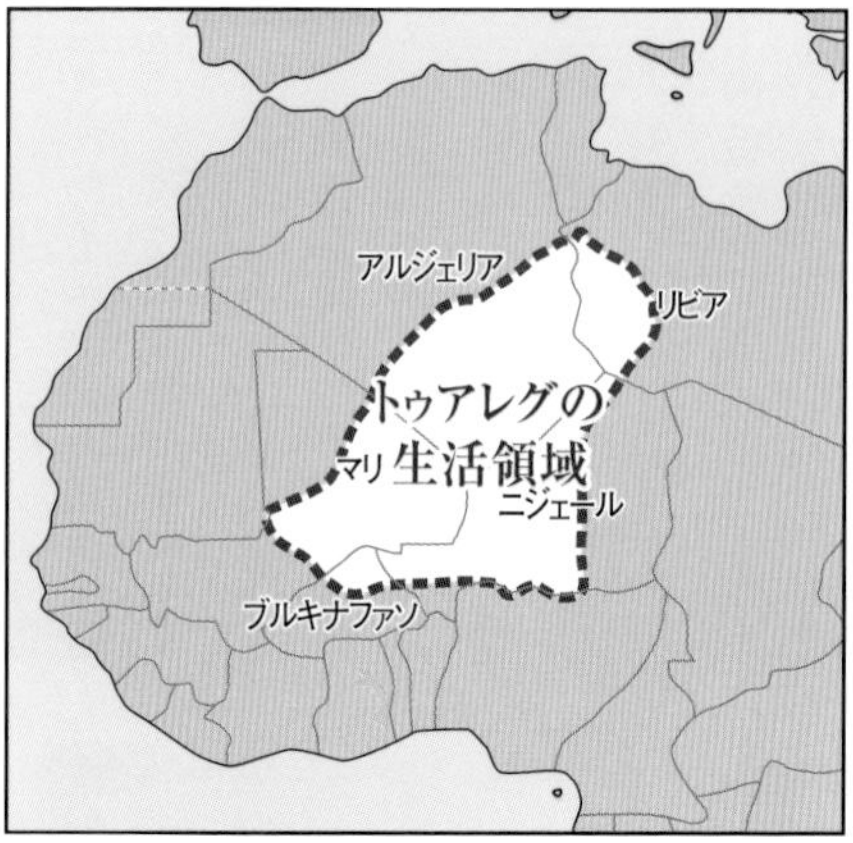

（ＧＩＡ）の残存勢力をも吸収し、マリ北部の山岳地帯を拠点にして活動を活発化していった。マリ北部には広大な砂漠が広がり、東部は身を隠すのに都合のよい山や谷に囲まれ複雑に入り組んだ地形である。また当時、マリ政府は軍によるクーデターと民政移行を繰り返す不安定な状態にあり、彼らはこのマリ政府軍の治安部隊の脆弱さを見抜いていた。ＡＱＩＭは近隣諸国のニジェールやモーリタニアで身代金目当ての誘拐事件を繰り返し、資金を膨らませていく。そしてＡＱＩＭが目をつけたのが、半世紀前から独立国家「アザワド」の建国を目指して、マリやニジェール各地で反乱を起こしてきたベルベル系遊牧民族トゥアレグ（写真１〜３）の勢力である。しかしイスラーム原理主義に基づく国家の樹立を目指すＡＱＩＭと、まったく宗教色のない独立国家を求めてきたトゥアレグを同列に論じることはできない。今日の北西アフリカの状況を知るために、十九世紀後半からフランスによる西アフリカ一帯の植民地化に抵抗してきたトゥアレグの歴史的背景について簡単に触れておこう。

† 第一次大戦期のフランス領西アフリカにおけるトゥアレグの反植民闘争

列強によるアフリカ分割を取り決めた一八八四年のベルリン会議以降、フランスは西アフリカにおける植民地として、ダホメー（現ベニン）、セネガル、象牙海岸、ギニアを手に入れ、これらとすでに一八三〇年に占領したアルジェリアを結びつけることにより、サハラ全域を手中におさめてフランス領西アフリカを形成した。ベルリン会議において主として英独仏の身勝手な都合で直線上に引かれた国境は、サハラ中央部で遊牧と交易を営んでいたトゥアレグを分断してしまった古くからサハラ全土に張り巡らされていた交易のためのキャラバン・ルートは、フランスの利益に役立つように再編の動きが始まる。セネガル川とニジェール川を結ぶ最初のフランス領西アフリカ横断鉄道の構想は、サハラ横断鉄道の構想に発展する。しかしこの壮大な計画は挫折に終わった。その原因となったのはトゥアレグによる抵抗運動である。彼らは戦闘的でまた誇り高い人々であった。

一八八一年、サハラ奥深くにフラテルス率いる調査隊を派遣したフランス軍がトゥアレグの待ち伏せ攻撃に会い、全員虐殺されるという事件が起こった。以後フランスは、調査隊には必ず武装した護衛部隊を同行させることにした。一九〇二～〇四年にかけては、とりわけトゥアレグに対する軍事的弾圧が強化された。

一九一一～一四年の旱魃のただ中、フランス軍はトゥアレグからラクダの無償徴発を行い、彼らの激しい反発を買うことになった。第一次世界大戦下の一九一六～一七年、フランスはヨーロッパ戦線に軍事力を投入せざるを得なくなり、アフリカでのフランス支配は弱体化する。この機会にカオセン（一八八〇～一九一九）らに率いられたトゥアレグ諸部族は、現ニジェールのアイール地方で大反乱を引き起こした。

この大反乱のクライマックスは、一九一六年十二月から翌年三月にかけての約八十日間、交易ルートの拠点アガデス（写真4）におけるカオセン、テグマらに率いられたトゥアレグ部族連合軍に、サヌーシー教団（リビアで生まれたイスラームの自衛集団、映画『砂漠のライオン』（一九八一年、リビア、アメリカ、ムスタファ・アッカード監督）は、小学校の教師であったオマール・ムフタールがサヌーシー教団を率いて一九三〇年代、ファシズム勃興期のイタリア軍によるリビア侵攻に対する壮絶な戦いを描いたものであった）の援護が加わったフランスに対する包囲戦であった。しかし組織的戦略に劣るトゥアレグ・サヌーシー連合軍は、フランスの近代的軍事力に屈し、この血まみれの彼らの戦いは敗北に帰した。

4　アガデス　街の中央にそびえる高さ 27m のグラン・モスク（1515 年建立）

以後フランスは、トゥアレグを支配下に置き、さらなる植民地化を推し進めることになる。トゥアレグは時にはキャラバンを襲う強盗団となり、また逆に報酬目当てに砂漠を行くキャラバンの護衛を引き受ける集団となることもあった。

†「アラブの春」以後

さて、先に述べたインアメナス事件の二年前の二〇一一年十一月、北アフリカでは「アラブの春」の動きが加速して、リビアにおいてもカダフィ政権が崩壊したが、その半年前、カダフィはトゥアレグに支援を要請していた。それに応えてマリのトゥアレグ数百人が、夜闇に紛れてサハラ越えでリビアをめざした。カダフィが以前トゥアレグの独立運動を支持してくれたことに恩義を感じていたからであった。トリポリ陥落後、敗残兵となったトゥアレグ部隊は、もぬけの殻となったリビア政府の武器庫から対空ミサイル、迫撃砲、弾薬などを略奪してマリに持ち帰った。ＡＱＩＭはマリ、ニジェール、アルジェリアなどでの独立国家建設をめざすトゥアレグの動きを利用したのであった。

ＡＱＩＭは誘拐事件を繰り返し、トゥアレグが手にした武器を利用しながら脆弱なマリ政府軍を追い払って北部のキダル、ガオ（写真5）、トンブクトゥ（写真6）を占領する。トンブクトゥではシャーリア（イスラーム法）の原理主義的解釈に基づいて、後に登場するＩＳが行ったような恐怖政治を行った。このＡＱＩＭによるトンブクトゥ支配の時代を描いた映画『ティンブクトゥ　禁じられた歌』（二〇一四年、フランス、モーリタニア、アブデラマン・シサコ監督）の中で婚前交渉をしたとされ

5　ガオ、西から流れてきたニジェール川はここで南東に向きを変える

6　トンブクトゥのサラコレ・モスク（2013年、AQIMが破壊）

る若い男女が石打の刑で処刑されるシーンは強烈であった。またAQIMは、彼らの過激な宗教路線とトゥアレグの内部対立を利用して、次第に彼らを排除するようになる。この頃ガオでAQIMの最高司令官を務めたのが、インアメナス事件の首謀者とされるモフタール・ベルモフタールである。モフタールは、AQIMの権力争いで不利になった自分の立場を挽回するために存在感を示そうとインアメナス事件を起こしたともいわれる。その後彼はフランス軍と共闘するチャド軍によって殺害されたという報道があった（『朝日新聞』二〇一三年三月四日）が、誤報であるともいわれている。同じ頃AQIMはマリ全土の制圧を目指して首都バマコ（写真7）への南下を始めた。その動きを封じるため、マリの暫定大統領ディオンクンダ・トラオーレは、フランス軍にマリへ軍事介入を要請した。AQIMによって制圧されていた地域では、彼らの暴政に対して住民の不満が高まっており、マリ国民はこのフランス軍の進攻に抵抗を示すどころか、穏健派のトゥアレグをも含めて三色旗を振って歓迎した。マリ全土に戦線を展開したフランス軍地上部隊は、爆撃機や長距離迫撃砲の支援を受けてAQIMをマリ北部の山中に追い詰め壊滅状態にして、五十三日間で全土制圧に成功した。しかし追及の手を逃れたAQIMの残存勢力はマリからニジェール、モーリタニアにわたって広がるサハラに散らばり、現在も権力奪回の機会をうかがっているといわれる。

7　マリの首都バマコ

二〇〇一年の九・一一事件を契機に「テロとの戦い」を掲げた新しい二十一世紀の激動に呑み込まれたマリ、そしてニジェールとモーリタニア。アフリカ、サハラ南部の広大な地域を国土としながらこれらの国々は現在、世界最貧国の部類に分類されている。しかし彼らの属する国々や地域がその昔、アフリカの歴史において大きな輝きを放っていたことはあまり知られてはいない。その繁栄の歴史のキーワードは「サハラ長距離交易」である。

2　サハラへの旅

†三度目のサハラ

私は一九七五年、ナイジェリアのラゴスを出発点としてギニア湾沿岸からニジェールを通過して地中海沿岸のアルジェまで、約一月間、サハラ砂漠の縦断を含めた全行程約四八〇〇キロの旅を試みた。それは必ずしも初めから「サハラ長距離交易」のテーマを掲げて、その主役であるキャラバンとの出会いを求めての旅ではなかった。当初の目的は壮大なアフリカの自然と大地に触れることであり、その中からアフリカの歴史の原点を見つけてみようとするものであった。至って単純な動機であったが、連日五〇℃を超える熱射の中で、トラックの荷台に揺られながらの初めての苛酷なサハラ越えの経験は「サハラ長距離交易」の歴史と現在への関心をいやが上にも高めてくれた。

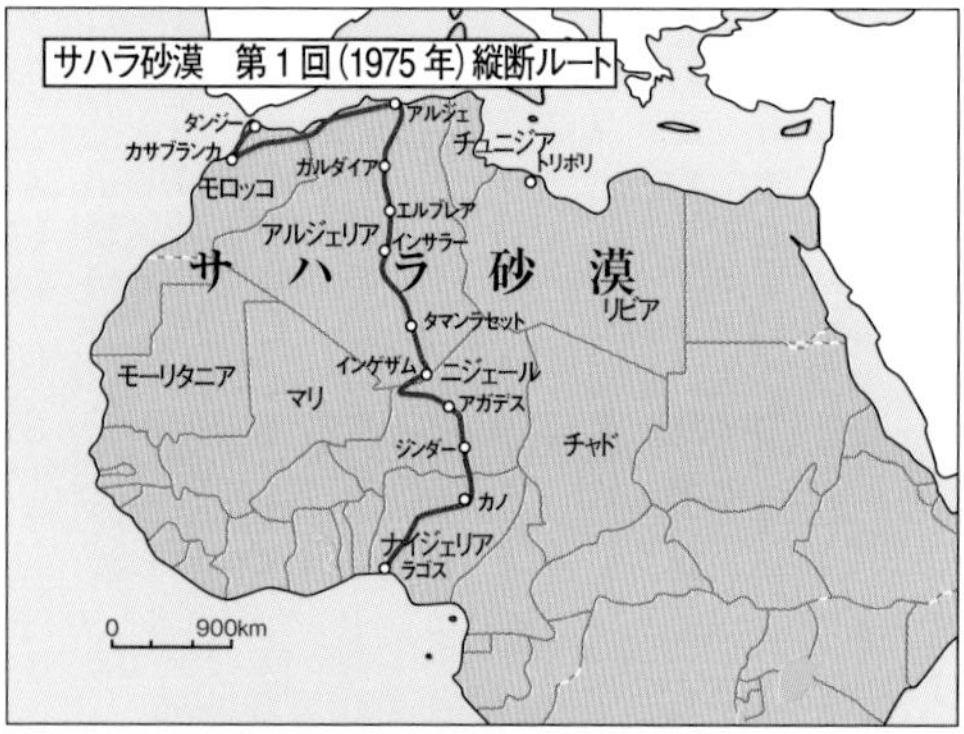

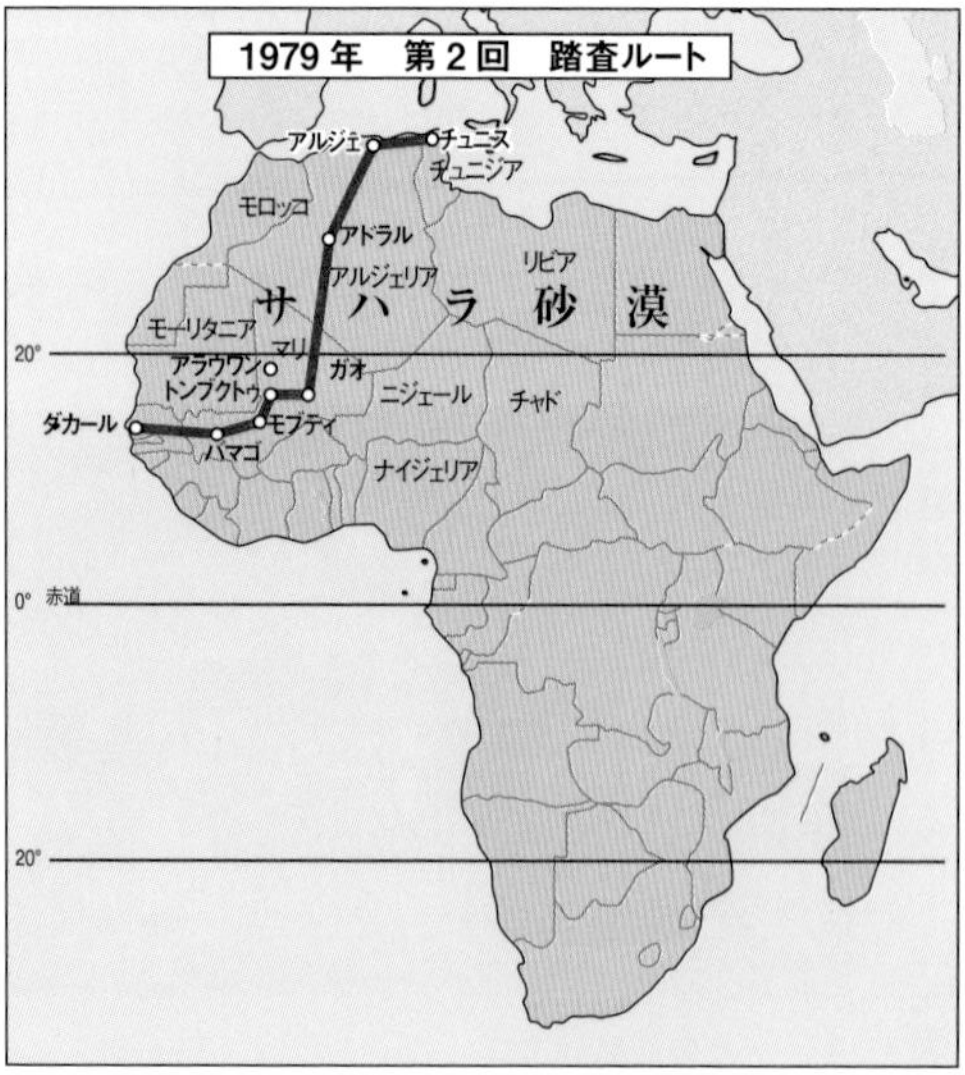

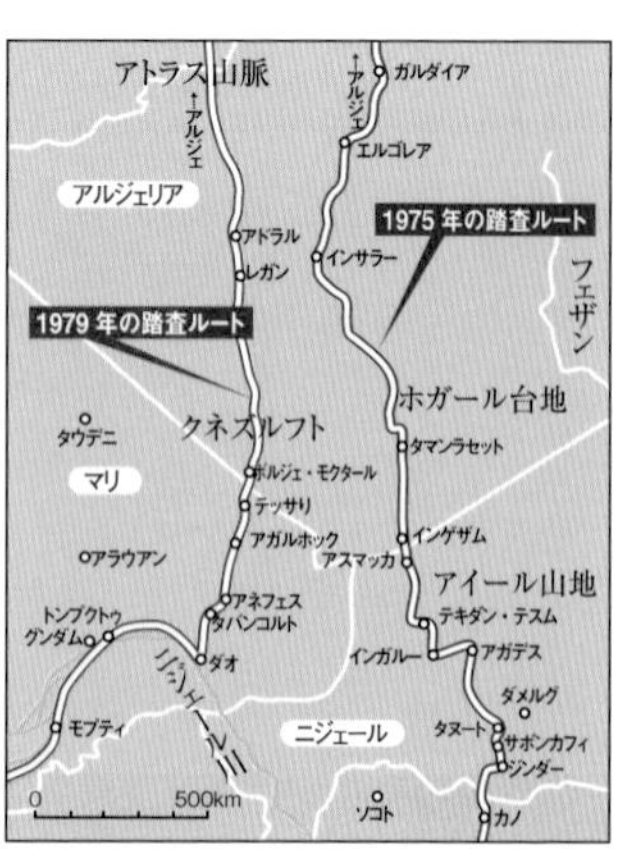

二度目の旅は一九七九年、現在のマリ―アルジェリアルートを北上することにした。このルートは昔のマリ帝国、ソンガイ帝国時代にサハラ長距離ルートとして頻繁に使われていた。またここは先述のマリ北部を拠点としたイスラーム・マグレブ諸国のアルカイダ（AQIM）、リビアのカダフィの応援に駆け付けトリポリ陥落後、膨大な量の武器を手にして、マリに帰還し北部に独立国家「アザワド」の建設をめざしたトゥアレグの砂漠移動ルートとも重なりあう。

この旅はかつて砂漠の商人たちがどのような思いでこのルートを往来したのかを追体験することを目的とするものだった。これらの二度のサハラ越えの旅についてはすでに前著『全世界紀行』に詳しく述べたので今回は割愛するが、「サハラ長距離交易」の研究をさらに深めるために一九八六年、一年近くかけて行った三回目の調査旅行「アザライとキャラバン・コンボイ」についてはもう一度繰り返して述べてみたい。

† アザライとの出会い

どこまでも続く砂丘のうねり。粒の小さな砂の表面がわずかにささくれだって、かすかにのぼり気味に傾斜した砂漠の地平線にまで連なっている。間違いない、ラクダの足跡だ。アザライ（写真8・9）をとらえた。アザライとは塩を運ぶラクダのキャラバンのことをいう。砂にタイヤをとられながら精一杯スピードを上げるランド・クルーザー。南側の地平線の彼方に、三列縦隊のラクダのキャラバンを確認。キャラバンを率いるのはアラブ系

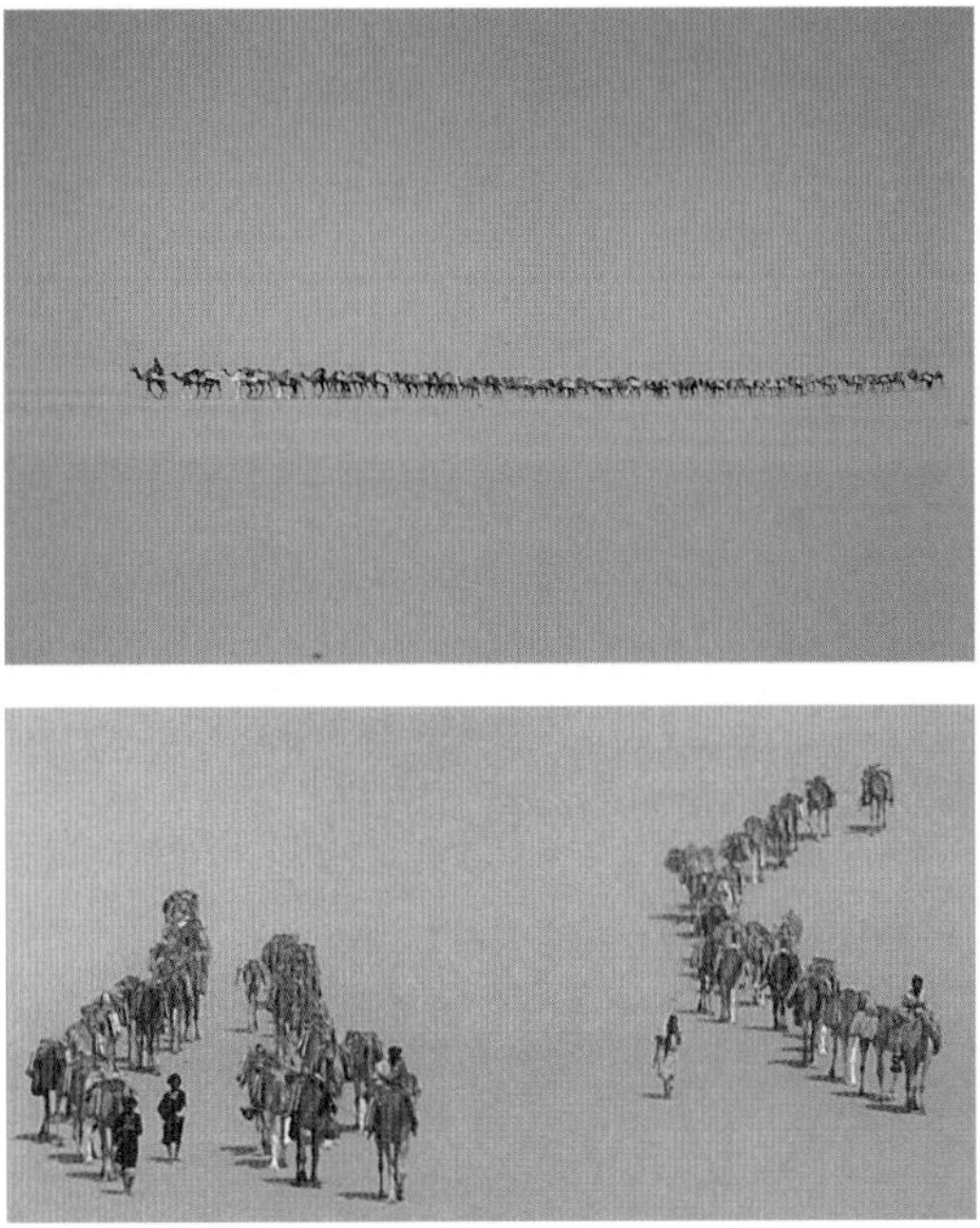

8（上）・9（下）　タウデニ―トンブクトゥ間（前頁地図参照）を行くアザライ

ベラビッシュの人々だ。アザライの進行方向の左側に回りこみ、しばらく並行してキャラバンの先頭近くにたどり着く。

ラクダを刺激してはいけない、車から降りて近づこう、とバーバ・オウマル（写真10）が叫ぶ。私のガイドを務める彼は、若い頃にアザライに加わり、塩鉱のあるタウデニとトンブクトゥの町を十数回にわたって往復した経験を持つ。砂の上をおぼつかない足取りで、アザライの先頭のラクダに乗った男に近づく。夢中でシャッターを何度も切る。ビデオ撮影も試みるが、数秒間録画しただけで作動不能になってしまう。チクショウ、肝心なところではいつもこうだ。吹きつける風に舞い上がる砂がビデオカメラの中に入ってしまったのだ。

撮影を断念し、さらに近づいて声をかける。「どこから来た、タウデニからか」。

10　バーバ・オウマル

11　アザライを率いるベラビッシュの頭領

12　アザライの第二隊

13　アザライのしんがりを務める男たち

14　砂丘を上るアザライ

私の声は、吸い込んだ砂と渇きですっかりしわがれていた。先頭のラクダに乗り、黒いターバンを巻いた頭領（写真11）は、私たちの不意の出現をまったく気をとめる様子もなく黙々と歩み続ける。一瞬、ターバンの奥に埋もれた彼の目が光った。さらに近づいて、二言三言の会話を交わそうとする。しかし先頭を行く三頭のラクダが驚いて小さなパニックを起こし列が乱れた。頭領のラクダも大きく前足を上げる。落ちそうになった彼は反射的に、ラクダの左背につけていた銃を抜き出す。追い付いてきたバーバ・オウマルに、すぐにベラビッシュの言葉で、申し訳なかった、と告げてもらってその場から遠ざかる。さらに近づいて言葉を交わしたかったが、整然と歩くラクダの隊列を乱すわけにはいかない。やや遠巻きにしてラクダを数えてみる。トンブクトゥから北約八〇〇キロの地点にある塩鉱タウデニから切り出された塩板を左右に二枚ずつ背に積んだラクダが三十頭、二十五頭、二十五頭、計八十頭、三列縦隊でトンブクトゥを目指す。頭領以外の男たちは徒歩で進む。少しでも多くの塩板をラクダの背に積みこむためには、人間は歩く方が効率が良い。ここアラウワン（写真15）の南からトンブクトゥまでは、あと三～四日の行程であろう。この一時間後にさらに別のアザライの一隊が姿を現した。三十―三十―三十の計九十頭のやはり三列縦隊。先のアザライと同じく頭領の男がラクダに乗り、一人が隊列の左側を歩き（写真12）、二人の若い男がしんがりを務める（写真13）。三列縦隊のラクダが砂丘のうねりを上り下りする姿は本当に美しい（写真14）。まるで夢の世界から登場してきたような幻想的な光景であった。

一九八六年九月から約二か月半、私はマリ共和国の古都トンブクトゥに滞在し、

15　アラウアン

16　アラウアンの男たち、ラクダの乳と塩が貴重な食糧

市役所や軍司令官駐屯所内の古文書課に通った。そこでアザライに関する二十世紀前半からの資料の筆写を運よく許可された。それらの資料から、秋のアザライの活動期は十一月中～下旬に集中していること、及びアザライの体験者たちの情報によって、この時期しかないと判断して、四輪駆動車を駆ってトンブクトゥの北二五七キロ地点にあるアラウアン（写真15・16）を中心に、アザライとの出会いを求める旅を実行したのであった。

3　サハラ長距離交易の歴史

†「戦車の岩絵」とガラマンテス（紀元前十三～紀元後七世紀）

サハラ砂漠を越えて行われる交易活動はいったいいつ頃から始まったのだろうか。まずその手がかりとなるのは、今世紀半ば、H・ロートたちによって発見されたタッシリ・ナジールの岩絵（写真17・18）である。これをはじめとする、二頭ないし四頭の馬に引かれた二輪の戦車の絵がサハラ

17　タッシリ・ナジール（アルジェリア南西部）

「戦車の岩絵」（アンリ・ロート *Route antique du Sahara central*, 1951 より）

18　タッシリ・ナジールの岩絵（前 3500 ～ 2000 年前のものといわれる）

一帯に点在していた（図参照）。

これらの岩絵の発見当初、多くの人々はヘロドトスの「四頭立ての馬車で穴居エチオピア人（トログロデュタイ・アイティオペス）狩りをするガラマンテス」（『歴史』巻四、一八三）という記述と結びつけてその謎を解き明かそうとした。ガラマンスとは前九世紀頃、フェニキア人たちが地中海アフリカ沿岸に姿を現した時代から四～五世紀に至る古代ローマ時代にかけて、北アフリカ一帯で交易活動に関わってきた人々である。ヘロドトスをはじめプリニウス、プトレマイオス、タキトゥスらの著作にもたびたびその名は登場する。

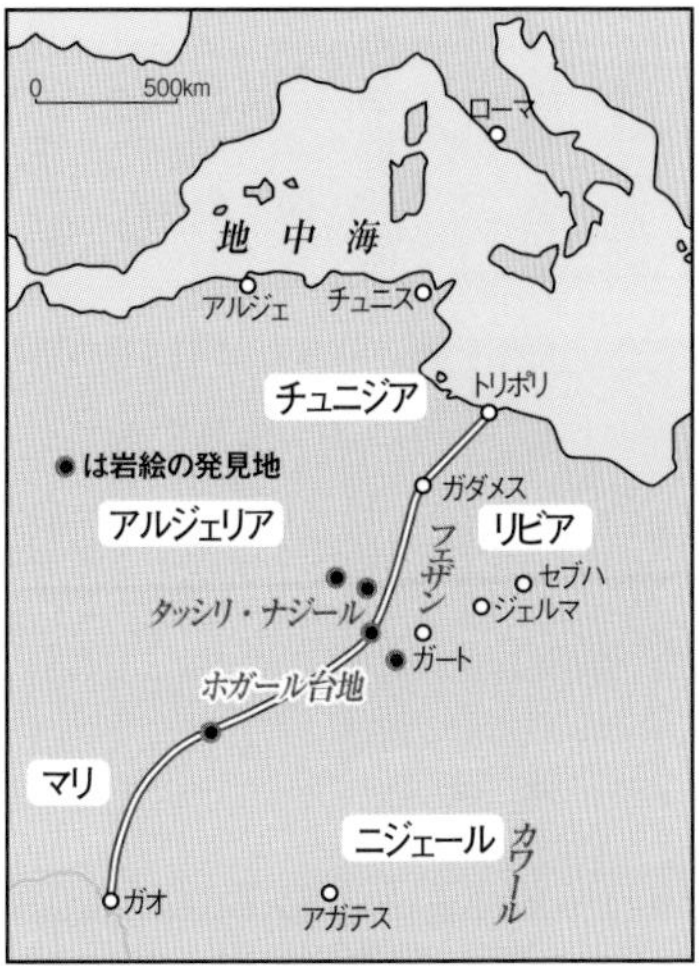

古代ローマ時代の交易ルート

19　ジェルマの遺跡（リビア南部フェザン地方）ガラマンテス人の街であったといわれる

カルタゴのフェニキア人や古代ローマ人が、ガラマンテスを通してサハラ経由で輸入していた商品で史実性の高いものはカルブンクリと呼ばれる紅玉状の宝石だ。ストラボンやプリニウスの著作の記述とも一致しているので、その信憑性はかなり高いと思われる。四世紀後半、北アフリカではベルベル人の反乱が始まり、ローマによる支配は大きな打撃を被る。四七六年の西ローマ帝国滅亡後、北アフリカはビザンツの支配下に入る（第4章参照）。ガラマンテスはビザンツの影響下でキリスト教化したともいう。また初期のビザンツの陶器がフェザンにある墓の中から発見されていることなどから、ガラマンテスはビザンツとも交易関係があったことがわかる。しかしガラマンテスという名称は、その後歴史上の記録からは消えてしまう。ガラマンテスはその後の同じ白色系民族であるベルベル人（ギリシャ語のバルバロイ（野蛮人）に由来し、北アフリカに植民したギリシャ人が蔑んでいた先住民）と呼ばれる人々、あるいはトゥアレグの祖先であるという説もあながち受け入れられないものではないだろう。ビザンツの北アフリカ支配は、六三六年のアラブ・イスラーム軍に対する敗北で終わりを告げる。ウマイヤ朝の将軍、オクバ・ベン・ナフィに率いられたアラブ・イスラーム軍は現チュニジアのカイロワンの街を征服したあと、六六六年、ジェルマ（写真19）などのフェザンの町、サハラを越えた現ニジェールのカワール（後述）などに侵攻し、以後サハラ長距離交易の一翼を担うようになる。古代ローマやビザンツによるサハラでの交易活動はひとたび幕を下ろすことになる。

† イスラームの北アフリカ侵入とガーナ帝国

セネガル川の上流と、ニジェール川上流にかけての草原地帯、現在のマリからモーリタニアのあたりには、八世紀から十一世紀にかけて、ソニンケ人による強大なガーナ帝国（二六六頁地図参照）が成立していた。ガーナ帝国については、十一世紀のコルドバの地誌家アル・ベクリが『道と王国の書——一〇六七年のガーナ』で次のように記している。

「ガーナというのは、この地の人たちの王の称号であり、——ガーナ王は弓矢に身を固めたもの四万以上、二十万の兵を戦野に送ることが出来る。——ガーナ王は彼の国に入るロバ一荷分の塩ごとに一ディナール、国外に出る塩一荷ごとに二ディナール、銅一荷には五ディナール、雑荷一荷に十ディナールの税がかかる。」

（『アフリカの過去』B・デビッドソン編、貫名美隆訳、一九七八年）

20　オクバ・モスク

21　カイロワン（チュニジア）

ガーナ帝国の商業的繁栄を示した有名な一節である。

一方、イスラーム世界ではメッカでイスラームを開宗したムハンマドの死後、正統カリフ時代を経てウマイヤ朝（六六一〜七五〇）が興る。その直後、イスラーム勢力は急速に北アフリカ方面に拡大していく。先に述べたようにウマイヤ朝の武将オクバ・ベン・ナフィ（写真20）が北アフリカ全土を征服したのち、その拠点としてカイロワン（写真21）の町を建設したのは六七〇年のことであった。カイロワンはその後ウマイヤ朝五代目カリフ、アブドル・マリク（在位六八五〜七一五）の統治下に置かれる。彼らムスリムが、サハラの南からもたらされた豊かな金の存在を、カイロワンの東スースで確認したのは、そのしばらく後のことであった。以後本格的なサハラ長距離交易の歴史が花開く。この時代に、アブドル・マリクの名と肖像が刻まれたマンクスと呼ばれるムスリムの金貨の鋳造が始まり、ヨーロッパのキリスト教国にまで流通域を広げていった（写真22）。

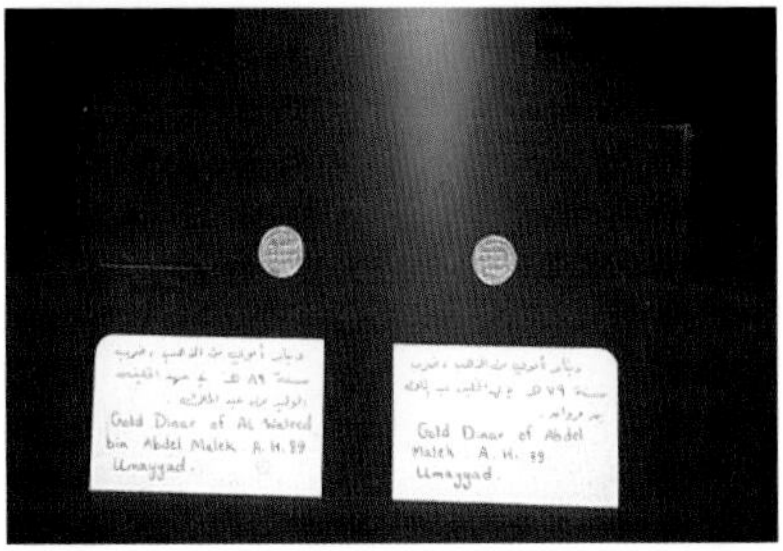

22　マンクス（アブドル・マリクの名が刻まれた金貨）
アンマン国立博物館

† アラブ、ベルベル人と「スーダンの金」

またアル・ベクリ、イブン・バットゥータ、レオ・アフリカヌスらの記録によれば、サハラ各地にはアウリル、タティンタル、イジル、テガザなどの名で知られる数多くの塩鉱があったという。

そこから掘り起こされた塩は、アラブ、ベルベル系の商人の手によって布、銅、真珠、カウリス（貨幣として用いられた宝貝）、デーツなどの商品とともに砂漠を越えて南へ運ばれた。一方、南からはいわゆる「スーダンの金」が輸送された。ガーナ帝国は、その南に広がる森林地帯から産出する金を主とする商品を交易ルートに乗せ、そのルートの整備と安全に力を入れて大発展をとげることができた。この森林地帯にある金の産地とは、イギリスのアフリカ史研究家E・W・ボヴィル（一九二九）によればセネガル川上流とファレメ川の間のバンブク、ニジェール川上流（写真23・24）にティンキッソ川が合流するところにあるブーレ、現ガーナのヴォルタ川上流のロビやアシャンティであるとされているが、はっきりしたことはわからない。

アラブ、ベルベル諸民族の人々の手を経て北アフリカにもたらされた「スーダン（当時西北アフリカの広い世界はスーダン（黒人の国）と呼ばれていた）の金」は、やがてイスラーム勢力の東西の拡大に伴って発展していた商業活動の原動力となり、ムスリム商人の手によって、バグダッドやコルドバから放射状に世界へ拡散していくことになる。

さて十一世紀末、ガーナ帝国は、西サハラから興ったベルベル人の王朝ムラービト朝に征服される。ムラービト朝の支配下、イベリア半島のアンダルシアや北アフリカ各地では、「スーダンの金」を基に、かってないほど大量に金貨の鋳造が行われた。さらに十二世紀半ばには、アトラス山中より同じくベルベル人の王朝ムワッヒド朝が出現し、ムラービト朝

23（上）・24（下）　ニジェール川上流部（ギニア北部ファラナウ郊外）

25　シジルマサ

26　リッサニ

を倒してモロッコ全土にその支配権を広げていく。「スーダンの金」はこの間も、主としてシジルマサ（写真25、現モロッコのリッサニの町（写真26）に隣接してわずかに住居跡が残存している）に集結し続け、ムラービト朝時代の活発な貨幣鋳造は、そのままこのムワッヒド朝に受け継がれていく。しかしこのムワッヒド朝は、アンダルシア遠征に失敗（一二一二年）し、南部モロッコがマリーン朝によって征服される（一二六九年）。マグレブの全域を抱え、さらにアンダルシアへ手を広げようとしていたムワッヒド朝は、その版図の大きさのために中央行政を効率良く実施することが難しく、サハラ長距離交易を手中におさめきれなかった。

モロッコの首都ラバト（写真27・28）には、ムワッヒド朝第三代ヤークーブ・ル・マンスールが一二世紀末に建設に着手したモスクが建築半ばにして打ち捨てられたままになっており、その巨大なミナレット、ハッサンの塔のみが威容を誇っている。この塔の前面に残されている三一二本の大理石柱はモスクが完成の暁には巨大なドームを支える回廊を構成していたことであろう。一時は隆盛を極めたムワッヒド朝の運命を象徴するような建物跡（写真29）である。

27　モロッコの首都ラバトからブーレグレグ川を挟んだ対岸の町サレ、17世紀にはスペインからの亡命者たちによる海賊の自治国家「サレ共和国が成立していた

28　ラバトで出会った女性たち。右がアラブ系の女性、中央がハラティン（この呼称は現在はあまり使われない）と呼ばれるアフリカ系、左がモロッコ先住民のベルベル系（現在はアマジグと呼ばれている）

29　ムワッヒド朝時代、建築途上であった大モスク

† マリ帝国とサハラ長距離交易

現在は世界の最貧国の一つに数えられているマリ共和国だが、かってはアフリカ大陸屈指の王国だった。その名称は一二四〇年頃、ガーナ帝国に代わって、マンディンカ（マリンケともいわれる）族のスンディアタによって建国されたマリ帝国（地図参照）に由来する。マリ帝国では、その後三代にわたって建国事業が続けられ、金の産地とサハラ長距離交易の拠点としての地位が確立される。ガーナ帝国時代にサハラ長距離交易に従事したのは、主としてアラブ人やベルベル人であったが、マリ帝国時代になると西アフリカの黒人たちもこの交易活動に参加し始める。

一三一三年頃のマンサ・カンカン・ムーサ王の時代、マリ帝国は最盛期を迎える。彼はトンブクトゥやガオを治め、サハラ長距離交易ルートを支配下に組み込んだ。後世まで語り継がれる彼の豪勢なメッカ巡礼は、一三二四〜二五年にかけてのことであった。彼の一行は一万二〇〇〇人の奴隷を引き連れ、そのうち五〇〇人に、それぞれ三キロずつの金の延べ棒を持たせ、八十頭のラクダには、それぞれ一三五キロの金塊を積んでエジプトのカイロを通過した。しかし、一行はカイロで金を浪費し過ぎ、帰途にはカイロの商

7世紀〜16世紀の交易ルート

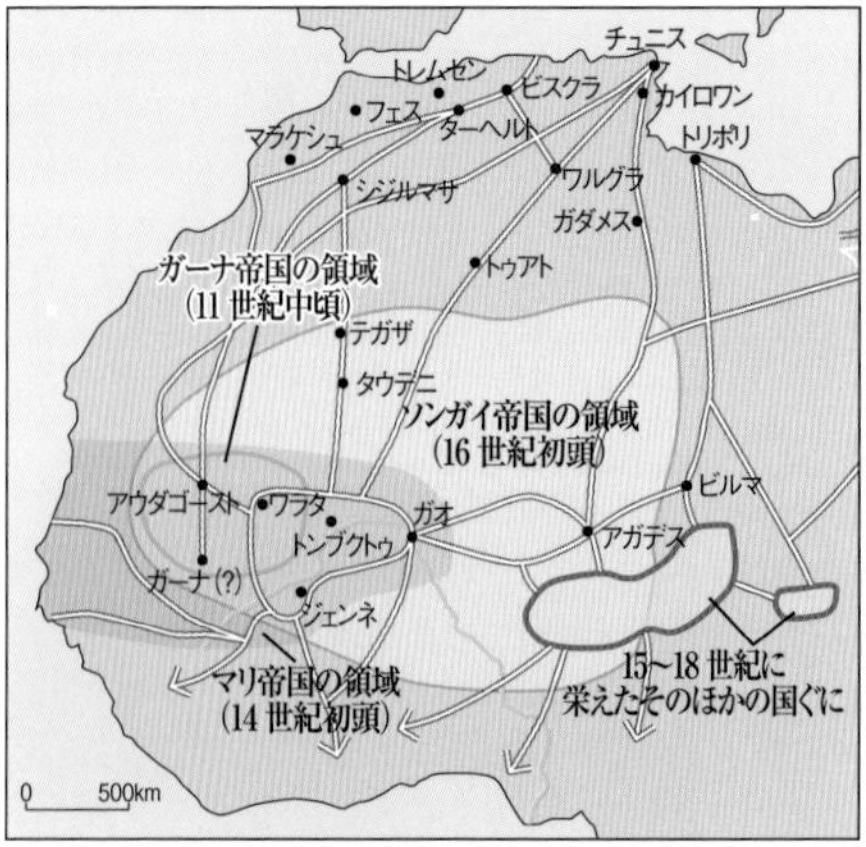

イブン・バットゥータの旅（1352〜53）の行程

人から多額の借金をしなければならなかったという。このメッカ巡礼の帰途に、ムーサは多くの学識者をエジプトから連れ帰り、トンブクトゥに住まわせたという。

十四世紀にシジルマサ（写真25）からワラタを経て、黒人の王の都マルリーを訪れたイブン・バットゥータはその著『三大陸周遊記』の中で、シジルマサでラクダを数頭買い求めた後、「諸国の商人の組織した隊商に加わって」二十五日後に塩鉱のあるテガザに到着したことを記している（前頁下の地図参照）。マリの商人たちは、北で主として金の売却をすませたあと、帰路の商品輸送のコストに見合う商品として、テガザの塩を手に入れた。マリの商人たちはベルベル人による塩の独占の圧力を被ることなく、独自に塩を入手し、マリまでの輸送に従事し始めた。イブン・バットゥータが通過したというワラタ（写真30）の町はシジルマサからはトンブクトゥとほぼ同行程（約五十日）の地点にあり、トンブクトゥからは西へ約四五〇キロ離れている。当時は商業都市としてトンブクトゥと覇を競っていたという。また一五九一年、トンブクトゥがサード朝モロッコ軍の攻撃にさらされた時、トンブクトゥの学者たちの避難先にもなったという。

マリ帝国の王都とされる場所については、イブン・バットゥータによるマルリーという記述以外に、実際に誰も訪れた記録がなく、特定は今なお困難をきわめている。かって現在のマリとギニアの国境付近のニアニという説が唱えられ、数十年前にポーランド隊が大掛かりな発掘を試みたが、特筆に値する成果はあげられなかった。ガーナ帝国についても同様で、先述の十一～三世紀のアル・バクリやアル・イドリシらアラブ人地誌家の記述から推定される現モーリタニア東部のクンビ・サレーもはたしてその王都かどうか、今もって不明のままである。

前者の謎解きに挑戦した一人の日本人学者がいる。私もよく存じ上げている国立民族学博物館教授の竹沢尚一郎さんだ。もともと彼はマリ北部のニジェール川流域の漁民ボゾーの研究に携わってきた文化人類学者だった。やがて彼

30　ワラタ（現モーリタニア東部）

の関心は王都の発掘へと発展し、現在は考古学者として活躍を続けておられる。二〇〇一年頃からマリ東部の都市ガオ（写真31）で発掘に着手され、数年後にソンガイ帝国（後述、ガオ帝国とも称される）の王アスキア・モハメッド（在位一四九三～一五二八／二九）の墓（写真32）のすぐ東隣りの広場（私もここには何度か訪れていた）で、およそ五〇メートル四方の巨大な石造りの建造物の発掘に成功された。九～十一世紀頃の建造物と考えられる「古ガオ遺跡」と名付けられたこの遺跡と、マリの王都との関連性についてはまだ不明な点も多く、その後の発掘に多くの期待が寄せられていたが、近年のマリ内乱のため、残念ながら作業は中断されてしまった。発掘の再開が心待ちにされている。

31　ガオ

32　アスキア・モハメッドの墓

33　カラベル船（3本のマストを持つ小型帆船）
1983年のサンフランシスコ帆船祭りにやってきたサグレス号（ポルトガル）

さて、マリ帝国時代に北から南にもたらされた商品は、塩以外に馬、カウリス、デーツ、ガラス細工品などがあり、逆に南から北へもたらされた商品は金以外に、奴隷、銅、布などがあった。

しかし繁栄を誇ったこのマリ帝国も後継者に恵まれず、次第に衰退していく。トゥアレグ、ウォルフ、モシなどで反乱が相次ぎ、一四〇〇年頃ガオにいたソンガイ人（現在ニジェール川中流部に居住する人々、ソンライとも呼ばれる）によって首都が略奪される。マリ王はその頃から友好関係を持ち始めたポルトガルに援助を求めたが、返ってきたのは贈り物だけだったという。

やがてポルトガル人たちは、カラベル船（写真33）に布、馬、銀などを載せて、陸上輸送に代わる沿岸海上輸送という新しい交易パターンを築き始めた。ポルトガル商人が求めたものは、最初は金であったが、次第に奴隷に重点を置き始めた。西アフリカ沿岸各地の植民地化に必要な労働力の担い手を得るためである。しかし長い歴史を踏まえて形成されてきたサハラ長距離交易はこのポルトガルの登場によってただちに破壊されたのではなかった。

†ソンガイ帝国とサハラ長距離交易

一五一〇年から一五一一年にかけてトンブクトゥを訪れたレオ・アフリカヌス（スペイン、グラナダ生まれ。モロッコのフェズ（写真34）に住み、後にシチリアの海賊に捕えられ、ローマでカトリックの洗礼を受ける）はその著『アフリカ誌』の中で次のように延べている。

「トンブクトゥ（写真35）には無数の学者、聖職者、裁判官がおり、彼らは皆、学者を非常に尊敬する王によって厚くもてなされている。ここでも北アフリカからの多数の手書き本が売られている。トンブクトゥでは、交易の他のどんな分野よりも多くの利益が、本を売ることから得られる」（*Description de L'afrique*, Jean-Leon L'afrique, pp.468－469）

ニジェール河湾曲部のガオでは、北方からやってくるベルベル人と積極的に交易活

34　フェズ

35　トンブクトゥ

動を進めていた進取の気性に富んだソンガイ人が、マリ帝国からガオの独立を奪回した（一三七五年頃）。ソンガイ人は一四〇〇年頃、マリ帝国の首都があったとされるニアニ（現在でもその場所はどこか不明）を略奪する。すでにガオとソンガイ地方の王であったスンニ・アリ（在位一四六四〜九三）は後のソンガイ帝国となる基盤をつくりあげていた。一四九三年に王位についたアスキア・モハメッドの時代（写真32）には強力な中央政府がつくられ、その最盛期を迎える。一四九四年から九七年にかけて王のメッカ巡礼中、その不在にもかかわらず本国では何の紛争も起こらなかったという。

先述のテガザの塩鉱もソンガイによって占領されたが、十六世紀には塩が枯渇して廃鉱される。それに代わって、約二〇〇キロ南東方向にあるタウデニが開鉱され、同じくソンガイ帝国（二六六頁の上の地図参照）の管理下に置かれる。トンブクトゥへの旅の途上、タウデニに滞在したレオ・アフリカヌスは、トンブクトゥまで八〇〇キロの距離をラクダ一頭あたり塩板四枚を担いながら、二十日間の行程で運ばれたことを記録している。先述のアザライの活動はこの頃始まったものである。このソンガイ帝国の強力な経済監視の下に、サハラ長距離交易全体が統括促進されたことはいうまでもない。

先述のブーレ（ニジェール川上流）、バンブク（セネガル川上流）、アシャンティ（ヴォルタ川上流）などと思われる、南の森林地帯より、ワンガラ、あるいはウンガロスと呼ばれる、権威を持った産地仲買人が金をもたらし、タウデニからトンブクトゥを経てジェンネ（写真37）などの市場にもたらされた塩と交換された。

ガオには、若い男女の奴隷が一人あたり六デュカート（ベネツィアの金貨。一デュカートは金三・五六グラム）で売却される市場があり、再売却の際には八〜九倍の値がつけられて、北方からもたらされる馬と交換された。ソンガイの強力な騎馬隊に必要な馬は、奴隷との交換によって調達されていたのだろう。金、奴隷以外に南から北へもたらされたものとしては、メレゲッタと呼ばれる香料や羊の皮などがあった。逆に北から南へは塩以外に馬、布や銅、錫などの金属類、カウリスやデーツなどがもたらされた。ソンガイ帝国時代はまさにイスラーム侵入後のサハラ長距離交易史の最後の輝きを放った時代であったといえよう。

さてモロッコでは十五世紀半ばイスラームの神秘主義を奉じ、ポルトガルに対しては反レコンキスタを掲げたサード朝がマリーン朝に取って代わる。サハラ長距離交易の富の独占をめざしたサード朝のスルタン、アル・マンスール（在位一五四九〜一六〇三、写真36）は、テガザの塩鉱をめぐるトラブルをきっかけに一五九一年、長途サハラ遠征を行う。マハマド・ザルクン将軍率いる火縄銃と騎兵隊で武装した数千人の兵士からなる大部隊は、トンブクトゥとガオを占領し、とうとうソンガイ帝国を滅亡に追い込んだ。

やがて十六世紀、スペインによるアメリカ経営が本格化するにつれて、世界の需要は「アメリカの銀」が「スーダンの金」に取って代わる。ポルトガルを吸収したスペインが、セビリアを拠点として大繁栄を享受する時代がやってくる。サハラ長距離交易の凋落は避けることのできない時代の宿命であった。しかし一時的な凋落はあったものの、その後十九世紀末に至るまで、サハラ長距離交易は、サハラ、そして各地の地域間の内的需要を原動力としてアフリカ大陸の大動脈としての役割を担った。そしてヨーロッパやアメリカの需要に応えるかのように、国際経済のネットワークの中で力強く再登場してくることになる（後述）。

16世紀末〜19世紀末の交易ルート

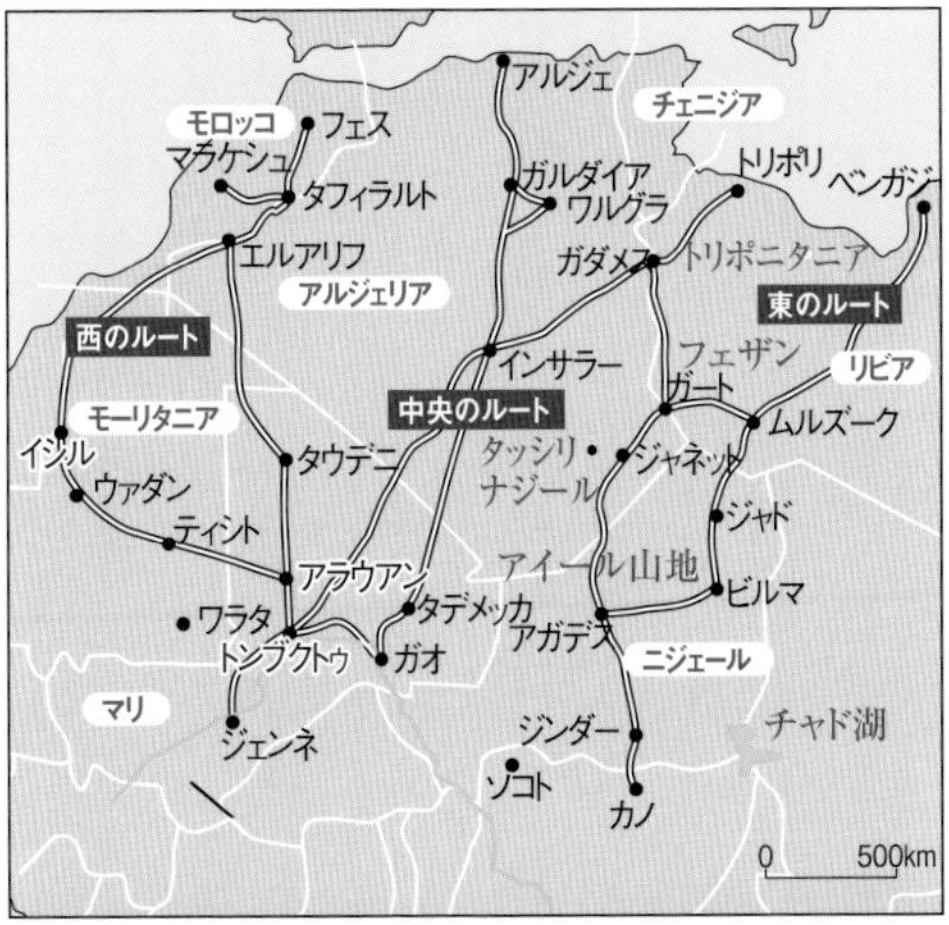

36　アル・マンスールの墓（マラケシュ、モロッコ）

†ソンガイ王国崩壊後（十六世紀末〜十九世紀末）のサハラ世界

さて、ソンガイ王国崩壊後の十六世紀末から十九世紀末までのサハラ長距離交易について、以下 簡略に述べておこう。このソンガイ帝国崩壊の時期に前後して、同じく塩が枯渇して廃鉱となったというテガザに代わって、約二〇〇キロ南東方向にあるタウデニが開鉱される。金の枯渇によりサハラでの「塩金交易」のうち金の交易は終焉を迎えたが、塩の交易は衰えることなく持続された。

一五九一年のモロッコ軍のサハラ遠征以後、しばらくこのルートはサード朝モロッコの管理下に置かれたが、金はすぐさま枯渇してしまった。その上トンブクトゥでは大飢饉が発生した。また一六八八年にはペストが流行し、一七四一年の最悪の飢饉を経て一七五〇年頃までの間、モロッコ人同士が互いに殺し合い、かって繁栄していたトンブクトゥの市場には雑草が生い茂っていたという。この十七世紀から十八世紀にかけては、貧困と食糧不足の慢性化によって、サハラ長距離交易もトンブクトゥを回避して行われていた。

一七九〇年頃、貧困と食糧不足を乗り越えたトンブクトウの人口は、約二五〇〇人で、ムスリムの五人の王に統治されていた。治安はきわめて良く、盗みを働くと絞首刑かもしくは袋に入れられ川に投げ込まれたという。王の一人はキャラバンが持ち込む商品の一〇パーセントを税として徴収した。しかし主たる交易は、トンブクトウで行われたのではなく、ここで穀物などを購入したキャラバンは、その南のジェンネへ向かった。当時のジェンネは人口二〜三〇〇〇人で、ニジェール河はまだ金塊の輸送路として使われていたという。現在ジェンネでは、泥土造りのグランモスク前の広場（写真37）で毎週月曜日には賑やかな市が立ち、北側のニジェール川湾曲部世界と、南側に広がるサバンナ世界の商業的接点の役割を果たしている。一九八六年十月私はこのジェンネを訪れたが、一見雑然とした月曜市であるがよく見ると見事に区画整理されていることに驚いた。南北二列に並んだ露天商たちによって、その東側には布類、セッケン、ヤカンとナベ、電池、自転車の部品などの日用生活用品を、西側にはローカル色溢れるスンバラ味噌、川魚の燻製、香辛料、ピーナッツ、塩、砂糖、ミント草、米、ミレットなどの食料品が整然と並べられているのだ。それらの商品を扱う人のほとんどが、週一度のハレの日のために着飾った女性たちであった（写真38・39）。

さてモロッコ人たちは、キャラバンの途中で購入していた塩を金と奴隷に交換した。奴隷は主として非ムスリムのバンバラ（現在のマリ西部のマンデ系民族）の国からもたらされた。帰途のキャラバンではかなりの人数が死亡し、生きながらえた者はまず南モロッコに住み、そこでアラビア語を学び北アフリカの風習に慣れ、召し使いとして有能な奴隷に育成されたのち高額で売却された。キャラバンは、奴隷以外には金、象牙、ダチョウの羽根、羊毛、綿、アラビアゴムなどを持ち帰り、ルートの安全が保証されていた間は交易は総体的にかなり活発であったという。

サハラ長距離交易中央西のルートはあらゆるところで塩の産地と直結していた。その代表的なものは、ソンガイ王国崩壊に前後して廃鉱となったテガザに代わって登場した塩鉱タウデニとアラウアン、トンブクトゥを結ぶルートである。

37　ジェンネのグランモスク

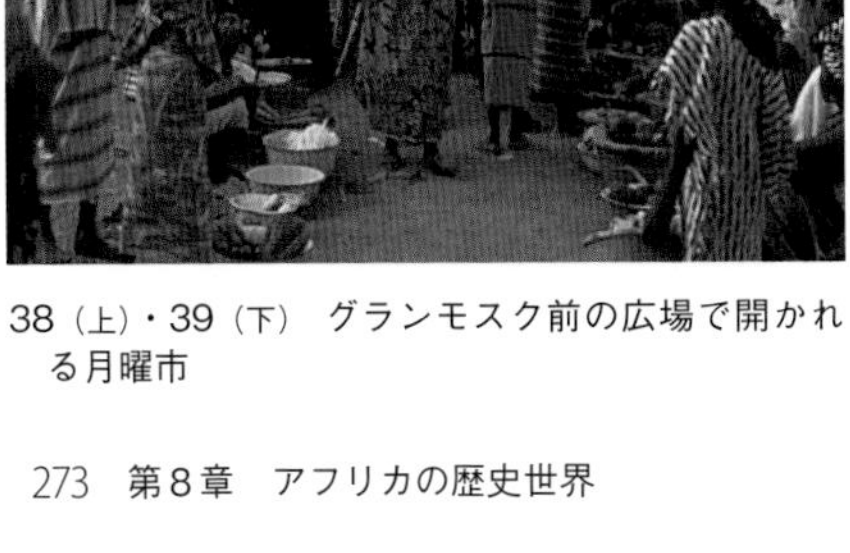

38（上）・39（下）　グランモスク前の広場で開かれる月曜市

タウデニ－トンブクトゥ間のアザライは、年二回春と秋に行われ、トンブクトゥ領域の遊牧部族であるアラブ系のベラビッシュ、アウラド・ボラルダ、クンタなどが塩交易に参加した。特にクンタは十八世紀後半より、イジル塩鉱の管理とともに、ヤギ、ヒツジ、ラクダの飼育に携わり、やがてスーフィ教団（イスラームの神秘主義）の伝統を受け継ぐ宗教的リーダーシップを伴った商業活動はタウデニ方面にまで及び、南西サハラ全体の諸部族に大きな影響力を与え塩交易を大きく発展させた。またアラウアンを拠点としたベラビッシュは、ラクダを売却したり通過するキャラバンから高い税を徴収して彼らの安全を保証するとともに、自らもまたその塩交易に従事した。アザライとの出会いの部分で記したアザライ参加者たちは、ベラビッシュの人たちであった。

† 奴隷交易から国際交易へ

ソンガイ王国の崩壊に少し先立って、北アフリカの世界は、現在のアルジェリア、チュニジアの地域を含めてスレイマン一世（写真40、在位一五二〇～六六）の時代、最盛期のオスマン帝国の支配下に組み込まれた。

一五一七年にカイロを占領し、エジプト・マムルーク朝を滅ぼしたオスマン帝国は、トリポリタニア（現リビア）をもその支配下に組み込む。トルコはフェザンまで南下し、統治権をその地の首長に委ね、定期的に貢納金を支払わせることで支配の安定を図った（写真41）。フェザンの南方では、十三世紀から十七世紀にかけてチャド湖の周辺を中心に大きく版図を広げていたカネムー・ボルヌー帝国（次項「カワール」で詳述）が、十八世紀には衰退期に入った。オスマン帝国支配のトリポリとフェザンの間では、特

40　スレイマニエ・モスク（イスタンブール）

41　オスマン帝国時代の要塞（ガート、リビア）

に奴隷交易が活発化していった。フェザンのスルタンは、衰退しつつあったこの帝国を中心に、南のハウサ諸国、東のワダイ王国、西はニジェール河湾曲部に至るまで、奴隷捕獲のための触手を伸ばした。十八世紀半ばに西アフリカからフェザンを経由してトリポリにもたらされた奴隷は、毎年平均約二千人と見積もられている。その大半はサハラを北上するリビアへのルートにその最大数が集中していた。輸送途上の死亡を考えると、西アフリカ方面ではかなりの数の奴隷が捕獲されていたことになる（第10章参照）。

ヨーロッパ諸国の抗議や、オスマン帝国政府による奴隷取引の公的禁止（一八四六年）にもかかわらず、コンスタンチノープルや中東方面への輸出はとどまらなかった。一八五〇年には奴隷の商業取引がサハラ長距離交易の取引総額の三分の二を占めていたという。奴隷は十九世紀半ばまでは、サハラ長距離交易の中で唯一の価値ある商品であったが、後半の四分の一世紀には、象牙（Ivorie）、ダチョウの羽根（Plumes Autruche）、皮革（Peaux）などの輸出品目が増え、その商品価値も奴隷の価格を上回るものになる（表1）。サハラ長距離交易は欧米に結びつく国際経済のネットワークの中に再登場することになったのだ。

地中海に面してヨーロッパ世界とのつながりを深めてきたトリポリ、ベンガジ両港は、サハラ長距離交易の終着点としても大いに繁栄した。ヨーロッパ市場の需要に基づいて象牙、ダチョウの羽根、皮革などが、サハラを越えてもたらされる商品として脚光を浴び、その交易活動は一八八〇年頃に最高潮に達した。その後ゆるやかに下降線をたどり始めるが、それに代わってヨーロッパの

表1　トリポリから輸出されたアフリカの主要生産品（1862～1901）（単位はフラン）

		1862-1871	1872-1881	1882-1892	1892-1901	計
象牙	－価格	5,012,500	9,532,500	4,787,500	2,470,000	21,802,500
	－%	63.1	20.23	14.95	8.66	18.8
ダチョウの羽根	－価格	2,927,500	33,337,500	24,975,000	14,475,000	75,715,000
	－%	36.9	70.8	78	50.78	65.4
金	－価格	〃	2,087,500		〃	2,087,500
	－%		4.4			
皮革	－価格	〃	2,200,000	2,312,500	11,570,000	16,082,500
	－%		4.66	7.22	40.5	13.9
計		7,940,000	47,157,500	32,075,000	28,515,000	1,115,627,500
年平均		794,000	4,715,750	3,207,500	2,851500	2,868,125

Miege,J.L.（1975）*La Libye et le commerce transsaharien au XIXe siècle* より引用

近代工業が作り出した新商品（マンチェスター産の綿布など）、あるいは国際経済のネットワークの中で流通し始めた商品（インドの茶など）が新たにもたらされることになった。安価なイギリス産の綿布の普及は、北、西アフリカ各地の布の生産の没落を招く一方、茶の普及はサハラの隅々にまでゆきわたるようになり、どんなに小さな集落でも、現在に至るまで日常生活において茶の習慣（写真42）を見受けることができる。

その後サハラ長距離交易は先述のようにフランスによる植民地化と、それに抵抗する主としてトゥアレグ勢力との争いの中で、繁栄と衰退を繰り返していくことになる

42　茶を楽しむトゥアレグの人々（タマンラセット近郊、アルジェリア）

†ラクダとトラックの共存――サハラ長距離交易の現在

さてここでまず冒頭で述べた塩を運ぶラクダのキャラバン、「アザライ」の話に戻って、もう少し詳しく述べていくことにしよう。塩をめぐる一連の交易活動の中で最も重要な位置を占めるのが輸送を請負うアザライである。先述のようにトンブクトゥ周辺では、タウデニ開鉱の前後からアラブ系のベラビッシュ、クンタなどの人々が、ラクダの供給者として、その主導権を握り始め、十八世紀には塩の売買と輸送に関して独自の様式を確立していた。

ラクダの輸送を請負う主にアラブ系の人々と、鉱夫を雇うパトロン（出資者）との間には、輸送される塩板についての協定がある。一頭のラクダに積載可能な四枚のうち三枚を輸送者に、一枚をパトロンにという割合で分配するというものである。フランス統治時代には二十枚のうち十九枚を輸送者に、一枚をパトロンにという割合で分配されていたこともあった。その割合はアザライに参加するラクダの数や塩の需給のバランスに応じて変動するが、現在のところこの三対一という比率はほぼ固定しているという（写真43〜45）。

私はトンブクトゥに滞在中、アザライへの参加経験を持つ九人に聞き取り調査をした。それによれば、アザライ一隊のラクダの総数は三〇〇頭というのが最大数であり、一人当たり扱わねばならないラクダの頭数は八〜三十頭である。大半の参加経験者は、アザライの仕事はトンブクトゥ周辺では数少ない稼ぎの良い仕事であり、将来もできれば参加し続けたい気持ちがあることを表明していた。

　現在でもこのトンブクトゥ―タウデニ間では、トラックによる塩や食糧の輸送はまったくといっていいほど行われていない。起伏が激しい砂丘などの地形に加えて、柔らかく深い砂がトラックのタイヤをしばしば埋めてしまい、そこからの脱出に驚くほどの手間と時間がかかり、しばらく進むとまた同じことを繰り返す。であるのでラクダによる前進の方がはるかに効率が良いのである。しかしラクダによる輸送が今なお続けられているのは、必ずしも砂漠の地形と砂の状況によるもので

45　ピロッグ（小舟）でガオに運ばれた塩板

46　ニジェール―アルジェリア間をトラックで輸送されるラクダ

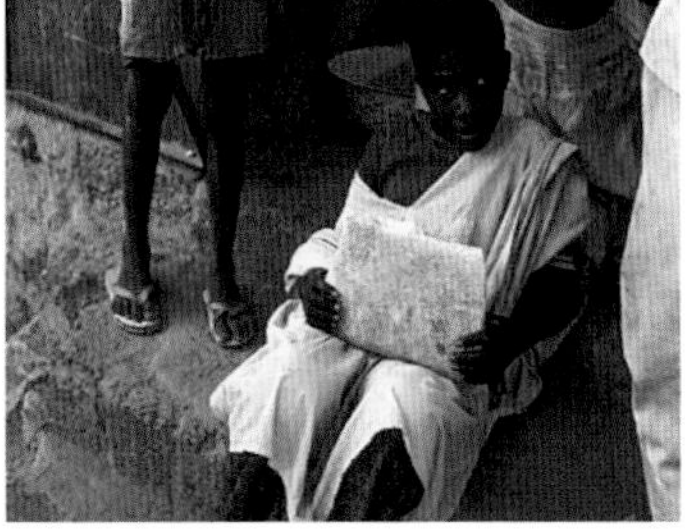

43（上）・44（下）　トンブクトゥのマルシェ（市場）売られる塩板

現在のサハラ長距離交易は、サハラとサヘル、サバンナとのあいだで、トラックもしくはラクダで沙漠を移動して、主として交換交易がおこなわれており、デーツ(ナツメヤシ)とラクダ、ヒツジ、また塩、デーツと穀物および日用生活必需品が、それぞれ北と南から輸送されている。サハラ長距離交易は、アラブ人が北アフリカに侵入した7世紀以後、アラブ、非アラブ系の人びとが、地中海から金や奴隷を求め、ウマや銅製品、カウリス(貨幣としてもちいられた宝貝)を携えて南下し、数世紀にわたって全盛時代を築いた。16世紀末のソンガイ帝国の滅亡後、19世紀末に至るまでサヘル、サバンナからは奴隷、象牙、ダチョウの羽、皮革などが北の主要輸出品となる。また、塩鉱(タウデニ、ビルマ、イジルなど)から岩塩がサヘル、サバンナへ運ばれ、ミレット(トウジンビエ)などの穀物その他と交換される交易もアラブ人到来後に開始され、現在に至っている。

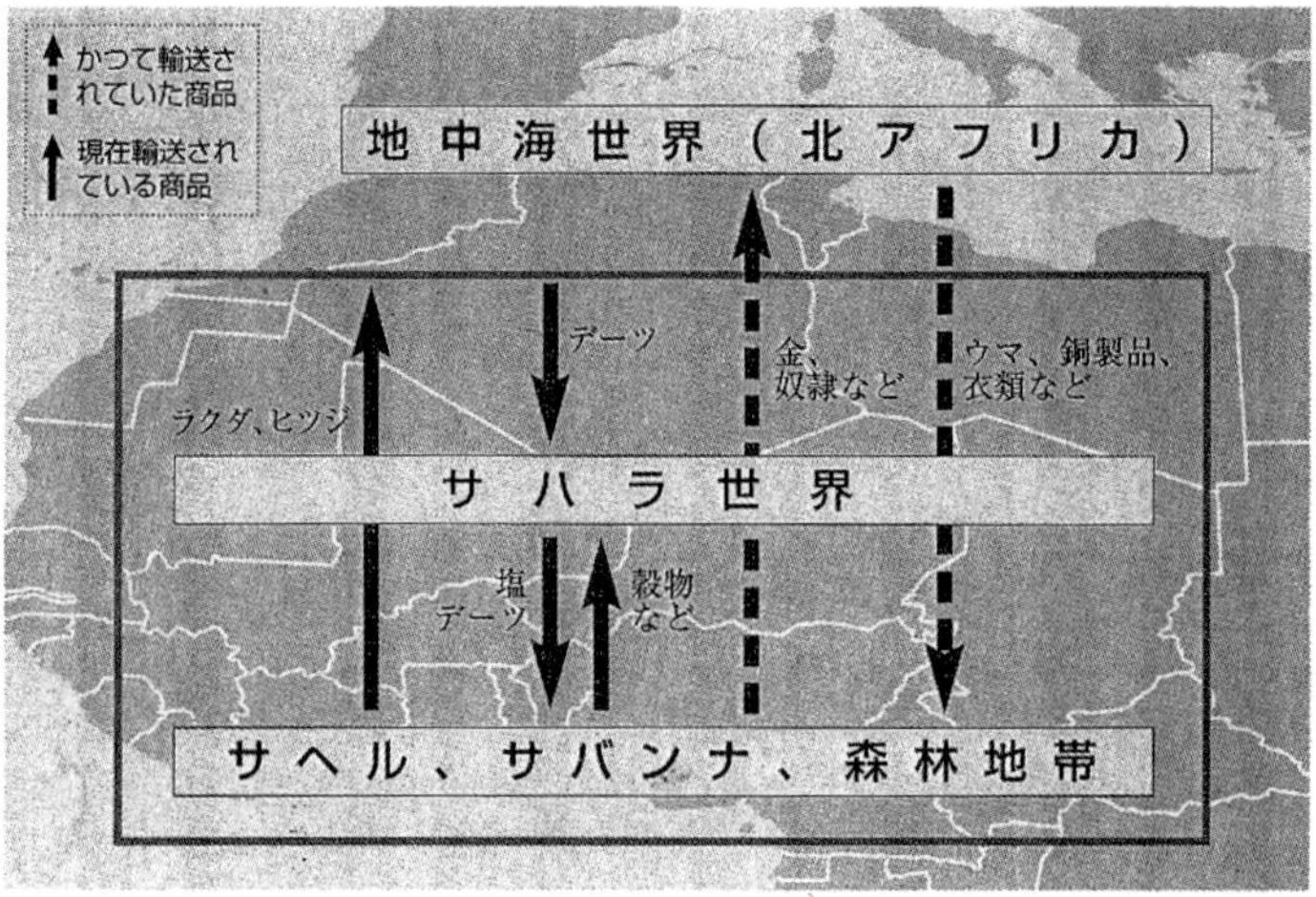

(「アザライとキャラバン・コンボイ」南里章二『季刊民族学』88号より引用)

サハラ砂漠アザライ調査行 (1986～87, 1990, 1997)

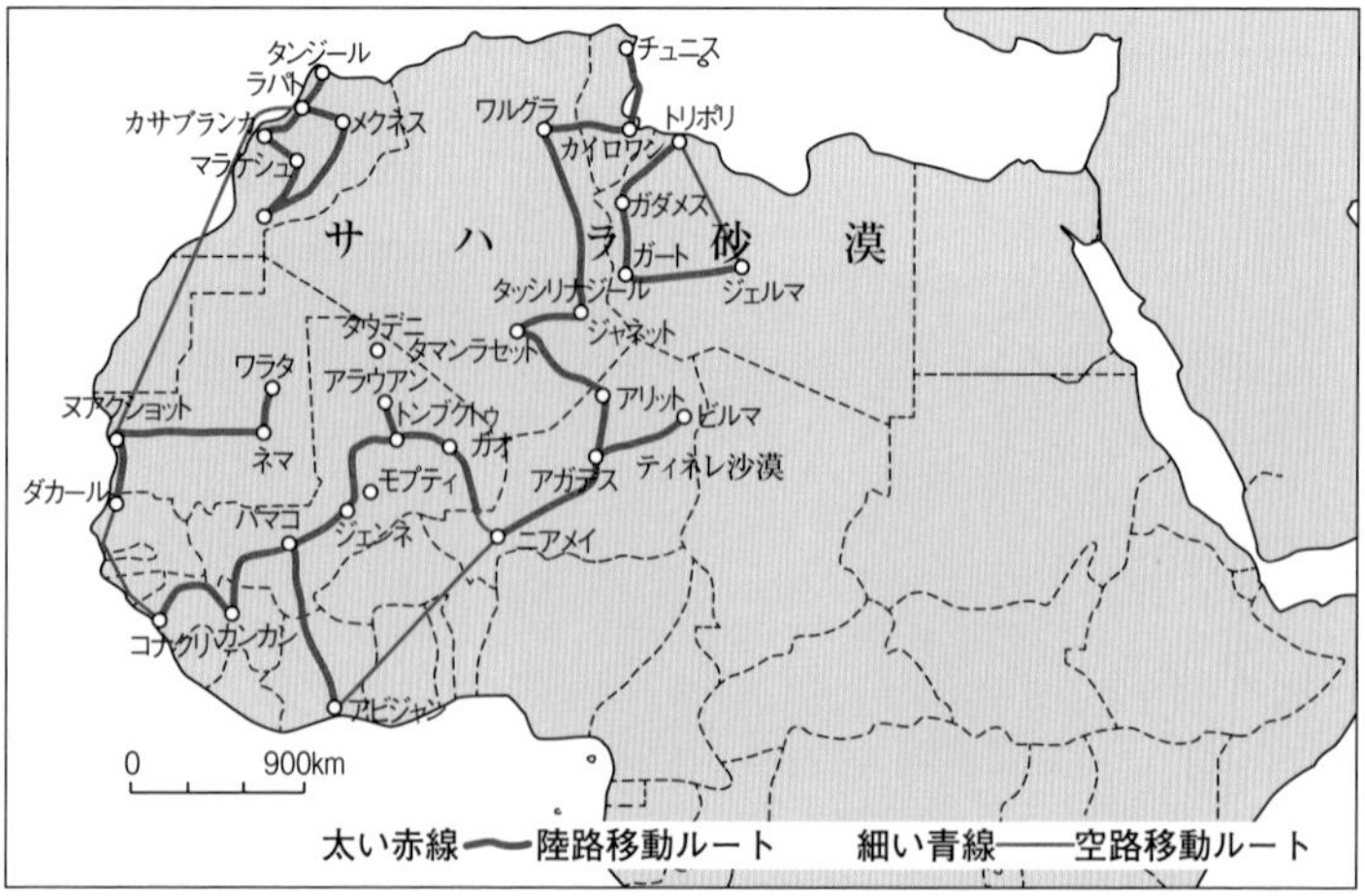

はない。そこには次のような社会的経済的な要因が大きく働いている。

トラックによる現代的な輸送形式は、これを担う商人たちの利益を優先した合理性を前提としている。一方伝統的なラクダによるキャラバン交易は、決して損得計算をないがしろにしているわけではないが、地域間の結びつきによって成り立つ伝統的なモラル、慣習法などの伝統的価値観によってその活動が支えられている。しかし近年、アルジェリア南部の石油採掘に伴う労働者に対する食肉としての需要が増し、トラックによるラクダの輸送も行われるようになった（アガデス－インゲザム間（二六六頁の上の地図参照）、ここは砂漠の土壌が固いのでトラックの走行が可能）。私はこのトラックに便乗してニジェール－アルジェリア間の国境を越えたことがあった（写真46）。サハラ長距離交易におけるこれから述べるようなトラックとラクダの使用は、競合というよりもむしろ共存のような形で将来にわたっても継続されるだろう。

以下トラックによる「キャラバン・コンボイ」（トラックによる交易）の実情を調べるため、ニジェールのテネレ砂漠で行ったフィールドワークを紹介させていただきたい。やや学術的な論文型式で、専門家の通読にも耐えるように記述しているため、一般の方で読みづらいと思われる方は飛ばし読みしていただいてもかまわない。

4　カワール、そのオアシスと交易
——現代のキャラバン・コンボイ——

† アガデスからビルマへ——テネレ砂漠横断

「ビスミッラー（アッラーの御名において）」午前三時、二月の夜明け前、凍てつくような寒さの中、キャラバン・コンボイのリーダー、アブドル・ラティフの声が砂漠の静寂に響きわたる。無愛想な男であるが、行動中はキャラバンの安全に鋭く神経をとがらせている男である。砂地に毛布にくるまっていた男たちが起き上がり、慌ただし

ティレネ砂漠

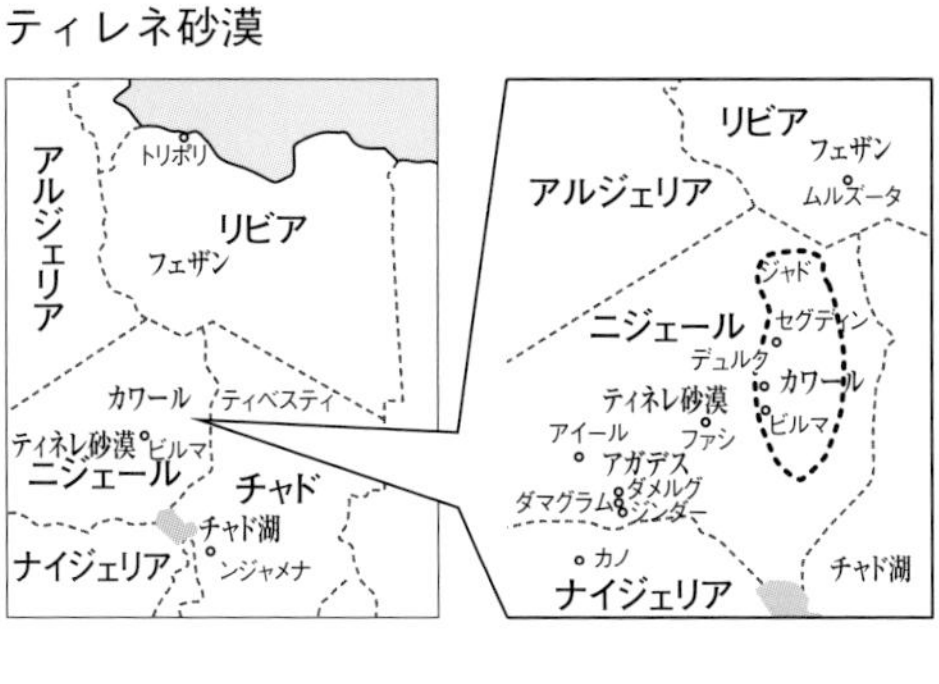

く出発準備にとりかかる。トラックのエンジンの音にあわてて寝袋を抱えてトラックの荷台によじのぼる。メルセデス・ベンツの頑強な四台のトラックからなるプロジェ・ド・ビルマのキャラバン・コンボイ（写真48）は砂漠の砂をかきわけて東へ向かって走り続ける。

ニジェール共和国のサハラ砂漠への出発点となる町アガデス（写真50）を発って三日目、サハラ砂漠の中心部よりまっすぐに南下したところに広がる、砂以外は何もない砂漠の中の砂漠といわれるテネレ砂漠（写真47）を横断して、カワールと呼ばれる地方の中心地ビルマをめざす。やがて東の地平線に沿って赤澄色の光が立ちのぼってくる。午前五時にトラックはいったん停車し、ファジュル（夜明け前の礼拝）を捧げる。トラックに乗っている人たちはすべてムスリム（イスラーム教徒）。陽が昇るまでにこのファジュルをすませなければならないのだ。そろそろ味の悪くなってきたミレット・パンをかじり、コンボイは再度出発。次のストップはズフルと呼ば

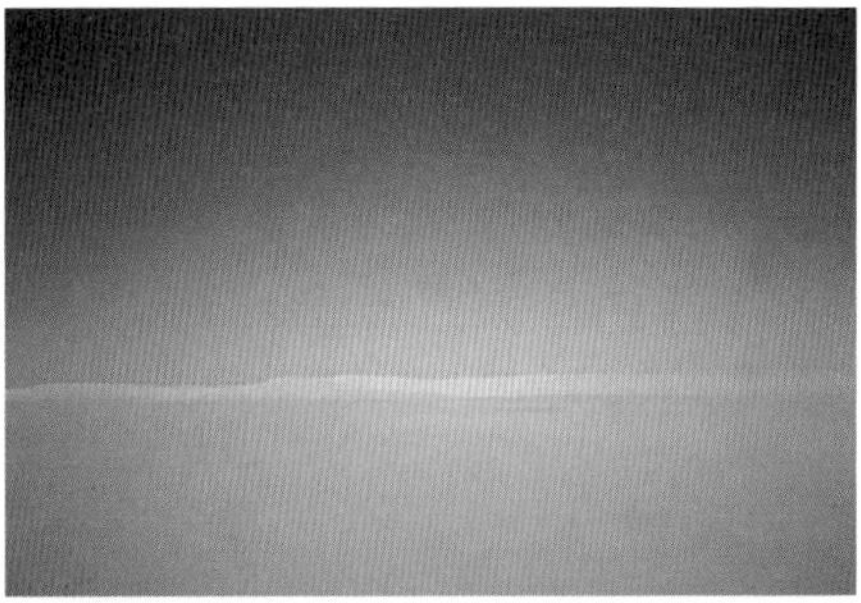

47（上）・48（下）　テネレ砂漠を行くキャラバン・コンボイ

50　キャラバン・コンボイの出発点近くのアガデス郊外にあるラクダ市

49　ドイツ人青年クラウス

れる正午過ぎの祈りの時間である。うまくいけば今日の夕方にはビルマの町に転がり込むことができるだろう。プロジェ・ド・ビルマとは、一九八三年七月一日に発足した地方政府と民間の合弁企業であり、月に二回コンボイを組んでアガデス－ビルマ間を往復していた。アガデスからは、穀物その他日常生活必需品をビルマ、ファシ、デュルクなどカワールのオアシスへ輸送し、カワールの生産物である塩、ナトロン、デーツなどとの交換交易を行う。今回の輸送には国際赤十字を通して、アメリカなどから寄付された粉ミルク、野菜オイルなどが加えられ、他に二十五頭のヤギが二台のトラックに分けて積み込まれていた。

　私はサハラ長距離交易を研究テーマとして、前年マリ共和国のトンブクトゥ－タウデニ間の主としてラクダで塩を輸送するアザライの研究に携わった。そこで今回はニジェール共和国のアガデス－ビルマ間でトラックを使ったキャラバン・コンボイによる塩をも含めた物資の輸送状況を確認することを目的にこのプロジェ・ド・ビルマのキャラバン・コンボイに便乗させてもらったのである。テネレ砂漠はとてつもなく広く、一度道に迷うと何の目印もないので生還不能となる。そのためこの地域に入ろうとする旅行者には現地のガイドの同伴が義務づけられ、アガデス地方政府発行の許可書を必要とする。しかし私にとっては、車を借りる必要もなく、ガイドを雇う必要もなく、経済的にも安全性の上からも、現地の人々の移動用にも使われるこのコンボイに便乗することが最善の策であった。

　同行者はドイツ人青年クラウス（写真49）ただ一人。塩のキャラバンに興味を持ち、ドイツ南部のレーゲンスブルクからやってきた変わり者である。要するに変わり者同士の意気投合といったところだろうか。クラウスは私の拙いドイツ語を懸命に聞き分けてくれる。彼は今回のために二年間アラビア語を勉強してきたというが、サハラ北部に行けばまだしも、残念ながらこのあたりではほとんど通じない。まだ私が話す拙いフランス語の方がアガデスでも、このキャラバン・コンボイの運転手や労働者、便乗者たちにはよく通じていた。

　昼過ぎに再度出発したコンボイは何度か深い砂にタイヤをとられて立ち往生。そのたびにサンド・マット（穴をたくさん空けた鉄板、写真51）を敷いて脱出という行為を繰り返しながら走り続ける。日中の気温の高さは私が三度にわたってサハラ砂漠を縦断した七～八月に比べるとそれほど高くないが、陽が沈むとトラックを切る風が急に冷たくなり、荷台で寝袋を頭から被って耐えることになる。夜半過ぎまで走り、デュルクの三〇キロ手前でストップ。翌朝早く出発、東の空が明るくなりだした頃、南北に連なる崖を背景にしたデュルクに到着。通関に手間取り夕刻に再出発。夕闇に見え隠れするナツメヤシの木々の緑に先程までの砂漠とはうって変わった光景の中を南下し、夜半過ぎにビルマに到着（写真52・53）。明朝宿泊所を探すことにして今夜はジャンダルメリ（主として国境管理にあたる警察）の敷地を借りて砂地に寝袋を敷く。疲れ切った体を横たえ見上げる星空がとてつもなく美しかった。

51　サンド・マット

52（上）・53（下）　ビルマ

†カワールをめぐるアラブ人地誌家の記録（九～十六世紀）

さて今から訪れるカワールとはいったいいつ頃からその名称が使われるようになったのだろうか。この地名が歴史上の資料に現れてくるのはアラブ・イスラーム勢力の北アフリカへの到来以後である。彼らの南下に伴って九世紀から十六世紀にかけて記されたアラブ人地誌家たちによる記録の中にカワールという地名が見られる。その最も初期のものはエジプト人、イブン・アブド・アル・ハカム（八〇三～八七一）によるものである。彼によれば、六六一～六六七年にかけてカイロワン（現チュニジア）を拠点としたアラブ軍は先述のようにオクバ・ベン・ナフィ将軍に率いられて南下し、現リビアのフェザン地方を攻略した。当時フェザン最大の町といわれたジャルマを征服し、そこの王から三六〇人の奴隷の献上を受けた後さらに南下を続け、十五日後にカワールに達したという。そこの住民は砦にこもって戦い続けたが、オクバ軍は彼らに打ち勝ち、王を捕らえて、アラブの軍隊に敗北したことを永遠に忘れないように、王の指を切り落とした。ここでオクバは、この南はどうなっているのか、と案内人に尋ねたが彼は、知らない、と答えたので南下を中止して帰途についたという（Levtzion & Hopkins 1981, pp.11－14）。この話はオクバの遠征から約二百年後の記述であるため、それほどの信憑性があるとは考えられないが、カワールという地名が初めて出てくる点で貴重である。同じく九世紀、イブン・アブド・アル・ハカムより少し後に登場するアル・ヤクビーも、フェザンのザウィラの町から十五日行程で南下したところにカワールという町があり、様々な部族からなるムスリムが居住し、その大多数がベルベル系の人々であると記している（Ibid., p.22）。また十二世紀頃のモロッコの地誌家、アル・イドリシはカワールの地にタマルマという小さな町があり、独立した支配者の下に多数の人々が居住し、周囲が険しい崖に囲まれていること、また水は井戸から汲み上げられ、ナツメヤシが群生し、質の良いミョウバンを産し、商人たちによって売られていることを記している（Ibid., p.114）。

以上の記述からは、カワールが単なる町の名か、或は地域名なのかははっきりしない。しかし二十世紀に入ってから、フランスはこの地域を仏領アフリカのLe Circle de Bilma（ビルマ圏域）として植民地化した。この時日本の国土面積にほぼ等しいこの広大な地域の中で、テネレ砂漠の東端に沿って、南北約三〇〇キロにわたって細長く伸びるオアシス地帯をカワールと称して現在に至っている。

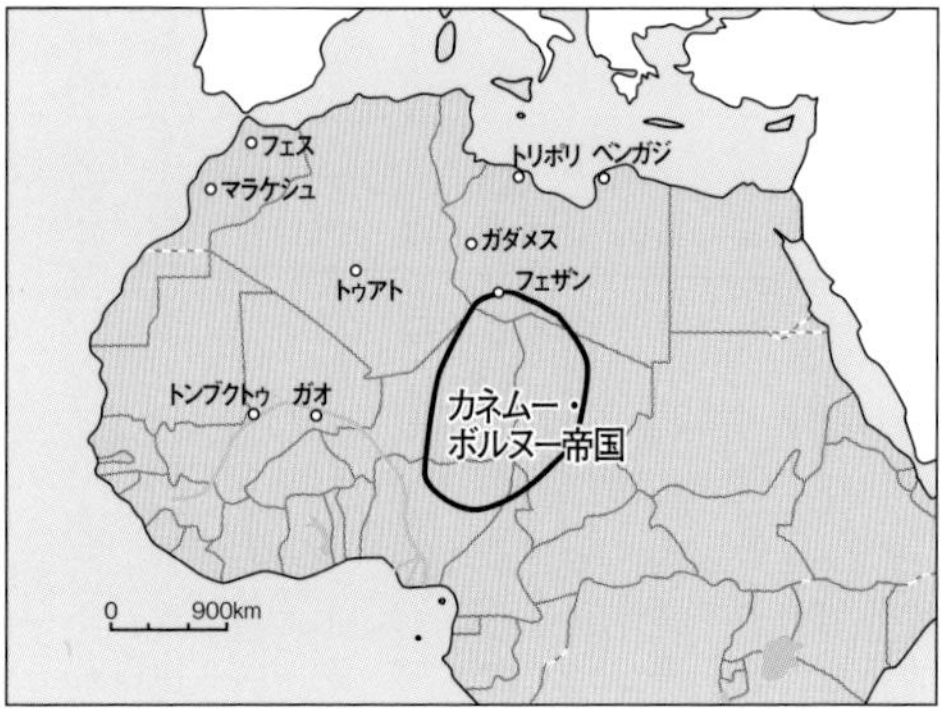

さてこのカワールの歴史をもう少し振り返ってみよう。

ギリシャに生まれ、ビザンツの奴隷となり、自由な身となってから後に『諸国の辞書』を著した地誌家ヤクート（一一七九～一二二九）によれば、すでに十一世紀頃から南東のチャド湖周辺にその中心部を置くカネムー帝国がカワールを支配し、カワールの有力者家族との政治的な婚姻関係をつくりだすことによってその支配は容易に行われたという。この状態は十二世紀半ばまで続き、この時代のカワールの治安は非常に良かったとされている（Ibid. p.170, p.173, p.174）。

また十三世紀の後半にもカワールは依然としてカネムー帝国の支配下に組み込まれていたことをグラナダ生まれの地誌家イブン・サイードが記している（Ibid. p.188）。

カネムー帝国は十三世紀、ドゥナマI世（一二一〇～五九）の時代、東はナイルの上流、西はニジェール川流域、北はフェザンの南方にまでその版図を広げ、後にはソンガイ帝国とも接触を保ち、砂漠横断交易が活発に行われていたという（ラブレ、A 一九六二、八〇～一四一頁）。

またこの頃より、先述のアル＝イドリシをはじめとするアラブ人諸地誌家はカワールの生産物、資源などについての様々な記述を残している。カワールはデーツの生産と家畜（ラクダ、ヒツジ）の育成に生活基盤を有し、ソルガム、ラクダの干し肉、魚などを食していたという（Levtzion & Hopkins 1981, p.114）。

またイブン・サイードもカワールの近くには湖があり、そこで人々は魚を釣っていたという。そして魚は塩漬けにされ、カワール全域に売りさばかれていた（Ibid. p.124）。この時点で初めて塩についての記述が現れる。海から遠く離れたこの地で手に入る塩は岩塩以外には考えられない。それも近郊地からであろう。カワールの塩については後に詳しく述べることになろう。

以上のように、食生活においてはほぼ自給自足が可能であったと考えられるが、カワールの人々はとりわけ商業には積極的に関わっていたようである。アル・イドリシによれば、カワールの涸れた川の間にアル・カサバと呼ばれる小さな町があり、ここの人々は町々の間を足繁く旅をしていたという（Ibid., p.123）。またヤクートは、カワールの各地にマーケットが開かれていたことを記している（Ibid., p.173）。

十四世紀後半にはチャド湖東方で遊牧民ブララが反乱を起こし、カネムーの王は帝国の中心をチャド湖南西のボルヌーに移した（デビッドソン、B 一九七五、一〇四～一〇六頁）。以後この帝国がカネムー・ボルヌー帝国と呼ばれる所以である。

一三五二～五三年にかけて、大旅行家イブン・バットゥータがマリ帝国の首都マルリーを訪れているが、彼はその帰途にトンブクトゥ、ガオを経て、十三世紀から銅が採鉱されていたタケダ、タガッダー（二六六頁の下の地図参照）を訪れている。ここの住民もまた毎年エジプトに出かけて、布その他を購入するなど交易活動に熱心であったという（イブン・バットゥータ 一九七七、三一八頁）。このタケダから東にキャラバン・ルートが伸びている。アガデスからカワールを経由して南東方面のボルヌーへ向かう四十日行程のルートである。このルートを通ってタケダからは、銅が棒状でボルヌーへ輸出されていたという。おそらく通貨として用いられていたのだろう（Le Coeur 1985, pp.24-25）。

この当時カワールから輸出されていた主たる商品とは、アル・イドリシが詳しく述べているミョウバンである。カワールの人々はミョウバンを、北のワルグラからマグレブ地方へ、さらにエジプトまで輸送し、エジプト産の布地、衣服を購入し、カワールへ持ち帰ったと記している（Levtzion & Hopkins 1981, p.123）。

また少し後になるが、レオ・アフリカヌス（一四八四頃～一五四四頃）はボルヌーの王が北アフリカ方面からベルベルの馬を輸入するため、馬一頭あたり奴隷十五人から二十人と交換していたことを記している（L'Africain 1981, p.11480）。当時この地域では馬は首長、貴族、商人の長たちの豊かさと威信の象徴でもあり、奴隷を追い求めるのにも必要であった。またカネムーの王アルクーはカワールのデュルクとセグディンへそれぞれ三〇〇人の奴隷を贈ったという古い記録もある（Le Coeur 1985, p.28）。

サハラ長距離交易の観点から見ればカネムー・ボルヌー帝国は、南方に金を産出した西のガーナ、マリ、ソンガイ帝国とは異なり、南方には金が産出しなかった。そのため交易に携わる商人たちにとって最大の利益をあげることができるのは奴隷の輸出であったことは容易に推測される。カワールの人々はフェザンとカネムー・ボルヌーとの交易における仲介役を果たし、さらなる豊かさを求めて交易活動に専念するために自らも奴隷を所有し、農地の耕作やミュウバンの採鉱、ナツメヤシ畑での労働などを彼らに任せていたのであろう。

さて十六世紀になるとカネムー・ボルヌー帝国はマイ・ムハマドの時代（一五二九〜一五四四）、西方への長距離交易にとって決定的に重要なアイール地方（現ニジェール）のあたりまで支配領域を広げた（デビッドソン、B 一九七五、一〇六頁）。

その後イドリス三世（イドリス・アロオマ）の時代（一五七一〜一六〇三）にトリポリから入手した銃火器のおかげでその最盛期を迎える。王は異なる地方の住民を絶えず抗争させ、トゥアレグをもおさえ、南はカノのあたりまで占領し、西アフリカとナイル川の西流域、西スーダンとフェザン、トリポリを結ぶ交易の十字路を支配し、かってのソンガイ帝国のように西スーダンの世界を砂漠の彼方の地中海世界に結び付けた。その後ムハンマド王（一六一七〜三二）、イブラヒム王（一六三二〜三九）、オマル王（一六三九〜五七）の三代にわたって、国内的には平和が維持された。農民は安心して畑を耕し、旅人や巡礼者たちは不安なく道を行き、広がる交易による繁栄を人々は享受したという（ラブレ、A 一九六一、八一頁、デビッドソン、B 一九七五、一〇八頁、二六三〜二六四頁）。

カワールの人々はカネムー・ボルヌー帝国に従属しつつ、単なる仲介人としてのみでなく、この頃から記録に現れる塩鉱の採掘を、おそらく奴隷の労働によって行い、独自に輸出を始めていた。しかしボルヌーの王は、カワール周辺でキャラバンからの略奪を繰り返していたトゥアレグを平定するため、カワールの人々にアガデス周辺のトゥアレグに対して塩を貢納させ、そのキャラバンの安全を保証するよう求めた。この頃からテネレ砂漠を渡るキャラバンが行われ始め、毎年千頭に及ぶラクダに塩を積み、アガデスへの輸送が行われるようになった。アガデスの商人たちは、この塩をさらに南のカッツィナ帝国方面に輸出し、穀物などとの交換交易を行ったという。北のフェザンでは当時多くの岩塩鉱があったので、サハラ砂漠を北上するキャラバンによって運ばれる商品の中には塩は含まれていなかった（Le Coeur 1985, pp.41－45）。カワールで採鉱された塩がテネレ砂漠を越えてハウサ諸国へもたらされるルートとシステムがつくりあげられたのはこの頃であろう。

その後カネムー・ボルヌー帝国はオマル王の後を継いだアリ王の時代（一六五七～九四）半ばに、北西のアイールのトゥアレグや南のジュクンによる反乱が生じ、帝国は混乱に陥った。首都ンガザルガムも包囲され、何度も激しい戦いが繰り返されたという。この混乱の中で帝国はサハラ長距離交易の主導権を次第に失い、一八四六年の消滅へと向かうことになる（デビッドソン、B 一九七五、二六四～二六六頁）。

† カワールとトゥアレグ（十七～二十世紀）

トゥアレグは十五世紀頃からボルヌーのスルタンに追われてカワールへ侵入を続けていたが、カネムー・ボルヌー帝国の宗主権のくびきから離れ始めていたカワールは十七世紀末頃にはトゥアレグの支配下に入っていた（Knut 1982, p.115, Grandin 1951, p.513）。

トゥアレグは十七世紀末から十八世紀初めにかけてこの地方を襲った旱魃《かんばつ》に大きな被害を受けながらも、その一派ケル・オウイは一六九〇年代にアイール地方から他派のケル・グレスやイティセンを追い立て、一七四〇年頃にはアイール周辺を支配下に治める。ケル・グレスはこの少し後、アイールの南西のアダール地方にその覇権を打ち立てることになる（Lovejoy & Baier 1977, pp.572－573）。

その後これらのトゥアレグ連合軍は一七五九年、最終的にカワールのビルマをめぐる戦いにボルヌー軍を撃ち破り、ケル・オウイとケル・グレスは他のトゥアレグ諸派とともに同盟関係を強化することになる（Lovejoy 1978, p.642）。

フェザン－ボルヌー間のサハラ長距離交易の南北にわたるルートでは、ムルズークの南など至るところに岩塩が採掘され、ルート上で塩を欠くことはなく、交易に関わっていたトゥアレグも、初期のうちはカワールのビルマやファシの塩鉱の存在にそれほど関心を示していなかったが、カワールを北のセグディンから南への移動を繰り返すうち、やがてデュルク、ビルマのオアシスの塩鉱からの採掘量の豊かさに着目し、塩交易へのアクセス、年毎の貢納を集める権利を得る。ここからテネレ砂漠のアシュゴールの井戸を経てアイールに至る塩のキャラバン・ルートがトゥアレグによって開通することになる（Grandin 1951, pp.490 – 491）。

十九世紀に入ると、リヨン、ホルネマン、リチャードソン、クラッパートン、デンハム（英）、リッター、バルト、ナハティガル（独）、ロウルフ、モンティユ（仏）など、北アフリカからサハラ中央部に入域したヨーロッパ人旅行者や軍人によるカワールについての記録が急激に豊富なものになってくる。彼らはいずれもカワールにたどり着く困難さと厳しい自然条件について述べているが、中でもビルマの塩鉱やキャラバン交易との関わりの中で育成されたカワールの人々の上品さについて記したデンハム、チャドからビルマの塩を求めて進むティブーの小キャラバンに遭遇したバルト、ビルマに滞在し、カワールの人々の生活誌を詳しく記したナハティガルの記述などが以下の論述に貴重な資料を提供してくれることになろう。

さて、トゥアレグはカワールの定住民に対しては、デーツ以外の農耕生産を妨害し、この地で働く塩鉱労働者の食糧としての穀物を輸入に頼らなければならないように仕向けた（Lovejoy 1978, p.642）。カワールの定住民とは、トゥアレグとは血縁関係のないティブー（テダ）とカヌウリである。多数派であるテダは東のティベスティ高地に住むテダと起源を同じくする（Barth 1875, p.11）。カヌウリとはカネムーの人々の意であり、カワールでは少数派の住民であり、カヌウリとも混血が進んでいた（Nahatigal 1981, p.283）。そして塩交易に関わっているトゥアレグとは、先述のケル・オウイとケル・グレスである。アイール高地とその周辺に住む彼らは毎年二～三度、テネレ砂漠を越えてカワールへ向かう。トゥアレグはここで塩とデーツを手に入れて、南のダメルグ、ダマグラム方面（二七九頁地図参照）でミレットと交換交易を行う。

トゥアレグは年間の食糧の半分を家畜（ヤギ、ラクダ）のミルクに依存し、一世帯あたり一日八〜一〇リットルを消費するが、乾季の後半二月から五月にかけて暑さが次第に増すにつれて、家畜のミルクの出が悪くなるため、食事の補足として保存に耐える穀物（ミレット）を必要としてきた（Lovejoy & Baier 1975, p.555）。六月から八月の雨季にはアイール高地には他地域よりも大量の降雨があり、牧草を豊かにする。ラクダに充分な栄養補給をして、雨季が終わると暑さも和らぐ十月から十一月にかけてビルマ、ファシへ向かうテネレ越えのキャラバンを組み、雨季前に持ち帰ったミレットを輸送し、塩、デーツとの交換交易を行う。十二月にアイールに戻り、ラクダに牧草を再補給したあと、再度キャラバンを組み、この塩とデーツを輸送し、ダメルグ、ダマグラム方面へ、時にはさらにカノ方面のハウサランドへ向かい、ミレットその他必需品（布地、衣服、工業製品など）を購入後、アイールへの帰途につく。二月から三月にかけて再び同様なことが行われる。六月から始まる雨季にはトゥアレグは必ずアイールへ戻っている。サバンナの過度の湿気がラクダの健康を害するからである（Ibid., p.557）。年によっては七月半ばにテネレ越えでアイール―カワール間を往復することもある（Fonferrier 1923, p.304）。また富裕なトゥアレグの一部はダメルグ、ダマグラムに自らのプランテーションを持ちここで生産されたミレットを雨季前に持ち帰ることもあるという（Lovejoy & Baier 1975, pp.558－559）。ビルマからダメルグ、ダマグラムそしてハウサランドにもたらされた塩はビルマでミレットと取引された時の価格の十倍となる（Ibid., p.557）。トゥアレグは自らの居住地とサバンナ、そして砂漠とオアシスの経済的ネットワークをまさに一手に担っているといえよう。

ビルマの町の北西約三キロのところに塩鉱があり、かってはカララと呼ばれる集落があった。しかし以前には激しい略奪の被害を受け、塩の採鉱労働に関わっていたカヌウリは、安全なビルマの町に引き揚げ、カララは現在トゥアレグの宿泊地として、アザライのシーズン中のみ仮小屋が建てられるにすぎない。昔の家々は塩の倉庫になってしまっている（Grandin 1951, p.93）。この略奪に関わったのは、十九世紀半ばトリポリを支配するオスマン帝国の軍にフェザンを追われて南下してきたアウラド・スレイマンと呼ばれるアラブ遊牧民たちであり、時には塩掘りを見下していたテダの山賊たちもこの略奪に加わることもあったという。彼らはテネレ砂漠を横断して塩を輸送するトゥアレグのキャラバンにも襲いかかった（Knut 1985, pp.704－705, Grandin 1951, p.492）。

しかし十九世紀後半にはイスラム・スーフィー教団、サヌーシーの党派がシレナイカから南下し、各地にターリカ（結社）をつくり、さらにザーウィヤと呼ばれる地方の拠点を多数設立し、宗教的影響力を行使していく。キャラバンの略奪を行ったものにはシャーリア（イスラーム法）に従って裁判を行い、非ムスリムはイスラームに改宗させ、ターリカに属するものには、盗まれた商品の返還を請求する権利を保証し、交易の安全の確保に努め始めた。このサヌーシーの影響はカワールにも及び、ジャドとビルマにもその宿舎が建てられ、交易の安全に大きく寄与することになる（Knut 1985, p.708）。このサヌーシーの宗教的信条はアイール高地のトゥアレグにも伝播し、続くフランスによる植民地支配に対する抵抗エネルギーとなって、先述のように二十世紀初めアイールのトゥアレグがフランス軍に対して大反乱を起こすきっかけとなる（南里　一九九二a、二〜五頁）。

一九〇六年に、トルコの南下を牽制しつつカワールを占領したフランス軍は、サハラ長距離交易による利益を享受するため、交易の安全を図るという名目で徴税を実施する。そのためにフランス軍はサヌーシーの活動を分断し、弱体化を図っていく（Knut 1985, pp.713－715）。追い詰められたサヌーシーとトゥアレグの結合はいわば必然的な結果であった。しかし先述の大反乱の鎮圧後はトゥアレグ、特にケル・オウイは塩交易による利益を最優先するべく、紆余曲折を経ながらも結果的にはフランスの支配を受け入れていくことになる。以後フランスの植民地支配から独立の時期を経て、現在に至るまでテネレ砂漠を横断するルート上の安全はほぼ確立されてきた。

† カワールの塩鉱と交易

さてようやくビルマにたどり着いた私は、翌朝クラウスとともに徒歩でカララへ向かった。平坦な砂地を歩くこと四十分、低い丘陵地帯をのぼりつめると眼前に、茶緑色の水を満面にたたえた円形矩形の小さな池穴が無数に連なるビルマの塩鉱が、その全貌をあらわにした(写真54~56)。その小さな池穴の表面積は二〇平方メートルから二五平方メートルであろうか。深さは約二メートルという。私が訪れた二月は気温もそれほど高くなく、これらの池穴に満たされた水の蒸発速度が遅いので塩の採鉱活動は中断される。そのためここで働く人の気配はまったくなかった。暑い季節が始まる四月から採鉱が活発になり、わずかに雨がもたらされる六月から九月の雨季を挟んで十月から十一月にかけてその活動は最盛期に入る。池底に水が注がれ、わずかな時間で水が蒸発すると塩分を含んだ底の表層に塩が染み出す。さらに蒸

54(上)・55(中)・56(下) ビルマ(カワール)の塩鉱

57(上)・58(下) 円盤状の塩がベザ(良質で人間用)、円錐形の筒状のものがカントゥ(質は良くなく、家畜用)

発が進むと塩は砂と混じりあった状態で固まる。これをビルマの、特にカヌウリの人々が家族総出の労働で掘り出すのである。最暑期には、このプロセスは一日二回繰り返されるという。

塩は鉱床の深さによって様々な種類に結晶化した形で採り出される。良質の柔らかい塩はベザ（写真57）と呼ばれ、直径二〇～三〇センチの円盤状に固められる。重さは四～六キログラムで、人間の消費用である。またやや粗悪な質の塩はカントゥ（写真58）と呼ばれ、上部を平らにした、高さ四～五〇センチの円錐形のナツメヤシの葉でつくられた鋳型で固められ、重さは一五～二〇キロになり、主として家畜の飼料、あるいは工業用に使われるという（Grandin 1951, p.521, Knut 1982, p.120）。二月の、塩を含んだ茶緑色の水に満たされた池穴の傍らには、薄い茶褐色をしたこれらのベザとカントゥがそれぞれ別々にいくつも積み上げられているのが見られた。四月に始まるアザライを待っているのだろうか。

この塩を輸送するトゥアレグは各党派によって分業が行われている。ケル・オウイはダメルグ、ダマグラムを経て、ソコト、カノ、ザリアなど主としてハウサランドの市場へベザを輸送し、ケル・グレスはカツィナ周辺の遊牧民たちの宿営地、あるいはニジェール、ナイジェリア国境付近のハウサ商人へカントゥを輸送する（Grandin 1951, p.524）。

さてこの塩鉱の所有権はどうなっているのか、またどのような形の労働が行われているのか、簡略に述べてみよう。

塩鉱の所有権は基本的にカヌウリに属する。しかしその分配権はビルマの首長に属し、カヌウリの人々は土地の一部を使用する許可を受け、年毎の税を納めなければならない。カヌウリの一世帯あたり少なくとも一つ、平均して三つか四つの塩鉱を所有するが、裕福なものは二十以上所有するという（Ibid. pp.495－497）。

テダは塩の採鉱労働には加わらず、塩鉱を一つも所有していない。彼らは専ら交易に関する仕事に従事し、ヤギもしくはヤギの乳製品と交換して得たカワールの塩をティベスティの東、南に輸送しているという。しかしその交易全体の中に占める位置は、現在のところ必ずしも明らかにはされていない。

さてビルマの塩の採鉱は先述のように家族労働の形態をとるが、時には家族以外の労働者を雇うこともある。その労働者は一日の前半を所有者のために働き、後半は自分自身のために働くという（Knut 1982, p.118）十八世紀から十九世紀にかけては、南カワールで集められた奴隷がその労働に従事していたこともあったという（Lovejoy 1978, p.641）。

カワールはソンガイ帝国滅亡後、十七世紀頃からサハラ長距離交易のルートが東に移行したあと、奴隷交易の接合点として数多くの奴隷の取引がなされた。この地で売却された、主としてボルヌーの人々の奴隷は、当然ながら塩鉱採掘の労働に従事していたと考えられよう。フランス人の到来後、奴隷制度はようやく廃止されたという。

先述のようにこの労働は、現在家族総出で行われているのだが、四人一組で一シーズンの間にヤギ三十頭の荷に相当するベザと、四十～五十頭のラクダの荷に相当するカントゥ四〇〇個を生産する。総量は四～五トンであるという。

春に作業が開始される時にはブラウマと呼ばれるトゥアレグの買い手側の代表によってその旨が儀式的に告知され、春の終わりに大きなキャラバンが到着する時は、塩の需要がいかに大きいかということと、そのシーズンの生産目標が述べられる。また作業が終了する時期、時刻も彼によって告げられ、その後に作業をした人はその生産量の九〇パーセントを取り上げられることになる（Knut 1982, p.122, Grandin 1951, p.497）。先述のように十月になるとビルマにミレットを積んだラクダが続々とやってきて、塩鉱の南の広い大地の上にあるカララにいくつものバラックが建てられ、塩の採鉱作業と並行してミレットとの交換取引が行われる間の宿泊所となる（ほぼ一週間）。中にはビルマに足を延ばし、親しくなったカヌウリの家に宿泊することもある。この取引の中心的役割を果たすのもブラウマであり、塩の生産者側のカヌウリと買い手のトゥアレグの間に立って、そのキャラバンが購入する塩の量を決める。同時に秋のキャラバン到着時に、春に取引されるのに必要な塩の量もあらかじめ決められる。

カワールでの塩の価格は、一五～二〇キロ（平均一七キロ）のカントゥが、一・五～一・八キロのミレットと、四～五キロのベザが一・三～一・五キロのミレットに相当する。

取引を終えたトゥアレグはラクダ一頭あたり六つから八つのカントゥ（一〇〇～一三〇キロ）を荷積みする。もろいカントゥの間にはナツメヤシの葉が挟まれ、クッションの役割を果たす。

テネレ砂漠へのキャラバンの出発にあたり、ラクダ百頭につきマドゥガと呼ばれるガイド一名が先導する。またラクダに飼料を与えたり、キャラバン中のメンバーの食事を賄う若者が数人付き添う。多い時には三〇〇〇頭前後のラクダが動員され、そのキャラバンの長さは最長二五キロにも達するという（Knut 1982, p.130）。

表2は十九世紀初めから二十世紀初めにかけて、記録が残っているラクダのキャラバンの規模を示すデーターである。

59（上）・60（中）・61（下） アガデスへの帰途に向かうキャラバン・コンボイ（ベザ、カントゥ、ナツメヤシなどが積まれている）

表2　キャラバンの規模（ラクダ数）と輸送ルート

年	ラクダの数	情報源	輸送ルート
1823	30,000	オウドニイ	A-K
1850	10,000	バルト	A-K
1850	1,500	リチャードソン	A-D
1850	3,500	バルト	A-D
1856	4,000	ダウマス	D-A
1866	3-4,000	ロールフ	A-K
1870	3,000	ナハティガル	A-K
1870	70,000	ナハティガル	A-K etc.
1890	10,000	ファラーティ	Total
1891	3-4,000	モンテイユ	Total
1903	8,000	ノエウル	D-A
1903	17,930	ルフェーブル	A-Z, Kano
1903	30,000	ルフェーブル	Total
1905	4,870	ガデル	D-A
1905	6,000	ガデル	D-A
1906	4,760	ガデル	A-K
1906	13,018	ガデル	A-K
1906	8,000	ヴィッシャー	A-K
1907	8,000	ベトリックス	A-Agram
1907	5,500	ベトリックス	A-K
1907	20-30,000	ムーレ	A-Agram
1908	20,000	アバディ	Total
1913	20-30,000	ペイル	Total
1914	20,000	ムーラン	Total
1915	8-10,000	ムーラン	Total
1921	4,150	フォンフェリエ	A-K *
1921	8,840	フォンフェリエ	A-K *
1924	7,600	アバディ	A-Agram
1924	3,200	アバディ	A-K
1926	7,000	ブキャナン	A-K
1932	8,285	ギナルド	A-K

註）輸送ルートの略記は、A:アイール、K:カワール、D：ダマグラム

Kunt（1982：134）より作成。但し＊印は著者が挿入した

さて、私とクラウスはほぼ一週間のビルマ滞在を終えて、冒頭に記したプロジェ・ド・ビルマのキャラバン・コンボイの一台のトラックの荷台に再度乗り込みアガデスへの帰途についた。四台のトラックのうち二台には、ナツメヤシの葉で編まれたムシロの中に総計一八〜二〇トンに及ぶベザとカントゥが積み込まれ、他の二台には北のジャド方面から運ばれてきた、一袋三〇〜四〇キロのデーツが二〇〇袋ずつ積み込まれ、さらにこの四台のトラックには一台あたり十〜十五人、アガデスへ向かう人たちが荷台に分乗していた（写真59〜61）。塩とデーツは、往路アガデスから運ばれた穀物、粉ミルク、野菜オイルなどと交換して得られたものである。

テネレ砂漠を含むサハラ砂漠全体における長距離交易において、今やトラックなどの近代的輸送手段は欠かせないものになりつつあるが、これがただちに伝統的なラクダによるキャラバンを駆逐していくという一般的な予想は、少なくともこのテネレ砂漠に関してはあてはまらない。現に私は往路において、ケル・オウイによる、ラクダで塩を運ぶ小キャラバンを数隊目撃している（写真62）。平均一隊あたり二十頭のラクダで構成されたキャラバンは、ナツメヤシのムシロに包まれた塩を背に、十頭ずつの二列縦隊で、先頭のラクダに乗った男（マドゥガであろう）に率いられ、二〜三人の男が徒歩でキャラバンに付き従っていた。走り続けるトラックからかなり離れたところをアガデスに向かって逆方向に進んでいたため、近づいて言葉をかわすことはできなかったが、ことテネレ砂漠に関しては先程も述べたように、これからもラクダとトラックは競合というよりも共存という形態をとり続けることであろう。

62　ラクダで塩を運ぶ小キャラバン（アザライ）

さてビルマを発って四日目の朝、プロジェ・ド・ビルマのキャラバン・コンボイはアガデスの町に入った。コンボイのリーダー、アブドル・ラティフに感謝の言葉を述べ、握手を交わして別れる。無愛想ではあるが、卓越した指導力を有した男であった。ホテルに戻り、クラウスとビールで乾杯。出発前はひなびた田舎町でしかなかったアガデスが今は大都会のように見えた。

●「4　カワール、そのオアシスと交易」参考文献

Baier, S.（1977）“Trans-saharan trade and sahel : Damerugu, 1870-1930,” *Journal of African History*, XVⅢ（1）, pp.37－60.

Baier, S.（1857,1858）*Travels and discoveries in North and Central African, in the year 1849-1855*, Lodon, Longmans and Green Ⅰ－Ⅴ.

バットゥータ、イブン（一九七七）『三大陸周遊記』前嶋信次訳、河出書房。

デビッドソン、B（一九七五）『アフリカ文明史・西アフリカの歴史』貫名美隆・宮本正興訳、理論社。

Fonferier, Capitaine（1923）“Etudes historique sur le mouvement caravanier dan le cercle d' Agadez,” *Bulletin Commercial historique de et scientifique de l' A. O. F.*

Grandin, le Capitaine（1951）“Note sur l' industrie et le commerce de sel au Kawar et Agram,” *Bulletin de IFAN*, pp.488－533.

Vikor Knut S.（1982）“The desert-side salt trade of Kawar,” *African Economic History*, 7－37.

Vikor Knut S.（1985）“An Episode of Saharan Rivalry: the French Occupation of Kawar, 1906,” *The international journal of african historical studies*, Vol. 18, No.4, pp.699－715.

L' africain, J. L.（1981）*Description de L' afrique*, trad. Epaurd A Maisonneuve, Paris, 1956.

ラブレ、アンリ（一九六二）『黒いアフリカの歴史』山口昌男訳、白水社。

Le Coeur, M.（1985）*Les oasis du Kawar : Une route, un pays*, Tome I Le passe precolonial Niamey.

Levztion and Hopkins（1981）*Corpus of early Arabic sources for West African History*, Cambridge University Press.

Lovejoy and Baier（1975）“The desert-side economy of the Central Sudan,” *The international journal of African historical studies*, Ⅷ, 4, pp.551－581.

Lovejoy, P. E.（1978）“The Borno salt industry,” *The international journal of African historical studies*, Vol.11, No.4, pp.629－888.

Lovejoy, P. E.（1986）*Salt of Desert Sun*, Cambridge University Press.

Nachtigal, G（1971）*Sahara and Sudan*, ed. A. G. B. Fisher and H. T. Fisher, London, C. Harsh.
南里章二（一九九二a）「サハラ砂漠のキャラバン・ルート」『兵庫地理』三七号、一―一三頁。
南里章二（一九九二b）「アザライ（塩の隊商）」『アフリカ研究』四一号、七五―九〇頁。
南里章二（一九九五）「非アラブ系土着民族によるサハラ長距離交易活動」『砂漠研究』vol.5 No.1、五五―六九頁。

5　東アフリカ、スワヒリ世界への旅

†スワヒリ世界の歴史

アフリカ東部のケニア、タンザニアのインド洋沿岸部、ラム、マリンディ、キルワ、ザンジバルなど後に港湾都市と呼ばれる地には紀元前後よりアフリカ中央から移動してきたバントゥー系アフリカ人が住み始めていた。

七世紀末、ダマスカスに首都を定めたウマイヤ朝第五代カリフ、アブドル・マリク（在位六八五～七〇五）は、メディナで死去したムハンマドの魂が天に召されたとされるエルサレムに岩のドームを建設して、そこをイスラーム第三の聖地としたことでよく知られている。また彼はサハラ交易から得られた金をもとに、大量のアブドル・マリク金貨を鋳造することによって、イスラーム世界の商業活動を大いに促進した（前述）。彼は、東アフリカ沿岸各地にダマスカスから多くのアラブ人を送り込み、これらの港湾都市を建設する。これにより東アフリカ沿岸とインド西岸を結ぶインド洋交易が活発化した。来航した多数のアラブ人、ペルシャ人たちは、この東アフリカの沿岸地帯をアラビア語で岸辺を意味するスワーヒルと呼び始めた。先述のサハラ砂漠の南縁地帯がサヘルと呼ばれていたの

と同様の意味合いを持つものである。彼らはヒッパロスの風と呼ばれる季節風にのってダウ船（木造帆船、写真63）を操り、この東アフリカの沿岸地帯に頻繁に来航した。

往路は十一～三月に吹くカシカジと呼ばれる北東の風に乗って、復路は四～十月に吹くクシと呼ばれる南西の風に乗って移動を繰り返すのである。アラブ世界からは金属製品、ガラス器、穀物などが、東アフリカ世界からは香料、象牙、犀角、ヤシ油、後には奴隷などが取引された。アラブ人たちは交易の仕事を続けながら、帰りの風を待つ間、バントゥー系の女性を現地妻とし、やがて子をもうける。妻子を中心にイスラームが伝播されていったのはきわめて自然であった。

十四世紀にはアラブ人旅行家イブン・バットゥータが現タンザニアのキルワを訪れ、この町が大きく立派で、高潔

63　ダウ船

なスルタンの統治下で平和な生活が営まれていたことを記している。

「大きな町で、住民の大多数はザンジュ（黒人）で、色はあくまで黒い。建物は木造で、なかなか立派である。（中略）キルワのスルタンはアブル・ムザッファル・ハサンという人でしきりに黒人の国々に攻め入り、その財宝をとりあげては、クルアーンのおきての如く、その五分の一を自分のものとしていた。敬虔な、また慎み深い人柄で、托鉢僧たちと卓を同じくして食事し、神に仕える人々を尊重する。たくさんの供え物をするから、アブル・マワーヒブ（施しのひと）という異名でよばれていたほどである。」（『三大陸周遊記』前島信次訳、一九七七年）

東アフリカ世界の基本構造として存在したバントゥー農耕文化の中に、アラブ、ペルシャ人たちがもたらしたイスラーム都市文化が融合した世界がスワヒリ世界と称されるのである。彼らが使用するスワヒリ語は、バントゥー系諸語と共通する言語体系の中に多くのアラビア語、ペルシャ語の語彙が含まれている。したがってスワヒリ世界、スワヒリ文化というのは、数多くの部族からなるアフリカ大陸の諸世界それぞれが特定の部族集団に根ざした文化や社会を形成しているのとは大きく異なり、きわめて重層的な時空系列を持つ世界なのである。

私がアフリカ各地のフィールドや日本アフリカ学会で何度かお目にかかった故日野舜也先生は、この複雑なスワヒリ世界の長年の研究者としてよく知られているが、彼によればスワヒリ世界は沿岸部のイスラーム・マジョリティ地域、内陸部のイスラーム・マイノリティ地域、内陸部のノン・イスラーム地域に分類されるとのことである。（『アフリカ社会の形成と展開』東京外国語大学アジア・アフリカ言語文化研究所編）

十五世紀初めには中国明代の永楽帝が派遣した鄭和の大船団が訪れ、中国陶器などをもたらした。帰途にはマリンディのスルタンから永楽帝にキリンが贈られたこともよく知られている。インド航路を開拓するためバスコ・ダ・ガマ率いるポルトガルの船隊がこの地に姿を現したのは、この約八十年後の十五世紀末から十六世紀初めにかけてである。当地の住民たち、中でも長老たちにとっては、以前から到来していたアラブ、ペルシャ、中国の船に比べるとポルトガルの船は形も小さくとても貧相に見えたという。ポルトガルによる一時的支配の後、再び主導権を奪回したアラブ、オマーンの支配下に入った頃、これらのスワヒリ都市は沿岸部から内陸部にその影響力が拡大してゆき完成期に入るが、二十世紀開始とともにヨーロッパによる植民地体制の支配下に入る。しかし独立後の現在においても、アフリカ文化を基調として、アラブ、イスラームの影響を深く刻んだスワヒリ世界は健在である。私は、三十代、四十代の頃、イスラーム世界とアフリカ世界との交易、文化交流の調査のため頻繁に北、西アフリカ、サハラ砂漠を訪れた。さらなる目標はこれらの東アフリカのスワヒリ都市、世界遺産にもなっているラム、マリンディ、キルワ、ザンジバルなどを約一か月間にわたって歴訪し、イスラーム世界とアフリカ世界の文化的融合と、西アフリカのそれとの比較調査を試みることだった。

† ケニアの古都、ラムへ

二〇〇七年夏、ケニアの首都ナイロビから小型飛行機に乗り換えて約一時間半。ラムの対岸マンダ島にある空港に到着（写真64）。かってアラブ人たちがインド洋を渡るのに利用していたダウ船（木造帆船。ケニアではジャハーズとも呼ばれる。ここでは船外エンジン付）を渡し船にして市内へ入る。両側を白壁に挟まれた細い路地を入って行くと、荷を積んだロバをひくアラブ風の白長衣をまとった男たち、ブイブイと呼ばれる黒長衣に身を包んだ女性たち（写真65）が目の前に現れ、都会的なナイロビとはまったく違った世界が広がる。ケニヤッタ・ロードと呼ばれる幅わずか三〜五メートルのメイン・ストリートを渡ると、小さな広場がり、中心部にそびえる大きな木のたもと（写真66）では人々が憩いの時を過ごしている。正面にやや大きな建物が見えてくる。十九世紀、ラムの南方にあるモンバサのスルタンによって築かれた城砦（写真67）である。後に刑務所として使われ、現在は環境博物館となっている。展示物はそれほど見るものはなく、数分ほど海岸沿いに北に歩き、スワヒリ家屋博物館に向かう。十八世紀に建てられた伝統的家屋の中に置かれた家具、調度品はなかなか立派なもので多分アラブ人たちが持ち込んだものだろう。

ラムの名前が歴史に登場するのは紀元五〇年頃にアレキサンドリアに住むギリシャ人航海者によって記された『エリュトゥラー海周航記』（第十五節）である。その中に出てくるピララオン群島がラム群島であるであるとされている。このあたりにケニア東部から中央部にかけて住んでいたバントゥー系（約六〇〇語以上に及ぶバントゥー諸語に属する言語を話す人々の総称）の人々が移動してきたのはその少し前の紀元前後のことであった。七世紀には、すでに中東から来訪した人々が住み着き、現在のソマリア方面からもたらされる乳香やニクズクが盛んに取引されていたという。現在のラムの人々は、双方の共通の末裔であることはほぼ間違いない。先述のイブン・バットゥータがキルワに着くまでにラムに近いモンバサにも立ち寄り、住民が「バナナと魚類を主食としイスラームを信じ、みなはだしで歩いている」と記しているので、十四世紀にはすでに町が形作られ、現在につながる生活が営まれていたのだろう。十九世紀にはモンバサ、オマーン、ザンジ

64　空から見たラム島

65　ブイブイを纏った女性

66　広場に立つ大木

67　ラム砦

バルのスルタンの支配を受けながら交易都市としての最盛期を迎えることになる。その後のイギリス植民地時代には、港湾、鉄道、道路の建設などのインフラ整備がまったくなされていなかったので、今でも当時の面影が残されているのだ。

ケニアの独立後の一九六〇年代には、ラムから綿布、炭、ヤシ油、魚などがダウ船でアラブ方面へ輸出され、特に塩分が強く虫がつかないマングローブが建築材として重宝された。

町全体がまるで中世の姿をそのままとどめているようなラムの町はずれに白亜の大理石造りのモスクが場違いのようにそびえている。サウジアラビアの援助で建てられたリヤド・モスクである。そこからさらにバナナ畑の中を西へ進むと、高さ約三メートルほどの石柱が見えてくる。ピラートーム（写真68）と呼ばれる十四世紀頃に建てられた柱墓である。この表面に中国陶器の皿がはめ込まれていたというが、今はすべて何者かに剥ぎとられて何も残っていない。先述の鄭和の遠征時に持ち込まれたものといわれている。

†バスコ・ダ・ガマの寄港地、マリンディへ

マンダ島にあるラム空港から小型飛行機で南へ向かい約四十分。モンバサとの中間にあるマリンディに降り立つ。ラムとはまったく趣を異にする開放的なリゾート都市である。

68　ピラートーム

69　バスコ・ダ・ガマ記念塔

70　ジャミア・モスク

岬の突端に白い塔が見える。一四九八年に喜望峰を回ってインド洋に向かったバスコ・ダ・ガマの記念塔（写真69）である（第9章参照）。先述のようにこの地にたどりついたポルトガル船はその七十七年前に到着していた中国、鄭和艦隊の船に比べるときわめて貧弱なものであったという古老の言葉が伝えられている。この近くにはジャミア・モスク（写真70）があり、かってこのあたりで奴隷市が開かれ、アラブの奴隷商人たちがアフリカ内陸部から連れてきた奴隷たちを競りに出していた。このモスクの隣の墓地にも柱墓があり、かってはラムのピラートームと同じように中国から来た陶器の皿が表面にはめ込まれていたらしい。希少価値のある中国の陶器は、当時の地元富裕層にとっては格好のステータス・シンボルであったのだろう。

　マリンディから海岸に沿って十数キロ南にはゲディという遺跡群（写真71・72）がある。十三〜四世紀にアラブ人が建設した町である。立派な門構えの入口付近に残る石壁は、三メートルほどの高さで、町全体を取り囲んでいたという。宮殿、モスク、住居、墓地など

71（上）・72（下）　ゲディ遺跡群

73（上）・74（下）　ゲディで発掘された中国の陶磁器

が都市計画があったかのように規則正しく立ち並び、十五世紀の最盛期にはかなりの人々で賑わっていたことがうかがえる。入り口付近の展示館には、発掘された中国の陶磁器（写真73・74）が並べられ、これらが先述のラムやマリンディの柱墓の表面を飾っていたのかと得心した。またここではベネツィア製のビーズが発掘され、この場所をベネツィア玉の家と呼んでいる。地中海との交易も頻繁に行われていたことがうかがえる。ゲディは十六世紀、モンバサのスルタンが送り込んだ軍に征服され、さらに十七世紀にはソマリアから侵入してきた部族により破壊され、その後は復興されることなく現在に至っている。

†タンザニアの交易都市、キルワへ

マリンディからナイロビ、ダルエスサラーム経由で翌朝、空港があるキルワ・マソコに到着。ここからダウ船で数キロメートル離れた対岸にあるキルワ・キシワニをめざす。キルワはタンザニア東南部にある島で、ザンジバルの南四〇〇キロに位置する。人口約千人、家屋数一六〇あまりのマングローブに囲まれた小さな島である。七～八世紀頃からアラビア人がアフリカ東海岸に建設した交易都市としてよく知られ、十四世紀にはイブン・バットゥータもこの地を訪れていたことは先述のとおりである。伝説によれば、十世紀後半、シラーズから船出した王族のハッサン・ビン・アリの息子の一人アリ・ビン・アル・ハッサンが、キルワに上陸。色とりどりの布と交換して土地を手に入れ、キルワ王国のスルタンとなったとされる。十一～十五世紀には、グ

75　キルワ・キシワニに向かう船

76　ゲレザ

レート・ジンバブウェ産出の金で貨幣を鋳造し、東アフリカ沿岸で最も重要な交易地となった。十三世紀以降は、黄金と象牙の積み出し港ソファラ（現モザンビーク、ベイラの北）を統治下に置き、十二〜十四世紀頃が全盛期であったとされる。

船（写真75）が動きだすと、数人の若い船頭たちは船の後部に集まり朝食にマンゴーと小魚を入れたウガリ（キャッサバの粉を湯で練り上げたアフリカ伝統の食品）を手づかみで食べ始める。のんびりした船出である。やがて左手にゲレザ（スワヒリ語、アラビア語で牢獄）と呼ばれるポルトガル人が建てた城砦（写真76）が見えてくる。二重の塔を持つ四角い建物で、サンゴ石を積み上げ漆喰で固められている。ポルトガル人が街を占領した十六世紀初めに建てられたが、後に占領したオマーンのアラブ人が十九世紀に改築したものである。ここで上陸してしばし付近を散策する。南西方向に約二〇〇メートル行くと「金曜日のモスク」と呼ばれる大モスク（写真77・78）が現れる。十二世紀に建てられたもので、十数個のドームを持つ大きな建物の一角にミフラーブ（壁にしつらえられたメッカの方向を示す窪み状の設備）が見られる。その近くには十二〜十五世紀前半につくられたという小モスク（写真79）があり、クルアーンを学ぶためのメドレセ（学校）も内部に併設されている。

ここから徒歩で東に十数分、スワヒリ世界の最大の歴史建築物といわれるフス

77（上）・78（下）　大モスク

79　小モスク

ニ・クブワ（大きな町、魔物の棲み家）にたどり着く。これは海岸が真下に見える崖の上に築かれた宮殿（写真80）で、眼下に広がる海の眺望が素晴らしい。ここはまた要塞でもあり交易所でもあったという。一一〇余りの部屋が連なる遺跡の北西部には、スルタンの居住空間があり、中庭の西側の壁にはロウソクが立てられた謁見の間（写真81）がある。イブン・バットゥータもここを訪れたのだろう。その他水浴場（八角形、写真82）や華麗な装飾が施されたスルタンの墓など見るべきものが目白押しである。朝から夕方まで丸一日に及ぶ長い視察を終えて、崖下の船着き場に降りていくと吹き抜ける海風の涼しさがたまらなく心地良かった。

十五世紀末頃、このキルワにもポルトガル人たちの足音が忍び寄ってくる。黄金と象牙の積み出し港ソファラはポルトガル人たちによって占領され、一五〇五年にフランシスコ・デ・アルメイダが率いるポルトガル艦隊によってキルワ島は破壊され、町は略奪に晒された。さらに一五八七年、ザンビア方面からのバントゥー系ジンバ族の攻撃は「キルワの虐殺」と称されるほど残酷なものであった。これにより王国は滅亡し、やがて島はポルトガルの植民地とされた。十七世紀になるとオマーン王国によってスワヒリ海岸からポルトガル勢力が駆逐され、キルワ島にはオマーンの軍事基地が建設される。またキルワ・キシワニから三〇キロメートル北に位置するキルワ・キヴィンジは、十九世紀にマラウイ方面からの象牙や奴隷の交易路の終着点となり、年間二万人の奴隷がここから積み出されていったという。一八七〇年代のイギ

80　フスニ・クブワの宮殿

81　謁見の間

リスによる奴隷禁止令とそれに基づく奴隷制廃止のあと、一八八六年には新たな植民地勢力ドイツがこの地に覇権(写真83)を確立し、この地にアフリカ植民地政府を置いた。植民地政府が現地民に輸出用綿花栽培の強制労働を課したことが原因となり、一九〇五〜〇八年にかけて「マジマジの反乱」が起こり、現地民に十数万人の犠牲者が出たという。その後イギリスの攻勢によってドイツの支配は終わる。その後この地は荒廃し、今でも復興されることなく朽ちたままの建物が残っている。

82　八角形の水浴場

83　ドイツ領時代の拠点、キルワ・キヴィンジ

† オマーン人の王国、ザンジバルへ

キルワ・マソコの空港から小型機で、約一時間半、海岸沿いに北上してザンジバル空港に到着。一九六四年にタンガニーカ共和国とザンジバル人民共和国が合体して生まれたのが現在のタンザニア共和国である。ザンジバルは人口二〇万の小さな島であるが、独自の歴史を歩んできた。紀元前後には、ラムと同じくバントゥー系の人々の定着とほぼ同時に、ヒッパロスの風に乗ってダウ船で訪れたアラブ人やペルシャ人たちが象牙、犀角などの交易を行っていた(『エリュトゥラー海周航記』第十七節)にも見られる。八世紀以降には、アラブ人、ペルシャ人などのムスリムたちによって中国(唐)、インド、イスラーム圏を結ぶ「海の道」の交易が活発化し、東アフリカ沿岸にもその影響が及んだ。バントゥー系の人々も次第にイスラームを受け入れ始め、十一〜十三世紀にかけて徐々に沿岸部の諸都市内部でスワヒリ語やイスラーム文化を紐帯として文化的に一体化していく世界が形成され始めた。一四九八年バスコ・ダ・ガマの到来をきっかけに、十六世紀初頭にはポルトガル人たちがこの島を支配することになるが、十七世紀には

オマーンがポルトガルからこの島を奪回して、十八世紀に堅牢な城砦（オールド・アラブ砦、写真84）と立派な王宮（現在は「驚嘆の家」と呼ばれている、写真85）を構築する。一八〇六年にはマスカットのイマーム、セイード・サイドが、イギリスの援助で東アフリカ沿岸の交易を始め、ザンジバルを一大商港とし、丁子（クローブ）の大農園を建設する。これに伴い奴隷の需要が増大し、スワヒリ語でティップ・ティプと呼ばれるザンジバル出身の商人たちが、タンガニーカ湖西方の支配者となり東への通商路を押さえる。東アフリカ沿岸へ連れてこられた奴隷は、一七七〇〜一八九六年に総計一三〇万人にのぼった。しかし一八七〇年代には年間二〇〇〇人に減少していった。一八九〇年代には、この頃から植民地化を進めていたイギリスの保護領となり、奴隷制は廃止される方向に進んだ。一九六三年、ザンジバルはイギリス連邦内の一員として独立するものの、翌年一月、イギリスの傀儡でしかないスルタンとアラブ人勢力に反発したアフリカ系の人々がクーデターを起こし、ザンジバル人民共和国となった。さらにその三か月後に、対岸のタンガニーカと合併して、現在のタンザニア共和国となる。合併後もザンジバルは強力な自治権を保有して、大陸側とはやや異なるアラブの生活様式も取り入れた独自の社会、文化を

84　オールド・アラブ砦

85　かつての王宮（驚異の家）

86　ストーン・タウン

守り続けている。

島の西側に突き出た半島の先に中心地ストーン・タウン（写真86）がある。先述のケニアのラムと似ているが、ラムを拡大した近代的な街といった感じである。最盛期の港にはダウ船が五〇〇隻以上発着していたという。郊外では今でもダウ船が造られており、一八〇本の木材を使い五か月かかって組み立てられる。現在では小型船のみが東アフリカの海岸をつないでいる。主生産物であるココヤシから採取されるコプラ油は大型船でインドまで輸出されている。ラムと同じような狭い路地が続く街中を歩くと、両側の家々にはザンジバルドア（写真87）といわれるイスラーム文様の彫刻が刻まれた重厚な木造りのドアが目につく。さらに東に歩いていくと、一八七四年までイギリス領事館（写真88）として使われていた建物があった。ここはナイル水源を求めて、一八九六年バートンとスピークがアフリカ中央部の探検活動の準備を進めていたところである。二人の探検は正確なナイルの水源地をめぐる大論争に発展し、これに決着をつけるために最後の探検に乗り出したのがリビングストンであった。一八六六年に彼はザンジバルに着いたが、その消息は数年後、突如途絶えてしまう。行方不明のリビングストンの捜索に、ニューヨーク・ヘラルド紙はスタンレーを派遣した。運良くタンガニーカ湖畔のウジジでリビングストンとの出会いを果たしたスタンレーは、リビングストンに強く帰国を勧めたが、当初の計画を果たすまではと頑なに拒まれてしまう。スタンレーはリビングストンを残してやむなく帰国せざるを

87　ザンジバルドア

88　旧イギリス領事館

得なかった。その後、徐々に衰弱する体に鞭打って水源を求める旅を続けていたリビングストンは、一八七二年四月、とうとう帰らぬ人となってしまった。奴隷廃止にも尽力した彼の遺体は、彼を慕う従者によって奥地からこの領事館に運び込まれた。ここからさらに東に歩いて数分のところにある大聖堂（写真89）の壁にかけられている十字架（写真90）は、リビングストンの遺体の真上にあった木でつくられたものである。以前この場所には奴隷取引所があった。そのモニュメントが大聖堂に隣接して設けられ、リビングストンがこの地で果たした偉業が今も偲ばれる。

89　大聖堂

90　リビングストンの十字架

さて前項で見てきた主としてラクダを交通輸送手段とするサハラ長距離交易と、木造帆船ダウによる海上交易の歴史には、当然のことながら人的交流を含めて、文化、文明すべてにおいてイスラーム世界とアフリカ世界の出会いによって生じた対立融合という大きなファクターが共通して見られる。七世紀のアラビア半島に登場したイスラームは、瞬く間にアラブやペルシャの世界を席巻して諸々の対立をはらみながらも外部世界に大きく拡大していく。ウマイヤ朝時代にイスラーム勢力は、北アフリカからサハラ砂漠を越えてサヘル世界へ、十一世紀前後には紅海、インド洋、アラビア海を経て東アフリカ沿岸世界へと、時には征服欲にかられた激しい戦闘行為、あるいは平和的な商業活動によって両世界に深く浸透していく。これらを受けて立ったアフリカ側も決して受け身一辺倒ではなかった。イスラーム文化をしたたかに受容するために、相互対等に利益が得られるような交易システムづくりを同時併行させるベクトルがアフリカ社会の中で自然に熟成してきたのである。

前者における「塩金交易」、後者における象牙、丁子、ヤシ油の輸出と綿布、米、金属製品などの輸入などはまさにその概念枠に当てはまるものであろう。しかしただ一つ決して相互対等ではないものが一つあった。奴隷交易である。アフリカの権力支配層、富裕層にとっては交易に見合った利益が得られても、奴隷狩りの対象とされる階層にとっては一方的収奪の被害者でしかなかった。ただ奴隷売買を含む異文化世界への民族移動という観点に立てば、長い歴史の中で新たな文化圏が形成される一つのプロセスであったとも考えられよう。またイスラーム世界からもたらされたものは宗教、哲学、その実践ばかりでなく学術面においても科学、技術は多大な影響を残した。九世紀にアッバース朝時代のバグダッドに伝えられたギリシャ・ローマ文化はアラビア語化されてさらにアフリカ世界に伝えられていった。マリ、ソンガイ帝国時代のトンブクトゥではこれらを自家薬籠中のものとして、逆に外部世界に発信していった。これら双方の世界による壮大な歴史の交錯を通してつくりあげられたのが今日のアフリカである。また現在ケニア、ルワンダなどでは急速にIT化が進められ飛躍的な経済的発展を遂げている地域が増えつつある。変貌するアフリカの世界にも興味が尽きることはない。

また従来、非アフリカ人（アラブ、ヨーロッパなどの人々）によって記されてきたアフリカの歴史を、近年アフリカ人自身の手で書き改めようという動きも活発になってきている。これらすべてを含めたアフリカの持つ潜在的な底力（本書カバー写真、ニジェール川での光景、多彩な木像、仮面芸術の写真参照）がこれからますます全世界に発信されていくことを心より望んでいる。

第9章

環大西洋世界（その1）

―ポルトガルとスペイン―

聖母被昇天祭（カーボ・ベルデ）

十五世紀イベリア半島では、スペインに先立って、キリスト教王国が成立したポルトガルが、まずアフリカ西岸に沿って南下し、征服した地を次々と植民地化して大西洋に覇を唱える第一歩を踏み出した。これに次いでスペイン、オランダが後続し、ヨーロッパ諸国は次々とアジアにまで航路を広げていく。いわゆる「大航海時代」の幕開けである。一昔前は「発見」や「征服」といった語句を用いてもっぱらヨーロッパ側の視座と優位性を伴って語られてきたわけであるが「発見」され「征服」された国々はヨーロッパ勢力到来以前、もしくは以後より主体的能動的な世界を築いていた。この章ではまずポルトガルにより植民地化された西アフリカの国々を訪れ、それらの歴史をたどることによって「大航海時代」とは何であったのかを見つめなおし、植民地時代に積み上げられた正と負の遺産をもとに、新しい国づくりに向けたくましく躍動する彼らの姿を浮かび上がらせてみよう。

1　ポルトガル領になった国々

†カーボ・ベルデ

アフリカ大陸から西へ約六〇〇キロの海上にカーボ・ベルデ共和国がある。地理上の区分ではこの国はアフリカの最西端に位置する。私がここを訪れたのは、二〇〇一年夏。全世界独立国家一九二か国（当時）すべてを訪れる旅の最後の国であった。この国は一四五六年、アフリカ大陸西岸を南下するポルトガル船団に加わっていたヴェネツィア商人カ・ダ・モストによって「発見」された当時は無人島であった。今日の共和国は十五の群島からなり、現在はそのうち九島に人が住んでいる。首都プライアは、その中で最も大きい島のサンティアゴ島にある。中心部ではすべての道路には石畳が敷き詰められ、赤橙色の瓦の屋根と赤もしくは白色の壁の建物が整然と立ち並ぶ端

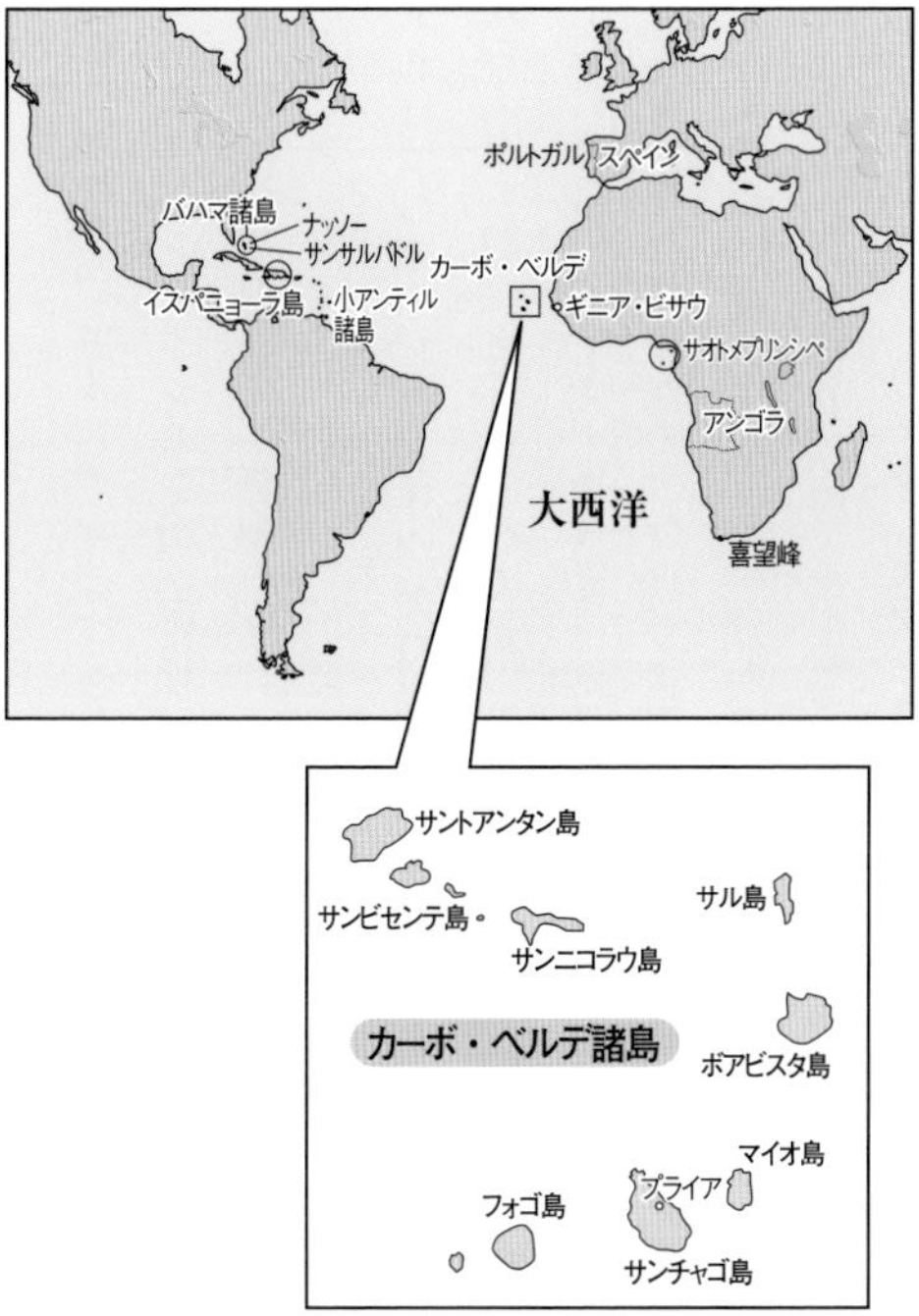

1　レアル・デ・サン・フェリペ要塞（カーボ・ベルデ、1590年建設）

正な街並みが広がる。

ポルトガル人到来後は（写真1）、主としてギニアから連れ去られた奴隷がコーヒー、バナナ、サトウキビなどのプランテーション労働に携わり、入植してきたポルトガル人との間にクレオールと呼ばれる混血の子孫が生まれる。ここはアフリカの他のどの国よりも混血の人々が目立って多い。

到着の翌日、八月十五日はちょうどカトリックの祝日、聖母被昇天祭（扉写真）にあたり、プライアに住む人たちのほとんどすべてが、教会から運び出された聖母マリア像を神輿にした大行列に参加していた。カーボ・ベルデでは九五パーセント強がカトリック教徒である。人々の身なりは他のアフリカ諸国の人たちと比べるとはるかに小ぎれいでさっぱりとしていた。カーボ・ベルデはかつてアフリカの最貧国の一つであったが今日では、一人当たりのＧＮＰ（国民総生産）も一九八五年の四三〇ドルから二〇〇九年には七倍に当たる三〇一〇ドルに成長した。また島民の多くがアメリカ、ヨーロッパに出稼ぎに行き、故郷に送金しており、数字に表れない豊かさを支えている。

翌日、ポルトガル人旅行者数名とともにサンティアゴ島を南北に縦断。島の南端にある首都プライアから北端のタラファルまでは車で二〜三時間。石畳の道路は首都プライアとその周辺のみと思っていたところ、島のほぼ全車道に石畳が敷き詰められているのには驚く。島の最高峰、標高一三九二メートルの火山アントニアを取り囲むようにトウモロコシ、ジャガイモ、キャッサバなどの畑が広がる。ここの火山性の土壌は農耕に適しているという。常時不足がちな水の問題さえ解決すれば、農牧業、水産業を中心にアフリカ屈指の豊かな国へと成長することができそうだ。各町のマーケッ

2　首都プライアのマーケット

3　刑務所跡（タラファル）

ト（写真2）には溢れるほど豊かな食料品が並べられており、この国に対して持っていた貧困のイメージは完全に覆されてしまった。

タラファルの町の郊外に行くと、広い敷地の中に刑務所跡（写真3）があった。ここは古くは植民地時代にはポルトガル人の流刑地であったが、やがてモザンビーク、アンゴラなどのポルトガル植民地での独立運動の指導者たち、つまり宗主国ポルトガルにとっての政治犯の牢獄となった。アンゴラのMLPA（アンゴラ解放人民運動）の創設者で初代大統領になったアゴスティノ・ネト（一九二二〜七九）もここに囚われていた。ここから脱走した彼はコンゴに亡命し、国外から反ポルトガル闘争を続けた。コンゴ動乱（一九六〇〜六五）の時にはキューバからやってきたゲバラと親交を結び、後述のアンゴラ独立運動において、ソ連など共産圏の支持を取りつけることに成功する。この大きな刑務所の建物跡に、この島国が独立と安定を勝ち得るまでの苦難の歴史を思わずにいられなかった。

この島における歴史上の最大の試練は、一七四四年から一九七四年までの二三〇年間に、のべ五十年もの旱魃《かんばつ》期が繰り返されて生じた飢餓であろう。少なくとも数十万人が餓死したという。この間、この島の人々は、宗主国であるポルトガルに何度も救援を依頼したが何も応じてもらえなかったという。

プライア郊外の小さな村にカーボ・ベルデ独立運動の指導者アミルカル・カブラル（一九二四〜七三）の生家がある。またプライアの街が拡がる丘の西側にある崖を背景に、大きな彼の石像が立っている（写真4）。

4　アミルカル・カブラル像

†ギニア・ビサウ

カブラルは同じくポルトガルの植民地となったギニア・ビサウでも農民を指導しつつ独立運動を組織し、一九六〇年ポルトガルに反旗をひるがえす。一九六二年にはプライアでも蜂起が始まり、ギニア・ビサウは一九七三年に、カーボ・ベルデは一九七五年に独立を達成した。しかしその直前、アミルカル・カブラルはギニアの首都コナクリでポルトガル勢力により暗殺される。思想家、文筆家としても著名であった彼の四十七歳の若すぎる死は、人々を深く悲しませた。

本国ポルトガルでもヨーロッパ最長の独裁体制を敷いていたサラザール（一八八九～一九七〇）の死後、一九七四年に「カーネーション革命」と呼ばれる無血クーデターが起こり、「リスボンの春」が到来する。このクーデターはギニア・ビサウの独立時に、当地に勤務していたポルトガル軍人を中心に進められたといわれる。その後ギニア・ビサウとカーボ・ベルデは統合をめざしたが失敗。現在両国はそれぞれ別の道を歩み始めた。

一九八六年九月、私が訪れたギニア・ビサウの首都ビサウ（写真5）は雨季の終わりの大雨が降りしきる時期だった。道路は排水しきれない水に溢れているのに水道は断水。耐えられない蒸し暑さにクーラーの涼を求めてホテルの部屋に戻ると停電。暑苦しさのあまり窓を開けて寝ると、蚊の猛襲に悩まされるという散々な滞在となった。

5　ビサウの街中を行く女性（ギニア・ビサウ）

夕刻に海岸近くの広場に大勢の人が集っているので見物に出掛けると、その日ポルトガルからの独立以来、初めての国産のビールができ上がったということで、街の人々にタダ酒が振る舞われていた。私もおこぼれにあずかり初めてギニア・ビサウ産のビールを口にした。決してうまいものではなかったが、喜びに溢れる人々の中にいるとこちらまでが楽しくなり、酔いが回るにつれ、ビールも美味になってきた。独立したばかりの国の人々の喜びとはこういうものかと実感させられるひと時だった。

† サオトメ・プリンシペ

一四七〇年にポルトガルの植民地となったサオトメ・プリンシペは一九七五年に独立。サオトメ・プリンシペ解放運動（ＭＬＳＴＰ）書記長のマヌエル・ピント・ダ・コスタが大統領となり、独立後は独裁制国家への道を歩んで行った他のアフリカ諸国とは異なり、民主的な施政が行われてきた。二〇〇三年、軍事クーデターが起き、一時民主政体は危ぶまれたが二〇一六年には独立民主行動党（ＡＤＩ）のエバリスト・カルバリョが大統領に就任してから政権は再度安定化に向かい始めた。

街の中心はポルトガル人好みのカラフルな建物が建ち並び（写真6）一見垢抜けした都会に見えるが、大統領官邸にほど近い市営のマーケットに行けば、そこは黒人たちの活気溢れるアフリカの世界が広がる（写真7）。トマト、ナスビ、キュウリ、タロイモなどの野菜類、バナナ、マンゴー、パパイアなどの果物、豊富な魚など食生活は決して貧しくはない。

ポルトガル統治時代に建設された砦（写真8）は現在博物館に改築されている。十四室からなる展示場にはカトリックの聖祭用器物、独立宣言を記した

6　サオトメの街（奥の建物は大統領官邸、撮影禁止区域）

8　ポルトガル時代の砦跡、サン・セバスチャン要塞（1575 年建設）

7　マーケット

9　パームツリーのプランテーション跡

ペンと机、反ポルトガル運動によって処刑された人々の写真、プランテーションの労働者が使用していた農機具などが展示されていて、なかなか見応えがあった。通りを挟んで向かいには青天白日旗を掲げた大使館があった。駐サオトメ台湾大使館である。二〇〇一年当時は台湾と国交があったが、二〇一六年十二月、中国の政治的経済的圧力に屈し国交断絶をしたので今はもう無くなっていることだろう。

　翌朝よりサオトメ島のプランテーション跡視察を始める。島の東側海岸線に沿って北から南へアグア・イズー、リベイラ・ペイシェ、ポルト・アレグレと称されるカカオ、ココナッツヤシ、パームツリーの三つの大きなプランテーション跡（写真9）がある。これらはかつて奴隷の労働力を利用して運営されていた歴史があるだけに是非とも見ておきたかった。現在は二十人ほどを一単位とした小共同体が三十ほどあり、それらは彼らによって自主的に管理運営されている。

　海を隔てて、北に一〇〇キロ離れたところにあるプリンシペ島（二十人乗りのプロペラ機が一日一便、サオトメ島との間を往復している）にもコーヒーやカカオのプランテーションが三つ（写真10）ある。両島とも火山島なので島の中央部の山岳地帯、それを取り巻くジャングル地帯、また変化に富んだ海岸線など自然に恵まれ、実に風光明媚である。

　プランテーション内は、それぞれにポルトガル植民地政府によって建設された豪勢な管理棟中心に労働者住宅、マーケット、教会、学校、病院などが備わったいくつかの地域社会が形成されていた。ポルトガル人の大半が去った現在、機能していないものも多いが、これらの建物は改装されて小共同体による自主的な管理運営が行われている。植民地時代には主にアンゴラより大量の奴隷が労働者として連れてこられた。今でもカカオやコーヒーの収穫期には大勢の季節労働者がアンゴラよりやってくるという。

10　プリンシペ島のプランテーション跡

†アンゴラ

一四八二年、ポルトガルの植民地となったアンゴラ。以降苦難の歴史をたどってきたこの国に入ることができたのは二〇〇一年夏のことであった。空港から町に向かう途中、道路は一時完全に交通遮断される。当時のアンゴラのドスサントス大統領（当時）を乗せた車が猛スピードで空いた車線を走り抜けた。ドスサントスは確かに実力者ではあったが独裁的な面も強く持ち合わせていたので政敵も多かったのだ。

ギニア・ビサウと同様アンゴラは、一九七四年のポルトガル政変のあおりで翌一九七五年十一月に独立を達成したものの、独立以前から続いていた内戦がより激化していく。主として旧ソ連、キューバなどが支援するＤ・キッペンダや、初代大統領となったアゴスティノ・ネトらが率いるアンゴラ解放人民運動（ＭＰＬＡ）と、アメリカ、南アフリカが支援する、Ｊ・サビンビ議長率いるアンゴラ全国独立民族同盟（ＵＮＩＴＡ）が覇権争いを続けてきた。何度も停戦合意、和平協定が結ばれたが、ことごとく破棄され、内戦は激化の一途をたどった。ダイヤモンド密輸を資金源に武器を購入し続けてきたＵＮＩＴＡのゲリラ攻勢が強まる中、二〇〇二年、サビンビ議長の戦死を機に両勢力は二十七年にわたる内戦の終結に合意した。しかし現在もアンゴラ全土には一〇〇〇万個以上の地雷が埋められたままであるという。アンゴラは石油、ダイヤ等の鉱産資源に恵まれた国であり、諸外国の利権も複雑に絡み合っており、今後の情勢は予断を許さない。

到着日の翌朝、首都ルアンダ市のはずれにある一五七五年に建てられたというサン・ミゲル砦へ行ってみる。門をくぐって目にするのはバスコ・ダ・ガマの大きな青

11　バスコ・ダ・ガマ像（アンゴラ）

12　朝もやにかすむルアンダの街

銅像（写真11）。しかし地元の人はおろか、ここを訪れる観光客も皆無であった。砦の展望台より市の中心部を望む。ひときわ大きな建物はアンゴラ国立銀行（写真12）で、朝もやに霞んでうっすらと見えた。これもポルトガル統治時代の建築物で、今でもこの国の影響は少なくない。

十五世紀からアフリカ西岸を南下し始めたポルトガル人たちは、十六世紀末よりアンゴラの沿岸部に定住し始める。オランダとの激しい争奪戦、北側のコンゴ王国との攻防戦を繰り返しながらルアンダの都市建設を進めていった。アフリカでも一、二を争う資源豊かなこの土地をポルトガル人はできれば手放したくはなかったことだろう。しかし歴史の流れはもはやそれを許さなかった。

独立時の一九七五年、五〇万人の人口であったルアンダは、二〇〇六年には一八二万人に膨れ上がった。そして失業率は五〇パーセントを超えるという。周辺の農村地帯には地雷が充満し、農耕不能となり難民となった農民が、首都に流れ込んできたためである。ルアンダ市内南側の高台は各国大使館が並ぶ高級住宅街である。その北側にはいつ

13　ルアンダ市内の違法住居

14　闇市の男たち

崖崩れを起きてもおかしくないような造成地に、ブリキ屋根をレンガでおさえただけのおびただしい数の違法住居（写真13）が、そしてその近くには布張りに覆われた店が連なるおびただしい人だかりの闇市があった。この闇市での写真撮影は危険だが一枚だけ隠し撮りする（写真14）。難民の住居の近くには巨大なゴミの山と、それをあさる多数の人々がたむろし、ゴミで溢れる広場は公衆トイレとなって、男も女もそこで用を足す。一方、市の中心部では、海岸に沿って高級商店街が立ち並び、スーツに身を固めたビジネスマンがさっそうと通りを行く。夕刻になると中華料理の高級レストランには多くの金持ちが家族連れでやってくる。このすさまじい貧富の落差に唖然としてしまう。

以上、カーボ・ベルデ、ギニア・ビサウ、サオトメ・プリンシペ、アンゴラの現在の姿を簡単に紹介してきた。これらの国々は独立後、貧困、内戦、政情不安や経済格差などの問題を抱えながらも旧宗主国ポルトガルが残したインフラや文化遺産を自国の発展の起爆剤として、ようやく自立の路を歩みつつあるのだ。発展の可能性を秘めた、大西洋に面して連なるこれらの国々に日本はもっと目を向けてよいと考える。

2　ポルトガルの海外進出

†インド航路を求めて

さて十五世紀の半ばから後半にかけて、次々とポルトガル植民地となった大西洋沿岸のアフリカ諸国。その宗主国であったポルトガルはどのようにこのプロセスをつくりあげていったのだろうか。

一九八六年夏、私はリスボンからテージョ川を船で渡り、サグレス岬をめざした。対岸のバレイロ駅

15　サグレス岬

16　航海記念碑（先頭がエンリケ航海王子）

から鉄道で四時間、ラーゴスに着く。ここからバスで一時間、約三〇キロほどのところにサグレス岬（写真15）がある。当時ポルトガル人たちは、アフリカの豊かな金・象牙・奴隷・胡椒を求めて、また伝説のキリスト教君主プレスタージョンの国を求めてアフリカ西海岸を南下する探検を開始した。この探検の原動力となったのは、ポルトガル国王ジョアン一世の三男にあたるエンリケ航海王子（写真16）であった。十五世紀初め、ここの地方総督であったエンリケは、この地に航海研究センター（写真17～19）をつくる。ここで蓄積された研究資料は、やがてバスコ・ダ・ガマらによる喜望峰回りの新航路開拓につながっていく。エンリケは後に航海王子と称されるが、彼自身は若い頃、遠征した対岸の北アフリカのセウタ攻撃を行った以外は一度も本格的な航海には乗り出すことはなかった。ただひたすらこのサグレスの城にこもり、ここを航海術、海図などの総合研究所として集められた情報を探検隊に提供した。ポルトガルは当時地中海で活躍する商人を介さずにインドとの直接交易を推進しようとしていたのだ。その研究成果はその後アフリカ大陸に沿って南下し始めた弟子たちによって果実を結んでゆく。

17（上）・18（中）・19（下）　航海研究センター（サグレス）

†ケープ・タウン

彼の死後、勇敢な後継者たちは失敗を重ねながら、当時炎に焼かれて黒焦げになると信じられていた赤道を通過、アフリカ西岸に沿って南下し、ついに一四八二年にはコンゴ川河口にまで達した。そして一四八七年にはジョアン二世の命を受けたバルトロメオ・ディアスがついにアフリカ南端に到達する。しかしここで船は嵐に見舞われ押し流される。やがて風が和らぎ、再び見えてきた海岸線は北東に向かって延びていることに彼は気づいた。確かにインド洋への入口にさしかかったのである。しかし彼は、南へ行けば海は煮えたぎるという伝説の恐怖におびえる乗組員たちに阻まれ、そこから先に進むことができなかった。彼はこの回航した岬を、「嵐の岬」名づけて、国王ジョアン二世に報告する。国王はこれこそインド航路への明るい見通しの前兆だと考え、「喜望峰」と名を改めた。有名なバスコ・ダ・ガマ（写真20・21）の喜望峰通過は、その十年後のことであった。しかしこれは同時にアフリカ諸国にとっては以後五百年も続くヨーロッパ支配の「絶望峰」以外の何物でもなかった。

早朝ケープ・タウンの町を出たバスは、テーブルマウンテンの西側を迂回し大西洋に沿って南下する。ホート湾を望むチャップマン・ピークの展望台からの眺めが素晴らしい。やがてバスはケープ半島を横切りファルス湾に出て、今度はインド洋に沿って南下する。昼過ぎに喜望峰の最南端ケープ・ポイント（写真22）に立つ。細長く突き出た岩稜が南に突き出し、真夏でも冷たい大西洋を左手に、海水の暖かいインド洋を右手に分け隔てる。喜望峰をめ

20　聖ヘロニムス修道院（リスボン市内）

21　バスコ・ダ・ガマの石棺（上掲修道院内）

22　ケープ・ポイント（喜望峰、ケープ・タウン、南アフリカ）

ぐる様々な話を聞くたびに一度は立ってみたいと思っていた地点である。バスコ・ダ・ガマに続いてはイギリス、フランス、オランダの各東インド会社の船隊、ロシアのバルチック艦隊、そして世界周航のヨット……。種々様々な目的を乗せた幾隻もの船がここを通過したことだろう。歴史の重みが、ずっしりと体の芯まで伝わってくる地点である。

ポルトガルは以後バスコ・ダ・ガマがたどった進路を経てインド洋へ、さらに東南アジア方面へと勢力拡大していくことになるが、それらについては、第12章で改めて述べることにしよう。

3　スペインの海外進出

† スペイン王国誕生

さて　ポルトガルがアフリカ大西洋岸を南下しながら、着々と大西洋に広がる海洋帝国を建設していた頃、カスティーリャ王国のイザベル女王とアラゴン王国のフェルナンド二世が結婚する（一四六九年）。十年後にはこの両国が合併してスペイン王国が誕生していた。

八世紀初頭よりイベリア半島はイスラームの支配下に置かれていたが、次第に北方からキリスト教徒が勢力を盛り返し、十三世紀になるとグラナダがイベリア半島におけるイスラームの最後の牙城となった。かの有名なアルファンブラ宮殿（写真23）はイスラーム・ナスル朝（一二三二〜一四九二）の時代につくられたものであるが、宮殿といっても官庁、軍隊、学校などの諸施設が備わった約数千人が住む城砦であった。

一四九二年、イザベル女王率いるスペイン軍がグラナダを陥落させ、

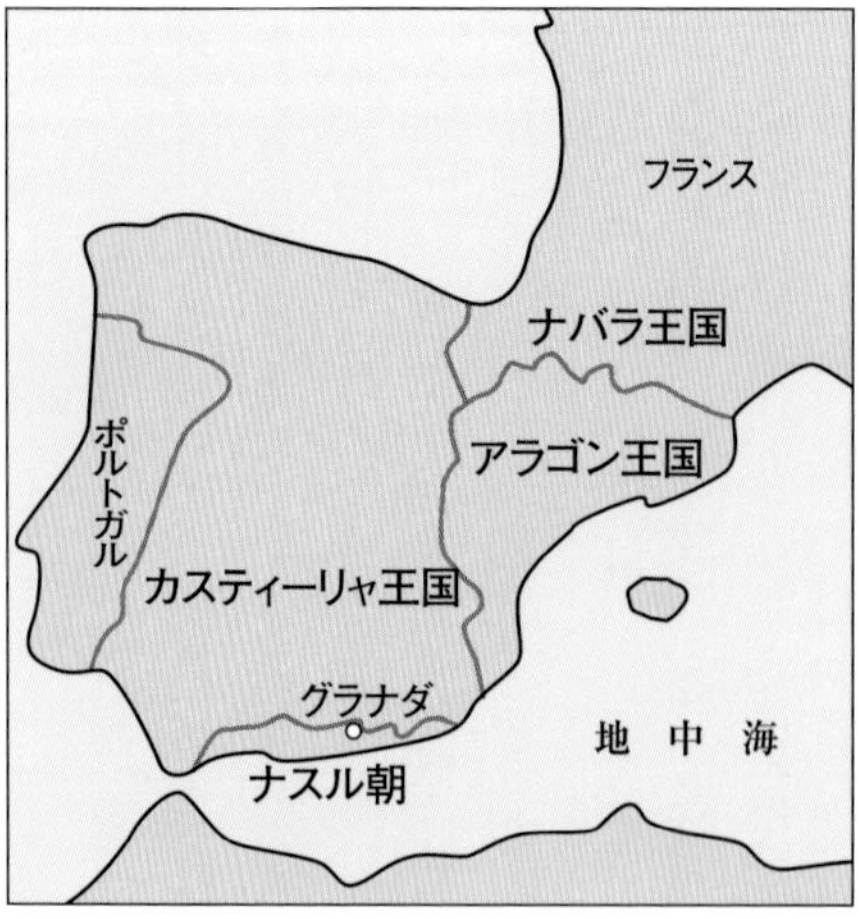

君主、ムハンマド十一世ボアブディルがアフリカに逃亡することにより、イスラームの支配は終焉する。これによりレコンギスタ（キリスト教徒による国土統一）が完成したというのが歴史の一般的な見方であるが、イベリア半島の覇権争いは、単なるキリスト教対イスラームという単純化されたものではない。例えば映画「エル・シド」（アンソニー・マン監督、一九六二年）で描かれたロドリゴ・ディアス・デ・ビバール（写真24）は十一世紀末、カスティーリャ王国を統一したフェルナンド一世とその子アルフォンソ五世の時代に活躍した英雄である。しかし彼は時にはイスラームの君主にも仕え、キリスト教徒とも戦った人物である。ここでは詳しくは触れないが、ポルトガルをも含めたイベリア半島統一への最大の課題は、イスラームの排除というよりは乱立する小国間の権力闘争、経済的利害関係をどう統括、統治するのかということであったことは間違いない。

23　コマレスの塔（アルファンブラ宮殿）

24　エル・シド像（ブルゴス）

† コロンブスの「新大陸」上陸

さて同年の一四九二年、イザベル女王の後援を得て大西洋に船出した男が、ジェノバ出身のイタリア人、クリストファー・コロンブス（一四五一頃〜一五〇六、写真25）であった。大西洋への進出をポルトガルに出し抜かれたスペインは、この男に起死回生の賭けを託したのであった。コロンブスがアメリカ大陸に到達してからちょうど五百年目の一九九二年、リドリー・スコット監督の『一四九二・コロンブス』が公開された。コロンブスは、イタリアの地理学者トスカネリの唱える地球球体説を信じ、西に向って東のインドに到達しようと八月、スペインの港パロスを出航した。彼はマルコポーロの「東方見聞録」に描かれた黄金の国ジパングを夢見ていたという。サンタ・マリア号（コロンブス自身が乗っていた船、その錨が現在ハイチ共和国の首都ポルトープランスの博物館に陳列されているのを一九九九年夏に見ることができた）をはじめ三隻の船は、途中カナリア諸島に立ち寄り、水や食糧を補給する。

カナリア諸島のグラン・カナリア島の州都ラス・パルマスの旧市街にあるカサ・デ・コロン（コロンブスの家）には、当時の海図などを展示した小さな博物館がある（写真26）。ここにわずかな期間ではあるがコロンブスが滞在したという。その家の女主人にいたく気に入られたからといわれている。

一九九二年八月、私はマイアミよりバハマ国首都のナッソーを経由して、小型飛行機で現バハマ諸島の東端サンサルバドル島（三三〇頁地図参照）をめざした。小さな空港にはバスもタクシーも何もない。地元の人に頼み込んで車に乗せてもらい、コロンブ

25　イザベラ女王とコロンブス像（グラナダ）

26　カサ・デ・コロン（コロンブスの家、ラス・パルマス、カナリア諸島）

27　コロンブス上陸地点（サンサルバドル島、バハマ国）

28　アルカサル（サント・ドミンゴ、ドミニカ共和国）

スの上陸地点（写真27）で降ろしてもらった。のっぺりとした海岸線は、映画で観た何かが起こりそうな予感を秘めた鬱蒼とした光景とは程遠いものであった。

その後コロンブスはスペインに金を持ち帰るために、四度にわたって航海を繰り返した。さらに彼はイスパニョーラ島に植民都市の建設（現ドミニカ共和国の首都サント・ドミンゴ）を試みた。しかし住民とスペイン人との争い、仲たがい、熱病、ハリケーン、祖国での中傷など様々な要因によりこの試みは失敗に終わった。彼自身も総督職を解かれ、失意と不遇のうちに生涯を終える。

その後コロンブスの伝記を著し、彼の名誉を回復したのは息子のディエゴであった。サント・ドミンゴの旧市には、ディエゴが住んでいた大邸宅アルカサル（写真28）がある。こちらも現在博物館になっており、当時のスペインから取り寄せた豪華な家具などが展示されている。このあとディオゴの子孫は、三代にわたってこの贅沢な館に住んだという。このあたり一帯には、以後植民都市の建設を受け継いだスペイン王室が建てた砦や教会が数多く立ち並んでいる。その中心部にある大聖堂（一五九〇年完成、写真29）には、コロンブスの遺言どおり一時保存されていたスペイン

29　大聖堂前のコロンブス像（サント・ドミンゴ）

30（上）・31（下）　コロンブス記念灯台（コロンブスの墓所、サント・ドミンゴ郊外）

から運ばれた彼の遺体が安置されていたが、現在彼の遺体は、一九九二年に、アルカサルからオサマ川を挟んだ対岸に新設されたコロンブス記念灯台（写真30・31）に移され、現在ここにひっそりと眠っている。

† コロンブスの負の遺産

だが今、彼はうかうかと眠っていられない事態に陥っている。二〇二〇年、黒人の権利を求める運動、"Black Lives Matter."（黒人の命も大切だ）がアメリカ全土で巻き起こっているのだ。先述の映画の中ではコロンブスは上陸時に出会ったアラワク族たちと即座に友好関係を結んだことになっているが実際は、上陸したその日に先住民を捕らえて奴隷にすることを乗組員に命じた。可能な限り奴隷を捕捉し、売りさばくことを奨励し、さらに金の採掘作業を先住民に強制し、ノルマを達成できない先住民の手足を切り落としたりもした。コロンブスは以後本格化する奴隷貿易の生みの親だったのだ。現在黒人への差別を完全撤回する運動と関連して、アメリカ各地にあるコロンブスの銅像も破壊もしくは撤去の動きが活発化しているという。

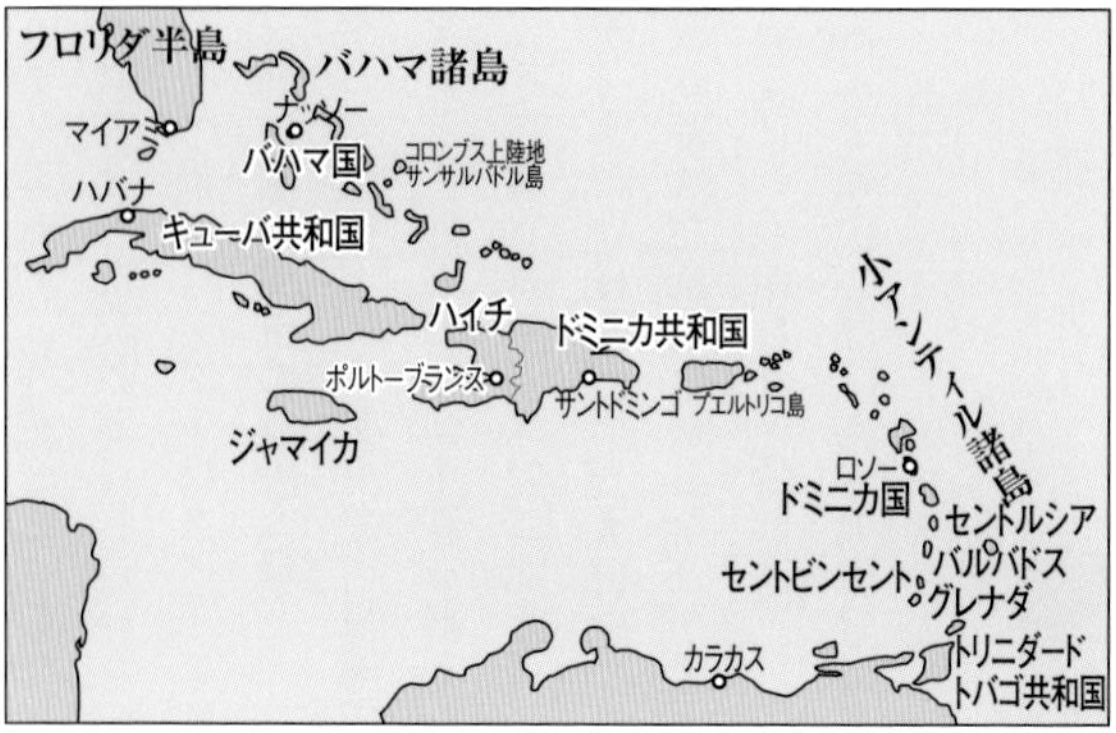

コロンブスが第一回航海（一四九二年）で訪れたサンサルバドル島は現在のバハマ国、イスパニョーラ島はドミニ共和国とハイチ、そしてキューバ。第二回航海（一四九三〜九六）では現在小アンティル諸島の国々で、ドミニカ国、アンティグア・バーブダ、セントクリストファーネイビス、そしてジャマイカ。第三回航海（一四九六〜一五〇〇）では現在のグレナダ、セントヴィンセント・グレナディーン諸島、トリニダード・トバゴなどの国々、そして南米大陸の一角のヴェネズエラ、コロンビア、第四回航海（一五〇二〜〇四）ではホンジュラス、ニカラグア、

コスタリカなど、現在独立国となっているこれらの国々は、時を経てスペインからオランダ、イギリス、フランスへと統治権が移ってゆく。現在これらの国々を訪れるとすべてに奴隷基地のなごりを確認できる。

コロンブスによるこれらの数次にわたる航海では、船員だけではなく騎兵を伴う軍隊、農民、工事建設労働者など様々な人間が同行した。彼らはインディオ（コロンブスは生涯この地をインドだと思い込んでいたので）と呼ばれる先住民に対する略奪、暴行、虐殺を行い、また彼らが持ち込んだ結核、天然痘などの感染症が多くの先住民の命を奪った。このような行為はそのまま次世代のコンキスタドール（征服者）たちにも受け継がれることになる。

† 征服者コルテスとピサロ

コロンブスやバスコ・ダ・ガマは先住民の抵抗を抑えるために容赦ない軍事力を用いたわけであるが、未知の世界へのあくなき探求心と開拓への情熱というか、ロマンに近いものをまだ持ち合わせていた。しかしメキシコのアステカ帝国（写真32）を滅ぼしたコルテス（一五二一年）や、インカの首都クスコ（写真33）を陥落させ、インカ帝国を滅亡（一五三四年）に追いやったピサロたちからは強欲で残忍な征服者の顔以外の何ものも見つけることはできない。コルテスは「新大陸」から帰還した者からの体験談を聞いて征服欲と物欲にかられ、イスパニョーラ島に渡った後、瞬く間にアステカ帝国を征服した。そ

32　アステカ帝国時代の建物の土台（メキシコ・シティ）

33　クスコ（インカ帝国時代の首都）

して広大な土地を強奪して、土地の人々を金銀採掘の強制労働に従事させた。これはまさしく奴隷化に他ならない。しかし彼らスペイン人たちが行った最も大きな犯罪行為は虐殺や略奪に留まらず、高度に発達したアステカ文明を根こそぎ粉砕したことである。

インカ帝国（写真34）の皇帝アタワルパはピサロたちを初めて見て彼らを白い神であると思い込み、恭順の意を表し、大量の金銀を差し出した。にもかかわらずピサロは民衆の面前で皇帝を処刑した。インカでもアステカと同様、高度な文明が発達していたが、スペインはアメリカ大陸における彼らの文化、宗教、暮らし、生命などすべてを破壊し尽くしてしまった。アメリカ大陸に向かったスペイン人たちに対する評価は特に征服された国々の人々にとっては最悪である。一九六九年のアメリカ映画『ピサロ将軍』（アーヴィング・ラーマ監督）では、ピサロの周囲の貴族や司祭が、アタワルパを焚刑に処そうとするが、キリスト教的良心を失っていなかったとされるピサロはアタワルパに同情し、死後も形を留める絞首刑に処したと描かれている。しかし仮にそれが事実であったとしても、ピサロの悪行に対する批判は軽減されることはないだろう。二十一世紀になってようやくアメリカ社会やローマ・カトリック教会はこれらの事実に向き合い、歴史を見直す動きが生まれつつある。

†トルデシリャス条約

さて、コロンブスが第二目の航海に出かけていた一四九三年、ポルトガルとスペインは大西洋の彼方の土地をめぐって交渉を進めていた。それは大西洋の中央に境界線を引いて両国で仲良く分けようというもので、ローマ教皇アレクサンドル六世の仲立ちにより合意が成立した（アフリカ西岸のカーボ・ベルデ諸島の西に引かれた子午線の東側をポルトガル、西側をスペインの領土とするというもの）。翌一四九四年には、ポルトガルの要請でこの境界線は西へ約二〇〇〇キロ移動された。これがトルデシリャス条約と呼ばれるものである（次頁地図参照）。

ローマ・カトリックにとって、ポルトガル、スペインの海外進出は願ってもない僥倖であった。ルターによる宗教改革によってドイツをはじめとする北方ヨーロッパ諸国は次々と、権勢を振るっていたローマ・カトリックに反旗を翻し、カトリックは苦境に立たされていた。そこでポルトガルとスペインを互いに競わせて、彼らと一体になって征服と布教活動を行い、新天地に活路を見出そうとしたのである。後述のようにポルトガルは西への進出をいったん控えて東回りでのインド及び東南アジア路線に重点を置き始める。一四九八年、喜望峰を通過して

スペイン、ポルトガル両国の境界線（トルデシリャス条約）

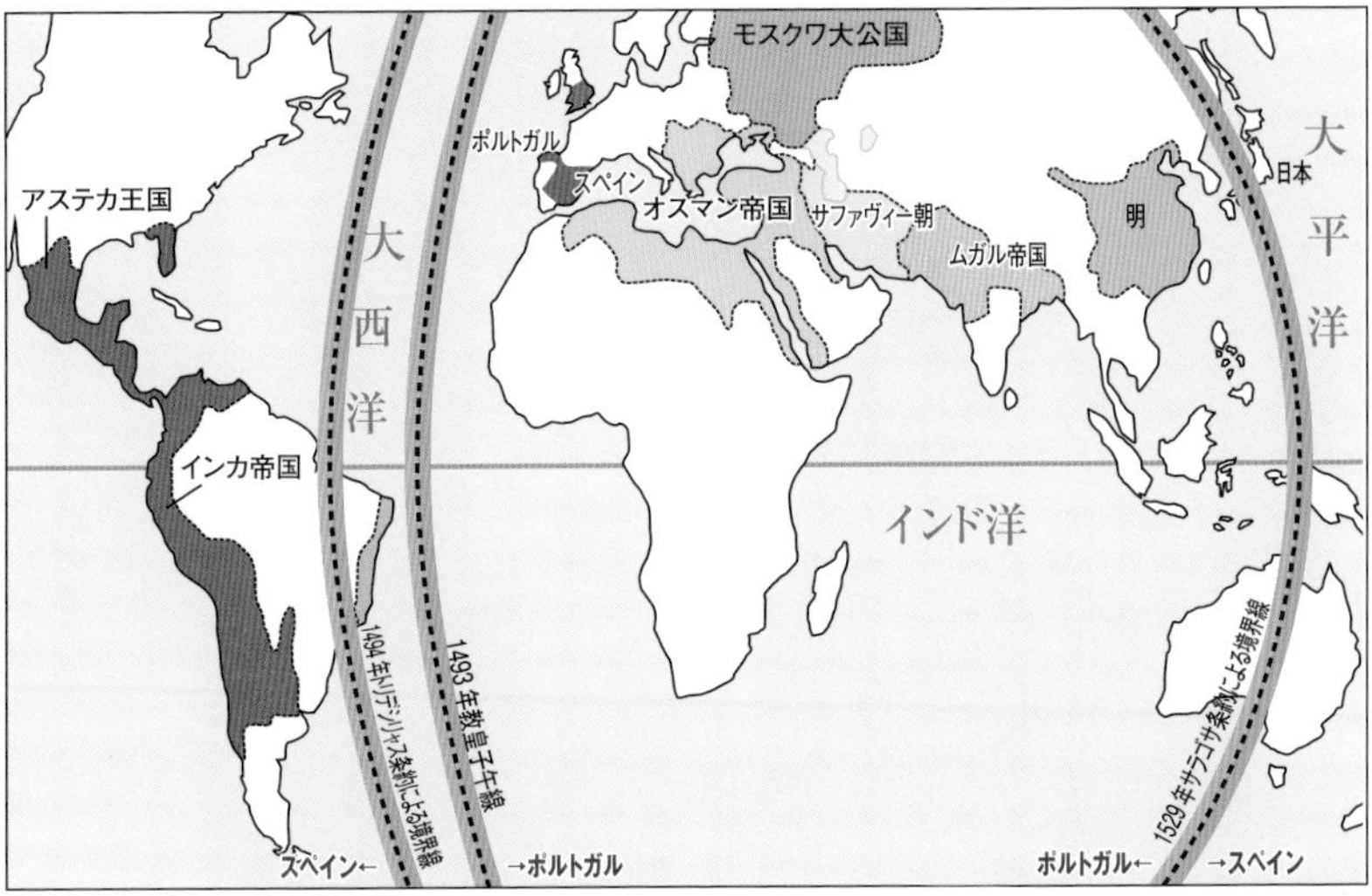

35　リオ・デジャネイロ中心部

34　インカ時代の遺跡マチュピチュを見下ろすワイナピチュ山頂

念願のインド、カリカットに到達した。

一五〇〇年、ポルトガルはこのバスコ・ダ・ガマの航路をたどって三回目の航海に乗り出した。この船隊を率いたカブラルは、進路を誤ってアメリカ大陸にたどり着く。そしてそこがトルデシリャス条約の境界線の東に位置することがわかったので、ここをポルトガルの植民地とした。これが現在のブラジルである。その中心都市リオ・デ・ジャネイロ（写真35・36）は一八〇〇年にポルトガルがナポレオンに占領された時、王室のメンバーがリスボンから一時的に避難する場となった。

以上見てきたように、十五世紀末から十六世紀の初めにかけて、ポルトガルはアフリカ西岸とブラジルに、スペインはカリブ海の西インド諸島から中南米にかけて、大西洋をまたいで多くの植民地を獲得し、莫大な富を収奪することによってそれぞれ一大海洋帝国を築き上げた。その後大西洋上でポルトガルの支配下に入った国々は、独立に至るまでの長い間英仏など他国の干渉を受けることはなかった。そのため先述のような自らを主体とした世界の構築に向かって進む可能性が早くから切り開かれていた。それに対してスペインの支配下に入った国々は、スペインの没落とともにオランダ、イギリス、フランスなどの支配に取って代わられるか（後述）、もしくはその強力な影響下に組み込まれることになる。そのため自らを主体とする国づくりの契機は第11章で述べる大西洋をめぐる革命の時代を経た後になるのだ。

一五〇五年スペインは、西インド諸島に香料やサトウキビの生産に携わる労働力を補うためにアフリカから多数の人々を連行して奴隷制を導入する。やや遅れて一五八〇年代にはポルトガルもブラジルのサトウキビ・プランテーションに、アフリカ西海岸の征

36　コパカバーナ海岸（リオ・デ・ジャネイロ）

37　マドリッド王宮（カルロス一世とフェリペ二世が16世紀に居住）

服地から黒人奴隷を導入する。労働力として用いられたインディオ（先住民）が、虐殺、逃亡、感染症による大量死により、人口が激減したので、それを補うためであった。その後もこの奴隷交易は、次の大西洋の覇者となるオランダ、イギリス、フランスに継承され十九世紀半ばまで延々と続くことになるのだ。

†スペイン、カルロス一世の戦い

さて再びスペインの国内事情に目を向けてみよう。

第3章で述べたビザンツ滅亡（一四五三年）の直後にオーストリアに生まれた神聖ローマ帝国皇帝マクシミリアン一世（在位一五〇八～一九）は、自身や子・孫たちの政略結婚によって領土拡大を計り、ハプスブルク家の隆盛の基礎を築いたことでよく知られる。その息子フィリップの結婚相手ファナは、先述のスペイン王国のイザベルとフェルナンド二世との間に生まれた王女であった。彼女とフィリップとの間に生まれたのが、カルロス一世（在位一五一六～五六年、写真37）である。ちなみにファナの姉カテリーナは、生涯六人の妻を持ちカトリックと絶縁したことで有名なイングランド王ヘンリー八世の最初の妃である。中世後半より、王権を拡大してきた西ヨーロッパ各国の王家は、相互に婚姻関係を結ぶことによって国際関係の秩序を保ち、強固な王政を確立していく。カルロス一世の息子フェリペ二世（在位一五五六～九八）もまたイングランド女王メアリー一世と結婚している。

このカルロス一世とフェリペ二世の時代のスペインは、国内外への勢力拡大期にあたり、イタリア、フランスなど攻防戦を繰り返していた時代であった。先述のコルテスがメキシコ・アステカ帝国を占領したのが一五二一年、

38　スレイマニ・モスク（イスタンブール）オスマン帝国、スレイマン一世（在位1520～66）時代に建設された

39　フランソワ一世が住むアンボワーズ城の近くにあるル・クロ・リュセ。王がレオナルド・ダ・ビンチに与えた館

ピサロがペルー・インカ帝国を滅ぼしたのが一五三三年であった。同時期、拡大期に入ったオスマン帝国のスレイマン一世（写真38）が、一五二八年にモハーチの戦いで神聖ローマ帝国とハンガリー連合軍を破りハンガリーの首都ブダペストを占領し、翌一五二九年にはオーストリアの首都ウイーンを包囲する（第一次ウイーン包囲）。カルロス一世は、この時カール五世として神聖ローマ皇帝も兼ねていたが、オーストリア大公として全権を与えられていた弟のフェルディナンドが巧みに堡塁、城壁の修復などで防衛線を固めつつ、城外への奇襲を繰り返したおかげで、なんとかこの危機を乗り越えた。しかしバルカン半島西沖のプレヴィザの海戦（一五三八年）ではカルロス一世が指揮するスペイン、ヴェネツィア、ローマ教皇連合軍はオスマン艦隊に敗北を喫する。

　このオスマン帝国と手を組んで、西ヨーロッパの主導権をカルロス一世と争っていたのがフランス・ヴァロア朝第九代王のフランソワ一世（在位一五一五～四〇、写真39）である。一五二五年、カルロス一世はパヴィアの戦いでフランソワ一世を破り、彼を捕虜としたが、フランソワ一世は、占領地をめぐりカルロス一世に有利な条件で講和を結ぶことで解放された。しかしすぐにその講和を破棄する。フランソワ一世はカルロス一世と終生政治的敵対関係にあった。またカルロス一世はこのフランソワ一世と手を組んだローマ教皇クレメンス七世とも対立し、イタリア戦争に介入する。一五二七年にはローマにも侵攻（ローマの劫掠）して略奪行為を働きイタリア・ルネサンスの輝きに影を落とした。さらに十六世紀前半、カトリック擁護の立場から宗教改革を唱えたプロテスタント勢力とも争い戦争を起こす。カトリックだったフランソワ一世は、信条を曲げてこのプロテスタントとも手を組んでカルロス一世包囲網をつくりあげていた。

　その後一五四〇年には、南米ポトシ銀山から大量の銀が採掘され、スペインの外港セビーリャに輸送されていたので、以前から南米から収奪した金をもあわせて王室は潤っているはずであった。しかしこの一連の大規模かつ長期化した戦争により国庫財政は破綻を来たす。一五五六年、カルロス一世は退位を余儀なくされ、翌年、帝位を譲られた息子のフェリペ二世は破産宣告（国庫支払い停止宣言）をせねばならなかった。財政立て直しに励む彼の時代の一五七八年、ポルトガル国王セバスチャンがモロッコ・サード朝との戦いで戦死したため、婚姻関係に基づき王位を継承したスペインはポルトガルを合併（一五八〇年）。しかしかねてより起こっていたスペイン領ネーデルランド十七州の独立戦争（一五六八〜一六〇九）、関係悪化したイングランドとの海戦におけるスペイン無敵艦隊の敗北（一五八八年）により、フェリペ二世は二度目の破産宣言を行わねばならなかった（一五九六年）。さらに一六〇九年には三度目の破産宣告。ポルトガルは衰退するスペインから独立することになる（一六四〇年）。

†マゼランの航跡——太平洋世界への広がり

先述のように十六世紀後半にはアメリカ大陸からは金に代わって、ボリビアのポトシ銀山（写真40）などから発掘された銀がスペインのセビーリャにもたらされていた。セビーリャの町の中央部を流れるグアダルキビール川のたもとに、黄金の塔と呼ばれる、かっては塔の上部が金でおおわれていた正十二角形の塔（写真41）がある。この上から見下ろすヒラルダの塔（写真42）を中心とするセビリアの町の眺めが素晴らしい。一五一九年九月、スペインの栄光を背にマゼランが世界周航に出発したのはこの塔の下の河港からであった。この時にマゼランが開拓した太平洋航路は、第13章の「太平洋世界」への導入になるので、ここで少し取り上げてみよう。

40　ポトシ銀山（ボリビア）

41　黄金の塔（セビーリャ）

42　ヒラルダの塔（セビーリャの大聖堂の鐘楼）

†マゼラン海峡

ポルトガル人、フェルディナンド・マゼラン（一四八〇〜一五二一）は、ポルトガル下級貴族の家に生まれ、若い頃はポルトガル艦隊に加わり東・北アフリカ、さらにはマラッカ遠征でも軍人船員として活躍した。マラッカ遠征の際、モルッカ諸島方面で採取される香辛料の利益の大きさを知った彼はその交易に関わろうとする。

彼はポルトガル国王マヌエル一世に東洋艦隊の指揮権を要求するが拒否されたため当時香料貿易をめぐって敵対していたスペインに西回りの航路でモルッカ諸島にたどりつく案を持ちかける。スペイン宮廷は、トルデシリャス条約の境界線の遥か彼方は曖昧になっていたこともあり、航海の指揮権をマゼランに委ねて、ほぼポルトガルが独占していた東南アジア方面の香料貿易に乗り出すことにした。

旗艦トリニダード号以下五隻の帆船は、出発後四か月で南米大陸（現在のリオ・デ・ジャネイロ付近）に到達。そして東海岸に沿って南下を続けた。十五日後、ここが西の海につながる海峡と信じて進入したところが、ラプラタ川の河口（写真43・44）であった。海岸線まで引き返してさらに南下を続けること三か月。現在のパタゴニアのサン・フリワン湾（次頁地図参照）に到着した頃には食糧が不足し始め、これに不満を持った一隻の船がスペインへの帰還を求めて反乱を起こした。かろうじて反乱を鎮圧したマゼランは、さらに南下しようやく西の海につながる海峡に到達した。これが現在のマゼラン海峡であり、一九一四年にパナマ運河が開通するまではここが大西洋から太平洋にわたる通路であった。サン・フリ

43（上）・44（下）　ラプラタ川河口

ワン湾で反乱を鎮圧した後、マゼランは陸地で大きな足（ＰＡＴＡ）の先住民を見たという。それにちなんでこの地域がパタゴニアと称されたそうだ。

それではマゼランがまったく目にすることがなかった進路の右側に広がっていたパタゴニアの大地に寄り道してみよう。

４　パタゴニアを歩く

†マゼラン海峡

アルゼンチン最南端に、ウシュワイアという街がある。その南を東西に貫くビーグル水道とマゼラン海峡に挟まれた島の名をティエラ・デル・フェゴ（火の大地）という。海峡を通過中のマゼランが進路の左手にいくつもの火が灯されているのを見て、マゼランは先住民たちの何かの合図ではないかと思ったところから命名されたという。このウシュワイアの街（写真45）には十九世紀ゴールドラッシュが起こり、多くの人が集まった。二十世紀前半にはここに監獄がつくられ、多くの囚人たちがこの付近の木材の伐採、石材の輸送に駆り出されていた。ウシュワイアのサンマルティン通りの東の突き当りに「元監獄と船舶博物館」があり、ここには多い時は六百人以上

45　ウシュワイアの街

46　「世界の果て」号

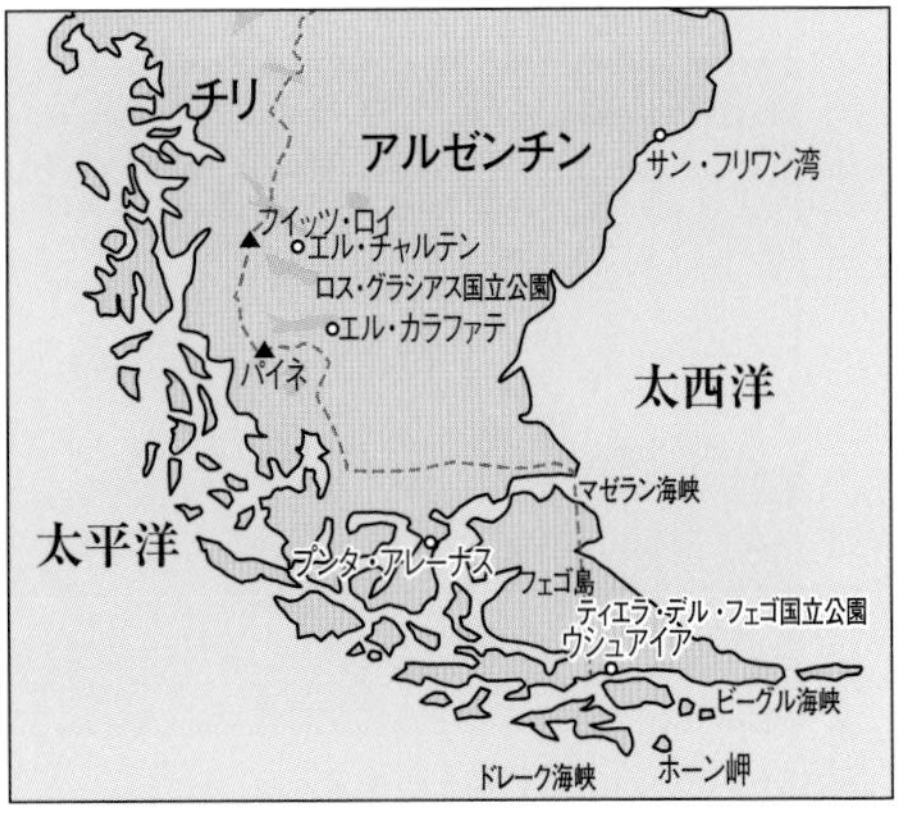

の囚人が入れられていた独房がずらりと並ぶ監獄が復元され、博物館として公開されている。この囚人たちによって建設された鉄道の上を走る「世界の果て」号（写真46）という小さな観光列車に乗って、ティエラ・デル・フエゴ国立公園に行くことができる。

ウシュワイアからバスで北に移動。ここからフェリーでマゼラン海峡（写真47）をわたりチリ領のプンタ・アレーナス（写真48）に。この町はマゼラン海峡のほぼ中間点にあたり海峡横断の基地がつくられた。町の中心部には大きなマゼランの石像が立っている（写真49）。

† パイネ国立公園

プンタ・アレーナスからさらに北上しプエルト・ナタレスを経てパイネ国立公園に

47　マゼラン海峡

48　プンタ・アレーナス

49　マゼラン像

50　パイネ・グランデ山

51　トーレス・デル・パイネ

入る。いくつもの氷河湖がひしめき、自然の水路がそれらをつないでいる。陽光を吸い込みクリスタルのように輝く光景は実に美しい。中心部ペオエに入ると、目の前に標高二六六八メートルのパイネ・グランデ山（写真50）が現れる。岩壁に雪を抱く堂々とした山容だ。ここからトレッキングで北西部に回り込むと三本の岩塔がそびえたつトーレス・デル・パイネ（写真51）が氷河湖の彼方に見えてくる。パイネ国立公園の白眉の絶景である。ペオエの対岸にはグレイ氷河がパイネ・グランデの北西部になだれ落ちる。この氷河湖をめぐるクルーズ船では氷河の末端部から湖に流れ込んでできた多くの氷山（写真52）を眺めることができる。

† ロス・グラシアス国立公園

数日後、再び国境を越えてアルゼンチンの西側に向かいエル・カラファテに着く。ここから八〇キロ北上してロス・グラシアレス国立公園に向かう。パタゴニア最大級のペリト・

52　グレイ氷河から湖に流れ出した氷山

53　ペリト・モレノ氷河

54　フィッツロイ山

55　氷河湖（カプリ湖）

モレノ氷河（写真53）が目の前に現れる。その規模の大きさと、時折崩落する巨大な氷の塊に言葉を失う。

翌日エル・カラファテから路線バスで北に約二〇〇キロ、エル・チャルテンに向かう。運良く晴れ渡った空を背景に標高三四〇五メートルのフィッツロイ山（写真54）の鋭い尖峰が姿を現す。周辺には、フィッツロイ山を水面に映す美しい氷河湖（カプリ湖、写真55）が点在し、これらを結ぶ何本ものルートが張り巡らされている。時にはアルパカ（写真56）の背に荷を積んで移動する地元の人とすれ違う。これらのルートでトレッキングを心ゆくまで楽しむことにした。

56　アルパカ

† マゼランによる世界周航の末路

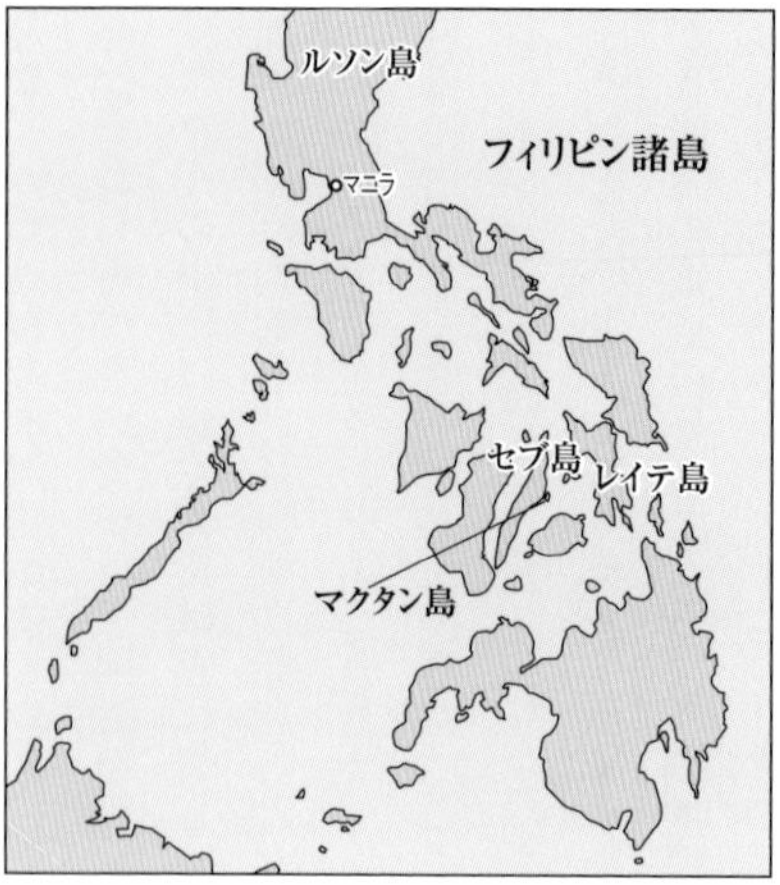

さて海峡を通過したマゼランの目の前には果てしない大洋が広がっていた。太平洋を一五一三年にパナマ地峡からヨーロッパ人として初めて目にしたのはスペイン人探検家バルボア（一四七五～一五一九）であるが、初めて横断したのは無論マゼランである。ただ彼は、二世紀のアレクサンドリアの地理学者プトレマイオスが作った地図をもとに、地球の周囲を二万九〇〇〇キロと試算していた。ところが実際には四万キロなので、この差一万一〇〇〇キロの海域の移動に想定外の日数を費やし、食糧不足に苦しみながら約四か月後にようやく現在のフィリピンに到達したのであった。ここでマゼランはこの航海の目的地であったモルッカ諸島へはすぐ向かわずに、なぜか島の人々のキリスト教への改宗に専念し始めた。時には

友好的には行われたが、時には銃や大砲などの武器で威嚇することもあったので地元の人々は反発し始めた。セブ島の対岸マクタン島に住むラプラプ王は、あくまで改宗を拒んでマゼランと武力衝突する。彼らの戦力を甘く見たマゼランはここであえなく戦死してしまう。マクタン島の北端には「マゼランを殺した男」として地元では英雄視されているラプラプの大きな像（写真57）が建てられている。セブ島の方にはマゼランが地元民の改宗に用いたとされる木造の大きな十字架（マゼラン・クロス、写真58）が教会の傍らの小さな聖堂におさめられている。

マゼランの死後、跡を継いだ部下のエルカーノが、トリニダード号一隻だけを率いてスペイン、セビーリャ港に帰着したのは、一五二二年九月。これにより史上初の世界周航が達成された。出発以来三年の月日が流れていた。出発時の二一〇人の乗組員のうち、帰り着くことができたのはたった十八人であったという。

57 「マゼランを殺した男」ラプラプ（マクタン島、フィリピン）

58 マゼラン・クロス（セブ島、フィリピン）

第10章

環大西洋世界（その2）

―オランダ、イギリス、フランス、サハラ砂漠縦断奴隷交易―

ポルトセグロ（トーゴ）ケープ・コーストの東二〇〇キロあまり、地引網漁をする地元の人々

さて、環大西洋世界では、ポルトガル、スペインの海洋進出に次いで、十六世紀後半よりオランダ、イギリス、フランスの勢力が参入してくる。それとともにこの頃より活発に行われるようになった彼らによる大西洋上の奴隷交易は、すでにそれに手を染めていたポルトガル、スペインに比べて、その規模と頻度ともにはるかに凌ぐもので、その結果として生じたアフリカ世界の被害もまた想像を絶するものであった。

　また同じ時期にはサハラ砂漠でも奴隷の陸上輸送が併行していた。そこで奴隷搾取を主導していたのはアラブ系、トルコ系商人勢力であったが、ヨーロッパ人たちはそれを黙認しつつ、自らの海上奴隷交易を加速させていった。この章では世界史上最大の蛮行ともいわれる奴隷交易を軸にこれら各国の動きを追ってみることにする。

1　スペインの没落とオランダの躍進

†オランダの独立

一五五六年に退位したカルロス一世に代わって息子フェリペ二世が王位に就いた翌年、スペイン王室が財政難に陥って破産宣告をしたことは前章で述べた。

フェリペ二世は活動的であった父王とは対照的に、生涯の大半をマドリッド郊外のエルエスコリアル宮殿にひきこもり、命令書の作成に没頭し「書類王」と揶揄されながら財政再建に心血を注いだ。しかしこのフェリペ二世にもまたもや災難が振りかかってきた。一五六八年に始まったオランダの独立戦争である。十五世紀末にハプスブルク家の所領となっていたオランダでは、宗教改革の影響でプロテスタントのカルヴァン派が浸透し始め、それを支援する商工業従事者の活動が活発化に行われるようになっていたのだ。

†オランダ東・西インド会社設立

スペイン王家の領地でありながらすでに王のいない市民国家（写真1）を形成して、活発な商業活動を展開していたオランダが、宗主国の相次ぐ戦争費用を賄うための増税要求に対して反発するのは当然であった。ホラント州など北部七州が、スペインとの戦いの継続を誓い合ったユトレヒト同盟を結成（一五七九年）。翌一五八〇年に独立宣言を公布。独立運動の指導者であったオラニエ公ウィレムを総督とするネーデルラント連邦共和国が建国された。財政難にあえぐスペインは

1　「夜警」レンブラント　17世紀オランダの市民社会を表現（アムステルダム国立美術館、1973年撮影）

独立を要求するオランダと休戦条約を交わさざるを得なくなる。

当時世界最先端の造船技術を有していたオランダでは、毛織物業の発展とともに北海、バルト海交易でも大きな利益を上げ始めていた。一六〇二年には東インド会社を設立し、東南アジア方面にも交易活動の場を広げていく。オランダ東インド会社は、その二年前すでに設立されていたイギリス東インド会社に比べて資本金、所有船舶数ともにその十倍以上もの規模を持つものであった。オランダの東南アジア方面における勢力拡大については、第12章で改めて述べることにして、ここでは大西洋方面への動きを追っていくことにしたい。

一六〇九年、オランダはスペインとの間に休戦協定を結んでいたが、独立戦争が再燃する一六二一年には東インド会社に加え、さらに西インド会社を設立した。これは宗主国スペインの戦争資金となっていた中南米から取り出された銀の流れを断つと同時に大西洋方面にも勢力を広げようとするオランダの強い意志表示で、その資本金は東インド会社のそれを上回るものであった。オランダ西インド会社は艦隊を編成し、銀を輸送するスペインの商船や当時スペインに併合されていたポルトガルの植民地ブラジルと往復する船を襲撃するなどの海賊行為を行う。さらに、現ヴェネズエラ北岸のキュラソー島を拠点に北アメリカ東岸にも足を伸ばして、ニューネーデルランド植民地を設定し、そこにニューアムステルダムを建設した（一六二五年）。その後一六六四年、イギリスがここを占領してニューヨーク（写真2）と改称。それと交換に一六六七年の

2　1980年代のマンハッタン島（ワールド・トレード・センターがまだ健在）

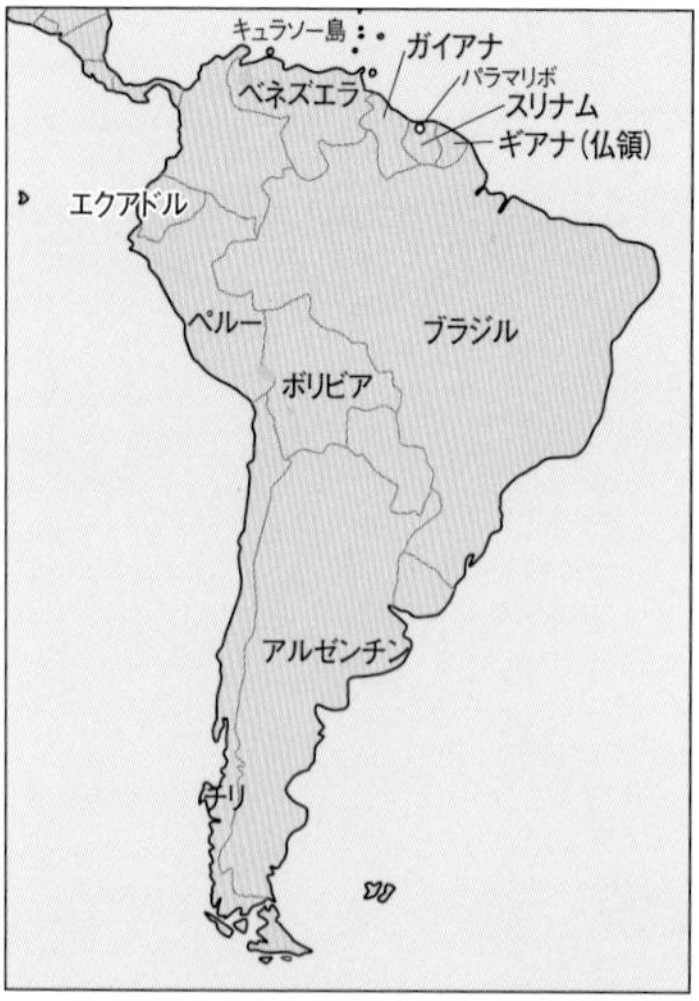

ブレダ条約で、イギリスは、所有していた現スリナムをオランダに与える。オランダはここをオランダ領ガイアナとして植民地化することになる。

†スリナムと台湾のゼーランディア城

一九九三年夏、スリナムの首都パラマリボ（写真３）を訪れた時には、入国時に一七〇ドルの両替が義務づけられていた。しかもホテル代も米ドルでの支払いが義務づけられていたため、随分損をして嫌な思いをしたことが思い出される。

オランダ東インド会社はバタビア（現ジャカルタ、写真４）を拠点として、台湾にまで航路を伸ばし、一六二四年に台南にゼーランディア城（写真５）を築いていたが、十八世紀にはスリナムにもすでにイギリスによって築かれていた要塞を改築して、ゼーランディア城を築いた。ゼーランディアというのはオランダ北東部海岸に面した州名である（ニュージーランドも同様）。当時パラマリボの大統領官邸の近くにあるゼーランディア城を訪ねてみたが軍事施設ということで入城禁止、写真撮影も許可されなかった。現在は博物館としてリニューアルされ、もちろん入城自由になっているという。守りにその威力を発揮する星形の城砦（第12章写真43参照）はオランダ特有の形状で、函館の五稜郭にも同様の築城技術式が伝えられた。

3　逃亡奴隷の村（パラマリボ郊外、スリナム）

4　バタビア（現ジャカルタ）の旧オランダ政庁（現在はジャカルタ歴史博物館）

5　ゼーランディア城（オランダから台湾を奪い返した鄭成功の像、台南）

†大西洋奴隷交易の拠点

さらにオランダ西インド会社は西アフリカ沿岸のポルトガル領の一角にも食い込み、現ガーナ、ギニア湾沿岸のエルミナ砦を奪ってしまう。ここは一四八二年にポルトガルによって建設され、ブラジルのサトウキビ・プランテーションの労働力として奴隷を送り出すための基地となっていたところである。オランダもここを拠点として大西洋奴隷貿易に参入する。そしてその利益は対スペイン独立戦争につぎ込まれた。

このエルミナ砦には現在、旅行社のパックツアーに参加すれば簡単に行けるそうだ。一九八四年にガーナを訪れた際、悪名高いイギリスの奴隷積み出し基地であったケープ・コーストの城砦（写真6～8）にまで足を伸ばしたことがあった。帰りにこのエルミナにも立ち寄ろうとしたところ、海岸沿いに走る路線バスからその姿を確認できたものの、バスは停まってくれず、車内は身動きもできないほどの乗客で溢れ、また夕暮れも迫っていたため仕方なく諦めた。しかしあとで調べてみるとケープ・コーストの城砦と非常に似通っていることがわかった。以下、当時私が新聞紙上に記した記事を引用させていただく。

「ガーナの首都アクラから海岸に沿って西へ一六〇キロほどのところに英領黄金海岸の拠点ケープ・コーストがある。ここには奴隷と黄金を求めて内陸部への進出をはかったイギリス軍の砦が三つ、当時

6　ケープ・コースト城（ガーナ）

7（上）・8（下）　ケープ・コースト城（ガーナ）

の姿をとどめている。海岸に面したケープ・コースト城の内部には奴隷を閉じ込めていた地下牢があり、最盛期には常時千五百人の男奴隷と、三〇〇人の女奴隷が別々に収容されていた。食事も排せつも、死体も一緒くたにされていたという、ひんやりとした石造りのこの地下牢に入ると鬼気迫るものがある。ヨーロッパ人によるこの悲惨な奴隷貿易が、当時のアフリカ社会に致命的な打撃を与えたのは周知の事実であるが、ガーナの現状を見るにつけ、その後遺症はいまだにぬぐえていないような気がした。」（『神戸新聞』一九八四年十月七日夕刊、写真7・8）

ケープ・コースト城を訪れた翌日、アクラから東隣りのトーゴに入国した。ポルトセグロ（首都ロメの郊外）の海辺では、住民総出で地引網漁が行われていた。皆で力を合わせて重い綱を引っ張り、引き寄せられた大量の小魚を男女子供の差別なく共に容器に分け合う光景が微笑ましかった（三四六頁扉写真）。ギニア湾沿岸の善良な黒人たちを連れ去り、自分たちに都合のいい労働力として利用した当時のヨーロッパ勢力は大いに批判されるべきであろう。

このケープ・コースト城は、一六六三年、スウェーデン・アフリカ会社によって建造されたあと、デンマークが奪取。さらに一六六四年にはイギリスが奪い取った。以後イギリスはここに大西洋間奴隷貿易の拠点を置くことになる。

2　海賊行為を基に躍進したイギリス

†エリザベス一世と「無敵艦隊」

さてスペインのフェリペ二世がイギリス女王メアリー一世と結婚したことは前章で述べた。

メアリー一世（在位一五五三～五八）は、父ヘンリー八世とスペインの王女カテリーナとの間に生まれたのであるが、ヘンリー八世はこのカテリーナと離婚して彼女の侍女アンと結婚した。ヘンリー八世とアンの間に生まれたのがエリザベス一世（在位一五五八～一六〇三）である。異母姉メアリーの死後女王の座についたエリザベスは、当時最盛期のスペインと比べ自国の政治・経済力が劣っていることを強く自覚していた。イギリスの地位を押し上げ、スペインを引きずり下ろすためにはどうすればいいのか。エリザベスが選択した打開策は、オランダ西インド会社と同様に、まず中南米から銀を輸送するスペインの輸送船を襲う海賊行為に、国家としての公認を与えることであった。またスペインから独立しようとするオランダを援護するために、軍を派遣した（一五八五年）。これに怒ったフェリペ二世は、一五八八年一三〇隻からなる「無敵艦隊（アルマダ）」でイギリスを攻撃する。エリザベスは信頼する海賊の長フランシス・ドレーク（一五四三頃〜九六、一五八〇年にはマゼランに次いで史上二番目の世界周航を果たしている）を司令官として応戦する。ドレークは、火のついた船を突入させる戦略でスペイン艦隊を壊滅させた。彼はまた世界周航中にもたびたびスペインの船団や植民地を襲い大量の金銀を強奪していった。この資金を基に一六〇〇年に創設されたのが、イギリス東インド会社であった。発足時にはオランダ東インド会社の規模には及ばなかったが、半世紀後にはオランダ東インド会社と肩を並べるまでに成長し、一六五一年には悪名高い航海条例を布告する。これはイギリスに商品を輸送する船は、イギリス船籍に限るとするもので、海運業に頼っていたオランダにとっては大きな打撃となった。

† 英蘭戦争とポート・ロイヤルの繁栄

このあと当然の結果として生じた三度にわたる英蘭戦争（一六五二〜七四）はすべてオランダの敗北に終わり、大西洋の制海権はイギリスに移譲されることになる（写真9）。海賊の力を借りて大西洋世界に大きく勢力を拡大したイギリスは、カリブ海周辺の植民地化にも野望を抱き始める。一六五五年、イギリスはスペインと一戦を交え、ジャマイカのポート・ロイヤル湾の入り口にある城砦を奪取して、ジャマイカへの植民を開始した。一六八七年には英ジャマイカ総督が、スペイン人と抗争中のバッカ

9　当時オランダ艦隊はテームズ川にも侵入した

ニアと呼ばれる海賊たちにポート・ロイヤルへの定住をうながし、私掠免許（海賊行為を国家が承認すること）を与えた。ヘンリー・モーガンをはじめとするバッカニアたちは、これに力を得てスペイン船に対する海賊行為を繰り返し、金銀宝石などの大量の戦利品を獲得する。そしてそれらを資金としてポート・ロイヤルに街を築いて豪奢な生活を享受しはじめた。しかし一六九二年六月七日に発生した大地震で街の三分の二が海中に沈むという大惨事に見舞われ、その繁栄は一瞬にして消え去った。現在のジャマイカの首都キングストンからボートで数分行くと、まさにつわものどもの夢の跡、崩壊したポート・ロイヤルの遺跡（写真10・11）に立つことができる。

10　ポート・ロイヤルの城壁

11　地震で傾いたポート・ロイヤルの建物（キングストン、ジャマイカ）

3　フランスのカリブ海参入

†フランス東インド会社

さて十六世紀末から十七世紀にかけて、オランダとイギリスの大西洋世界での激しい勢力争いにもう一つ新しい勢力が登場した。フランスである。先述のスペイン・ハプスブルクのカルロス一世とヨーロッパの覇を競ったヴァロワ朝フランスの国王フランソワ一世の五代後の国王アンリ四世（在位一五八九～一六一〇）の時代、フランスは遅ればせながら大西洋世界の覇権争いに参入した。

一六〇八年、アンリ四世の委託を受けて現在のカナダ、ケベック（写真12〜14）に赴いた地理学者で探検家のシャンプランによってここに植民地が建設され、フランスはこれを北米大陸進出の足掛かりとする。次代のルイ十三世（在位一六一〇〜四三）の時代には、タバコと砂糖の生産地を求めてカリブ海のアンティル諸島に進出する。一六〇四年に発足したフランス東インド会社（オランダ、イギリスの対インド貿易に対抗するためアンリ四世によって設立された。十八世紀前半にセネガル会社などと合併してインド会社と改名）の活動拠点はグアダルーペ島とマルティニック島に置かれた。この両島は現在でもフランスの「海外県」となっている。十七世紀には、フランス勢力は西アフリカ、ギニア湾沿岸に上陸して香料、金、象牙などの取引に小規模ながら関わり始める。当然ながらフランスは、この大西洋をまたぐ植民地の労働力として、アフリカ人奴隷の必要性を認識していた。一六四〇年にはアフリカ大陸最西端のセネガル川河口にサン・ルイ要塞を建設し、その後一六七七年には、オランダから奪取したゴレ島にも奴隷基地を設け、アンティル諸島のタバコ、サトウキビのプランテーションに奴隷を供給し続ける。奴隷と交換するためにフランス側が持ち込んだ商品は、金属製品、綿布、ガラスビーズやタカラガイ、サンゴなどを用いた装飾品、そして武器弾薬などであった。これらがアフリカで奴隷と交換され、大西洋を越えてアンティル諸島などの植民地のプランテーションに運ばれる。ここで奴隷はタバコや

12　シャンプラン像（ケベック）

13　フェアモント・ル・シャトー・フロントナック（ケベックを象徴するホテル）

14　ケベックの街

砂糖と交換され、さらにタバコや砂糖は本国で前記の商品と交換される。奴隷交易はこのような「三角貿易」を通じて膨大な利益が上げられる仕組みになっていた。

†「奴隷の家」ゴレ島

ダカールからフェリーで約二十分、今は多くの観光客が訪れるゴレ島。島の中央部にフランス軍が使っていた砲台があり、その近くに現在は壁をピンク色に塗られた「奴隷の家」（写真15）がある。この二階建ての建物には常時一〇〇〜二〇〇人の奴隷が鎖につながれ男女別に収容されていた。輸送船が到着すると一階にある海に面した「帰らざる戸口」から押し出され、そのまま輸送船に乗せられた。身動きできないほど狭い船室に詰め込まれて、恐怖の「中間航路」大西洋を渡る片道四十〜五十日の間に、その二割ほどが亡くなり、死体は海に投げ込まれる。この光景は映画『ルーツ』（一九七七年、アメリカ、テレビ映画）、『アミスタッド』（一九九七年、スティーブン・スピルバーク監督、アメリカ）などで映像化され、多くの人々が衝撃を受けた。

ゴレ島とケープ・コースト、まさにフランスとイギリスによる大西洋奴隷交易時代の象徴であろう。

15　「奴隷の家」ゴレ島（ダカール）中央下が「帰らざる戸口」

† オラウダー・アキアノの奴隷体験記

十八世紀、オラウダー・アキアノ（一七四五頃〜九五）というベニン王国（写真16・17）生まれの黒人奴隷がいた。彼はその奴隷の体験を小冊子で一七八九年に出版している。イギリス滞在中に身に付けた英語が役に立ったのだ。まず彼は故郷のベニン王国に東のイボランドからやってきた人々について次のように語る。

「彼らはいつも私たちの土地を通って奴隷を運ぶが、通過が許される先に、その奴隷の入手の事情が厳密に取り調べられる。私たちもかれらに奴隷を売ったことがあるが、それは捕虜、あるいはわが国人のなかで、誘拐とか姦通とかその他極悪非道と思われている罪を犯した者だけであった。この誘拐という風習があるために、いつしか私は、私たちの中でこの連中の主要な仕事といえば、われわれの厳重な監視の目を盗んでわが国人を誘拐することだと思うようになった……」

16　水上集落（ガンビエ、ベニン）

17　ベニン王宮跡の壁画（ポルトノボ、ベニン）

彼は子供の時、姉妹たちと遊んでいる時に誘拐されて、別々に売り飛ばされてしまった。カヌーで海岸まで連れていかれ、「赤ら顔で長髪の白人」を見て今にも食われてしまいそうだと思った。そして奴隷船を目撃する。

「船を見まわして、おおきな炉、すなわち銅釜がわきたっていて、あらゆる種類のたくさんの黒い人が、どれもこれもうちしおれて悲しそうな顔をして鎖でつなぎ合わされているのを見た時には、わたしはもはやこれまでと思った……」（『アフリカの過去』貫名美隆訳、理論社）

この奴隷交易はまずアフリカ社会を根底から破壊した。第一にアフリカ社会の中に武器を持ち込むことにより、不必要な対立をつくりだして部族同士の争いを激しくしてしまった。オラウダー・アキアノの記述からそれがよくわかる。

第二にはアフリカ社会から貴重な労働力が根こそぎはぎとられ、アフリカ各地域の生産活動には大打撃が与えられた。約三百年の間にアフリカから積み出された奴隷の総数は三五〇万〜五〇〇〇万という。なぜこのような大きな開きがあるのか、おわかりだろう。奴隷の収奪側のヨーロッパ勢は、自らの悪行を過小評価しようとするし、アフリカ側は被害を誇張しがちであるからだ。しかし数多くの統計を比較すると少なく見積もっても一〇〇〇万前後、やや多く見積もって二〇〇〇万前後、中間値を取って千数百万前後とするのが一つの目安となろう（鈴木茂「黒い積荷の往還」歴史学研究会編『史料から考える世界史20講』岩波書店、二〇一四年）ではアフリカ各地からの奴隷総数が一二五〇万人、アメリカ大陸に上陸できた奴隷の総数一〇七〇万人と試算している）。どちらにしても驚くべき被害者数であることには変わりはない。これだけのしかも働き盛りの労働力を長きにわたって失えば、被害地域の生産力低下はすさまじいものであったことは疑う余地はない。

第三にアフリカの人々が奴隷の代償として得たものはヨーロッパ製の商品だけであり、それ自体がアフリカの利益を損なうものであった。西アフリカでは、他のアフリカの地方と同じく優れた技術を持った職人たちが多くいた。しかし彼らの旧式な生産様式に比べて、アフリカの外では機械製のはるかに安い商品（例えば綿布、機械製金属用品など）が生産されるので、その価格競争ではどうしても負けてしまうのだ。

オラウダー・アキアノは、最初アメリカ、バージニアに売られ、さらにイギリスに売られた。その後一七七七年に自由を買い取ったあと、遠洋漁船の船員となり、やがて奴隷制反対運動に活躍することになる。

† 「ウイリアム・テーゼ」（奴隷交易と産業革命）

彼が右記の記録を残したのは一七八九年であった。この年にはフランスでは革命が起こり、イギリスでは第一次産業革命（一七六〇頃〜一八三〇頃）のまっただ中にあった。イギリスにはインドから安価な綿花が大量に輸入され、マンチェスターでは綿織物工業が盛んになった。一七八五年に紡績機に蒸気機関が導入されることによって、いわゆる「産業革命」が起こる。一八三〇年、商港リヴァプールとの間に鉄道が敷かれると、マンチェスターの綿織物は航路を経て世界中に輸出されることになる。このとき綿織物生産に使われるようになった高価な機械の導入は、奴隷交易によって蓄えられた資本が投下されることによって可能になった。さらにリヴァプールなどでは奴隷交易を効率良くするため、飛躍的に海運・造船業が発展した。これらの産業の発展によって得られた利潤は資本として蓄積され、産業革命を支える大きな要因となったという。

　この考え方は一九四四年にワシントン、ハワード大学のエリック・ウイリアムズ（一九六二年、イギリスから独立したトリニダード・トバゴの初代首相）が記した『資本主義と奴隷制』（理論社、一九七八年）という本の出版以来、「ウイリアムズ・テーゼ」と呼ばれ、欧米の歴史学者の間で大論争を巻き起こした。その反論の根拠は、アフリカ側が求める商品をヨーロッパ人が持ち込んで奴隷取引の仲介人がそれを積極的に購入したこと、すなわちアフリカ側の需要に大きく起因しているというものであった。まるでアフリカ側に奴隷交易の責任の一端を押し付けるような理論であるが、仮にそれを考慮に入れても、奴隷交易を主体的に推し進めたのはイギリス側であり、その利益が産業革命、そして資本主義の発展に貢献したことは明らかである。同様にこの事実はフランスその他奴隷交易に関わったすべての国にも当てはまる。まさにヨーロッパはアフリカに大きな犠牲を強いることによって発展を遂げたのであった。

4　サハラ砂漠奴隷交易

　これまで見てきたのは大西洋間で行われた奴隷交易であった。ここでは同時代に行われていた陸路、すなわちサハラ砂漠を縦断する奴隷交易についても触れてみよう。これは奴隷をめぐる海上交易と陸上交易が歴史上、表裏一体の関係にあることを理解するためにも是非とも必要なことだと考えられるからである。

すでに第8章で詳しく述べたように、サハラを越える陸路での奴隷交易は古くから行われていた。そこで何度も登場した旅行家イブン・バットゥータは一三五二〜五三年にかけて、モロッコのフェズからシジルマーサ、タガザの塩鉱、イーワーラータン（ワラータ）を経てマリ帝国の首都マールリーにたどり着いた。彼自身も旅に奴隷を伴っていたし、マールリーの黒人王も奴隷を所有していた。

　このマールリーと記されたマリ帝国では、南の森林地帯からもたらされる金や奴隷が帝国の商業的繁栄を裏付ける財貨とされ、北から来る銅や布などの商品がサハラ砂漠のキャラバン・ルートを通って南北に行き来していた。また北からは奴隷と交換する対価として馬が使われていた。十六世紀はじめ、サハラ砂漠を渡り歩いたレオ・アフリカヌス（一四八三頃〜一五五五頃）によると、トンブクトゥ（写真18）からニジェール川に沿って東五〇〇キロにあるガオ（ソンガイ帝国の首都でもあった。写真19）には、若い男女の奴隷が一人当たり六ドゥカート（当時ヴェネツィアで使われていた金貨。一ドゥカートには純度九九・四七パーセントの金が三・五四五グラム含まれていた）で売却される市場があり、再売却には八〜九倍の値が付けられ、北方からもたらされた馬と交換されていたと記している。当時サハラ全域を支配下に置いていたソンガイ帝国の強力な騎馬部隊に必要な馬は、奴隷との交換によって調達されていたのである。

　サハラ南部から地中海沿岸までサハラ砂漠を超えて奴隷が輸送されたルートは、大きく分けて東西に三つあった。一つはサハラ南部から現在のモロッコに至る西のルート。あと二つはサハラ中央部からフェザンを通過して現在のリビアのトリポリ、ベンガジに至る中央と東のルートである。

18　トンブクトゥ（第8章参照）

19　ガオ（ソンガイ帝国の首都）

† 奴隷交易、西のルート

一五九一年、サード朝モロッコ軍はサハラを越えてトンブクトゥへ遠征軍を派遣して、かつてサハラ全域を支配下に置いていたソンガイ王国を崩壊させた。その目的は金交易全体を支配下に置くことであったが、このあとしばらくして金は完全に枯渇してしまったので、その交易ルートは繁栄とは程遠いものになってしまっていた。このルートについての情報は、前述した十六世紀初めのレオ・アフリカヌス以後ほとんど欠如しているが、十九世紀半ばのフランス人たちによる調査報告によって、いくらかその実情が明らかになった。

十七世紀以降、モロッコ人は金に代わる利益の多い商品として、奴隷を扱うようになった。モロッコとトンブクトゥを結ぶキャラバンは、それ以前には毎年一回定期的に行われていたものが、十八〜十九世紀になると二〜三年おきのサイクルになっていた。時には賊による略奪を逃れるために大きな迂回もやむをえなかった。第8章ですでに述べたように、サハラを南下するキャラバンの途中、先述のイジルやタウデニなどの塩鉱で食糧と交換した塩をトンブクトゥで奴隷と交換した。奴隷は主として、ムスリムではないサハラ以南の西アフリカ、バンバラ（写真20）の

20 バンバラの人々（トンブクトゥ、マリ）

21 ルネ・カイエが住んでいた家（トンブクトゥ）

22 その向かい、ゴードン・レイング（ルネ・カイエがトンブクトゥに到着する直前に殺されてしまった）が住んでいた家

国からもたらされていた。帰りのキャラバンで連行された奴隷のうち、その行程の苛酷さのため相当数が死亡してしまう。運良く生きながらえたものは、まず南モロッコに連れていかれ、そこで北アフリカの風習をたたきこまれる。その後アラビア語を覚え、召使として有能な奴隷に育成されたのち、高額で売却されたという。

一八二七年四月、セネガル南部ククンディを出発した先述のフランス人探検家ルネ・カイエ（一七九九～一八三八）がトンブクトゥに到着したのは翌年四月二十日であった。トンブクトゥに入ったルネ・カイエは、十九世紀前半のヨーロッパ人にとって黄金の都として半ば伝説化されていたトンブクトゥの街があまりにも貧相であることに失望した。しかし彼は二週間の滞在中、憧れの都であったトンブクトゥをくまなく歩き、細かい観察を怠らなかった（写真21・22）。トンブクトゥの市場（写真23）では、ガラス細工品、琥珀、紙、銃などヨーロッパからもたらされたものが数多く取引されていたと記されている。その大半は西のキャラバン・ルートを南下してきたモロッコ商人たちによってもたらされたものだった。五月四日にトンブクトゥから帰途についたカイエは、モロッコ人たちのキャラバンと行動をともにしてモロッコ南部をめざした（次頁地図参照）。このキャラバンは商品として多数の奴隷を引き連れていたという（写真24・25）。

第8章で述べた塩交易に関しても、奴隷の存在が

24　モロッコ南部ザゴラのマーケット

25　ザゴラからトンブクトゥまで、キャラバンで砂漠を移動すると52日かかったという

23　トンブクトゥのマーケット

ルネ・カイエの踏査ルート

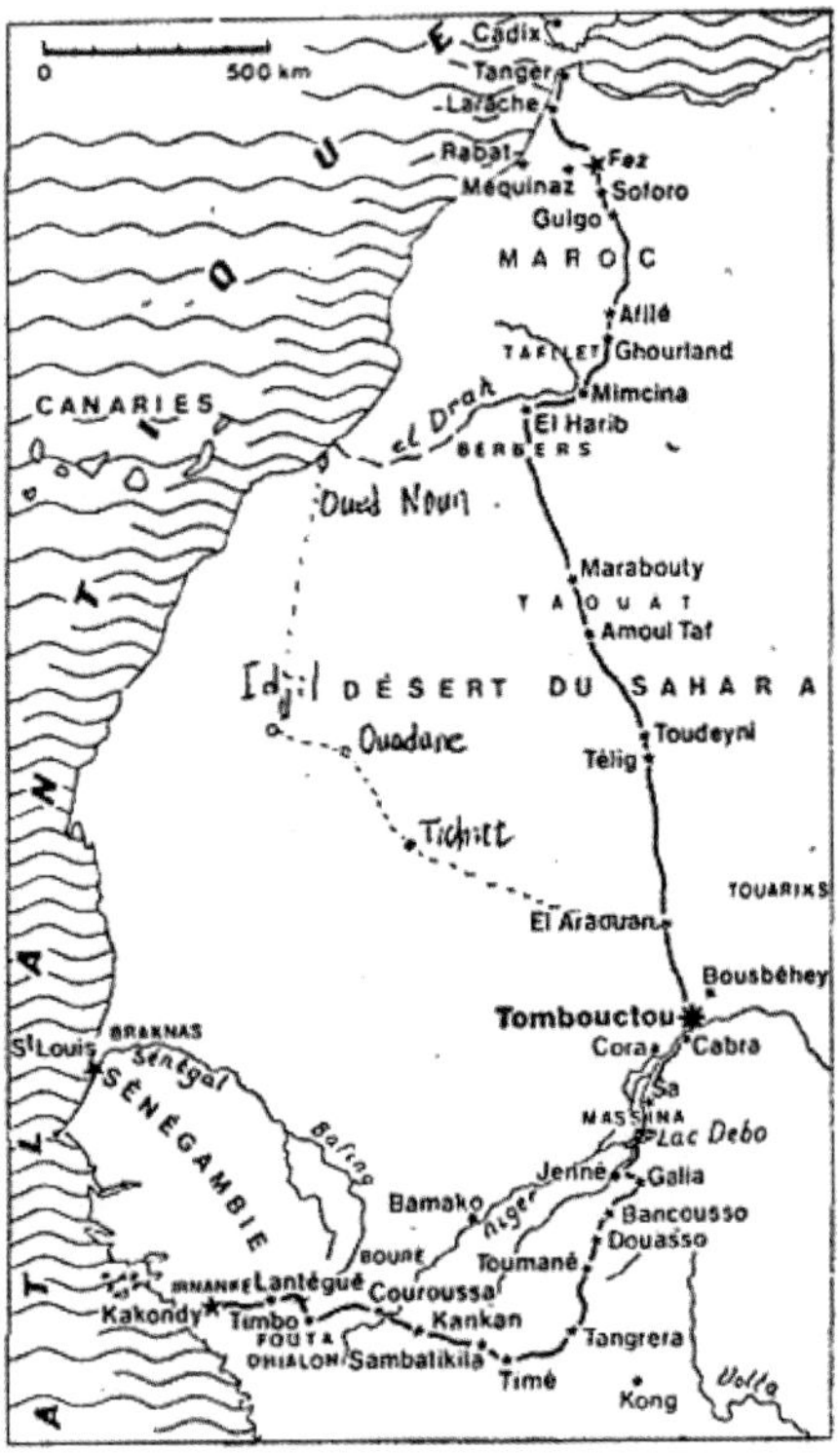

（René Caillié, *Vayagé à Tombouctou Tome II*, La Découverte PARIS, 1985 より）

記録されている。十九世紀後半にトンブクトゥへ旅したフランス人旅行家レンツは、サハラの遊牧部族であるアラブ系のクンタ、ベラビッシュ（第8章写真11・13）たちが、塩交易の中で実際の労働の担い手としてアビド（アル・ベクリによれば九八〇年頃、北アフリカの現在のチュニジアにあたるイフリキアでは、白人、黒人からなるアビドという軍隊があった）と呼ばれる奴隷、あるいはハラティンと呼ばれる自由奴隷たちを使用していたと記している。普段は井戸掘りをしたり主人のデーツ畑や耕作地で働く奴隷たちは、アザライ（第8章写真11・13、ラクダで塩を輸送する隊商）に加わると、塩の採掘、日常的な雑用（荷の上げ下げ、ラクダに牧草を与えたり、キャラバンのメンバーのための水や食料の用意、料理など）を請け負った。この奴隷の中で信用度の高い者は、旅の途上で小取引に加わり、塩を売却してその利益の分け前にあずかることも可能であった。しかしこれらの奴隷は、労働力として利用される以外に交易途上で商品として売買されることもあった。奴隷は北アフリカの市場を目指す途上で、労働力や商品としてサハラ長距離交易の経済的基盤を担う役割を果たしていたのである。これらの塩をめぐる交易活動は、近代に入って顕著に増大するヨーロッパ資本による交易活動とは異なり、サハラの伝統的な習慣に基づく労働形態によって有機的に組織化され機能していたのである（第8章参照）。

† 奴隷交易、中央ルート

さて、やや乏しい情報ながら西のルートの奴隷労働は、当時の社会経済状況の中で適宜に取り込まれる形で機能していたことが明らかになった。

一方中央及び東ルートをたどった奴隷交易はどのようなものであったのだろうか。この方面についてはフランス、イギリス、後にはアメリカも含めた領事たちによる報告が多数残されている。また当時の旅行者による記録もあるので、それらを併せてたどることによって、サハラ越えの奴隷交易の実態を振り返ることができる。

奴隷の送り出し先となったのは第8章、「カワール」の項でも記したカネムー・ボルヌー王国であった。サハラ砂漠の中央部よりやや東のチャド湖周辺には九世紀頃から十九世紀末まで、カネムー・ボルヌー王国がイスラームを受容して盛んな交易活動を行っていた。十四世紀後半まではカネムー王国、それ以後のボルヌー王国をあわせてカネムー・ボルヌー王国と称されている。その歴史に関してはすでに第8章で詳しく述べているが、一般の読者の方々にはあまり馴染みのない国なので再度、簡単に振り返っておこう（三六五頁地図参照）。

十三世紀前半このカネムー・ボルヌー王国は、ドウナマ一世（在位一二二〇〜五九）の時代、東はナイルの上流、西はニジェール川流域、北は現リビア南部のフェザンにまでその版図を広げ、後には西のソンガイ王国ともつながりを持つ砂漠横断交易の覇者であった。

一三五三年、前述のイブン・バットゥータは、マリ王国への旅の帰途、トンブクトゥから、サハラ中央部のトゥアト（写真26）を経て、途中銅の鉱山タケダ（二六六頁下の地図参照）に滞在した。この時彼は、タケダから四十日の旅で行ける地方に、イドリスという名の王が支配するボルヌーという国があることを聞い

26　トゥアト（アルジェリア）

た。十六世紀、カネムー・ボルヌー王国はマイ・ムハンマド（在位一五一九～四四）の時代、西への隊商交易にとってきわめて重要な現ニジェール北部のアイール地方にまで支配領域を広げた。その後イドリス三世（イドリス・アロオマ、在位一五七一～一六〇三）の時代に、トリポリから入手した銃火器のおかげで王国の最盛期を迎える。王は異なる地方の住民たちを絶えず抗争させ、縦横無尽に移動するトゥアレグ族をもおさえて、南はカノのあたりまで占領し、西アフリカとナイルの西流域、サハラ南部とフェザン、トリポリを結ぶ交易の十字路を支配する。これはかつてのソンガイ王国と同様、サハラ南部の世界を砂漠の彼方の地中海世界に結びつけたことになる。

27　アシャンティの王宮（クマシ、ガーナ）

その後ムハンマド王（在位一六一七～三二）、イブラヒム王（在位一六三二～三九）、オマル王（在位一六三九～五七）の三代にわたって国内では平和が維持された。その時代の商人たちはフェザンとトリポリに至るルートを通して砂漠の南、現在のガーナ、アシャンティ（写真27）が支配する西アフリカ海岸に迫る地域にまで活動領域を広げていた。しかしこの広大な王国の完全維持は困難を極め、辺境地域では属領は再び独立するか、もしくは他の勢力の軛《くびき》に再び組み込まれることになる。

一五一七年にカイロを占領し、エジプト・マムルーク朝を滅ぼしたオスマン帝国は、スルタン・スレイマン一世（在位一五二〇～六六、第9章写真38）に時代にその領土は最大の拡張期を迎える（第8章参照）。ハンガリーでのモハーチの戦い（一五二六年）、第一次ウィーン包囲（一五二九年）などヨーロッパ方面に華々しく侵攻を繰り返したのもこの頃であった。さらに地中海を渡って北アフリカ方面で、現在のリビア、トリポリタニアをもその支配下に組み込む。

オスマン帝国のトルコ人勢力はフェザン（写真28・29）まで南下し、統治権はその地の首長に委ねつつも、定期的に貢納金を支払わせることで支配の安定を図った。フェザンの南方では、十三世紀から十七世紀にかけてチャド湖の周辺を中心に大きく版図を広げていたカネムー・ボルヌー帝国が十八世紀には衰退期に向かっていた頃である。

† 奴隷交易、東のルート

オスマン帝国支配のトリポリとフェザンの間では、特に奴隷交易が活発化していく。フェザンのスルタンは、この衰退するカネムー・ボルヌー帝国に侵入し、南のハウサ諸国、東のワダイ王国、西はニジェール河湾曲部に至るまで、奴隷の捕獲のための手を広げた。十八世紀半ばに西アフリカからフェザンを経由してトリポリにもたらされた奴隷は、毎年平均約二千人と見積もられている。その大半は、サハラを北上するリビアへの東のルートにその最大数が集中した。輸送途上の消失を考えると、西アフリカ方面ではかなりの数の奴隷が取引されていたことになる。

キャラバンは暑さが和らぐ冬と春にトリポリに到着する。一七五三年当時のフランス領事カウレの記録によれば一七五三～五四年は九五〇人、一七五四～五五年は一二八〇人、一七五五～五六年は二八二五人の奴隷がもた

28（上）・29（下）　ガート（フェザン、リビア）

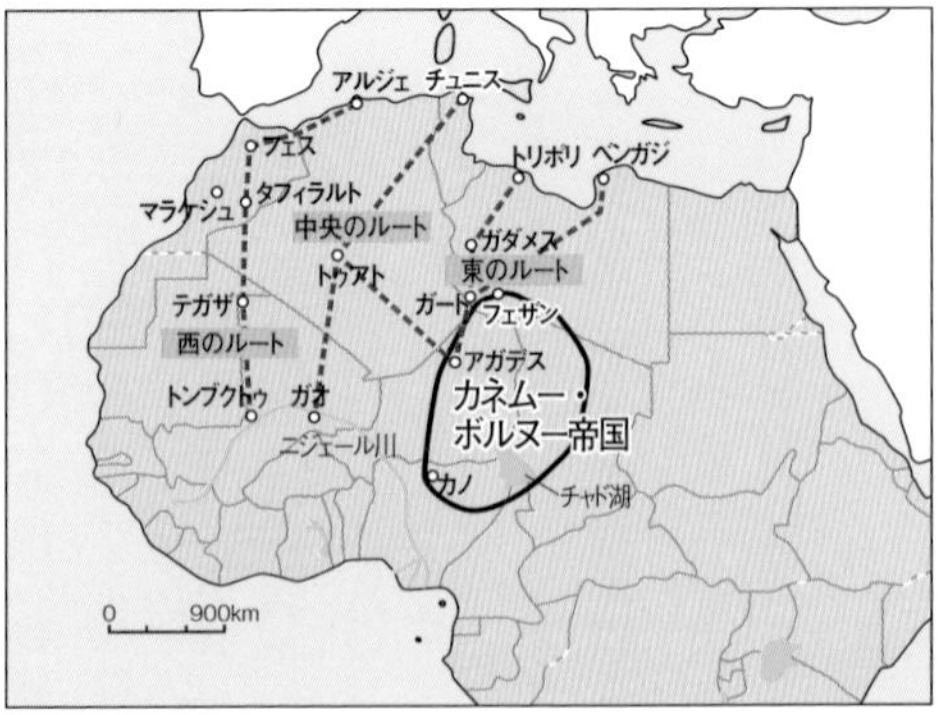

らされた。そのキャラバンの出発点はガダメス（写真30〜32）とトンブクトゥであった。

　一七六六年フランス領事ランセイの記録ではフェザンから二五〇〇人、ガダメスから三〇〇人。同時期のイギリス領事フレイザーの記録では、フェザンから八〇〇人、ガダメスから二〇〇人であったという。トンブクトゥからは四〜五年ごとに二〇〇人前後の奴隷がもたらされていた。トリポリにもたらされた人数に対応して奴隷の価格は変動した。一七二五年頃にはフランスのマルタン領事によれば四〇〜五〇ピアストル（現在の日本円で約三二〇〇〜四〇〇〇円）となっている。しかし一七五三年には若い男一〇〇〜一二〇ピアストル（八〇〇〇〜九六〇〇円）その他六〇〜七〇ピアストル（四八〇〇〜五六〇〇円）、若い女が一五〇〜一六〇ピアストル（一二〇〇〇〜一二八〇〇円）その他八〇〜八五ピアストル（六四〇〇〜六八〇〇円）、平均して一〇〇ピアストル（八〇〇〇円）。一七八四年にはそれが二五〇ピアストルに上昇。その後減少して、一七八六年には一八〇ピアストル、十九世紀末にはまた高騰し約三一〇ピアストルと最高値を示している。これらの価格変動は、キャラバンの維持経費、途中で支払われる諸税の変動や、輸送途上での高い死亡率などが主な要因となっていると考えられる。

　地中海上で奴隷を輸送する船についての記録（一七六三〜八七）は、在トリポリのフランス領事による記録が保管され

30　ガダメス（リビア、18世紀、トンブクトゥと並ぶ奴隷取引の中心地であった）

31（上）・32（下）　現在のガダメスの地下住居

年	トリポリの港を出たフランス船舶の数	奴隷を積んだ輸送船の数
1763	23	6
1764	37	8
1765	52	10
1766	57	8
1767	56	11
1768	43	8
1769	54	3
1770	30	4
1771	44	0（欠如）
1772	65	1
1773	72	3
1774	112	9
1775 ～ 1782 の記録は欠如		
1783	41	3
1784	64	6
1785	46	10
1786	53	6
1787	65	6

ている。それによれば、トリポリの港を出たフランス船舶の数（左）と奴隷を積んだ輸送船の数（右）はそれぞれ表のとおりである（Reneault 1982を基に作成）。

フランス船は奴隷の所有者と契約を交わして、奴隷の輸送に関してのみ責任を持つものであったが、国の威信にかけて、海賊などに対してはその安全を保証する信用能力があったことは確かだろう。

十八世紀のリビアにおける奴隷交易は、リビア全体の経済活動がまだ低いレベルにあった中、奴隷交易は相対的に高いレベルを示しており、それは奴隷取引業者にとっては相当な旨味があったと思われる。

† 十九世紀の奴隷交易とヨーロッパ人の奴隷交易観

サハラ越えの奴隷交易は、十九世紀初頭のウィーン会議での奴隷制廃止決議後も活発に続けられていた。一八一九～二〇年にフェザンに滞在したイギリス人旅行者、G・F・リヨンは、フェザンのスルタンが毎年組織的にティブー族（第8章二七五頁参照）などの遊牧民集落に対して夜襲などを繰り返して略奪を行っていたことを記している。一八一八年にはフェザンのスルタンは一八〇〇人の奴隷を集めたが、この遠征の帰途、砂嵐に道を見失い多数の奴隷が失われたという。またリヨンは一八一九年、一四〇〇人の奴隷を連れたキャラバンを目撃したが、何か月かあとに

は八〇〇人になってしまっていたという。この略奪遠征はスルタンの主導で組織され、兵士たちはそれぞれ武器と食糧持参で参加する。奴隷を捕獲するとまずその全体の四分の一をスルタンが獲得する。残りの奴隷は騎兵に二人、歩兵に一人の割合で当てがわれ、余れば二度目の分配は兵士二〜三に対して一人の奴隷という比率で行われたという。奴隷捕獲の対象となった領域はカネムー・ボルヌー王国内部だけでなく、南のハウサ諸国、東のワダイ王国、西はニジェール川湾曲部にまで及んだ。

　奴隷の労働力に対する需要は、当時のイスタンブール（コンスタンティノープル）を中心とするオスマン帝国領内にとどまらずアテネやエーゲ海周辺などでも驚くほど高く、灌漑、採掘、籐《とう》の採り入れなどの重労働、あるいは召使い、パシャ（高官・高級軍人）の護衛などの軽労働に充てられることが多かった。

　さらに一八三九年まで毎年平均約二〇〇〇人の黒人奴隷が地中海沿岸地方に送られ、リビアへのルートにその最大数が集中した。トリポリへもたらされた奴隷は、一八四二年に六〇〇〇人、一八四三年に五〇〇〇人、一八四五年に一一六四人（女が五〇〇人）、一八四六年には一〇〇〇人以上が、またベンガジへも一〇〇〇人あまり、一八五〇年にはトリポリへ二〇〇〇、ベンガジへは二四〇〇人の数にのぼっている。先程も述べたように、輸送途上の死亡者を考えるとサハラ南部方面で拉致された奴隷の人数ははるかに多かったことになる。

† 奴隷制廃止

　十九世紀も半ばを過ぎると、さすがに世界各地での奴隷制廃止の声が高まってくる。しかしヨーロッパ諸国の抗議や、オスマン帝国政府による奴隷取引の公的禁止にもかかわらず、イスタンブール（コンスタンティノープル）、中東方面への輸出は止まらなかった。一八五〇年の時点で奴隷の商業取引はサハラ長距離交易の取引総額の三分の二を占めていたという。残り三分の一は象牙、ダチョウの羽根、皮革製品などである。奴隷は一九世紀半ばまでは、金に代わってサハラ長距離交易の中で唯一の価値ある商品であった。一八七三〜七四年にもアメリカ領事ヒダルは、一〇〇

人以上の奴隷がトリポリとエジプトにもたらされたことを記している。一八七六年には、ベンガジの奴隷制反対論者であるイギリス領事ヘンダーソンも、内陸部への旅で二五〇人の奴隷を連れたキャラバンに出会っている。一八八一年、イタリア領事は、サハラ中央部からの奴隷は五〇〇人から一〇〇〇人だったと報告している。フェザンを経由する奴隷交易は、十九世紀末から二十世紀初頭のイタリアによるリビアの占領時まで続いていたのであった。

ここまで見てきたように、ヨーロッパ側は、トルコ、アラブ人によって行われた陸路での奴隷取引には比較的正確な統計を示し、それが後世にも伝えられている。しかし自らが行った多数の奴隷の海上輸送に関しては、先に述べたとおりきわめて曖昧な数字しか残していない。このことはいったい何を意味するのだろうか。他国の奴隷交易に対して、冷静な目で客観的に見つめていたということは、自ら手を染めた奴隷交易についてはその正当化の口実として利用できると考える姿勢が基本的にあったのだ。わかりやすくいえば「ほかでもやっているのに自分たちがやって何が悪い」ということだ。それは十九紀末、ヨーロッパの列強国がアジア、アフリカで次々と植民地を形成していた時代、遅ればせながら同様の姿勢で台湾、朝鮮半島、中国東北部、東南アジアへと植民地拡大に走り、それを正当化しようとした当時の日本の姿勢とも相通じるものがあるのだ。

●「4　サハラ砂漠奴隷交易」に関する参考文献

Caillié,R.（1985）*Voyage à Tombouctou*, Tome I,II Edition la Découverte, Paris.

Al-Bekri（1913）*Description de l'Afrique septentrionale*, Trad. Mac Guckin de Slane. Alger.

Lenz,O.（1869）*Timbouctou, Voyage au Maroc an Sahara et Soudan*, Vol.II Paris.

Macdougal,E.A（1985）“Camel caravan of the Saharan salt trad: traders and transporters in the 19th century,” C.Coquery-Vidrovitch, P.E. Lovejoy eds., *The worker of African Trade*.

Renault,F.（1982）“La traite des esclaves Libye au XVIIIe siècle,” *Journal of African History*.

Emerit,M.（1954）“Les liaisons terrestres entre le Soudan et l'afrique du Nord au XVIIIe et au debut de XIXe siècle,”

Universte d' Alger Travaux de L' institut de Recherches, Sahariennes TomeXIIer semestre.

Lyon,G.F.（1821）*A Narrative of travels in Northen Africa in the years 1818. 19 and 20*, London.

Austen,R.A.（1979）"The Trans-Saharan Slave Trade; A Tentative Census," H.A.Germaery and J.S. Hogendron eds., *The Uncommon Market*, New York.

Miege,J.L.（1975）"La Libye et le Commerce Transsaharien au XIXe siècle," *Revue de l' occident Musulman et de la Miditerranee*, Ier semestre.

デビッドソン、B（一九七五）『ブラック・マザー』内山敏訳、理論社。

南里章二（一九九〇）「サハラ砂漠のキャラバン・ルート——その歴史的展望」『兵庫史学』第三六号。

第11章

環大西洋世界に鼓動する革命運動

リオのカーニバル

十八世紀後半に入ると、環大西洋世界では「独立と革命」の嵐が吹き荒れる激動の時代が始まる。まずアメリカのイギリスに対する独立運動は、大西洋対岸のフランスに飛び火する。フランス革命末期に登場したナポレオンの没落後「独立と革命」波は、再び大西洋を逆流してラテン・アメリカへ押し寄せる。ホセ・デ・サンマルティンやシモン・ボリーバルの活躍はクリオーリョ（ラテン・アメリカにおける植民地生まれの白人）によるクリオーリョのための「独立と革命」であり、きわめて不完全なものであったが、少なくとも植民地世界という屈辱的な状況は払拭された。

そしてこの波は再び大西洋を越えて一八三〇年のフランス七月革命、一八四八年のフランス二月革命、ドイツ、オーストリアの三月革命を引き起こし、十九世紀後半のヨーロッパ諸国の国民国家形成につながることになる。この章ではこれらの動きを追ってみよう。

1　アメリカの独立（革命）運動

†メイフラワー号のプリマス到着

一六二〇年十二月十六日、一隻の帆船が、現在のボストン郊外プリマスに着いた。イギリスの同名のプリマス港を出航して六十六日後のことであった。船の名は「メイフラワー二世号」（写真1）。乗組員は一〇二名のピルグリム・ファーザーズ（巡礼の父たち）と呼ばれる人々であった。当時のイギリスは、宗教改革をめぐって争いの絶えない世界であった。ピューリタン（清教徒）と称されたこれらの人々は、イギリス国内での宗教改革の動きに同調できず、純粋な信仰を守ることができる新天地を求めてここまでやってきたのであった。しかし宗教的情熱によってのみ移住が開始されたというわけでもないだろう。やはり本国では達成しづらい世俗的な夢（一攫千金など）をかなえようとした人たちも中にはいたのではないだろうか。

現在のプリマス湾岸に停泊しているメイフラワー二世号は一九五五年にイギリスで復元された船舶ではあるが、内部は当時ままの船室が再現され、厳しかった航海を偲ぶことができる（写真2・3）。

ここから海岸に沿って三マイル東に「一六二七年のピルグリム・ヴィレッジ」（写真4〜7）がある。藁葺きの屋根、木

2（上）　船内（復元）
3（下）　乗客に扮した学芸員

1　メイフラワー二世号

4　入植当時を再現したピルグリム・ヴィレッジ

5　再現された当時の室内

6　当時の衣装で家事をする学芸員

造の質素な家が数十件立ち並び、庭の囲いの中には羊や鶏が飼われ、家の中では当時の衣装をまとった人たちが、当時の言葉を喋りながら生活している（当時の人々の生活を再現しているのは博物館の学芸員）。イギリスからアメリカにやってきたのは決して彼らが最初ではないが、入植当時の様子はよく伝えられている。

† アメリカ独立運動揺籃の地

イギリスからアメリカへの移住が始まってから約一五〇年後に、「アメリカ独立革命」が起こる。その前後の状況は、フリーダム・トレイルというボストン市街の道路に引かれた赤い線をたどることによって知ることができる（写真8）。

イギリス政府は、七年戦争（一七五六～六三　インド、北米での英仏植民地戦争）の戦費

7　サンクス・ギビング・デーの想像画

8　フリーダム・トレイル

を賄うため、この戦争によって最も恩恵を浴したところという名目で、北米のイギリス植民地に対して印紙法、砂糖法、茶法など様々な名目で税金を課してきた。これに対して植民地議会は、自分たちの代表をイギリス議会に送り込む権利は認められていない、すなわち「代表権なくして課税なし」(P・ヘンリー)という原則を主張して、イギリス議会の立法権を否定した。この決議が採択されたことでよく知られる旧マサチューセッツ州議事堂(写真9)がまず目に入る。イギリス軍の動きを知らせるため深夜、ボストンからレキシントンに向かって馬で疾走したポール・リビアの馬上の像(写真10)と彼の生家、東の港に向かえばボストン茶会事件(イギリス東インド会社がボストン港に運んできた多くの茶箱を市民が海に放り投げた事件)の現場と記念碑(写真11・12)がある。さらにボストン郊外のコンコードに行けば、イギリス軍の攻撃に一瞬で農夫から兵士に早変わりしたというミニットマンの像(写真13)や、イギリス軍とアメリカ軍との間に最初に銃撃戦が行われたコンコード川にかかるオールド・ノース・ブリッジ(写真14)や、コンコード博物館(写真15)。ボストン対岸に向かえば独立戦争

9　旧マサチューセッツ州議事堂

10　疾走するポール・リビアの像

11(上)・12(下)　ボストン茶会事件の現場と記念碑

初期の最も激しい戦いが行われたというバンカーヒルに建てられた記念塔の中の展示室（写真16）等々。これらすべてのスポットをボストン及びその近郊の数日の滞在で見学することができる。

13　ミニットマン

14　オールド・ノース・ブリッジ

15　独立戦争のジオラマ（コンコード博物館）

†アメリカ独立宣言

一七七六年七月四日に独立宣言が読み上げられてから、圧倒的な軍事力を誇るイギリス軍に対して、苦戦を強いられ続けた植民地軍だが、総司令官ワシントンが指揮するゲリラ戦術を続け、植民地軍が支援を求めていたフランスやスペインが参戦するに及んでようやく勝利を勝ちとることができた。英米間に講和（アメリカ独立の承認）が成立したのは七年後の一七八三年であった（パリ条約）。

16　バンカーヒルの戦い（記念塔展示室）

アメリカの「独立革命」を鼓舞したのは、イギリス出身のアメリカ人トマス・ペインの『コモンセンス』という小冊子であった。植民地の権利を認めないイギリスに対して、アメリカが独立するのはもはや常識（コモンセンス）であるというものである。この小冊子はフランス語訳され、続くフランス革命に大きな影響を与え、またスペイン語訳され十八世紀前半のラテン・アメリカの独立運動にも大きな刺激を与えた。一七九一年にはペイン自身もフランスに渡り、フランス革命が最終段階に入った時期にその主導権を握っていた国民公会にも参加している。また戦時総司令官であったワシントンが、副官として任命したのが当時渡米してきたフランス貴族ラファイエット（写真17）である。これはフランスから戦争の支援を引き出すための伏線でもあった。彼は戦時の副官として戦うことよりも、T・ジェファーソンやB・フランクリンが起草した独立宣言（一七七六年七月四日）を羨望をもって見つめ、やがてそれをフランスで再現しようと心に誓っていた。一七八九年四月三十日、二年前に制定された合衆国憲法に則って議会選挙の結果、満場一致でG・ワシントンがアメリカ合衆国初代大統領となる。

17　ラファイエット像（マサチューセッツ州議会）

2　フランス革命

†王政打倒

この二か月半後の七月十四日、大西洋を越えたフランス、パリでは市民によってバスチーユ監獄が襲撃され、フランス革命の烽火が上がる。この十年ほど前、ブルボン王朝ルイ十六世は、アメリカの要請に従ってアメリカに出兵した。先述の七年戦争で、北米とインドにおけるフランス植民地を奪ったイギリスに報復打撃を与えようとしたのだ。しかしこれに費やした戦費と、以前からの王室による放漫財政のおかげで、フランスは財政危機に陥る。打開策として打ち出されたのが、それまで税の支払いを免除されていた特権階級（聖職者、貴族）に対する課税であった。この審議のために一七〇年以上もの間閉鎖されていた三部会（身分別議会）が再開される。すでにヴォルテール、モンテスキュー、ルソーらによって唱えられていた人間主義、三権分立、絶対王政批判など、啓蒙主義と呼ばれる思想は市民の中に浸透していた。十八世紀末のフランスは世界的にも高い識字率（約五〇パーセント）を有していたのだ。市民階級は、これを機会に自由と平等を求めて、「王政打倒」の声を上げ始める。王による弾圧を身近に感じ始めた民衆は、自ら武装して王による圧政の象徴（政治犯が収容されていたと思われていた）とされていたバスチーユ監獄（写真18）を襲撃したのであった。この動きを後押ししつつ民衆の動きを先導したのは、特権階級に属していた進歩的な貴族や聖職者（ラファイエット、ミラボー、シエースら）であった。

八月二十六日、ラファイエットは念願の人権宣言を起草する。これはいうまでもなく先述のアメリカ独立宣言に立脚した内容であった。しかしこの革命の成果を現実の生活の中で実感できなかった民衆の女性たちは、「パンをよこせ」と叫びながら、ヴェルサイユ宮殿（写真19）に行進して、ここに逃避していた王と王妃を連れ出す。王と王妃は、もともと住んでいたパリのチュイルリー宮殿（写真20）に戻らねばならなかった。これ以上革命の進行は危険だと考えていたラファイエットやミラボーたちは、このあたりで革命の幕引きを図ろうとする。王権の行使が議会によって規制される立憲王制がこの時点では最も望ましい、これ以上革命が進行すれば、特権階級である自分たちの存在が脅かされることになると考えた。

このほぼ半年後、パリで軟禁同然であったルイ十六世とその家族は、失地回復を図

18　バスチーユ（現在はオペラハウス）

19　ヴェルサイユ宮殿

20　チュイルリー宮殿跡

り、深夜王宮をひそかに抜け出した。王妃マリー・アントワネットの実家ハプスブルク家を頼って、オーストリアをめざしたのだが、大型馬車は速度を上げることができず、国境近くのヴァレンヌで捕らえられてしまう。この事件で国王は市民の信頼を完全に失い、ラファイエットら立憲君主派も自らの立場に大きな打撃を受け勢いを失う。

† 共和政の始まり

その三か月後に発足した立法議会では、立憲派に代わって共和主義派のジロンド党が主導権を握った。ジロンド党政権は翌一七九二年四月、オーストリアに対して先制的な宣戦布告をする。オーストリアは国王との関係が疑われ、すでに開戦準備を整えていたというのだ。同年八月十日フランス全土からパリに集結した義勇兵とパリ民衆は、チュイルリー宮殿を襲撃し、国王一家を近隣のタンプル塔に幽閉する。その直後、普通選挙（約七〇万人の二十一歳以上の男子全員といわれる。しかし投票したのは一〇万人前後だった）で成立した国民公会は、王制廃止宣言と共和政の宣言を行う。翌一七九三年一月、国民公会は国王ルイ十六世の処刑を決定。しかし執行猶予付きの死刑賛成が二十六票あり、これを反対側に含めるとわずか一票差（三六一対三六〇）の決定であった。一月二十一日、現在のコンコルド広場（写真21）に置かれたギロチンで国王は首を刎ねられた。国王の首が落とされた瞬間、見物していた民衆の間には一瞬沈黙が流れた。が、すぐに歓声が上がったという。

　これを知ったフランスを囲む諸外国は、すべて王政国家であったので、国王の首が刎ねられるような革命が自国に及ぶことを恐れ、この震源を発つためにフランスに宣戦する。この戦いに備えようと、国民公会はフランス全土に徴兵令を発動する。しかしそれに反発した農村部、特にフランス西部ヴァンデ地方では大規模な反乱が勃発する。さらにそれに乗じて王権復活を目指す王党派の動きが加わり、事態がま

21　コンコルド広場

すます深刻になってきた。また不穏な政情のため物資の流通が途絶える。パリではインフレが進行して人々の生活が脅かされ始める。ここまで政治の主導権を握ってきたジロンド党は、このような戦争、内乱、インフレという三重苦に対して政治的にまったく無策であった。

†過激派による恐怖政治と市民階級による統治

そのようなジロンド党に代わって、市民の声を背景にロベスピエールらを指導者とするさらに過激なモンターニュ派が国民公会の主導権を握るようになった。モンターニュ派はこのような国家の危機を乗り越えるために公安委員会、革命裁判所などを設置して独裁的な恐怖政治を始める。王妃マリー・アントワネット（写真22）の処刑をはじめ、立憲王党派、モンターニュ派と革命の主導権を争っていたジロンド党員たちも次々と反革命の汚名を着せられ断頭台へと送られた。一七九三年四月から七月にかけては、二五〇〇人以上が処刑台に送り込まれ、ギロチンの犠牲となったという。

さらにモンターニュ派指導部は、諸外国との戦争にあたっても国民総力戦を展開する。当時ヨーロッパ諸国の中で最大の人口を持っていたフランスは、軍の規模においては他国をはるかにしのいでいた。この男子総動員令に加え女性、子供、老人たちも後方支援に回り、外国勢力に対する戦いに次々に勝利をおさめていく。また物価統制令を発動してパンなどの食糧品をはじめとする生活必需品には公定価格を定め、違反者は処刑するという強行姿勢でようやくこの三重苦を乗り越えることができたのだ。

しかし、内外の反革命勢力が後退すると、公安委員会内部での対立が深まってくる。「外の敵が治まると矛先は内に向く」という古来の言い伝えどおり、指導部の中で内部対立が激化してゆく。やがてこの疑心暗鬼の中でテルミドール派と呼ばれるやや保守的な勢力が台頭してくる。一七九四年七月、それまで卓越した指導力を

22　パリ、コンシェルジュリーに再現されたマリー・アントワネットの独房

発揮してきた「無私の人」ロベスピエールまでもが処刑されてしまった。

この後五人の総裁による集団指導体制（総裁政府）によって、王政への復古と、独裁的恐怖政治が再現されることを避けながら、ブルジョワ（有産）市民階級の利益が守られることになった。

フランス革命は貴族、ブルジョワ、民衆それぞれの要求が相克する中で複雑な動きを展開した。ここまでこの世界史上においても稀有な、目がくらむような激しい歴史的展開を遂げた期間がわずか五年足らずであったというのが何よりも驚かされる。

†ナポレオンの台頭

私がパリを訪ねた時、必ず泊まるホテル（写真23）がある。セーヌ右岸、ルーブル美術館より徒歩五分、高級商店街サント・ノーレ通りに面していて、イギリスとの百年戦争（一三三九〜一四五三）で活躍したジャンヌ・ダルクの騎馬像（写真24）があるピラミッド広場にも近いところにある。一九七三年の初めてのヨーロッパ旅行でたまたま飛び込んだいわゆるプティ・ホテルで、パリの一等地にあるにもかかわらずホテル代は高くはなかった。一九八六年、パリにある高等社会科学研究所アフリカ研究センターに客員研究員として赴任した時には、三か月以上もこのホテルの屋根裏部屋に滞在した。ここ四十年ほどの間に物価も上がり、経営者も変わり、今は決して安ホテルではなくなってしまったが、パリを訪れる時には、長年の習慣からいつもここに泊まらずにはいられな

23　サント・ノーレ通りのホテル

24　ピラミッド広場のジャンヌ・ダルク像

くなってしまった。このホテルの東側、細い路地を挟んだところにサン・ロック教会（写真25）がある。一時間おきに鳴り響く鐘の音に、パリ風情を感じたものだ。

25　サン・ロック教会

26　ヴァンドーム広場（アウステルリッツの三帝会戦の勝利記念碑、敵軍から奪った大砲をもとに造られたもの）

　このサン・ロック教会は、十四世紀にペスト患者を救済したという伝説の聖人サン・ロックに由来するもので、一六五三年、ルイ十四世時代にここに礎石が築かれた。革命前の一七五二年にはロココ風のパイプオルガンが設置され、現在でも時々演奏会が開かれて、パリの人々や旅行者に夕べの潤いをもたらしてくれる。ここは革命後の一七九五年、ヴァンデミエール（革命暦、ほぼ十月頃）の王党派反乱鎮圧のために起用された軍人ナポレオンが、この教会に立てこもっていた王党派の反乱軍に大砲弾を打ち込み、見事鎮圧に成功したところでもある。ナポレオンは革命時の総力戦のさなか、地中海沿岸トゥーロン港に築かれたイギリス軍の砦を陥落させたことにより、有能な軍人としてすでに評価されていたが、これですっかり有名になった。ナポレオンは「ヴァンデミエール将軍」と呼ばれ、やがて軍総司令官に任命される。翌年ジョセフィーヌ（総裁政府の実力者バラスの愛人であった）と結婚し、その直後イタリア遠征に出発することになる。

　イギリスを中心に結成された第二回対仏同盟（一七九九～一八〇二、参加国はオーストリア、ロシア、プロイセンなど）の時期には、ナポレオンは敵対するイギリスに打撃を与えようと、イギリスとインドの海上交易ルートの中間点であるエジプトに攻撃の目標を定めた。ここ「ピラミッドの戦い」（写真27）と呼ばれる陸の戦いでは、ナポレオンの勝利。しかし海上戦では、アレクサンドリアに停泊していたフランス艦隊がネルソン提督率いるイギリス艦隊に壊滅させられてしまう。

　その頃フランス国内では、対仏同盟に対して敗戦を重ねる総裁政府の無策ぶりに人々は愛想をつかし始めていた。

強運なナポレオンは、イギリス軍の包囲網をかいくぐってエジプトから脱出して奇跡的にパリに帰着。彼はまもなくブリュメール（霜月、十一月頃）のクーデターで総裁政府を倒し、統領政府をうちたてる。この時期ナポレオンを含めて登場した三人の統領のうちの一人は、革命初期にラファイエットらとともに活躍した僧侶階級出身のシエースであった。シエースはロベスピエール独裁時には処刑を恐れて身を潜めていたが、この期に及んで自らの出番がやってきたと踏んで再登場してきた。ナポレオンはこのシエースを引きずり下ろし、自らを第一統領、終身統領として着々と足場を固めていく（写真28）。

27　ナポレオンはスフィンクスをバックに兵士を激励した

28　サン・ベルナール峠のナポレオン（左下にハンニバルの文字、ルーブル美術館展示より）

†ナポレオンによるヨーロッパ遠征

ナポレオンは一八〇四年十二月二日、セーヌ川シテ島にあるノートルダム大聖堂にローマ法王ピオ三世を呼びつけ、強引な皇帝戴冠式を行う。この光景は現在ルーブル美術館にある画家ダビッドによる『ナポレオンの戴冠式』（写真29）に委細が描かれている。法王の手から王冠を取り上げ、跪くジョセフィーヌに戴かせようとするナポレオンのポーズは、革命に忠実な体現者であるという演出であったにもかかわらず、それは単なる独裁者であることを自ら公言してはばからない構図となっている。

一八〇五〜〇七年、フランス皇帝となったナポレオンは、フランスの強大化を警戒

29　戴冠式（ルーブル美術館所蔵）

するヨーロッパ諸国による第三回対仏同盟に対して相次いで戦いを挑む。ウルム（対オーストリア）、アウステルリッツ（対オーストリア、ロシア連合軍、三帝会戦といわれる　写真26）、イエナ、アウエルシュタット（対プロイセン）での戦いではすべて勝利をおさめたが、海上ではナポレオンの別動隊であったフランス、スペイン連合艦隊が、スペイン南岸沖トラファルガーの海戦（一八〇五年）でイギリス艦隊に敗れてしまう（イギリスのネルソン提督はこの戦いで戦死する。写真30）。

ナポレオンがプロイセンに勝利をおさめた後、勝てなかったイギリスに打撃を与えるため、ベルリンから公布した大陸封鎖令（大陸の諸国とイギリスとの交易を禁止するもの）はしばらくの間守られたが、逆に穀物、木材の輸出を禁止されて経済的苦境に陥ったプロイセンやロシアの離反を招くことになる。

第9章で見てきたスペインは、すでに衰退期に入り国内では王位継承をめぐる内紛に明け暮れていた。この機に乗じたナポレオンはスペイン支配をもくろみ、兄ジョゼフ（在位一八〇八～一三）をスペイン王として送り込んだが、市民、農民たちによるゲリラ戦に悩まされ続ける。一方この混乱期に再び反攻に出たオーストリア軍に対しては、再度制圧に成功する。

ヨーロッパ世界全体の制覇を目指したナポレオンの次なる攻撃目標は、イギリスへの穀物、木材の輸出をやめようとしないロシアであった。一八一二年六月、ナポレオンは六十万を超える大軍をロシアに向かわせた。その半数以上がオーストリア、プロイセンなどからの徴兵であったので、士気はそれほど高くなかったといわれる。それでもモスクワ手前のボロディノで、ロシア軍率いるクトゥーゾフ将軍との決戦には勝利をおさめる。ナポレオンは即座にモスクワになだれ込む。しかしモスクワの人々は、すでに郊外に疎開して、街はもぬけの殻であった。クトゥーゾフの作戦は、ここで辛抱強く冬の到来を待ち、ナポレオン軍を消耗させることだった。十月になりクトゥーゾフの作戦に気づいたナポ

30　モントリオール（カナダ）にあるトラファルガー記念碑

レオンは、撤退を開始する。退却するナポレオン軍の背後をロシア軍が執拗に攻撃を繰り返す。この防戦と飢えと寒さにナポレオン軍は壊滅同然となった。こうしてナポレオンによる一八一二年のロシア遠征は大失敗に終わった。

† 王政復古

これを機に一八一三年、プロイセン、ロシア、オーストリアの同盟は再成立され、各国は解放戦争に立ち上がる。翌一八一四年には同盟軍はライン川を越え、フランス領内になだれ込む。善戦むなしく同盟軍に敗れたナポレオンは、退位勧告を受諾してエルバ島に流される。フランスはルイ十六世の弟、プロヴァンス伯ルイ十八世を王位につける。王政復古である。しかし翌一八一五年、エルバ島を脱出したナポレオンは徒歩でパリに戻る。慌てふためいてパリから逃げ出したルイ十八世を尻目にナポレオンは、再度皇帝の座についた。ヨーロッパ各国は再度同盟を結び、ナポレオンに対峙する。彼らに対しナポレオンは満を持して臨んだもののワーテルロー（フランスとの国境に近い現ベルギー南部）の戦い（写真31～33）でウェリントン率いるイギリス軍に敗れる。これによって、ナポレオンのこの百日天下は終焉を迎える。大西洋の孤島セント・ヘレナに流されたナポレオンは、一八二一

31（上）・32（下） ワーテルロー

33 ウェリントン宿舎跡

年、ここでその波乱に満ちた生涯を閉じた（写真34・35）。このあとフランスでは頑迷なルイ十八世が再度王位につき、本格的な王政復古となった。

　フランス革命が残したサンキュロットと呼ばれた革命的な農民、労働者を含む無産市民中心の大規模な軍勢を受け継いだナポレオンは、当初革命の精神をヨーロッパ全土に伝えるという使命感を抱いていたことは事実であろう。しかしその後の彼の行動は、権力欲に駆られた単なる独裁者への道を歩んでしまった。フランス革命は、ナポレオンの登場と退場によって終わりを告げた。革命とはいったい何だったのだろうか、という疑問はおそらく当時の人々も抱いていたに違いない。

　アメリカ独立革命は大西洋を越えて、フランス革命を導き出した。革命の波は再び大西洋を渡り、今度はラテン・アメリカへ伝播することになる。

34　アンヴァリッド（廃兵院、現在は軍事博物館）

35　地下室にあるナポレオンの棺

3　ラテン・アメリカ独立革命

✝ハイチの独立

　一七九一年、大西洋西のカリブ海に浮かぶサント・ドミンゴ島（現イスパニョーラ島）で、一人の解放黒人奴隷がこの島の西半分を支配するフランス軍に立ち向かった。その男の名はフランソワ・トゥーサン（一七四四頃～一八〇三）である。

　フランス革命直後の革命政府は、このハイチ（現ドミニカ共和国の西）の独立をいったん認めたが、この後に登場したナポレオンはこの反乱軍の鎮圧を命じた。トゥーサンは捕らえられ、フランスで獄死する。しかしその後トゥーサンの部下デサリーヌは、フランス遠征軍を撃退し、一八〇四年ハイチは、フランスより独立を勝ち取ることができた。デサリーヌは帝政を敷くが、二年後に暗殺される。やがてハイチは二分され北部を支配する黒人将軍アンリ・クリストフは皇帝を称し、ラミエールの丘に強固な城塞を建造する（写真36、現在の首都ポルトープランスの北約二〇〇キロメートル、大西洋に面するケープ・ヘイシャンから車で数十分）。麓にあるサン・スーシ宮殿（写真37・38）はヴェルサイユを模したものだといわれるが、その背後にそびえるラ・フェリエールの山頂には高さ五〇メートルのシタデル（城塞、写真39）がある。車を下りて歩くこと約二十分、よくもこんなに高いところにと思う場所に堂々とした石造りの要塞が姿を現す。この要塞はきわめてユニークな変則的楕円（写真40）の形をしている。ここにはトゥーサン以来、フランス軍との戦いで分捕った一五〇門の大砲が並んでいる。まさに黒人たちの意地を見せつけるような建造物であった。

　二〇〇三年四月、当時のハイチ大統領アリスティドは、先述のフランスによる奴隷交易、奴隷制度によりハイチ国民が受けた人道上の被害に対して、フランス政府に賠償金「返還」の訴えを起こした。この奴隷制は国民公会によっていったん廃止されていたが、ナポレオンが復活

37（上）・38（下）　サン・スーシ宮殿

36　ハイチの首都ポルトープランスの人々

したものであった。この訴えは翌年、アリスティド大統領がクーデターのあおりを受けて亡命したことで立ち消えになってしまったが、フランスではこの訴えを検討する委員会が立ち上げられ、一八二五年にハイチがフランスから独立した当時の状況が詳細に調べ上げられた。「返還」というのは、当時のハイチ政府がフランス、シャルル十世（四〇三頁参照）に対して独立の代償として支払った九〇〇〇万フランの賠償金を返還せよというものだったのだ。委員会は現在困窮するハイチの経済状況は、奴隷制度とその後遺症に大きく起因しているという結論を出した（『植民地責任論』永原陽子編、青木書店、二〇〇九年）。

最終的にはこの話は立ち消えとなり、現在のフランスがとるべき責任はうやむやにされてしまったが、旧植民地が旧宗主国に対する責任を問いかける可能性は今後もありうると提示されたことには大いに意義があった。

39（上）・40（下）　ラ・フェリエールのシタデル（要塞）

†独立の雄、ホセ・デ・サンマルティン

一九九三年八月、チリの首都サンティアゴのバス・ターミナルからアンデスの山並みをめざして、アルゼンチンとの国境に向かう。チリ側の斜面はスキー場となっていて、雪をかきわけた道路の上空をスキー客が乗ったリフトが行き交う。いつの間にかバスに乗り込んでいたチリの係官が、乗客のパスポート・チェックを始めた。やがて平坦な峠にさしかかり、長さ三キロあまりのトンネルをくぐるとアルゼンチン側の国境（写真41）に出た。晴れていればアンデス山脈最高峰のアコンカグア（六九六〇メートル）がこの北側に見えるはずだ。

一八一七年、この近くのウスパジャータ峠をアルゼンチン側からチリ側に、五〇〇〇名からなる義勇軍を率いて進軍し、スペイン王党派軍と戦い、意表をつかれたチリ駐屯副王軍をチャカブコの戦いで大敗させた人物がいる。南米独立の一方の雄、ホセ・デ・サン・マルティンだ。彼は四〇〇〇メートルを越すこのアンデスの峠越えをその四年前から画策し、兵士たちがこの標高での薄い空気に耐えることができるように、周到に準備と訓練を重ねて実施したものであった。

アルゼンチン側のアンデスの斜面にさしかかると、とたんに雪が少なくなる。メンドーサ川に沿って下り、メンドーサの町を見下ろす高台付近に着く。ここにサン・マルティン公園があり、その中心部にサン・マルティンの騎馬像（写真42）がある。馬にまたがるサン・マルティンは意外と小柄な男であったようだ。

アメリカ独立宣言の二年後の一七七八年、アルゼンチンの北辺境の地で、スペイン軍人の子として生まれたサン・マルティンはスペイン本国に渡り、軍人としての教育を受けた後、一八〇八年、陸軍大佐としてスペインに侵攻したフランス、ナポレオン軍と戦い、やがてラ・プラタ（ブエノスアイレスの近郊都市）に帰還。一八一四年にはメンドーサ（写真43）でクーヨ州の知事となって、当時ペルーから南下しラ・プラタを脅かすスペイン副王軍を攻略する決意を固めた。まずアンデス越えでチリに進攻し、その後船で太平洋岸に沿って北上し、ペルーのリマを攻撃す

41　チリ・アルゼンチン国境付近

42　サン・マルティンの騎馬像（メンドーサ）

43　メンドーサのボデガ（ワイン製造所）

るというものだった。サン・マルティンはまず、アンデス山脈西のチリ側斜面にあるチャカブコでの戦いでスペイン軍に勝利した後、独立チリ軍を支援して、マイブの戦いでチリ駐屯副王軍を破り、一八一八年チリの独立解放を実現する。この義勇軍の中には多くの解放黒人奴隷が含まれていたという。

チリ独立の二年後、サン・マルティンはリマに入り、翌年ペルー独立を成功させ、彼は護国卿という称号を受ける。その翌年再度ペルー副王軍と戦うが、今度は敗戦を喫してしまう。この時、現エクアドルの首都キトーより南下してきた南米独立のもう一方の雄、シモン・ボリーバルとグアヤキルでの会談に臨む。二人きりの会談であったらしくその内容の詳細は後世には伝わっていない。しかしその直後、サン・マルティンはなぜか突如独立戦争から手を引き、ブエノスアイレスに帰還する。無私の人であったサン・マルティンは、「両雄並び立たず」の事態を恐れ、自ら身を引いたのではないかともいわれている。その後フランスに渡り、一八五一年彼はほとんど人に知られることなく寂しく死んでいったという。

現在、アルゼンチン、ブエノスアイレス中心部にある大統領府（写真44）の近くにあるメトロポリタン大聖堂に、サン・マルティンの遺体が安置されている。この南、十数ブロックのところに国立歴史博物館があり、この中にサン・マルティンがフランスで亡くなった時の部屋が再現されていた。彼が生前使用していたベッドが置かれていたが、メンドーサで見た騎馬像のとおり小柄な男であったことがよくわかる。またアルゼンチン第二の都市コルドバ、北部の中心都市サルタをはじめ、アルゼンチン諸都市の中心部には必ずサン・マルティンの名が付された広場（写真45）があ

44　アルゼンチン大統領府

45　サン・マルティン騎馬像（サン・マルティン広場、ブエノスアイレス）

る。彼に対する歴史的評価は絶大なもので、アルゼンチンばかりでなく、ペルーの首都リマのセントロ（中心部）にもサン・マルティン広場があり、その一帯は最も華やかな繁華街である。第9章の最後で取り上げたアルゼンチン最南端の都市ウシュワイアのメインストリートもサン・マルティン通りである。

†もう一人の英雄、シモン・ボリーバル

翌一九九三年、今度はシモン・ボリーバルの足跡を求めて、ジャマイカの首都キングストンを発ち、ヴェネズエラのカラカスへ。国際空港はその名もシモン・ボリーバル国際空港だ。市の中心部にもボリーバル広場があり、ここから一ブロック東に行ったところにボリーバルの生家（写真46・47）がある。南米各地からの観光客とヴェネズエラ国内からの小中学生でごったがえす館内は、一言でいえば貴族の館の装いである。ヴェネズエラの著名な画家ティト・サラスによってボリーバルの生涯が描かれた壁画をはじめ、室内はボリーバルに対する賛美に溢れている。

この裕福な家に生まれたボリーバルは、十六歳から二十四歳まで本国スペインなどヨーロッパ各地に滞在した。

46（上）・47（下）　シモン・ボリーバルの家（カラカス）

サン・マルティンとボリーバルの進路

この間ロンドンで南米独立運動の先駆者ミランダと出会い、心動かされる。帰国後ボリーバルは、すぐに独立運動に身を投じ、ミランダによるヴェネズエラの独立宣言に立ち会う。しかしその直後、南米北部を襲った大地震をきっかけに、王党派軍の巻き返しが始まる。この時すでにミランダと主張を異にしていたボリーバルは、独自の軍を率いて戦うが敗走。一時ジャマイカに亡命する。翌一八一六年ヴェネズエラに帰還した彼は、三年後ボヤカの戦いでヌエバ・グラナダ副王軍を撃破し、コロンビアのボゴタを占領する。そしてヴェネズエラに戻り、カラボボの戦いに勝利し、カラカスを再度占領する。この戦いの模様は、カラカスの国会議事堂（写真48）の敷地内にある建物の天井画（写真49）に大きく描かれている。観光客だけが行き交い、ヤシの葉が風にそよぐ南国風ののんびりした議会である。またボリーバル広場の中央に建つ彼の騎馬像（写真50）の周りには絶えず花束が添えられている。カラカスの町で何か記念事業が興されるときには、その成功を祈って人々は、この騎馬像の周りに花束を添える習慣があるという。

48　国会議事堂

49　カラボボの戦い（天井画）

50　シモン・ボリーバルの騎馬像（シモン・ボリーバル広場、カラカス）

　現在ヴェネズエラでは独裁的な大統領チャベス（二〇一三年死亡、国名をヴェネズエラ・ボリーバル共和国に変更）の後継者マドゥロと、暫定大統領となったグァイドの激しい政権争奪戦が繰り広げられている。この国はかつては南米でも指折りの資源国であったが石油に依存しすぎ、今や国家破綻の危機に瀕している。あの議会ののんびりした雰囲気はどこかに吹っ飛んでしまっていることだろう。

†グラン・コロンビア共和国の成立

一八二一年八月には、現ヴェネズエラとコロンビア、エクアドルを併せたグラン・コロンビア共和国の成立が宣言され、ボリーバルはその初代大統領となった。そして彼は、当初より協力して戦ってきたサンタンデル将軍を副大統領として指名する。現在のコロンビアの首都サンタフェ・デ・ボゴタの町の中心部も、やはりボリーバル広場と名付けられ、そのやや南にある現大統領官邸は、もともとボリーバルの住居であったという。ここから東に約一キロ歩けばボリーバルがボゴタ滞在当時、別荘として使っていた「ボリーバルの家」（写真51）がある。スペイン風の大きく美しい中庭を取り囲むようにいくつもの部屋があり、その中の一室には彼が生前使用していた家具調度品がそのまま残されている。特にピアノがある部屋でボリーバルは愛人と過ごすひとときを好んでいたという。

先述のペルー、ボリビア解放のための戦いに向かう前に、ボリーバルはグラン・コロンビアの統治をサンタンデルに委ねた。サンタンデルの名を付した公園も、やはり、ボリーバル広場の近くにあり、そこに彼の像（写真52）が立っている。しかし後に二人は不仲となりコロンビア、ヴェネズエラ、エクアドルは現在のような三国に分離することになる。あくまで中央集権国家の成立を主張し、最終的には南米全体を統一する夢を持ち続けたボリーバルは一八三〇年、失意のうちに世を去る。彼の

51　「ボリーバルの家」（サンタフェ・デ・ボゴタ）

52　サンタンデル将軍像

遺体は、現在カラカスの国立霊廟（パンテオン、写真53・54）にミランダとともに祀られている。

ホセ・デ・サン・マルティンとシモン・ボリーバル、ともにスペインより南米を解放した人物としてよく知られ、南米各地ではその功績が高く評価されている。しかし残念ながら彼らはまた南米の新たな征服者であったとも考えられよう。クリオーリョ（ラテン・アメリカ生まれのスペイン人）出身の二人は、ペニンスラー（スペインからラテン・アメリカにやってきた人々）とは、独立をめぐって熾烈な戦いを繰り広げたのだが、先住民のインディヘナ（インディオ）、またスペイン人と先住民の混血（メスティーソ）の人々、アフリカより連れてこられた黒人奴隷たち、そして彼らとの混血（ムラート）の人々の協力があったからこそ達成された独立運動であったにもかかわらず、彼らを同志と考えることはほとんどなかった。特にクリオーリョ対先住民、対メスティーソに関してはその後もたびたび大きな政治問題を引き起こし、政情、治安の不安定要因を作り出して現在に至っている。これらと同様の経緯をメキシコの独立とその後の歴史を簡単にたどることによって確かめてみよう。

53（上）・54（下）　国立霊廟（パンテオン、カラカス）

†メキシコの独立

一九五二年に公開された映画『革命児サパタ』（エリア・カザン監督、ジョン・スタインベック脚本、マーロン・ブランド主演）は、メキシコ、モレロス州に生まれた先住民の血を引くメスティーソ出身、エミリアーノ・サパタ（一八七九〜一九一九）を描いたものであった。農地改革を訴え、農民放棄を繰り返したサパタは北部の開明的地主マデーロ

（一九一一年に大統領となる）と組んで、三十四年間にわたって大統領の地位についていた独裁者ディアスの追放に成功するが、農地改革を主張するサパタの武装解除を要求するマデーロと対立する。マデーロが反革命派の軍人ウエルタ将軍によって暗殺されると、サパタは軍を向こうに回し戦い続けるが、最初は共闘関係にあった保守的な地主階級の勢力に裏切られ、斬殺されてしまう。農民兵たちはサパタがどこかで生きていると信じて戦いを続けていく……。

スペイン統治時代末期、最も繁栄していたのはヌエバ・イスパーニャ、現メキシコである。ラテン・アメリカで一八〇四年に最初に独立の産声を上げたハイチに続いたのはメキシコであった（写真55～57）。一八一〇年、クリオーリョ出身の司祭、イダルゴが支配階級の富裕なスペイン人に対して、初めて明確な独立意識を掲げて闘争を展開し始めた。しかし保守的なクリオーリョに支持された副王軍の民兵たちによって鎮圧されてしまう。この闘争に参加し運動を引き継いだメスティーソ出身のモラレスが、農民層に不利な税制の改革を唱えつつ、一八一三年に独立宣言をして翌年憲法発布にまでこぎつけたが、副王軍の反撃によって、彼は捕らえられ、処刑されてしまった。

一八一四年、宗主国スペインではナポレオン没落後王位についたフェルナンド七世（在位～一八三三）が次第に専制化していくことに対して自由主義的改革が叫

55（上）・56（中）・57（下）　メキシコ南部の町オアハカで毎年七月末に行われるゲラゲッツィア祭。トウモロコシの神に感謝をささげるために行われる先住民の文化を受け継ぐ祭りである

ばれ始めた。植民地のメスティーソや先住民にも選挙権が与えられることを危惧したクリオーリョたちは、植民地時代に築かれた彼らの利益を守るため独立運動の指導者として土地所有者で軍人であった保守的なクリオーリョ、アグスティン・デ・イトゥルビデを担ぎ出し、メキシコ市を占領。一八二一年に独立宣言を発布して、臨時政府を樹立する。しかし先述のサン・マルティンとボリーバルの活躍とその影響によりメキシコの独立が達成されたのは、実は独立に反対していた人々によってなされたということであったのだ。翌年、アグスティン王と称し、立憲君主として王位についたイトゥルビデの政策は無能かつ専制的なものであった。イトゥルビデは反発を受け、一八二三年には退位に追いやられる。

この混乱に乗じてスペイン軍が再度侵略をしてくる。これを撃退したのが多くの私兵を抱え、イトゥルビデ追放に一役買った富裕な軍人、サンタ・アナ（同じくクリオーリョ）であった。彼は一八三三年から一八五五年までの間に四回大統領の座につき、アメリカとはテキサス領有をめぐって、フランスともベラクルス港をめぐる戦争を続けた。その間、戦闘で失った彼の左足を「国葬」するというような典型的な独裁者であった。

このサンタ・アナに対して、自由主義者による反乱が相次ぎ、一八五七年から三年間は、国内は内戦状態に陥る。外港ベラクルスをめぐって争っていたフランスのナポレオン三世はメキシコに大きな野心を抱き続け、この機に乗じて出兵。一八六三年にはメキシコを占領して、ハプスブルク家のマクシミリアン大公をメキシコ皇帝に据えつけてしまった。フランス軍に対してゲリラ戦を続け、亡命政府を率いていたファレス（先住民サポテカ族の出身、インディヘナ）が、普墺戦争（一八六七年に起こったプロイセンとオーストリアの戦争）でプロイセンの強大化を恐れ

58 「アラモの砦」となったサン・アントニオ（米）の教会（テキサス領有をめざしたサンタ・アナ率いるメキシコ軍3000人に対して182人のテキサス義勇兵が応戦し、全員戦死、しかしテキサスはアメリカが領有することになった）

たフランス軍の撤退時に帰国。その前後にマクシミリアンは自由主義者の手で処刑されてしまう。その後大統領として、秩序回復、メキシコの近代化に奔走したファレスもメキシコの多数を占めるインディヘナ（先住民）の生活改善には頓挫してしまう。内戦と対フランス戦は軍部の力を強大に育て上げ、一八七六年から三十四年間はクーデターを起こした将軍ディアスが大統領としてメキシコを支配する。彼による「強制された平和」が作り出した秩序安定は米英など外国資本を呼び寄せ、経済的発展は目覚ましかったが、一方では土地の私的所有化も進み、当時の農村人口一千万のうち九五パーセントが土地のない農民となった。また都会では労働者階級による大規模なストライキも発生した。やがてディアスもまた、最初に述べたサパタやマデーロによって政権を追われる。

二十世紀前半期に入り、「新アステカ主義」「壁画運動」などようやく先住民文化の覚醒が目に見える形で現れることになるが、「クリオーリョ」もしくは保守富裕階層による支配とメスティーソ、ムラート、先住民勢力とのせめぎあいは現在に至るまで続いている。話は十九世紀前半に戻るが、F・トゥーサン、サン・マルティンとボリーバルらの活躍とその影響により、十九世紀前半、ラテン・アメリカでは以下の国々が独立した。ハイチ（一八〇四年）、パラグアイ（一八一一年）、アルゼンチン（一八一六年）、チリ（一八一八年）、メキシコ

ラテンアメリカ諸国の独立

59　メキシコシティの独立記念塔、1810 年の独立戦争から百数年、ディアス大統領時代末期の 1910 年に建造されたもの

（一八二一年）、ペルー（一八二一年）、エクアドル（一八二二年）、ブラジル（一八二二年）、中央アメリカ連邦（一八二三年、一八三九年に五つに解体）、ボリビア（一八二五年）、ウルグアイ（一八二八年）、ヴェネズエラ（一八三〇年）、コロンビア（一八三〇年）、ドミニカ（一八四四年）。

第9章で述べたように、まだまだ未完成の段階ではあるが、自らを主体とする国づくりの動きが十九世紀前半のラテン・アメリカ各国の独立を契機に次第に活発化したことだけは確かであろう。以上のすべての国を取り上げることはとても無理であるが、次に一つだけ、これはスペイン領ではなくポルトガル領であったのだが、独自の経済発展を遂げたブラジルを取り上げてみよう。

4　ブラジルの歴史とリオのカーニバル

† ポルトガル植民地時代

第9章で述べたようにブラジルはバスコ・ダ・ガマが開拓した航路をたどったカブラルが、一五〇〇年に漂着したことがきっかけとなりポルトガル植民地となったのであった。その後十九世紀初めには、隣国スペインへの侵略を続けていたナポレオンの支配から逃れようと、ポルトガルの王室（国王はジョアン六世）が一時、首都をリスボンからリオ・デ・ジャネイロに移転していた。ナポレオンに対立していたイギリスは、ポルトガルを経済的に援助していた（対英通商条約）。この頃すでにブラジルでは奥地の金鉱採掘によって次々に死亡した先住民奴隷の代わりとして、アフリカから大量の奴隷がもたらされ、北西部におけるサトウキビ・プランテーションの労働力として利用されていた。

現在ポルトガルの人口は約一〇〇〇万、それに対してブラジルの人口は二億を超え（二〇一四年度）、旧宗主国の二十倍にもなり、その国家規模は桁違いに大きくなったが、十八世紀末から十九世紀にかけての本国（ポルトガル）と植民地（ブラジル）の人口は双方とも三〇〇万人と拮抗していた。これはスペインとその植民地との人口比とは大きな違いであった。

ナポレオンによる支配が終了した後、一八二〇年本国ポルトガルでは自由主義革命が起こり、革命委員会の要請により新憲法を承認するためにジョアン六世は帰国する。後を託された王子のペドロ親王は、一八二二年に本国に対して独立宣言をして、ペドロ一世としてブラジル皇帝に即位してしまう。スペインから独立を果たした他のラテン・アメリカの国々とは異なり、ブラジルは帝国として再出発することになったのだ。この頃からブラジルではコーヒー栽培が盛んに行われるようになり、主要生産物は砂糖からコーヒーへと移り変わってきた。そのため他国において、奴隷制が廃止される動きが活発化しても、奴隷の需要は高く、アフリカからの奴隷投入はさらに増強されていった。

一八三〇年には帝政に対する反乱が起こり、ペドロ一世は幼いペドロ二世を残して本国へ帰国。一八四〇年にペドロ二世（在位～一八八九）は十五歳になり、正式に皇帝即位を行う。彼は一八五〇年、ポルトガル植民地時代から経済的に依存していたイギリスからの圧力を受け、奴隷廃止宣言を行った。しかし奴隷の廃止宣言は地主階級の強い反発を受け、実質的な奴隷労働はそのまま続くことになり、この宣言は形骸化してしまう。

やがてペドロ二世は軍部のクーデターにより退位に追い込まれ、ヨーロッパに亡命。一八八九年、ブラジルは「ブラジル合州国」としてようやく共和政へと移り変わる。この頃よりアマゾン流域でゴム生産が盛んになり、主要生産物はコーヒーからさらにゴムへと移り変わる（写真60・61）。そしてブラジルは工業化よりも原料輸出を優先する国として独自

60　アマゾン川（マナウス上空より）

61　ゴム景気に支えられ建設されたオペラハウス（マナウス）

の発展を遂げながら二十世紀へと入っていく。このブラジルの集約農業を労働力として支えてきたのは、奴隷であろうとなかろうとアフリカ系の黒人たちであったのだ。

†リオのカーニバル

十八世紀初め、ブラジルに入植し始めたポルトガル人たちは、宗教的にはカトリックを持ち込んだ。古くからヨーロッパで行われていたカトリックの祝祭行事が、やがて多数の奴隷たちのルーツであるアフリカの祭りの習慣と徐々に混ざり合ってゆく。今日、カーニバルはブラジル各地で行われているが、何といってもブラジルのシンボリックなイメージとして世界中に知られたものは、「リオのカーニバル」（写真64～69）であろう。アフリカからやってきた黒人たちはリズミカルで伝統的な打楽器の演奏に合わせた「サンバ」を祭りの中に取り入れた。長い間奴隷制によって抑圧されてきた彼らは、カーニバルの期間中だ

62　コルコバードの丘（キリスト像は高さ 39.6m、1931 年建造）

63　リオ・デ・ジャネイロの光景

64

65

けは、皮膚の色による差別も、貧富の差も、主従の区別もなくこの祭を精一杯楽しむことができた。この行事には他のラテン・アメリカの国々とは異なる固有のブラジル固有の文化が色濃く反映されている。現在は日系人も含め、多種多様なグループが、自らのルーツを織り込んだストーリー性豊かなパフォーマンスを競い合っている。

映画『黒いオルフェ』（一九五九年、フランス、ブラジル、イタリア製作、マルセル・カミュ監督）の中でも描かれているように、以前カーニバルはリオの街中で繰り広げられていた。しかし国内外からの見物客がおびただしく増加したため、治安、安全面を考慮せざるをえなくなり、カーニバルの舞台は、リオの中心部に建設された「サンボードロム」（写真70）と呼ばれる全

66

67

69　リオのカーニバル（64～69）

68

70　サンボードロム（リオ・デ・ジャネイロ）

長約七〇〇メートルの会場に移された（一九八四年）。現在に至るまで毎年二月になるとこの会場はカーニバルのけたたましい熱気に溢れ返る。しかし入場料が高額であるため地元リオの住民からは不評の声が鳴りやまず、彼らは独自に街中でパフォーマンスを繰り広げているのが実情である。

5　ヨーロッパ
——一八三〇年と一八四八年——

†フランス七月革命（一八三〇年）

さて、ラテン・アメリカの国々の相次ぐ独立は再び大西洋を越えてヨーロッパ大陸へ波及することになる。十八世紀の末から十九世紀初めにかけてのヨーロッパは革命、そしてそれをめぐる混乱の時代であった。一八一五年にナポレオンが失脚して以降、ヨーロッパではその以前の時代の安寧を取り戻そうとする反動の時代となった。オーストリアのメッテルニヒ宰相主宰で開かれたウィーン会議（一八一四〜一五、写真71）では、ヨーロッパ大陸の政治形態を、フランス革命以前の状態に戻すこと（正統主義）、そして大国の勢力均衡を前提とした国際秩序を打ち立てることが決定された。しかしこの保守反動体制はいったん革命を経験し、自由や独立をめざした歴史の流れにまったく逆行するものであった。

一八二九年のオスマン帝国からのギリシャの独立は、ヨーロッパの大国からの独立ではなかったにせよ、この反動的歴史の流れに楔を打ち込んだものとして考えられよう。加えて先述のラテン・アメリカ諸国の独立は、ウィーン会議に参加した列強国からではなく、一時はナポレオンに占領され、その後も旧体制と自由主義との対立や混乱で弱体化してい

71　シェーンブルン宮殿（ウィーン会議の舞台）

たスペインからのものであったが、ヨーロッパの広範な人々の「革命よ、もう一度」という意識を高める大きな契機となったことは疑いない。

フランスでは、ルイ十八世が王位について王政復古をしたことは先述のとおりであるが、一八二四年に王位を継いだ彼の弟、アルトワ伯と呼ばれたシャルル十世は、兄にもまして頑迷な王であった。常日頃から市民が王権に反発し、再び自由を求める風潮を苦々しく思っており、一八三〇年に彼は地中海を挟む対岸のアルジェリアに出兵を命じる。これは為政者の常であるが、対外戦争を起こすことで一般市民の目をそらして、自らの支配力を強化しようというものであった。しかし市民は、このアルジェリア出兵にはさらに強く反発した。六月の選挙で民主派が優勢となった結果を不満とした王は、強引に議会を解散して言論の自由を弾圧し始めた。これに対して七月、市民による武装蜂起が始まる（七月革命）。この時、市民のグループに加わった（実際には市民軍の背後に隠れていたという）ドラクロワが当時のインスピレーションを描いたものが、現在ルーブル美術館に展示されている『民衆を導く自由の女神』（写真72）である。パリ市民は、市庁舎やノートルダム寺院を占拠して国王軍と衝突する。この時、市民たちの指導者として再度登場したのが、あのラファイエットであった。立憲王政派の立場で前回の革命運動に参加していた彼は、一七九二年八月十日チュルリー宮殿襲撃事件の時に、兵を率いて王を救い出そうとしたが、兵士たちに反対されやむなくオーストリアに亡命していた。七十歳を超えなお「名誉と栄光を貪欲に求める」と、T・ジェファーソンに評されたとおりの人物であった。

市民の攻勢にシャルル十世は退位を迫られ、兄のルイ十六世が革命時に処刑されたギロチンを恐れてオーストリア

72　「民衆を導く自由の女神」（ドラクロワ、ルーブル美術館展示より）

73　七月革命記念塔（バスチーユ、パリ）

に亡命する。このあとブルジョワ市民たちに押されて王位についたのは、オルレアン公ルイ・フィリップであった。王族の一人で自由主義的な人物であったが、市民が要求する普通選挙の実現は認めなかった。このためいわゆるこの七月革命（写真73）は、市民にとっては不発に終わってしまった。しかしこの革命へのエネルギーは、隣国の自由主義運動を強く刺激して、翌一八三一年、オランダ南部からのベルギーの独立、一八三二年のイギリスの選挙法改正など、多くの連鎖反応を引き起こした。

† 二月、三月革命（一八四八年）

この後ヨーロッパ各地でくすぶり続ける革命の炎は、一八四八年二月に再度フランスで燃えさかる。この頃フランスにおいてもイギリスに次いで産業革命の進展期に入り、労働運動が各地で発生し、それとともに社会主義者たちが登場し始めた。彼らは反政府派の議員たちと共同戦線を張り、一八四〇年頃から選挙法（高額納税者のみの選挙権）の改正を要求していた。二月二十二日には再び学生、労働者が武装蜂起してパリ市内にバリケードを作り始める。翌日には現在パリの一区、オペラ通りとシャンゼリゼ通りをつなぐキャプシーヌ街（写真74・75）で国王軍との激しい銃撃戦が展開され、双方に多数の死者が出た。翌二十四日には七月革命で王位についたばかりのルイ・フィリップが退位宣言に署名することによって第二共和政が成立する。翌二十五日にはすぐさま普通選挙制の実施が認められ、選挙権保有者が一九万人から一気に九〇〇万人に増えた。

しかし、失業者救済のため社会主義者たちの発案

74（上）・75（下）　キャプシーヌ街（パリ）

で設けられた「国立作業場」が財政難で閉鎖され、これを不満とする労働者はただちに抗議運動を起こす。これに対して共和国政府は、軍人出身のカベニャック行政長官に弾圧を命じた。十二月に新憲法の下で行われた大統領選挙にこのカベニャックが立候補すると、その対抗馬に登場したのがナポレオンの甥にあたるルイ・ナポレオンであった。選挙の結果、ルイ・ナポレオンが圧勝する。彼はやがて伯父がたどったのと同じ道を歩み、三年後の一八五一年十二月にクーデターを起こして全権を掌握する。翌一八五三年十二月、彼はナポレオン三世として皇帝に即位する。フランスの政治体制はフランス革命以来王政―共和政―帝政と変遷してきたが、再び王政―共和政―帝政の変遷を繰り返すことになったのだ。

なおフランス二月革命勃発の報せは、当時開発された電信機器によりただちにプロイセン、オーストリアに伝えられ、両国に三月革命を引き起こすことになる。まずプロイセンでは、三月十八日、国王フリードリッヒ・ヴィルヘルム四世（在位一八四〇〜六一）の軍が、全ドイツ統一議会の開催を求めてベルリン（写真76・77）に集まった群衆に発砲したことをきっかけに、市民による武装蜂起が起こる。市街戦がくすぶり続ける中で、国王はこれらを鎮めるため、フランクフルトでのドイツ国民議会（写真78）の開催を認めた。しかしその決議を国王は受け入れず、国内の混乱はそのまま継続することになる。諸邦国家に分立していたドイツの統一は、宰相ビス

76（上）・77（下）　ベルリン　三月革命発生地（タウベン街とフリードリッヒ街の交差点）

78　パウルス教会（フランクフルト　ドイツ国民議会開催地）

マルクの登場によって、それが成し遂げられる一八七一年までお預けとなる。

一方オーストリアでは、三月十八日に自由と憲法制定を要求する群衆が宮殿に殺到し、ウィーン会議の立役者メッテルニヒはロンドンに亡命せざるをえなくなる。さらに、ハプスブルク家の支配によるオーストリア・ハンガリー帝国では、領内にあったチェコ、ハンガリー、北イタリアで独立運動が発生する。結果的にはこれらはすべて弾圧され、独立の実現はもうしばらく待たねばならなかった。しかしこの一八四八年に起こった各国の一連の革命・独立運動は、十九世紀後半のヨーロッパの歴史を突き動かす大きな原動力となっていった。まさに一八四八年は十九世紀ヨーロッパの激動の時代の始まりの年であったのだ。

北アメリカでの独立革命の波は、大西洋を東に渡りフランス革命を引き起こした。しかしナポレオンの登場と没落とともにヨーロッパ世界は「ウィーン体制」に組み込まれ、激動の世界はしばらく終息する。しかし革命と独立の波は、再び大西洋を西に渡り、ナポレオン時代の末期に生じたハイチでの独立運動が、南北アメリカ大陸のラテン・アメリカ各国に飛び火する。この動きはさらに再度大西洋を東に向かい、停滞期に入っていたヨーロッパに一八三〇年のフランス七月革命、さらに一八四八年の二月革命、そしてドイツ、オーストリアでの三月革命を引き起こす。十八世紀末から十九世紀半ばにかけての大西洋を挟んで交互に移動した革命と独立の波は、環大西洋世界を本格的な近代世界へと脱皮させる大きなうねりであったのだ。

第12章

東南アジアの歴史

―マレー半島を歩く―

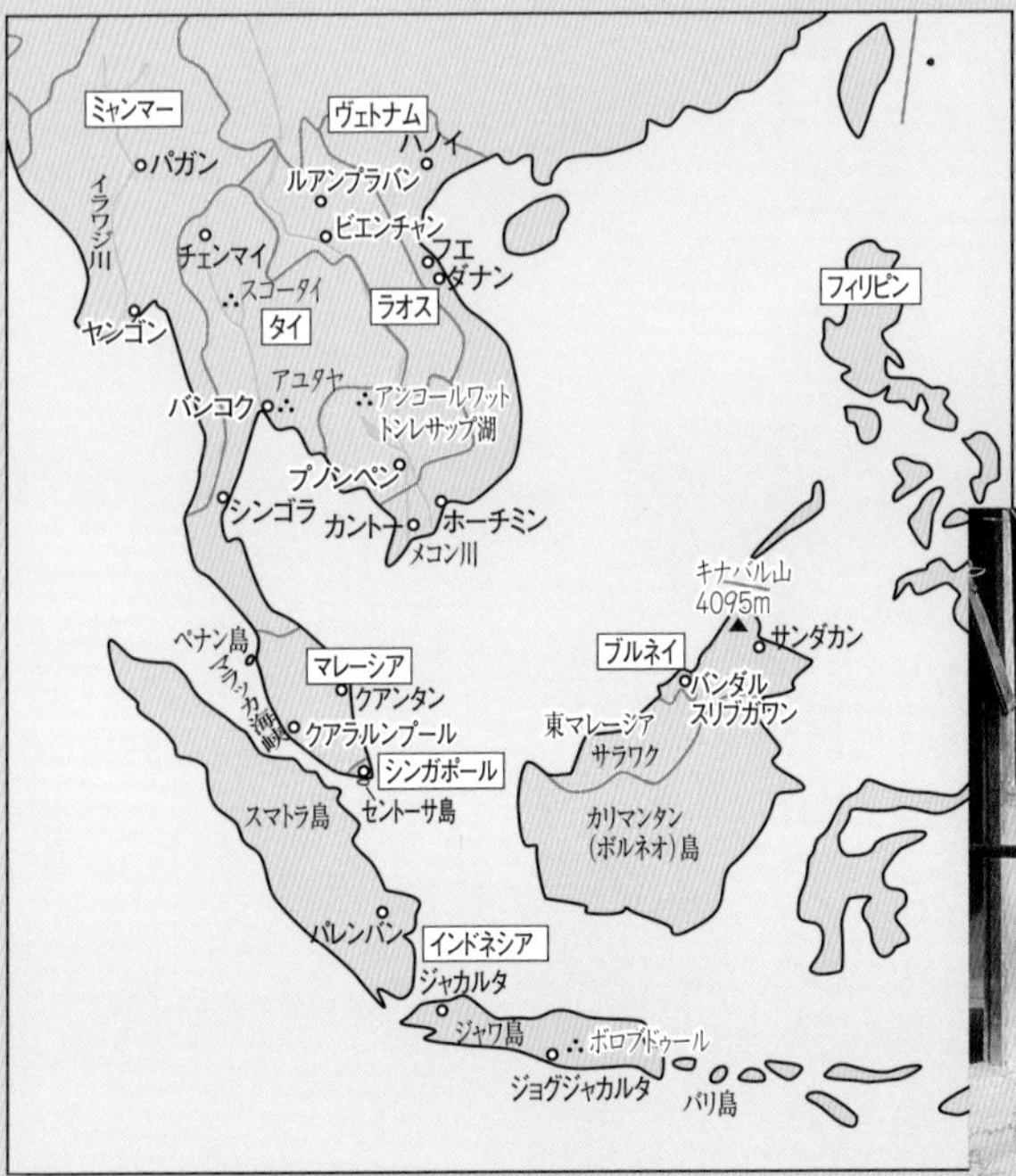

狩猟に吹き矢を使うイバン族の男性
（東マレーシア）

東南アジア地域は、大きく分けて大陸部と島嶼《とうしょ》部によって構成されている。インド文明と中国文明の狭間に位置するため、歴史的に両地域の文明の影響を強く受けてきたが、日本とも海を通して古くから交流があった。私たち日本人と同じく米を主食とし、また多くの国々が海と接しており、海上交易と漁業に深く関わってきた生活様式は日本と共通する点が多い。

近年におけるこの地域の経済発展は目覚ましいもので、ＡＳＥＡＮ諸国は日本の最も良きパートナーとして二十一世紀を牽引していく存在となっている。

この章では、前著『全世界紀行』ではあまり多くを語れなかったマレーシアの歴史を中心に述べていきたい。

1　追悼碑をめぐる旅

毎年、日本では終戦記念日の八月十五日には、武道館で全国戦没者追悼式典がしめやかに行われる。しかし、ここには日本の侵略戦争によって犠牲になったアジアの人々の霊は含まれていない。アジア太平洋戦争によるアジア各地での犠牲者数は三〇〇〇万人にも及ぶという。

†クアラルンプールの慰霊祭

マレーシア、クアラルンプールの中心部にある中国人墓地では、日本の追悼式典にあわせて、毎年同じ日時に慰霊祭が行われており、私も二〇一七年に初めて参列した。ここには日本軍によって惨殺された約一一〇〇人の中国系の人々の遺骨が埋葬されている。日本軍はマレー半島上陸後、またたく間に南進してクアラルンプールを陥落させた。ここに眠っているのは、上陸後ただちに行われた華僑粛清によって犠牲になった人々の霊である。「中華民国男女僑胞惨死墳」と刻まれた追悼碑の前で華僑団体、中華系学校の生徒、日本から駆けつけた市民団体のメンバーらが、しめやかに哀悼の意を表し、平和への誓いを心に刻んで献花した（写真1）。

この追悼式典に参加するきっかけとなったのは、高嶋伸欣氏著の『旅行ガイドにはないアジアを歩く・マレーシア』（梨の木舎、二〇一〇年）という本である。現在私は、新聞社や放送局が主催するカルチャーセンターで世界史講座を担当しているが、今までマレーシアを取り上げる機会が少なく、もう少し勉強しなければと思っていたところめぐりあったのがこの本だった。ここには教科書はもちろん、

1　福建義山（クアラルンプール）での追悼式典

一般の歴史書には書かれていない日本軍のマラヤ軍政下で引き起こされた住民虐殺の経緯、犠牲者の追悼碑の地図、生存者の証言などが詳細に記されている。自分の足で現地を歩き歴史を語ることを信条としてきた私としては、ぜひとも現場を訪れなければならない。二〇一七年夏、前掲書を片手にマレーシア全土に散らばる追悼碑と戦跡のいくつかを、二度に分けて駆け足でめぐってきた。

† イロンロン村の虐殺

クアラルンプールから南に約六〇キロ下ったところに、ネグリセンビラン州の州都セレンバンがある。通訳兼ガイドのヨンさんが運転する車で、その少し北のティティという小さな町に向かった。ここからさらに西のイロンロン村で、州で最も大規模な虐殺事件が起こったという。このあたりは一九〇〇年代初めより鉱山開発が行われ、客家《はっか》出身の人々が移住を始めるようになり、一九三〇年代には約千人の住民が住むようになった（中国人が九八パーセント）。日本の中国本土への侵略が進むにつれ、ティティの人々の間にも反日感情が高まり、日本製品の不買運動や祖国への募金活動を行うようになり、抗日青年同盟が結成された。

一九四一年十二月八日、日本軍がマレー半島に上陸した翌年の一月、約四十名の日本軍が自転車でやってきて、ティティの町角や商店に布告を貼った。すべての住民は氏名、年齢、職業を日本軍当局に登録し武器を引き渡すようにという命令だった。イロンロンはティティよりさらに奥まった所にある村で、野菜や果物などの農産物で生計を立てている農家が二百軒あった。三方は山に囲まれた盆地で、ジャングルに逃れた抗日軍の食料補給地となっていると日本軍は考え、彼らを敵性分子として

マレーシア半島部の州区分

マークした（ネグリセンビラン州略図参照）。

翌一九四二年三月十八日、粛清が始まった。日本軍はティティ周辺を包囲し「不逞分子」を二名、四十五名、九十五名と次々に刺殺していった。それからイロンロンでの大虐殺が始まった。日本軍は登録表を調べるといって、朝から家々を回って

2　イロンロン村の追悼碑

セレンバン周辺地図　ネグリセンビラン州略図

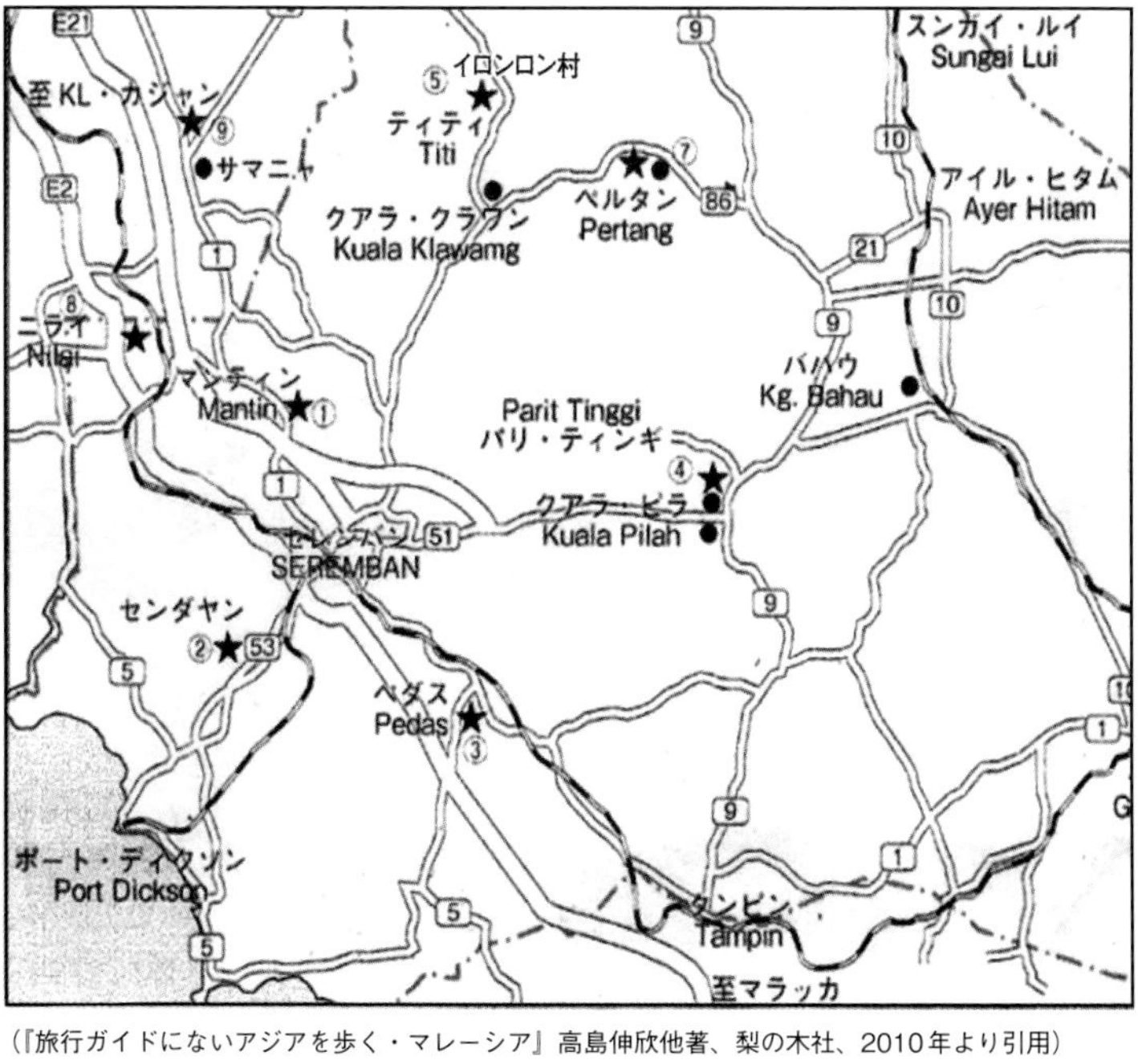

（『旅行ガイドにないアジアを歩く・マレーシア』高島伸欣他著、梨の木社、2010年より引用）

村民を小学校に集めた。そして二十~三十人ずつの手を縛り、近くの家の中に入れた。村人は跪かされて背中から次々に銃剣で刺殺されていった。背後から突くのは正面から突けば被害者は恐怖に身構え殺害しにくくなるからという。死体は折り重なり、その後家々には火が放たれ、虐殺は夜まで続いた（林博史著『華僑虐殺』より一部引用）。

辛うじて生きのびた簫雲氏は当時九歳だった。「十八日日本軍の姿を見て恐怖をおぼえ、とっさに近くの竹林に逃げた。母親は、日本軍は戸籍調査に来ただけだから大丈夫と言って落ち着いていた。夕方になって家の近くまで戻ってくると殺戮の最中だった。素早く逃げて翌日の深夜もどってみると、村はすべて灰になっていた。歩きながら目にしたのは、切りきざまれた死体の数々だった。」

もう一人の生存者簫月氏は当時十九歳だった。「日本軍が村に入る前も私たちは恐怖に慄いていた。」彼女たちが最も恐れていたのは、銃剣ではなく強姦だった。「その日の午後、日本兵をみて大急ぎで妹と一緒に逃げた。夜になると空に火の手があがり、真っ赤に染まった。壮絶な命ごいの悲鳴が聞こえた。あの時はただ泣くだけで、叫び声を聞き、また泣いた。」その後、彼女はパイナップル畑で三夜過ごし親戚の家に向かったが、住民表を家に置いてきたため、匿ってくれた家族に迷惑がかかることを恐れ転々と場所を変えて逃れた。日本軍が引き上げて二~三日後、ティティの親族は様子を見に村にやってきた。そして全身が凍りつく衝撃をうけた。老人、妊婦、赤ん坊らの死体で埋まった小屋が丸ごと焼かれ、死体に蛆虫がわき悪臭が放たれていた。くすぶり続ける煙と焼けた臭いが残っているだけだった（証言集『日治時期森州華族蒙難資料』和訳より抜粋）。たった数時間のうちに一四〇〇名余の命とイロンロン村

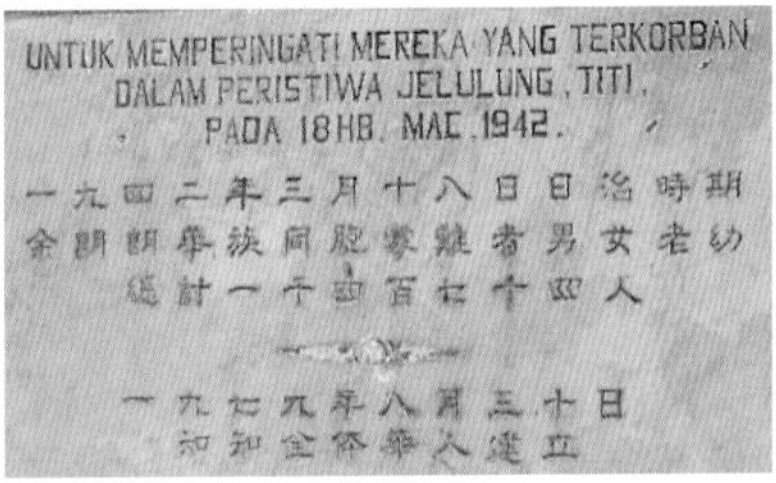

3　追悼碑下部の碑文

4　森美蘭知知港史料協会と簫妙雲氏

は灰塵と化してしまった。

ティティの町に「森美蘭知知港史料協会」という小さな資料館がある（写真4）。ここでは、地元の有志により村の惨劇が記録され語り継がれている。運営に携わっている簫妙雲さんにお話をうかがった。この町の住民のほとんどは客家出身で苗字は簫である。広東・福建出身が多い一般のマレーシア華人にとって客家語はあまり理解できないとのことであるが、幸いガイドのヨンさんは客家出身で助かった。最後に「私たちは日本人を恨み続けたが、原爆の投下によって差し引きゼロになったと思っている。」と簫妙雲さんは語った。異論もあるだろうが、終戦記念日には日本の被害のみを強調する報道のあり方に一石を投じるものであろう。

イロンロン村はその後、政府の開発計画によりマレー系住民中心の村となり、遺骨を村に埋葬することは許可されなかった。一四七四名の遺骨は、ティティにある中国人共同墓地の追悼碑に埋葬されている（写真2・3）。

† スンガイルイの虐殺

ティティから車を東に走らせ約二時間。ネグリセンビラン州の北東部にあるスンガイルイの追悼碑に向かう。他地域での村ぐるみの抹殺のほとんどは、一九四二年三月に起こっているが、ここでは八月になって村ごとが焼き払われた。

事件のあらましは次のようなものだった。八月十九日朝、日本軍がシーク教徒を含む警察隊を引き連れてスンガイルイ駅に下り立った。日本軍が雇っていたマレー人の密偵がこの周辺で殺されたというのだ。十一時頃駅前にある二十軒ほどの店を日本軍は取り囲み、そこに中国系の人々を集めた。マレー人村長の息子ムヒディン氏（当時十六歳）はこの時の模様をずっと目撃していた。彼の証言によると、集められた人数は三〜四百人ほどで、「共産党はどこか。」「誰が共産党か。」とマレー語

5　スンガイルイの村の入り口付近

で尋ねた。皆が答えずに黙っていると、日本兵は店にあった紐で男たちの手を二、三十人づつつないで縛り、突然機関銃で射ち始めた。女性も店に入れられ銃殺され、まだ生きている子供たちは高く放り上げられて銃剣で刺し殺された。その後周辺の家々は焼き払われた。数日後に村を訪れた劉金氏（当時三十一歳）は、「銃剣で突き殺された女性と子供の死体が十五～二十人ずつ積み上げられていた。三六八人まで数えた。」と語る。何人殺されたのか正確にはわからない。この他にも二十数名が井戸に投げ込まれたのを見たというマレー人の証言がある。未発掘の遺骨も人知れず眠っていることだろう。現在ここは政府によって開発されたマレー人の入植地となっているが、この一角だけは追悼碑を建てることが許可された。殉難者三六八名と記された記念碑の前に立ち、犠牲者の冥福を祈った（写真6・7）。

6（上）・7（下）　スンガイルイの追悼碑

† 公式記録「陣中日記」

「華僑を掃滅せよ。」という粛清命令はシンガポール上陸後すぐにマレー半島にも出された。虐殺はマレー半島至るところで起こったが、日本軍は降伏後撤退する時に証拠記録を焼却したため、その全貌はわかっていない。ただ奇跡的に日本軍の公式記録であるネグリセンビラン州の「陣中日記」が防衛庁付属の図書館に保管されていたため、この州における粛清の実態が証明されることになった。ネグリセンビラン州、ジョホール州だけでも追悼碑や戦跡の数は三十以上もある。

日本人はマレー人を一人も殺さなかったという風説が一部のネット上で流れているようである。日本軍は、マレー人とインド人を行政下に組み入れて華僑粛清の手先をとして使った。またあらゆる方面においてマレー人を優遇していたので、マレー系住民を殺さなかったというのであれば、そうであるかもしれない。しかし、武器を持たない中国系住民を大量虐殺した事実は歴然とマレーシア全土に散らばる追悼碑が証明している。これは決して消し去ることができない真実である。そしてそれはまた戦争後、この国が独立した後もずっと続くマレー系、中国系の民族間の対立をつくる大きな要因となったことにも私たちは留意しなければならない。

†細菌研究所

スンガイルイをあとに車は南に向かい、クアラ・ピラという町にあるトンク・ムハマド中学校（写真8）に着く。ここはペスト菌を植えつけるネズミの飼育場として使われていたという。日本軍の作戦計画は、ネズミにノミをまぶして血を吸わせて、そのペスト・ノミを爆弾に詰めて投下するというものだった。ペスト・ノミは、ジョホール州の人里離れたペルマイ精神病院でひそかに培養飼育された（写真9）。この作戦の本部は、中国の七三一部隊の支隊であるシンガポール岡九四二〇部隊で、実践計画はさらに東南アジア諸国にまで広げられていたが、途中で終戦になり細菌戦にまでは至らなかった。岡九四二〇部隊の役割については、まだよくわからない点が多く、高嶋氏をはじめシンガポールの識者によって現在も研究が進められているとのこと。

たった一日だけだったが、熱射厳しい日中、日本軍の遺

8　クアラ・ピラのトンク・ムハマド中学校

9　ペルマイ精神病院（ジョホールバル郊外）

した戦跡をあちこち回ってその衝撃にどっと疲れが出て、ホテルに戻ると食事をする気も失せて部屋で寝込んでしまった。

† 生存者鄭来さん

追悼碑めぐりの翌日は、州都セレンバンからやや南に位置するペダス（写真10）という小さな集落に住む生存者鄭来さん宅を訪れた。日本兵に母親と弟を刺し殺されたが、奇跡的に生き残り、体験を語り継いでこられた方である（写真11）。

一九四二年三月四日、日本軍がペダス近くのゴム園にやってきた。三百人ほどの男女がここで働いていたが、鄭さんのグループは近くの山の斜面に連れていかれ、赤ん坊を抱いた母親、妹と弟と並んで座らされた。すると日本兵の一人が、六か月の弟を母親から奪い取り空中に投げ上げ、もう一人が串刺しにしてから剣銃を引き抜いて脚で踏みつけた。彼も背中から胸に抜ける傷を二か所刺され気を失ったが、息を吹き返したのち血だらけの弟の手を引いて逃げ出した。赤ん坊の腸は飛び出していたが、まだ生きて泣き続けていたという。思い出すのがつらく、長い間この光景

10　ペダスの追悼碑

11　鄭来さん（2017年6月自宅にて）

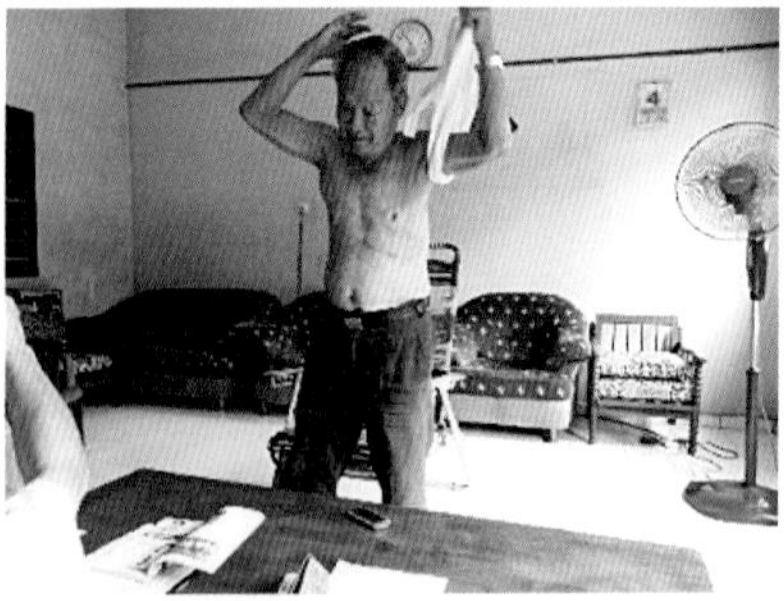

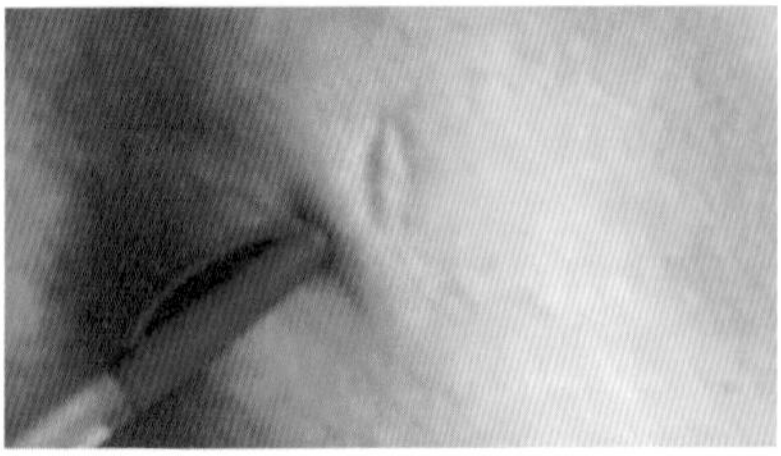

12(上)・13(下)　鄭来さんの背中に残る銃剣の刺し傷

は言葉にできなかったという。
この酷い体験をまた私にも聞かせるというのは辛いに違いない。だがお会いした鄭さんの表情は穏やかで、嫌な顔もせずにシャツを脱いで背中の傷あとを見せてくださった（写真12・13）。

この訪問の二か月後の八月十三日、クアラルンプールでの追悼式典に先立って、ネグリセンビラン州センダヤンでも合同慰霊祭が行われた（写真14）。鄭さんのお元気な姿を見つけて思わずかけ寄って握手を交わした。交流を重ねてきた市民グループのメンバーも彼を取り囲み、和やかなひと時が流れた。戦後、鄭来さんは孤児として苦労を重ねたが、やがてゴムの接ぎ木の名手として名を上げ、現在は子供や孫に恵まれ幸せな老後生活を送っておられるとのこと。当時六歳だったので現在は八十五歳。最近は体調が不安定とのこと、ご回復をお祈りする。

2　日本軍によるマラヤ支配

† マレー半島上陸

さて、アジア・太平洋戦争の端緒を開いた日本軍の侵撃は、一九四一年十二月八日、マレー半島東海岸のコタバル（写真15）から始まった。この上陸は真珠湾攻撃の一時間前であり、アジア・太平洋戦争はここから始まった。当時マラヤ（一九六三年のマレーシア独立までの名称。当時はシンガポールを含む）はイギリスによって統治されていた。イギリスは日本が海上から攻めてくるものと予測して、シンガポール南に

14　合同慰霊祭での鄭来さんとヨンさん（右）

15　コタバル（マレーシア東海岸）

あるセントーサ島（写真16）で防衛を固めていた（冒頭の地図参照）。半島はジャングルに覆われており、兵站を築くことはきわめて困難と考えられていたからだ。しかし、日本軍は背後から攻めてきた。イギリスは、急遽最新鋭の戦艦プリンス・オブ・ウェールズとレパルスを派遣したが、日本軍はすでに上陸していたため引き返した。探知機で場所を知った日本軍は、「不沈艦」といわれたこの二艦をクアンタン沖で撃沈させイギリスに大ショックを与えた。

日本軍の目的は、英領マラヤとさらにオランダ領スマトラを占領して石油資源を獲得することだった。コタバルに次いで、タイ東岸のシンゴラからも別部隊が南進した。途中多少の死傷者を出したものの、ペナン、クアラルンプールにはほぼ無血入城した。英軍は主にインド兵によって構成されていたのだが、彼らの士気はおしなべて低く、クアラルンプール北のスリム河での戦いの直後、約三二〇〇名のインド部隊が日本軍に投降した。本国インドではイギリスに対する反植民地運動が激化しており、「アジア解放」を謳う日本に対して共感する者が多かったのだ。武器を押収した日本軍は、破竹の勢いでシンガポールを目指した。この長距離移動には、自転車が活用された。「イギリスが舗装した素晴らしい道と、日本の安い自転車（写真17）のおかげでマラヤ急襲作戦は楽だった。」（辻政信『シンガポール　近い昔の話』リー・ギョク・ボイ執筆、凱風社、一九九六年）

16　イギリス軍のセントーサ基地（復元）

17　日本兵が使用した自転車（コタバル戦争博物館）

†シンガポール陥落

日本軍は東西から南下し、一月末には南部ジョホールに結集した。英軍はマレーシアとシンガポールを結ぶコーズウェイ（ジョホール水道）の橋を渡って退却する準備を始め、兵士全員が渡り終わると橋を爆破。これにより英軍はマレー半島を失った（写真18）。この時、シンガポール北部で防衛のため戦ったのは華僑義勇軍であった。彼らは訓練も装備も不十分であったが、勇敢に戦い日本軍と死闘を繰り広げた。

日本軍は砲弾も兵士も英軍に比べてはるかに少なかったのだが、驚いたことにパーシバル将軍（イギリス極東陸軍マレー軍司令官）は、早くも一週間後に降伏を申し出た。給水管が破損したこと、食料の備蓄がなくなったことが主な理由だった。しかし実際は、「パーシバルの司令官としての判断ミスと、ヤマシタ将軍（山下奉文将軍）ほどの軍人としての器量がなかったから。」であると『シンガポール陥落』の著者であるイギリス人歴史家フランク・オーエン氏は指摘する。イギリス人幹部達は、日本軍の爆撃によって住民が死傷する中、シンガポールの防衛を放棄して本国に引き上げた。

シンガポール陥落のニュースは日本中を狂喜させ、新聞、ラジオなどのメディアはいっせいに戦意発揚一色に染められていった。

† 粛清の始まり

占領下のシンガポールはどのようなものであったのだろうか。シンガポール市街には「暗黒の三年半」の記憶を留めるいくつかのモニュメントがある。まずは旅行者で賑わうチャイナタウンの駅出口の一角にある「大検証」の記念碑に行く（写真19）。「大検証」とは、シンガポールに住む華僑約六〇万人の中から「抗日分子」をあぶ

18　コーズウェイ（シンガポール－マレーシア間の橋）

19　追悼碑（チャイナ・タウン）

りだして一掃（即時死刑）する大粛清のことである。占領後、ただちに華僑十八歳以上五十歳までの男子は、所定の訊問所に集まるよう布告が出された。住民は何のために呼び出されるのかその目的がわからないまま灼熱の炎天下、何日も順番を待たなければならなかった。訊問をする方も、その基準はあいまいなもので「とにかく軍に申し開きができるよう何でもいいから殺してくれと命令され、人相を見て適当に選び出した。」（憲兵曹長の話『華僑虐殺』より）という呆れたものだった。選び出された人たちは、数十人ずつトラックで郊外に運ばれて射殺された。現在チャンギ空港のある場所はかつて海岸で、そこには多くの死体が水に浮かび海面は赤く染められたという。殺された人数はシンガポールでは五万人とされているが、日本側は五〇〇〇人と主張している。

†シンガポールの戦跡を訪ねる

日本軍が華僑を敵視した理由の一つは、シンガポールには財力のある華僑が集中しており、彼らは日本軍が日中戦争で苦戦していた頃より、祖国に物資や資金を送り支援していたためである。そのため日本軍は、上陸以前より彼らを敵とみなして乗りこんできたのである。

晩晴園と呼ばれる孫文記念館の敷地に「南僑機工隊」の彫像がある（写真20・21）。機工とはトラックの運転手兼修理工のことで、日中戦争が激しくなると、彼らはミャンマーから雲南省に通じるルートを通って命がけで蒋介石軍に物資や兵器を運んだ。道は険しい山間部を縫い、途中日本軍の空爆や熱帯病によって多くの命が失われた。

20(上)・21(下)　晩晴園　(孫文記念館)と庭内にある「南僑機工隊」の彫像（シンガポール）

雲南省に住むの彼らの子孫は、蒋介石を支援したとして戦後迫害や差別を受けてきたが、近年中国政府は機工隊を再評価するようになり、マレーシアでも彼らの功績をたたえる記念碑があちこちに建てられるようになった（写真22）。

シンガポール市街中心にひと際高くそびえ立つ塔が目に入る。これは「血債の塔」とよばれ「大検証」をはじめ日本軍によって殺された人々の慰霊塔である。「血債」とは血を償えという意味だそうである（写真23）。戦後島の各地で遺骨が発掘されるようになり、市民の間で日本政府に補償を求める動きが高まった。一九六七年、政府は経済援助という名目でようやく約二九億五〇〇〇万円を支払った。これは占領中、日本軍が協力金という名目で華僑から強制的に徴収した金額に相当する額である。塔は四本の柱で構成されてお

22　華僑機工隊記念碑（ペナン島）

23　血債の塔

24　旧フォード工場記念館

25　記念館内の展示物、シンガポール市民の「ニッポン化」

り、英語、中国語、マレー語、タミール語それぞれの言語で書かれた追悼のパネルが基底部に設置されている。

島の中心部は小高い丘になっており、かつてフォード自動車工場があった。この建物の会議室は、山下将軍がパーシバル将軍に「イエスかノーか」と降伏を迫ったところだ。現在は旧フォード工場記念館（写真24）となっており「昭南時代」の写真、刊行物、物品などが展示されている。人々を恐怖で凍らせた「大検証」のあと日本軍が行ったのは、市民の「ニッポン化」（写真25）であった。日本語の奨励、神社参拝、天皇崇拝、憲兵隊への最敬礼、規律と従順といった文化的支配が進められていった様子がよくわかる。そして、「この暗黒の三年半」からシンガポールが解放されたのは、ヒロシマの原爆投下であったと博物館は締めくくっている。

一九七〇年代よりシンガポールとマレーシアは日本との経済関係を強め、現在では戦争責任を問うことは表面的にはなくなった。しかし各地に散らばる戦跡は、「許そう、しかし忘れない」というメッセージを静かに発し続けている。これらの歴史の掘り起こしと継承に尽力されてこられた方々に敬意を表するとともに、この負の歴史から目をそらせてはいけないと心に刻む旅であった。

3　マレー世界の歴史

南シナ海と赤道をまたぐ東南アジアの島嶼部には、かつて小さな王国が星座のように散在していた。いずれも海を通してインドと中国の文明の影響を受けつつ、それぞれの地域は独自の文化を育んでいった。この章の後半では、海のシルクロードの中継地として古代より重要な役割を果たしてきたマレー半島と、その周辺の世界を探訪していく。

†最古の王朝――扶南

紀元後一～七世紀頃、現在のカンボジアからベトナム南部にかけて、古代王国扶南（プナム・プリム、写真26）が興った。その起源は明らかではないが、インドの影響を強く受けており、ヒンドゥー教が伝えられ、サンスクリット語が使用されていた。扶南の港市国家オケオ（現在のベトナム、カンボジアを流れるメコン河下流にあり、一九四二年フランスの考古学者ルイ・マルレーにより発掘された）の遺構からは、サンスクリット文字が刻まれた指輪などの黄金装飾品、後漢時代（二五～二二〇年）の青銅鏡、さらにはマルクス・アウレリウスの名が刻まれているローマ金貨が発見されて大きな話題となった。この地域の青銅器とよく似たものがマレー半島でも発見されているが、両者の関係はまだよくわかっていない。

扶南の領域（1～7世紀）

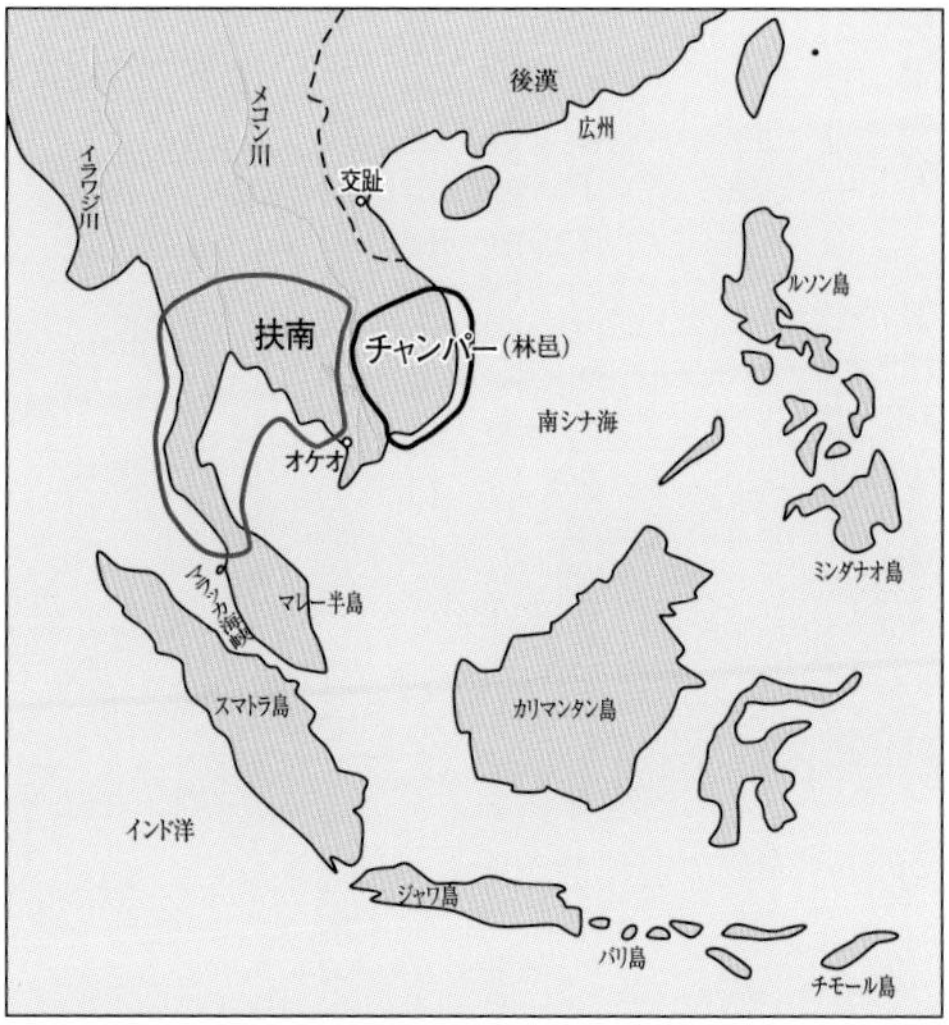

26　カントー（メコンデルタ、ベトナム南部）の水上市場、オケオに近くにある

† マレー民族の始まり

やがて、マレー半島やスマトラ島にもバラモン教、仏教、ヒンドゥー教が順次流入し、その後、中国との交流が始まった。中国には「摩羅游（マラユウ）王国が唐に入貢した（六六四年）」という記録が残されているので、この頃にはすでにマレー人の国が存在していたと考えられる。しかし七世紀までの東南アジアは、インドシナ半島を中心に展

開しており、扶南が一帯に権勢を誇っていた。マレー半島、ジャワ、スマトラなどの島嶼部でできた小国家は、いずれもまだ弱小なものであった。

インドと中国を結ぶ交易ルートは、マレー半島中央部の幅が最も狭いクラ地峡を陸路で横断した後、扶南を中継港とするルートであったが、やがてマラッカ海峡を南下するルートが使われるようになった。この結果、六世紀末になると扶南の勢いが衰え始め、スマトラに繁栄のチャンスがめぐってきた。

七世紀半ば、スマトラに二つの国が姿を現す。一つはパレンバンを中心とするシュリーヴィジャヤ王国（室利仏逝国）、もう一つはその北のマラユ王国（摩羅游国）である。シュリーヴィジャヤ王国は、対抗勢力であったマラユ王国を倒した後、マラッカ海峡を越えてマレー半島に勢力を伸ばしていく。この二つの国の下で、マレー人の民族形成が始まったようだ（地図）。

シュリーヴィジャヤとシャイレンドラ（4～9世紀）

27　ボルブドゥール（ジャワ島、インドネシア）

† シュリーヴィジャヤ王国とジャワ・スマトラの王朝

六七一年、唐の学僧義浄は仏典を求めてインドに向かう途上、シュリーヴィジャヤ王国に逗留した。彼はここで『大唐西域求法高僧伝』を著し、多くの仏典を漢訳した。そこでは大乗仏教が大変栄え、僧院には千人もの学僧が学んでいたという。十世紀に入るとシュリーヴィジャヤは、中国への入貢と友好関係によってさらに勢力が拡大して、ジャワ諸国もこの王国の傘下に入ることになった。宋が東南アジア貿易を活発化させ、アラブの商船も中国貿易に参入するようになると、パレンバンはその積替地としてさらに繁栄していく。

八〜九世紀、ジャワ中部には古マタラム王国が登場し、ついでボルブドゥール（写真27）で有名なシャイレンドラ朝が興る。シャイレンドラはシュリーヴィジャヤを服属させたが、その後三百年にわたり南インドのチョーラ朝の侵入に悩まされつつ、両国の攻防が続いた。

十一世紀に入ると、スマトラには多数の港市国家を統合した三仏斉（連合国）、ジャワにはクディリ朝、シンガサリ王国が誕生する。シンガサリは一二九三年、元の軍の攻撃をうけるが、その後に興ったマジャパヒト王国（写真28・29）が元を撃退する。元のモンゴル軍は陸では騎馬軍団による強大な戦力を発揮することができたが、海上での戦いは不得手であったようだ。マジャパヒト王国の最盛期（十三〜十五世紀）には、その版図拡大に伴いジャワ人の勢力はスマトラ島にも広がり、伝統

クディリとシンガサリ（10～14世紀）

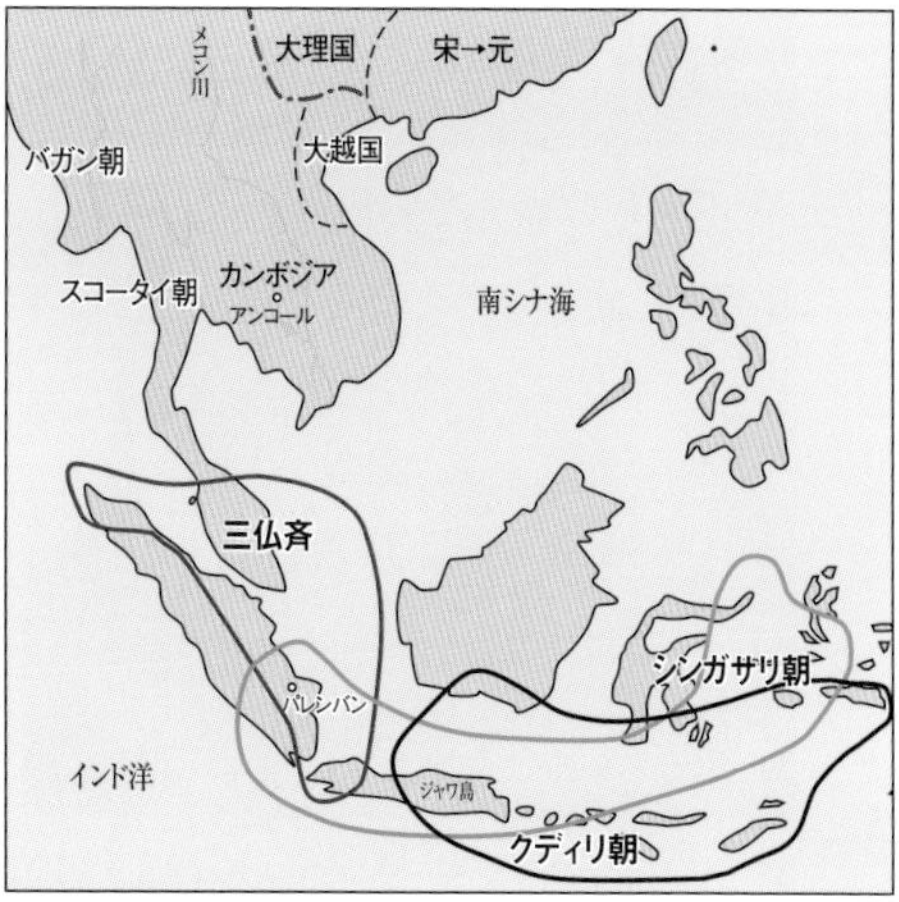

28(上)・29(下)　雨にけむるスクー寺院（15世紀マジャパヒト王国時代に建造されたヒンドゥー寺院、東ジャワ）

あるシュリーヴィジャヤ王国は滅亡する。この時多くのマレー人はマレー半島に逃れ、そこがその後の彼らの国家の始まりとなるのである。

† マラッカの始まり

十四世紀の末から十五世紀の初めにかけて、マレー半島のマラッカに新しい国が誕生した。一五一一～一五年にかけてマラッカに滞在したポルトガル人トメ・ピレスが著した『東方諸国記』によれば、その建国者はスマトラ、パレンバンの王家出身のパラメーシュヴァラであるという。マジャパヒト王国のパレンバン討伐の際、彼は三十名ほどの「海民」とともにシンガポールを経てマレー半島に逃れ、マラッカ川の上流に住み始めた。そして彼の息子がそこに王宮を建て、これがマラッカの始まりとされている（地図参照、写真36）。そして現在のマレーシアの歴史教科書はこのマラッカ建国をマレーシア国家の起源としている。

† 鄭和の遠征

その頃、中国では元を倒した明が成立していた。その第三代皇帝である永楽帝（在位一四〇二～二四）は、積極的な外交を展開しており、宦官鄭和（写真32～34）に南海大遠征を命じた。彼は計六回（その後の宣徳帝の時代を

マジャパヒトとマラッカ（15世紀）

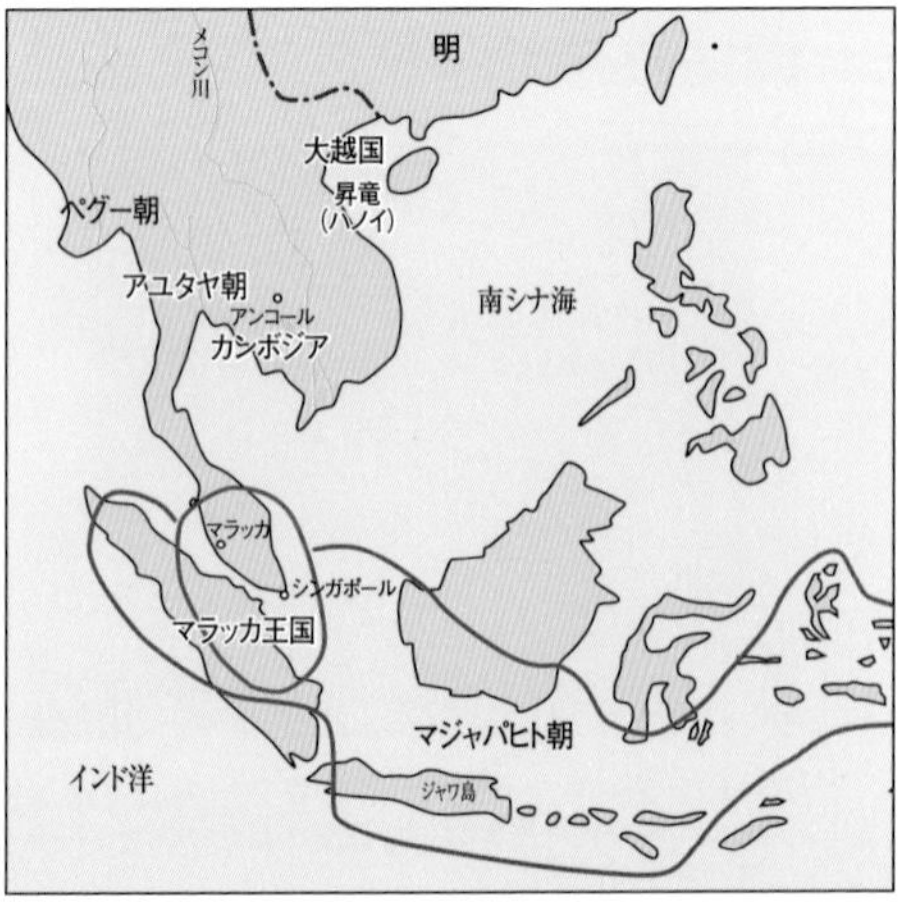

30 ワット・シー・サワイ（スコータイ朝）

31 ワット・プラシー・サンペット（アユタヤ朝）

含めると七回）にわたり大艦隊を編成し、アフリカ東海岸にまで達する大航海を行った。約七十年後、現ケニアのマリンディに寄港したバスコ・ダ・ガマ率いるポルトガル船は、港の住民の言い伝えによると、その規模、船体の大きさは、鄭和の艦隊にははるかに及ばなかったそうである（第8・9章参照）。

その大遠征の途上、マラッカに寄港した鄭和は、この地域はスコータイ朝（写真30）を倒してタイの覇権を握ったアユタヤ朝（写真31）の支配下にあることを知った。マラッカも服従の意を表すために、毎年一定の金額を納めなければならなかった。明は冊封を受け朝貢を行う国は互いに対等であらねばならぬという立場をとっていたため、鄭和は皇帝の代理としてアユタヤに警告を発した。これに感謝したパラメーシュヴァラは、鄭和の帰国時に使節を随行させて正式に朝貢をした。鄭和第二回の航海の時には、永楽帝は自らの娘一人を同行させてマラッカ王族に嫁がせた。この時に随行した約五百名の従者が、マラッカ華僑の始まりとなる。鄭和は第三回航海の時にもマラッカに寄港し、皇帝の詔によって正式にパラメーシュヴァラをマラッカ（満剌加）国王とした。

32　スタダイス（オランダ邸宅）に立つ鄭和像（マラッカ）

33　マラッカにある中国の寺院、宝山亭（ポー・サン・テン寺院）

34　宝山亭内の鄭和像

† マラッカのイスラーム化

その後マラッカは、交易の中継地として目覚ましい発展を遂げ、十五世紀半ばには最盛期を迎える。インド以西からのイスラーム商人の到来も増え、彼らの定住が始まった。東のモルッカ諸島からは香料、西のインドからは綿布、北の中国からは絹や陶磁器などが集まり活発な商取引が行われた。マラッカ国王もイスラームに改宗した。これにはイスラーム商船の寄港を増やし、都をさらに繁栄させたいという思惑があったのだろう（マラッカ王国の交易図参照）。

永楽帝の死後、明は外交方針を変更し鎖国状態になり、鄭和の遠征も終了せざるを得なくなった。それによりマラッカは西のイスラーム世界との関係がさらに強化され、第五代王ムザッフル・シャーは初めてスルタンと称して国の基礎を強固にした。以降マラッカを中心に東南アジア島嶼部にイスラームが浸透していくことになる（写真35）。

35　カンポン・クリン・モスク（マラッカ）

36　マラッカ川

マラッカ王国の交易図

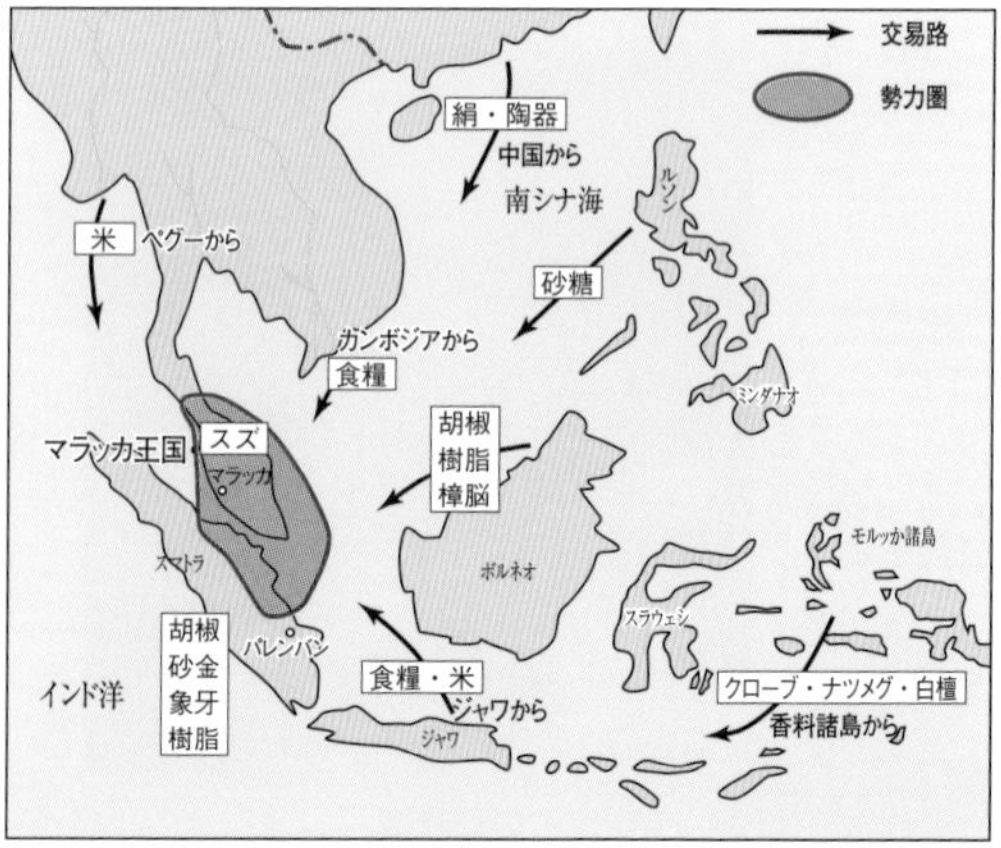

当時のマラッカの様子は、次のようなものであった。

「当市には、各国からの外国人が生活している。土地の人間はイスラーム教徒で独特の言葉をもち、マラヨ人と呼ばれる。かれらは体格がよく、上半身は裸で下半身は綿布で覆っている。最も身分の高い人々は上着を付け、それは絹布か浮織布で作られる。その上に帯をしめ、腰に象嵌をほどこした短剣を帯びる。それはクルスと呼ばれる。婦人は色が褐色で、たいへん上等の絹の衣装をつけ、それとともに短いシャツを着る。彼女たちは大変美しく、いつも着飾っている。またきれいな頭髪をもっている。これらマラヨ人はマファメドのコーランを大変尊んでいる。（中略）かれらは市外にある果樹園や菜園や貯水池を持った大邸宅に住み、そこで良い生活を送っている。市内には取引のためだけの別の家を持っている。かれらは妻子を連れた多くの奴隷を持っている。かれらはたいへん上品で優雅で、音楽を好み、色事を好む。」（大航海時代叢書『東方諸国記』岩波書店より）

季節風にのってアラブ人は高価な商品を携えてやってきた。毛織物、銅、銀、阿片、染料等々。帰路には丁子、生糸、錫、黄金、麝香などを積みこむ。国の秩序はよく保たれ、平和な取引が行われていたと記録されている。

4　ヨーロッパ人による支配

†ポルトガルの支配

バスコ・ダ・ガマが率いるポルトガル船隊が、アフリカ南端の喜望峰を迂回して、現ケニアのマリンディ（写真37）からインドの西海岸カリカットに到着したのは

37　バスコ・ダ・ガマ記念塔（マリンディ、ケニア）

一四九八年だった（第9章参照）。スペインとともに大航海時代を牽引したポルトガルは、イスラーム商人が主導権を握っていた東洋貿易にも食指をのばし、東南アジアの植民地化に着手する（写真38）。

一五一〇年、アフォンソ・デ・アルブケルケ率いる艦隊が、香料貿易の中心地であるインドのゴヤを武力で奪取し、翌一五一一年、マラッカを陥落させた。このマラッカ陥落は、ヨーロッパ人による東南アジア支配の始まりとなるきわめて重要な出来事であり、また一世紀にわたって続いたマレー人によるマラッカ海峡支配の終わりとなる歴史上画期的な事件であった。

しかし、ポルトガルにとってマラッカは遠隔地であり、防衛力は十分ではなかった。マラッカ王国最後のサルタンは、マレー半島南端のジョホールに落ちのびたが、ここから再度反撃を企てる。またスマトラのアチェもマラッカを絶えず脅かした。ポルトガルは、交易と布教を一対のものとして多数のキリスト教宣教師を送り込むのであるが（写真39）、布教は思うようにいかず、香料貿易は決して順調という訳ではなかった。またポルトガルは、マラッカ海峡を通過する船すべてに寄港を義務づけ高い関税を支払わせた。そのためインドやアラブの商人たちは、マラッカを避けてスマトラ西岸に沿った航路を取るようになり、マラッカは次第に衰退していく。

ポルトガルが弱体化していったもう一つの原因として、本国の国内事情があった。一五七八年、ポルトガル王がモロッコ・サード朝との戦いで戦死したことがきっかけとなり、ポルトガルはスペイン王国に吸収合併される。そしてスペインの海上交易権をめぐる紛争に巻き込まれ、財政が圧迫されていった。このポルトガルの弱体化にとどめを刺したのが、オランダ東インド会社であった。

38　サンチャゴ砦（ポルトガル統治下で建造）

39　ザビエル像とヤジロー像（ヤジローとの出会いでザビエルは日本で布教を決意する。聖フランシス・ザビエル教会）

†オランダの支配

十六世紀から十七世紀にかけてのオランダは、スペインからの独立戦争を展開する中で、膨大な戦費調達の必要性に迫られていた。当時海洋交易で大きな収益が得られるのは、胡椒、丁子などの香料貿易だった。オランダは先発諸国との競争に勝ち抜くために、複数の会社をまとめてオランダ東インド会社（V.O.C.）を設立した（一六〇二年）。東インド会社は、出資者を広く募り利益を分配する今日の株式会社の性格を持つものであったが、同時に植民地の行政権、軍の指揮権、条約の締結権など、いわば国家に近い機能も兼ね備えていた。オランダより二年先立つ一六〇〇年、イギリスも同名の会社を設立していた。しかしオランダ東インド会社の資本金や所有船舶数は、イギリスの十倍を上回るものであった。オランダはバルト海の漁業やロシアなど北方貿易のヘゲモニーを握り、造船海運技術を発展させており、アムステルダムはヨーロッパの一大金融センターとして繁栄していたのである。

一六一九年オランダ東インド会社は、ジャワ島西部の港町バタビア（現ジャカルタ、写真40）を租借。ここをアジアにおける東インド会社の拠点として、香料貿易に乗り出した。当時ジャワ中部を支配していたのはマタラム王国で、マレー半島南端にあるジョホール王国とは敵対関係にあった。ジョホールはマラッカを追放されたマレー王族が

41（上）・42（下）　オランダ広場（マラッカ）

40　ジャカルタ歴史博物館（旧オランダ市庁舎 1627 年建造）

建てた国であり、ポルトガルが支配するマラッカとは敵対していた。オランダは、ジャワ遠征の過程で、マラッカが香料交易だけではなく、錫の積出港でもあることを知り、この三者の敵対関係を利用してジョホールと同盟を結んでマラッカ攻略に乗り出した。

一六四〇年、オランダ艦隊は、マラッカを包囲して兵糧攻めを始めた。ポルトガルは約六か月果敢に戦ったが、遂に降伏を余儀なくされて陥落。住民約二万人のうち生き残った者はわずか二七〇〇人ほどであったと記録されている。オランダの支配は、ポルトガルとは異なり商業と宗教を分けて考えてキリスト教の布教はせず、もっぱら商業に専念した。そしてその活動は寄港税の徴収にとどまらず、マレー半島内部の錫の採掘と輸出入の利権にまで食い込んでいった。半島内にはスランゴール、ペラ、クダなどサルタンを長とする諸王国があり、王位継承や錫の利権に絡んだ内部紛争が絶えず起こっていた。オランダはそれにつけ込み、それぞれの国と強引かつ一方的な条約を結んで、彼らの商業的特権を略奪していく。ジャワ島においても、マタラム王国を懐柔・分割することに成功し、島全土を支配下に置いた。そしてここを狙うイギリスの攻勢も退けて、オランダ東インド会社は、その隆盛を確実なものにしていく。そしてその版図は台湾、日本にまで広がっていくのであった（写真41～44）。

43（上）・44（下）　要塞建設とオランダ統治時代のマラッカ（絵画とジオラマ、歴史博物館）

† バタビアの狂乱

一七四〇年、「バタビアの狂乱」といわれる華僑虐殺事件が現インドネシア、ジャカルタで起こった。中国の茶貿易が盛んになるにつれて、バタビアには多くの中国人が流入するようになり、商人の他にも熟練労働者などが定住してやがて中国人街がつくられていったが、経済的成功を収める華僑が増えるにつれ、オランダ人は彼らを脅威とみなすようになり、移民制限や弾圧を加え始める。不穏な空気が広がり、彼らが反乱を起こすという噂が広がった。するとオランダ人は突如中国人街に大砲を打ち込こみ、大虐殺が始まったのである。家々は焼かれ財産は略奪され、少なくとも一万人が殺されたと記録されている。その後十七年間、ジャワ各地では反乱と虐殺が繰り返された。

オランダの本国政府は、後日事件の責任者である総督を処刑した。オランダでは、今もこの虐殺事件は文学や歴史の中で取り上げられており、国民の共通の記憶となっている。この章のはじめに記したように後年アジア太平洋戦争の最中、マレー全土でも日本軍による華僑大虐殺が起った。しかし残念なことに、この戦争で日本がアジア諸国に行った蛮行はまだまだ日本人の共通の歴史認識になってはいないというのが実情であろう。

† イギリスの支配

十八世紀末のオランダ本国は、フランス革命の時期にあたり、フランス軍の侵入により政府は崩壊していた。独立以来政権を掌握していたオラニュ家は、統治権を失い同盟国のイギリスに亡命した。同じ頃、オランダ東インド会社は、ジャワの領土拡大に伴って頻発する反乱に悩まされ、その支配の維持に莫大な費用がかさみ財政圧迫に陥った。また特権商人による賄賂取引などの前近代的な商行為が批判の

45　ペナン島

46　ラッフルズ像（シンガポール）

的となり、栄華を誇った東インド会社はついに解散に追い込まれることになった（一七九九年）。オラニュ家のウィレム五世は、亡命先のイギリスから世界中のオランダ植民地の統治はイギリスに委ねるという声明を出すが、オランダ新政府は当然それを無視した。イギリスはこれを好機ととらえ、オランダ植民地の奪取に乗り出す。

東インド会社職員のラッフルズは、ジョホール王国の王位継承争いにつけ込み、巧妙にシンガポールを買収した（一八一九年）。すでに一七八〇年、ペナン島を占拠していたイギリスは、ここを足掛かりに本格的にマレー半島の植民地化に乗り出す。一八二四年イギリスは、英蘭協定（マラッカ海峡を境界として、東をイギリス領、西をオランダ領とするもの）によって、スマトラのベンクーレンと引き換えにマラッカを取得。その二年後にはペナン、シンガポール、マラッカをあわせて海峡植民地とした。

19世紀のマレー半島（『東南アジア史Ⅱ　島嶼部』〈世界各国史〉山川出版社より）

47　アブ・バカール・モスク（ジョホール・バル）

48　スルタン・アブドゥル・サマド・ビル（旧連邦事務局ビル、1894年建造、クアラルンプール）

オランダは、関税の支払いを義務づけていたが、イギリスはシンガポールとペナンを関税なしの自由港にした。そのためマラッカに寄港する船は激減し、海峡植民地の中心はシンガポールになった。シンガポールはマラッカ海峡の最南端にあり、東西南北どの方向にも商業活動を展開する上において最も望ましい地点にあり、ラッフルズはいち早くこの利点に気づいていたのである。

アジア交易におけるオランダとイギリスの支配の構図は、こうして逆転していった。またイギリスは、半島内部においても、マレー社会の支配者であるサルタンに強圧な条約を結ばせて、彼らの特権を剥奪していく。ペラ、スランゴール、ネグリセンビラン、パハンの四州は、イギリスの駐在官を受け入れてマラヤ連合州となり、イギリスの保護国になった。そして首都がクアラルンプールに定められ、その他の州も含めたすべての行政権は、イギリスの管理下に置かれることになった（写真45〜48）。

† 複合民族国家の形成

十九世紀末から二十世紀初めにかけて、イギリス本国では産業革命の進展により産業資本家が力をつけるようになった。その結果、旧態依然とした東インド会社は徐々に解散させられていき、一八七四年に正式に幕を閉じた。イギリスは、世界各地に植民地を持つ大帝国となり、マラヤはその経済を底辺で支える労働力と資源の供給源として、世界経済のネットワークに組み込まれていくことになる。

同時期に、缶詰の技術が開発され、ブリキ製造に伴いスズの需要が急速に高まった。マレー半島では、以前からすでに地表面に近い層からスズが採掘されていたが、イギリスは本格的な鉱山開発に乗り出す。そしてその労働力として大量の中国人を華南部から導入した。マレー人は、従来河川に沿った小集落に住み漁業や農業に従事していたが、スズ鉱山の開発により、新たな中国人の街が次々と出現していく。イポー、クアラルンプールなどは、中国人によって新たに開発された街である（クアラルンプールの発祥の地はクラン川とゴンパック川の合流点）。一九〇五年までに、マレー半島のスズの生産量は世界の半分を占めるほどになった。また自動車の大量生産が始まり、タイヤ用のゴムの需要が高まった。イギリスはアマゾンで生育するゴムの種を盗み出して、マレー半島で大規模ゴム園の経営に乗り出す（中小規模農園経営には、中国人や日本人も参入した）。ゴム園では、インド南部から家族ごとが住み込んで劣悪な条件で働いた。彼らの収入はきわめて低いもので、莫大な利益のほとんどはイギリスに送られた。

一九二〇年までには、シンガポールからペナン島対岸のバターワースまでの縦断鉄道が開通。その結果、河川沿いにあったマレー人集落の存在は急速に低下し、マレー社会には古い伝統（王と臣民の忠誠関係、イスラームなど）だけが温存され、都市との経済格差が拡大していった。

イギリスによる植民地支配は、それまでのポルトガル、オランダの支配とは質的に異なる大変化をマラヤにもたらした。それは、中国とインドからの大量移民によって、今日の複合民族国家マレーシアの原型がつくられたことである。一八三五年のマレー半島とシンガポールの人口は、四〇万弱であったが、一九三一年には十倍強の四四〇万人に膨れ上がり、その民族比はマレー系四四パーセント、中国系三九パーセント、インド系一四パーセントになった。そしてイギリスは、政治経済すべての頂点に立って、彼らアジア人に君臨するようになったのである。

5　マレーシアの独立

† イギリスの敗北

一九四一年初め、イギリス本国はナチス・ドイツとの戦いに苦戦しており、ほとんどの軍備と兵士はヨーロッパ戦線に投入されていた。一方、シンガポールのイギリス人は、シンガポールは難航不落であるという錯覚のまま、日々パーティーや舞踏会に明け暮れていた。そして、彼らは日本軍のシンガポール上陸後、たった二週間で降伏し逃げていった。

一九四五年八月十五日、日本が無条件降伏をすると、シンガポールの日本軍も武器を置いて去っていった。二週間の混乱ののち、イギリスは再びシンガポールに戻ってきたが、人々はもはや彼らを自分たちの「主人」とは認めなかった。日本の占領下で空腹と恐怖に耐えた彼らに芽生えたものは、自分たちの国は自分たちで守らなければならないという民族意識であった。

†マレーシアとシンガポールの独立

マラヤ連邦として独立を果たしたのが一九五七年（写真49）。同じイギリス領だったインドやミャンマーと比べ、はるかに長い年月を要した。これは民族間の複雑な利害関係と、日本に対して最も勇敢に戦かったのが華僑中心のマラヤ共産党であったことが大きな要因であった。紆余曲折を経て成立したマラヤ連邦は、マレー系住民の権利を優先するものであった。さらに初代首相ラーマンは、土地の子（ブミプトラ）の人口を増やすために、英領ボルネオのサラワク、サバを統合してマレーシア連邦を発足させる。マラヤ連邦自治州となったシンガポールの首相リー・クアンユーは、民族間の平等を強く主張してラーマンと激しく対立。ラーマンはシンガポールを切り離す道を選びシンガポールは独立を余儀なくされた（一九六五年）。

49　ムルデカ・スクエア（独立広場、1957年8月31日ここで独立が宣言された）

†民族統合への課題

一九六九年五月十三日、クアラルンプールでマレー系住民と中国系住民の大衝突が起きた。議会選挙で中国系候補が大幅に議席を増やしたことに危機感を持ったマレー系住民が、暴動を起こして多数の死者を出した。翌日非常事態宣言が出され、その後民族問題を語ることはタブーとなり、これを機にマレー人優先政策（ブミプトラ）がいっそう加速されていった。

その後マレーシアは周知のように経済発展を遂げ、華人の不満はとりあえず抑えられているが、イギリスと日本が残した民族を分離して統治する負の遺産は、今もマレーシアの民族統合に大きな影を落としている。

† 再び追悼碑の前で

八月十五日に行われた追悼式典場に建つ「中華民国男女華胞惨死墳」（写真50）と刻まれた追悼碑に、その日に先立つ六月、一人で訪れた時のことであった。誰も来ないと思っていたら、マレーシア在住の華人と思われる身ぎれいな中年の男性二人と女性一人がやってきた。私と同じくしばしの間黙祷し、碑文と向かい合い、やがて去ろうとした。私は思い切って英語で「私たちの国の軍隊があなた方の同胞を沢山虐殺したことを申し訳なく思い、恥ずべき気持ちです」と伝えた。すると上品な女性が「いいえ貴方の世代が謝る必要はありません。ただその気持ちを持っていただくだけで十分です。」と綺麗な英語で応じてくれた。まるで天から救いの手が差し伸べられたような気がした。

50 「中華民国男女華胞惨死墳」追悼碑

第13章

太平洋をめぐる世界

メラネシアの木像に囲まれたカトリック上陸記念碑（イル・デ・パン、ニューカレドニア）

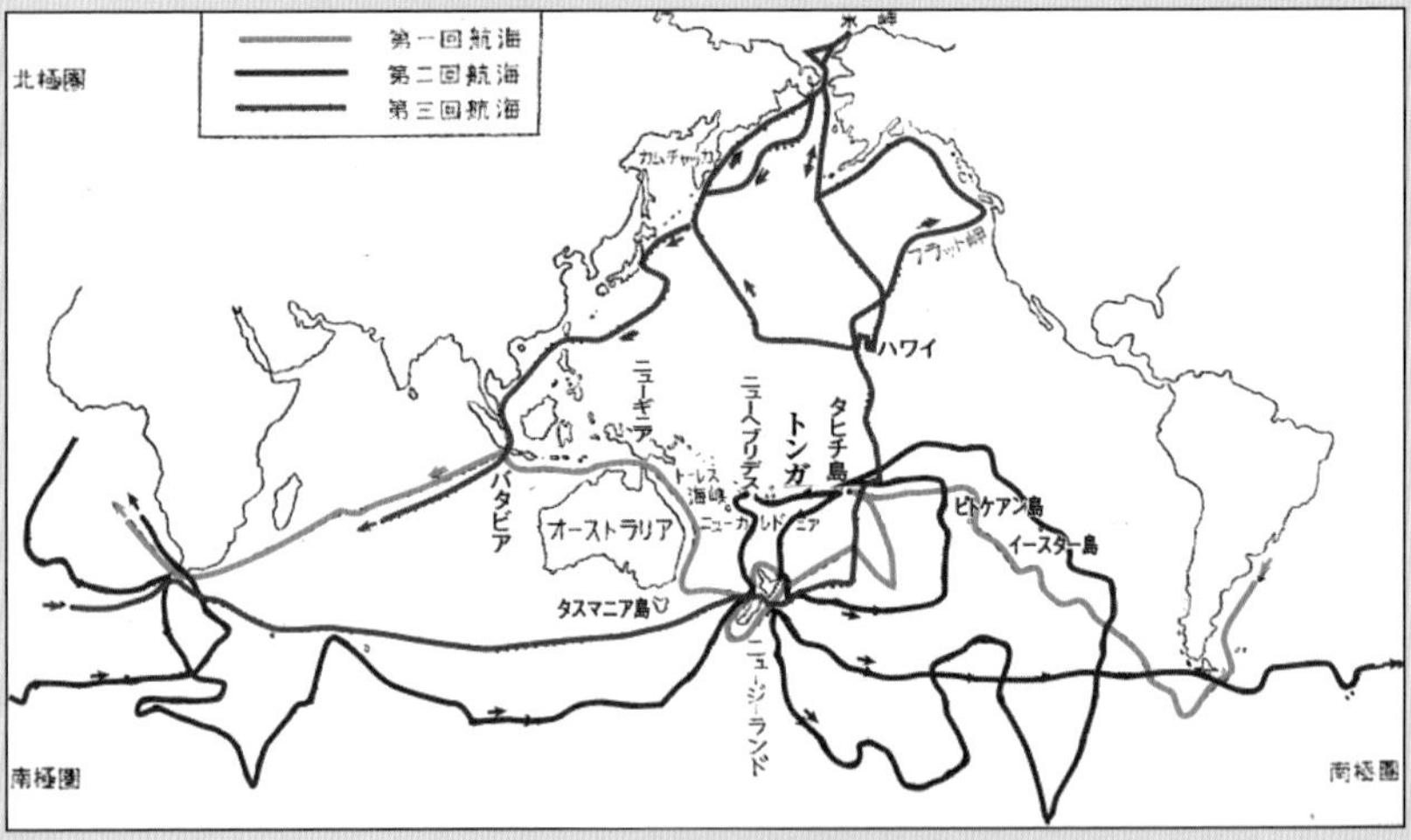

クックの太平洋航路（『世界探検史』長沢和俊、1969年より。一部加筆）

　環大西洋世界が激動の波にさらされている時、地球最大の大海、太平洋世界では静かな時間が流れていた。だが自国の利益を求めて地球的規模で海洋世界の開拓を進めるヨーロッパ勢力の動きはこの静かな世界にも徐々に押し寄せてきた。太平洋世界ではそれらの動きに呼応して大きく変容せざるを得ない部分もあったが、太古より続く伝統文化はむしろ外的刺激によって洗練されたものに発展させる契機ともなった。この章では太平洋世界の光と影を追ってみることにする。

1　ジェームズ・クックの世界周航（1）

†南太平洋航路

第9章ですでに記したように、一五一九〜二二年にかけて、大西洋から太平洋にわたり世界で初めて周航を成功させたのは、フェルディナンド・マゼランであった。もっとも彼は途中フィリピンで、不覚の死を遂げ、跡を継いだ部下のエルカーノが、スペイン、セビーリャに帰還したのだが、史上初の世界一周の名誉はマゼランに冠されている。二番手はこれも第9章で触れたように一五七七〜八〇年のイギリスの世界一周艦隊を指揮した海賊フランシス・ドレークであった。ドレークの主目的はスペイン船からの金品の掠奪であったこともすでに述べた。その後一五八四〜八九年に、西回りと東回りで世界一周を二回達成したM・I・ロヨラ、一六九一〜一七一一年にかけて三回達成したW・ダンピア、それまで三年かかった世界周航を二年以内で成功させたJ・バイロンとH・ドルフィン、フランス人初の世界一周達成者R・A・ブーガンヴィルの名を挙げることができるが、地理学をはじめとする科学的分野において優れた歴史的業績を残したのは何といっても一七六八〜七九年にかけて三回にわたって世界周航を行ったイギリス人、ジェームズ・クック（一七二八〜七九）であろう。最終章ではクックの足跡をたどりながら太平洋をめぐる歴史世界を記そうと思う。

彼の生涯はちょうどアメリカ独立革命、イギリス産業革命、フランス革命前夜という時期にあたり、彼はまさにその時代を体現する人であった。貧しい農家に生まれた彼は、若き頃石炭運搬船に乗り込み、航海技術を習得する。真面目で誠実な彼の勤務態度は周囲から称賛されていた。英仏による七年戦争（一七五六〜六三）の頃は興味を抱いていた測量技術や、天文学の知識に磨きをかけていった。二十七歳の時海軍に入り、一七六八年には海軍大尉に昇進して、即座にイギリス艦船の艦長となった。

当時天文学会では、一七六九年に太陽と地球の間を金星が通過するという珍しい現象を予測していた。イギリス王立学士会は、国王ジョージ三世に南太平洋に観測船を送ることを懇願した。その艦長として白羽の矢が立てられたのがクックであった。彼は、軍艦を使わず石炭運搬船を改良したエンデバー号を太平洋航路に繰り出す。石炭船の方が荷を多く積めることができ、かつ速度も上げられるという経験に基づいた判断であった。

一七六八年八月、イギリス、プリマス港を出航したクックは、一七六九年一月、二五〇年前にマゼランが行く手の左海岸に多くの灯を見たというフェゴ島（火の島）を右手に見ながら南下して、南米大陸最南端ホーン岬に到達する。ここで激しい嵐に見舞われ、その通過に三回失敗するが、四回目にやっと成功し、太平洋に入ることができた。その後は平穏に航海を続け、六月には無事タヒチ島（当時の航海日誌にはオタヘイテ島と記されている）に着く。ここで彼は観測所の建設など、地元住民の協力を得ながら金星観測を行い、見事に成功した。次に彼は乗組員たちに、進路を南西方向にとるよう指示を出した。実はクックは、英海軍省の極秘命令を携えていた。それは南太平洋上にあるとされた「テラ・アウストラリス」という伝説の大陸を発見せよ、というものであった。

† タヒチ島

「テラ・アウストラリス」に向かう前に、クックが寄港した風光明媚なタヒチ島に私たちも少し立ち寄ってみよう。

一九五二年、ニューカレドニアで発見された土器に付けられた名称（ラピタ）の名を取って、ラピタ人と命名されたモンゴロイドの人々が東南アジア方面から太平洋上に移動し始めたのが前一〇〇〇年前後とされる。ポリネシア方面にたどり着いたのは前四～三世紀頃のことである。その後ラピタ人たちは千年以上かけて広大なポリネシア全域に分散していく。

クックの到来から三十年後、宣教師たちとともに上陸したヨーロッパ人たちがポリネシアに浮かぶタヒチ島に銃をもたらした。その銃を手にした ポマレという男がタヒチの首長国を武力統一してポマレ王朝を興しポマレ一世を名乗った。やがてイギリス、フランスからさらに多くの宣教師が送り込まれ、ポマレ一世の息子、ポマレ二世の時代にはキリスト教が広く布教されていく。そしてキリスト教伝道者たちは、タヒチ諸島一帯でも信仰されていた神々を祀るマラエ（写真1）と呼ばれる祭壇の破壊をはじめとして次々と、伝統的な宗教社会を破壊してゆき混乱を引き起こしていった。一八三六年、英仏の間での対立関係によってフランス人宣教師追放事件が起きる。一八四二年にはフランス太平洋艦隊がやってきて、タヒチ島の女王ポマレ四世を武力で威嚇して、タヒチをフランスの保護領とする条約を締結させた。さらに翌一八四三年、フランスは、タヒチの領有を宣言しタヒチは独立を失う。そして一八八〇年には太平洋上で最初のフランスの植民地が生まれることになったのである。

　フランスの画家ゴーギャンのタヒチ移住はその十年後、一八九〇～九三年のことである。彼が憧れのタヒチに移り住み、精神の安定と充足を得てそこに楽園を見出したのであるが、その時代背景にはフランスの領土拡大への強引な野望があった。パペーテ港のちょうど反対側の南海岸線に面したところに広い植物園がある。その中の熱帯樹木に囲まれた建物がゴーギャン博物館（写真2）である。残念ながらオリジナル作品はすべてフランスに持ち去られ、あるのは複製だけ。それでもタヒチを愛した罪のないゴーギャンを偲ぶことは十分にできる。フランスはその後も観光産業の振興以外はタヒチを軽視してきた。

　二十世紀に入り、ポリネシアにさらなる暗い影が落とされた。フランス政府は、一九六〇年代より三十年の間に南太平洋ムルロワ環礁付近で、一九三回もの核実験を

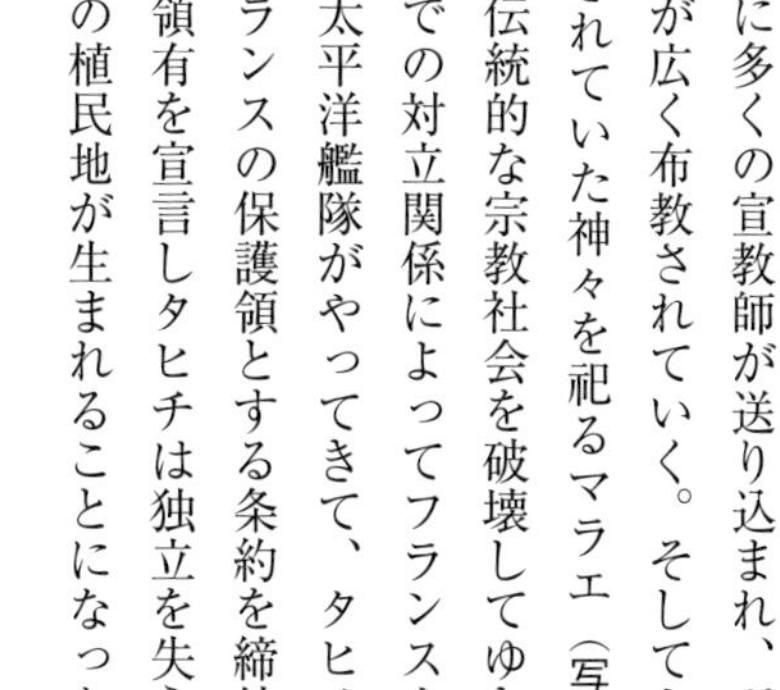

1　マラエ（タヒチ島）

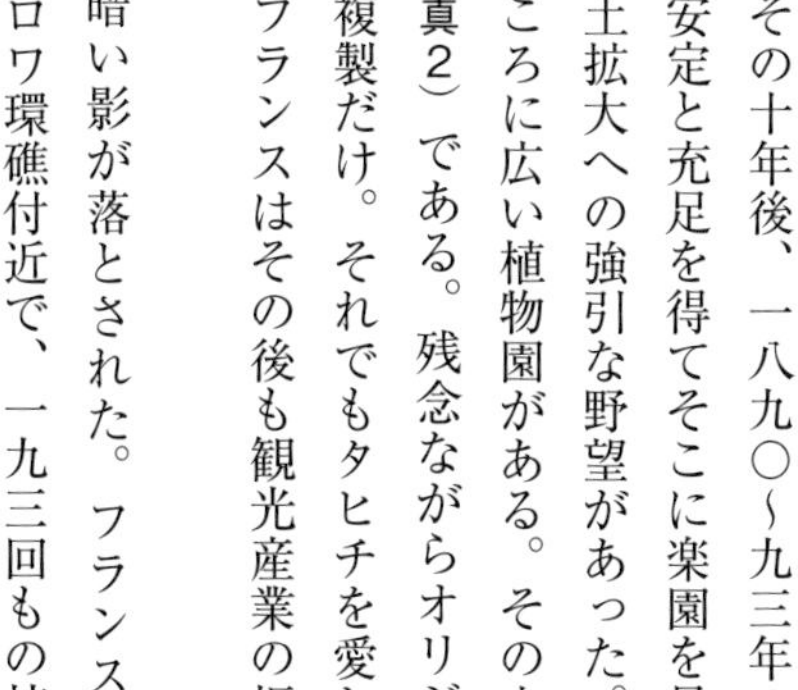

2　ゴーギャン博物館

行い、住民は深刻な健康問題に苦しんできた。フランス政府は二〇一〇年、ようやくガン発症者の一部に補償を認めたが、現在もポリネシアはフランスの「核植民地主義」の下に危険にさらされていることには変わりない。

クックはタヒチ島の北東岸マタバイ湾に上陸したとされている。この島に現在首都パペーテがある。タヒチ島は西に浮かぶボラボラ島、モーレア島などいくつかの島々とともにソシエテ諸島と呼ばれ、現在フレンチ・ポリネシア圏内のフランス海外県である。やや都会的な香りがするパペーテを離れて、環礁に囲まれたボラボラ島（写真3）に向かうと、リーフと島の間には、色鮮やかなエメラルド・グリーンの透き通った海が見えてくる。またモーレア島（写真4）では島の中心部にそびえるバリハイ山と呼ばれるモウアロア山（標高八八〇メートル）が一幅の絵のように美しい。この山はミュージカル映画『南太平洋』（一九五八年、アメリカ、ジョシュア・ローガン監督）の背景に使われたことで一躍有名になった（実際の映画のシーンはペンキで描かれた書割で、映画の撮影はハワイのカウアイ島で行われたという）。南太平洋を背景に描いたもう一つの有名な映画『戦艦バウンティ』（一九六二年、アメリカ、R・マイルストン監督）は、この島を中心として実際に起こった事件を題材にしたものである。

一七八七年、戦艦バウンティは、W・ブライ艦長の指揮の下にイギリスからタヒチ島に到着した。イギリス領ジャマイカに送られた黒人奴隷用の安価な食物を獲得するため、タヒチで採れるパンノキの実を調達することが航海の目

3　ボラボラ島

4　モーレア島のモウアロア山

的であった。困難な航海の途上、強圧的なブライの命令に対し、船員たちは反乱を起こす。反乱者たちはブライ艦長たちを小ボートに乗せて艦から追放する。船員たちは再びタヒチに戻り、平和な生活を送るのだが、ブライ艦長は無事イギリスに戻り、報復に乗り出そうとする。この知らせを聞いた反乱首謀者たちは、遠いピトケアン島へ逃れ、発覚を恐れてバウンティ号に火を放ってしまう……。このブライ艦長は、クックの三回目の太平洋航海時の航海長を務め、あとに述べるクックの最期を見届けた一人である。

ピトケアン島は、タヒチから約二〇〇〇キロ東に位置する。現在この小島では五十人ほどの人々が生活しているという。バウンティ号反乱首謀者とタヒチから連れてこられたわずかな男女の子孫である。一八八七年、イギリスはこの島をフィジー諸島総督の管轄下に置いた。一九七〇年にフィジー諸島がイギリスから独立した後、現在この島はニュージーランドに派遣されている英高等弁務官に管理が委託されている。ピトケアン島は太平洋上で唯一のイギリス領である。

† イースター島

ピトケアン島からさらに東二〇〇〇キロ、南米大陸のチリの首都サンティアゴからは西に三七〇〇キロ、まさに絶海の孤島という表現にふさわしい位置にあるのがイースター島（写真5）だ。現在はラパ・ヌイ国立公園として世界遺産に登録されている。クックは二回目の航海（一七七二～七六）での途上、一七七四年この島に立ち寄り、倒壊したモアイ（写真6、クックは倒れた巨像と表現している）を目撃している。また彼はイース

5　イースター島

6　倒壊したモアイ

ター島の言語はタヒチのそれとよく似ており、両者は同一民族ではないかと推測している。

この島名の由来は、クック到着の前、約五十年さかのぼる一七二二年、オランダ西インド会社のヤコブ・ロッヘハーヴェンが、復活祭の日にこの島に上陸したことによる。彼は、この時モアイが島の大地にしっかりと立っている姿を目撃している。島ではその後五十年間、住民の間でフリモアイと呼ばれるモアイ倒し戦争が行われていた。

このイースター島で思い出されるのは、ノルウェーの実験考古学者、トール・ハイエルダール（一九一四〜二〇〇二）である。彼は人々が南米大陸から太平洋上の島々に渡ったということを実証するため、葦《あし》を束ねた筏（コンティキ号）をつくり、乗員六人で太平洋に乗り出し、一〇一日間の航海の後に現在のトゥアモトゥ諸島（タヒチの東約一〇〇〇キロ）のラロイア環礁にたどり着いた。現在のペルー、ボリビア国境に豊かな湖水をたたえるチチカカ湖（写真7）に浮かぶウロス島は、葦でつくられた人工島であり、この島では今でも葦でつくられた船が使われている（写真8）。

7　チチカカ湖

8　ウロス島の葦舟

9　ティワナコ遺跡（ボリビア、半地下の広場の壁に組み込まれた人面像）

10　太陽神と思われる石像

このチチカカ湖の北で前インカ文明を代表するティワナコ（前八〇〇頃～後一一五〇頃）の遺跡（再現）を見ることができる。この中の半地下の広場（写真9）を見下ろすように立っている太陽神と思われる石像（写真10）は、モアイとよく似ている。しかしこのハイエルダールによる太平洋諸島の住民が南米を起源とするという説は今日ではほとんど支持されていない。前一〇〇〇年頃、東南アジア方面からモンゴロイド系の人々が太平洋に乗り出し、三～四世紀には今のポリネシアにたどり着き、彼らはそれから約千年かけて、ポリネシア全域に分散していったという説は先に述べたが、イースター島への移住もこのプロセスの一環であったという仮設の方が有力である。

イースター島では、六～七世紀頃にはアフ（写真11、先述のポリネシアのマラエに似た石の祭壇）が作り始められ、十世紀頃にはモアイの建造が始まったとされている。島の東部ラノララクには、モアイが切り出された跡や、切り出しかけのままで放置された巨大なモアイなどを見ることができる（写真12）。重い石のモアイの運搬方法についてはいまだに謎であるが、どのような方法を用いたとしてもその手段として大量の木材が必要であったことは間違いない。そのため伐採によって次第に森林破壊が進み、作物育成に必要な土壌が海に流出し、土壌が痩せ衰えて深刻な食糧不足に陥ってしまった。その結果、食糧争奪をめぐって部族間で武力闘争が生じたのではないか。モアイ倒し戦争はこのような状況下

11　アフ（モアイが立つ石の祭壇）

12　切り出し途中のモアイ（ラノララク）

13　アフ・ナイナイのモアイ

で約五十年続いたのだった。現在、アフに立っているモアイ（写真13）は、近年になって立て直されたものである。

人口が著しく減少したこの島に、一八六二年ペルー人がやってきた。グアノ（肥料用の海鳥にフン）を採集するための奴隷狩りで、約千人の島民が島から連れ出された。彼らのほとんどは感染症で亡くなり、島に戻ってきたのはたった十五人だけだったという。一八三六年には、タヒチの北一五〇〇キロに位置するマルキーズ諸島に天然痘が蔓延し、人口の八分の七が失われたという記録もある。十九世紀後半には、フランスとチリがイースター島の領有をめぐって争い、フランスの優位を嫌うイギリスの支持もあり、地の利を占めていたチリが、一八八八年に領有を宣言して現在に至る。しかし島民がチリ国民であると認められたのは、ようやく一九六六年になってからであった。

† トンガ島

イースター島、ハワイ、ニュージーランドで囲まれた太平洋の三角形の海域は、ポリネシアと呼ばれるが、この三角形の左下、ニュージーランドの北約二〇〇〇キロの地点にあるのがトンガ島。ここからは前八〇〇～前七五〇年頃のラピタ式土器が出土し、ポリネシアでは一番古い遺跡がある。トンガ島北岸、現在の首都ヌクアロファには、トンガ王の王宮（写真14）がある。前国王のツボウ四世は、この近くにある古代の巨石建造物ハッアモンガ（写真15）を、夏至と冬至の日の出を正確に示す建造物であると指摘した学識豊かな国王であった。トンガは太平洋諸島の中でただ一つ、イギリス連邦の一員として独立を保つことができた島であ

14　トンガ王宮（ヌクアロファ）

15　ハッアモンガ

る。クックは第二回、第三回（一七七六～八〇）航海の途上、一七七三年、一七七四年、一七七七年の三回にわたってこの島に上陸している（写真16・17）。

クックは訪れた島々では、島民たちと概ね友好的な関係を築き上げることができた。島民たちは最初は警戒して、時には槍や棒で武装をして近づくが、クックが布や釘など彼らが欲しがるものを贈ると態度を和らげ、薪などの燃料や水や食料などを提供してくれるようになった（時には不潔なこともあったが）。しかしクックたちが困り果てたのは、島民の盗癖で、悪質な場合は銃を放ち威嚇することもしばしばだった。

クックのトンガ滞在中の面白いエピソードもある。ある時、親しくなったトンガ住民が、「ある偉い人」がクックを訪ねてくると告げた。この「偉い人」がやってきたとき、住民は皆地面に顔を伏せたままであった。クックたちはこの「偉い人」に、シャツ、斧、銃、釘など住民たちが喜びそうな様々な品を贈り物として手渡した。しかしその間「偉い人」はただ座ったままで、一言もしゃべらず、終始無表情で、そのまま去っていった。クックはその人のあまりにも無愛想な態度に驚き、その人は住民の迷信的な考え方によって「偉い人」とされてしまった「白痴」ではないかと推測した。ところが、しばらくしてこの人物から驚くほどの大量のバナナ、豚などの食糧が贈られてきた。何とこの「偉い人」は島の王様だったのだ。クックたちは彼らに対する認識を改めなければならなかった（『太平洋航海記』J・クック、荒正人訳、社会思想社、一九七一年）。

16(上)・17（下）　クックの上陸地点と記念碑

2 「テラ・アウストラリス」を求めて

† オランダ東インド会社のオセアニア航路

さて随分と寄り道してしまったが、「テラ・アウストラリス」に向かうクックの航路に戻ろう。伝説の大陸「テラ・アウストラリス」（南方大陸）は当時のヨーロッパの国々にとっては謎めいた大陸であった。北半球が大陸で覆われているのだから地球のバランスをとるためには南半球にも大きな大陸があるはずだというのだ。

南方大陸はまず西の方からその姿が確認され始めた。十七世紀に入りポルトガルに代わってアジア方面に進出していたのがオランダであったことは先述のとおりであるが、一六〇六年にはオランダ東インド会社のウィレム・ヤンスゾーンが、オーストラリア北東部のヨーク半島の先端に到達している。しかし彼はここが大陸の一部であることには思い至らなかった。当時のオランダ船は、喜望峰からモンスーンに乗って一気にバタビア（現在のジャカルタ）にたどり着いていたのでオーストラリア西岸にはアプローチしやすかった。一六一六年にはオランダ東インド会社の船長ダーク・ハートッグが、オーストラリア西岸をヨーロッパ人として初めて目にした。そして大陸最西端に達して、今日彼の名前を冠したダーク・ハートッグ島に上陸した。しかしこの時点では依然として、果たしてここが大陸の一部なのか、またその北部に位置するニューギニアとの関係はまだ明らかではなかった。

一六四二年にはオランダ東インド会社は、当時探検家として名をなしていたタスマンをバタビアから派遣して再びオーストラリア西海岸に迫ろうとした。バタビアから大きく迂回して彼がたどり着いたのが現在のタスマニア島（彼の名にちなんで命名された）であった。彼はその後進路を東にとり、現在のニュージーランド南端に上陸したがそこで先住民マオリ族に攻撃され、すぐに引き上げたため、そこがニュージーランド南島であることは気がつかなかった。

タスマン以後オランダは、この南方大陸をめざす航路には、商業的利益がまったく見込めないと判断したのか、以後この計画は中断されてしまった。

第10章で述べた一七五六〜六三年の七年戦争でイギリスは、インド、アメリカ北部、カナダをめぐって宿敵フランスとの戦いに勝利をおさめた。そしてこれらの大部分を植民地として獲得した。クックを南方大陸の発見に向かわせたのはイギリスのこの勢いに乗ったものであったのだ。

クックのオーストラリア上陸

一七六九年七月タヒチから出航したクックは南に進路をとって三週間。南緯四〇度で西へ向かい、一か月後に陸に達した。ニュージーランド南島である。しかしタスマンと同じくマオリ族の襲撃を受けて、上陸はかなわなかった。その後北上して南島と北島の間に入り込むと、海岸で接した住民には親切にされ水や果物や薪が提供された。当時ヨーロッパ人の一部では大海に浮かぶ島々の住民には、食人の習慣があると信じられていた。現在ではそれは偏見とされているが、クックたちは、人肉を争って食う住民たちを何度も目撃したと記録している。

さてこの南島と北島を分ける海峡は、クック海峡と名づけられ現在に至っている。クックたちはここを通過してさらに西へ進み、一七七〇年四月二十日にオーストラリア東海岸に到達した。海岸に沿って南下して九日目、シドニーの南方ボタニー湾に上陸した。その後この周辺で膨大な量の動植物の標本を収集したり東海岸の測量を続けながら、世界最大の面積を持つサンゴ礁地帯、グレートバリアリーフ（写真18・19）の海上を北へ向かったが六月、ここでエンデバー号は、サン

18(上)・19(下)　グレートバリアリーフ

ゴ礁に乗り上げ座礁してしまう。船は一隻だけだったので絶体絶命の危機であった。クックは、最低限の食糧だけ残して、大砲などの重い武器など五〇〇トン余りを海中に投げ捨てるよう命令する。満潮時に船が浮いて移動を可能にするためであった。船員たちは夜を徹してこの作業を続けた。三日後この作戦が無事成功して、エンデバー号はインド洋に抜けることができた。

その後アフリカ南端周りの航路で一七七一年七月、三年間の航海を終えてイギリスに帰着することができた。この航海中、以前は多くの航海者が苦しんだ壊血病による死者を一人も出さなかった。同船していた植物学者たちとの協力により、航海中に野菜果物を摂取することがその予防となることを発見したからである。船員の食料として、麦芽汁、ザワークラウト（キャベツの酢漬け）、果物類を大量に積み込み、寄港地で野菜が手に入ると必ず食事に用いるようにした。以後長期の航海をする船は必ずそれにならうようになった。

彼はボタニー湾に上陸した地点で、オーストラリア東海岸をイギリスの領土と定めると宣言した。しかしそもそもオーストラリア大陸は彼によって「発見」されたものではなく、ましてや領土宣言に至っては、オーストラリアの歴史そのものを著しく否定したものであったことはいうまでもない。

† オーストラリアの先住民族

当然ながらヨーロッパ人がオーストラリアに到着よりはるか以前より、ここには先住民族が住んでいた。現在はアボリジナルと呼ばれる人々である。彼らは約七万年前に、アフリカを出たホモ・サピエンスの子孫であると考えるのが適切であろう。近年発達したＤＮＡ研究の成果から、私たち人類はすべてアフリカを起源とする共通の祖先を有していることがわかった。アフリカ大陸から紅海を渡り（おそらく現在のアフリカ大陸最東端のジブチから、アラビア半島のイエメンあたりは七万年前には氷河期の末期で海面が現在よりも低く、最も渡りやすい状況にあったという説がある）、アラビア海沿岸に沿って東に向かい、インドに達する。ここまでに何万年という年月が費やされている。そこから東南アジアを経て、マレー半島に到達する。現在のマレーシア南部からインドネシアを南東方向への移動については、当時は地続きであったので、問題なく通過できたのであろう。現在このあたりに居住する先住民族は、モンゴロイドよりもネグロイドに近い。

一九五〇～六〇年にかけて、マレー半島から海を隔てたボルネオ島北部のサラワク州にあるニアの洞窟と呼ばれる遺跡の発掘調査が行われた。ここで新石器時代の人骨、石器などが見つかり、これらは約四万年前のものであることがわかった。現在のインドネシアとオーストラリアの間には、チモール海（写真20）が横たわり、簡単に渡れる距離ではない。しかし、何万年にもわたる気候の変遷が研究された結果、海面上昇が始まったのが六万年前以後であり、それ以前は海面の水位は低く現在の島はすべて陸続きになっていたことがわかった。氷河期の最終年代は約六万五〇〇〇年前とされており、その頃の海面水位は最も低く、インドネシアとオーストラリアの距離は現在の三分の一、約一六〇キロであったという。海で隔てられていたとしても、決して渡れない距離ではなかったと推測される。

20　チモール海（東チモール）

21　カカドゥ国立公園

22　アボリジナルのロック・アート

23　ナマルゴン（雷男）

オーストラリア、ノーザンテリトリーの最北端にアーネムランドという地域がある。一六二三年、オランダ東インド会社の船長アーネムがここにたどり着き、その名がつけられた。ここはアボリジナルの特別居住区で、入域するには政府の特別許可がいる。このアーネムランドの西部にカカドゥ国立公園（写真21）があり、この中のウビルーといわれる岩場に、アボリジナルによるロック・アート（写真22）がある。古いものは二万年前にさかのぼり、アボリジナルが狩りの獲物としていたカンガルー、カメ、トカゲなどが岩壁に描かれている。さらに有名なものは、カカドゥの中心部ジャビルーとクーインダの間にあるアンバンバンギャラリーといわれる岩山に描かれたナマルゴン（雷男、写真23）であろう。アボリジナルは人間も自然の一部であり、動物や植物と一体であるという精神世界と豊かな自然観を持っている。これらの岩壁画には神話伝説などが反映され、色彩豊かに表現されている。彼らはまた大自然との共存するために、様々な知恵や道具、生活習慣を生み出していった。

クックは一七六九年、オーストラリア南東部ボタニー湾に上陸して短期間で珍しい動植物の標本を収集していたのだが、その時出会ったアボリジナルの人々（写真24）は、決して攻撃的ではなかった。アボリジナルが貴重な蛋白源としていたカンガルーを食べるのを見て、クックも試してみた。イギリス人によるオーストラリアへの入植が始まった頃には推定総人口は五〇〜一〇〇万、二百以上の言語集団、七百以上の部族集団があったとされているが、一九二〇年には七万人に激減、そして一九九六年には三十五万人となった。その減少の原因と経過を簡単に述べよう。

24　野外ショーに出演したアボリジナルの人々（ダーウィン）

† イギリス人によるオーストラリア入植

クックのオーストラリア上陸から十八年後の一七八八年一月十八日、初代オーストラリア総督となるアーサー・

フィリップ率いるサプライ号が、同じくボタニー湾に上陸した。サプライ号に乗船していた約千人のうち七五〇人は囚人であった。ボタニー湾付近は植民には適さないと考えたフィリップは、現在のシドニー湾（写真25）に移動して、本格的に上陸を開始した。今でも一月二十六日はオーストラリア・デイとして建国記念日となっている。一八〇五年には現在のニューサウスウェールズ州に入植した人口は約七〇〇〇人、そのうち囚人は二〇〇〇人であった。一七八三年、アメリカの独立を認めて以来、イギリスは流刑囚をアメリカに送り込めなくなったこと、また同時期にオーストラリアに入ってきたフランス人と植民地建設を競争する労働力が必要となったからである。この流刑囚（写真26）は窃盗などの軽犯罪者が主で、平均年齢も若く建設労働には最適であった。

　アボリジナルの人口減少の最大の要因は、これらの流刑者をはじめとするヨーロッパ人が持ち込んだ伝染病（天然痘や梅毒、インフルエンザ、麻疹など）の流行によるものであった。それまでのオーストラリアは、ヨーロッパ世界とは隔絶されていたため、アボリジナルはこれらに対する免疫をまったく持っていなかった。さらに流刑囚たちはスポーツハンティングと称して多くのアボリジナルを虐殺した。彼らが残した日記の中には「今日はアボリジナル狩りに行って十七匹をやった」という記述もある。また白人世界の拡大に伴って、アボリジナルとの対立が激化して彼らに対する組織的な虐殺も行われ、彼らの人口は七万人まで激減した。一九二〇年には、さすがにオーストラリア政府も保護政策に乗り出さざるを得なくなったが、しかしこれは白人居住地から移動させるという人種隔離政策でもあった。映画『オーストラリア』（二〇〇九年、オーストラリア、アメリカ、バズ・ラーマン監督）は、牧場を経営しようとする若いオー

25　シドニー湾

26　旧メルボルン監獄

ストラリア人男女の恋愛物語であるが、白人たちの冷たい視線を浴びながら、無理やり孤島に送られたアボリジナルの血を引く少年を助けるというエピソードが盛り込まれていた。良い白人と可哀相なアボリジナルという構図だが、彼らが置かれていた状況の一端をうかがい知ることができる。強制収容所や孤児院への移送は自然と共に生きるアボリジナルのアイデンティティーを確実に奪っていった。失われた彼らの言語や文化は、現在その復活のため様々な努力がなされているが、すでに不可能となってしまったものも多い。それにより、アボリジナル人口は徐々に回復し、一九九六年には約三十五万人になった。これは現在のオーストラリア総人口の二パーセントである。アボリジナルの選挙権は、一九六〇年になってようやく認められ、一九九三年にはもともと彼らが住んでいたアボリジナル居住地域の所有権（先住権）が認められるようになった。

今日ではアボリジナルの大半が都市部に住んでいるが、失業率は四〇パーセントを超えるという。中には政府から支給された公的扶助を元にアルコール中毒などによって生活が破綻する人々も少なくなく、世界諸地域における先住民族と同様の社会問題が存在している。

一方、オーストラリアに入植したヨーロッパ系の住民の経済的社会的発展は目覚ましかった。彼らはナポレオン戦争中にスペインから羊を大量に買い付けてここで羊毛産業を興した。一八五一年、サウス・ウェールズ州とヴィクトリア州で金鉱が発見され、ゴールドラッシュが起こると世界各地から多くの人々が押しよせるようになり、その結果オーストラリアは流刑地としての役割を終えることになる。一八八〇年代の白人オー

27　ガン鉄道（ダーウィン－アデレード間）

28　戦争記念館（キャンベラ）

ストリア人の平均収入は、同時期のイギリスの二倍、アメリカの一・五倍であったという。またイギリス産業革命の余波を受けて鉄道建設も進み、鉄道路線（写真27）は一八六〇年には五〇〇〇キロメートル、十九世紀末には一万七〇〇〇キロメートルに伸びていった。二十世紀に入ってからは第一次世界大戦への参戦（写真28）、大恐慌などで打撃を被ったものの、その経済的社会的発展は現在に至るまで概ね順調である。この驚くべき短期間のうちに近代社会を築き上げたオーストラリアの繁栄の背後には、西欧社会が奴隷制という基盤の上に経済社会的発展をなしとげたのと同様に、先住民アボリジナルの犠牲があったことを忘れてはならない。

3　ジェームズ・クックの世界周航（2）

†ベーリング海峡からアラスカへ

さて再度クックの航海に戻ろう。一七七二年七月、クックが乗ったレゾリューション号は第二回航海に出発した。今回は目的海域として南極海をめざす。宿願の「テラ・アウストラリス」の存在を見極めるためであった。翌年一月にはケープタウン周りで南極圏に入ったが、分厚い氷に阻まれ、ひとたびニュージーランドやタヒチに引き返して十一月、再度南極圏に入るが多くの頂が平らな氷山を目にして、南方に大陸があるとしても人間の居住は不可能であろうと判断して引き返す。この航海時には先述のイースター島まで足を伸ばしていたのであった。翌一七七四年十一月、南極圏に三度目の入域を果たして南米大陸最南端のホーン岬に達した。その後南極海の周辺をひたすら東に進んで、翌一七七五年三月、ケープタウンに帰港。この時点でついに「テラ・アウストラリス」を求めての航海を断念することになった。南方大陸は幻の大陸であった。それをようやく理解したイギリスはオーストラリアの本格的な植民地化を急ぐことになったのだ。

一七七六年七月十四日（アメリカの独立宣言の直後）、クックは三回目の航海に出発。今回の目的はアメリカの北方を周航して、アジアに到達する最短航路を発見することであった。大西洋側からの航路開拓はそれまでに何度も試みられたがすべて失敗に終わっており、イギリス政府は、今や航路開拓の第一人者であるクックに太平洋側からの北西航路へのアプローチを命じた。ベーリング海峡からカナダ北東部ハドソン湾への航路開拓のためであった。これがクックの最期の航海となる。

十一月にはケープタウンを過ぎて、勝手知った航路を東に進みニュージーランドから再度タヒチに着く。そして針路を北にとって、一七七八年一月に太平洋ポリネシア最北端、ハワイ諸島の一つカウアイ島に到着する。地元住民は、高くマストを掲げたイギリスの帆船を、彼らが信仰する神ロノ（ハワイ神話の四大神の一つ、平和と豊穣の神）の到来と信じてクック一行を歓待した。今でもカウアイ島の西岸、ワイメア・タウンの中心地にはクックの上陸記念碑が立っている（写真29）。

一か月後にここを出発したクックは北アメリカ西海岸に沿って北上し、激しい風と潮流にさらされながらアラスカ南部に到着する。さらにベーリング海を越えてアラスカ北端部に達した時、南極圏と同じく氷の大平原に行く手を阻まれる。一か月間氷と格闘を続けたがもはや前進は不可能だった。現在のアラスカ州アンカレッジ南の

29　クック上陸記念碑（カウアイ島、ハワイ）

30　クック上陸記念碑（クック湾、アラスカ）

湾はクック湾と名付けられ、この湾の入り江を見下ろす港の高台にもクックの上陸記念碑が立っている（写真30）。

だがクックが越えたベーリング海峡はすでにロシアが進出していた。一六四八年に、シベリアのコサック（帝政ロシアによる農奴制強化を逃れて、東南辺境に逃亡し狩猟、牧畜、漁業を営んでいたが、皇帝政府から援助を受けて国境防備を担うことになった人々）出身のデジネフが、「発見」したのだが、その時の彼の記録は埋もれてしまっていた。その八十年後、ピョートル三世の命により派遣されたデンマーク人ベーリングが、この海峡の存在を報告したことにより、海峡には彼の名がつけられた。その後コサックによる探検活動が活発になり、多くの情報が集められた。一七三三年には再度ベーリングたちの探検が行われた。ベーリングは暴風と濃霧に苦しみながら一七四一年、カムチャッカ半島からアラスカに到達する。以後ベーリング海域は、コサックによって大量の毛皮が集められ、ラッコ、アザラシ、セイウチなど動物の肉を糧に生活していた先住民たちとの激しい争いが勃発する。女帝エカテリーナ二世（在位一七六二〜九六）の時代、毛皮船を繰り出したオホーツクの豪商シェリコフの活動にお墨付きが与えられ、帝政ロシアによるアラスカの植民地化が進められた。しかしこのロシアのアラスカ領有宣言にもかかわらず、フランスやスペインなど各国の進出も始まり、毛皮の獲得競争は激化していった。

　このような状況下、一七七九年のクックによるアラスカ上陸が行われたのであった。このベーリング海峡を挟んで、その両岸（現在のアメリカ、ロシア）の至るところで、クックはロシア人の痕跡を知る。地元の住民からロシア人が残していった手紙を見せらたこともあったが、クックたちはロシア語を解読できなかった。同じ頃アメリカもこの競争に加わり始める。次第に地の利を占めるアメリカの進出が優勢になるにつれて、ロシアはアメリカとアラスカにおける共同使用権を認めざるを得なくなった（一八二四年）。

†ロシアがアメリカへアラスカを割譲

一八五三〜五六年にかけて起こったクリミア戦争は、ロシアがオスマン帝国に圧力をかけ地中海への通商路を確保しようと南下したことに対して、イギリス、フランスがそれを遮ろうとして起こした戦争であった。ロシアはこの戦いに敗れて財政困難に陥る。そして英仏を利するよりもと考え、アメリカにアラスカ売却の話を持ちかけた。当時のアメリカも南北戦争直後で財政的に苦しい状況にあり、また当時のアメリカ人は雪と氷に閉ざされたこの地には何の魅力も感じておらず、この降ってわいた話には否定的であった。しかし国務長官スワードは世論の反対を無視して、七二〇万ドルでアラスカを購入する条約を独断で締結してし

31　フェアバンクス郊外の金鉱

32　石油パイプライン（夏）

33　石油パイプライン（冬）

34　スワード国務長官像

35　スワードの港

36　アラスカ鉄道

まう（一八八六年）。アメリカの人々はこれを「北極熊の動物園」とか「スワードの冷蔵庫」と揶揄したが、一九世紀末一エーカーあたりわずか二セントという価格で得た広大な土地からは、十九世紀末に金鉱が発見され（写真31）、ゴールドラッシュが起こった。さらに二十世紀には石油が採掘され（写真32・33）、まさにアメリカのドル箱となったのである。

クック湾の東に延びる半島を隔てて、この国務長官の名がつけられたスワードという小さな港町（写真34・35）がある。一九二三年には、ここから北へ約七五〇キロ、内陸部のフェアバンクスまでアラスカ鉄道が敷設された。現在ここは氷河見物にやってくる観光客の基地として賑わっている。険しい峡谷を貫き、河水や湖水の眺めを楽しみながらの鉄道の旅（写真36）は快適である。冬の間アラスカは雪に閉ざされるが、鉄道は週末のみ運行され、オーロラを眺めることもできる（写真37・38）。北氷洋を目指したクックも何度となくオーロラを目撃している。

† クックの最期

さて、一七七九年一月、クック率いるレゾリューション号は現在のハワイ島西岸、ケアラケク湾に入港する（写真39）。ここでもクック一行は、カウアイ島と同じく島人に歓待される。一か月後再度北太平洋をめざして北上するものの、出航後しばらくし

37(上)・38(下)　オーロラ（コールドフット）

39　ハワイ島

て長年の航海に耐えてきた船の一部が破損したため、修理のためケアラケク湾に戻ってきた。この突然の帰還に先住民たちは、なぜか疑念を抱き始めた。停泊中修理がはかどらない中で、船に備え付けられていたカッターボートが盗まれるという事件が起こる。以前タヒチでも同様のトラブルが起こったが、その時は地元の人間を人質にとり、盗品と交換するということでうまくいっていた。今回も地元の首長とその息子を人質にとることにしたが、激しい抵抗に遭い大騒動に発展してしまう。クックの部下の発砲で地元の人間が倒れて騒然となる中、船に引き返そうとしたクックたちは総反撃を受けることになった。クックに追いついた地元民が振り下ろした棒が、クックの頭部に一撃を与え、海中に倒れたところを短剣でとどめを刺された。さらに地元民たちはクックの遺体を村に持ち帰り、寸断してしまう。時をおいてクックの部下たちは、地元民と交渉して遺体の一部だけを持ち帰ることが許された。一七八〇年、彼らはイギリスに帰還したが、この一部始終は航海長であった先述のブライ（後に反乱を起こされた戦艦バウンティ号の艦長）たちによってイギリス海軍に報告された。

　海図作成、天文学、植物学など幅広い分野で類まれな才能を発揮し、また新航路の開拓によって地理学における比類ない業績を上げ、航海史上最高の艦長といわれたジェームズ・クック。彼は当時のイギリス社会の上層部にいた

40（上）・41（中）・42（下）　フィッツロイ・ガーデン（メルボルン）に移されたクックの生家

貴族出身ではなく一介の水兵からたたき上げて、イギリス海軍の勅任艦長にまで上り詰めた立志伝を絵に描いたような人物であった。現在彼の生家は故郷のヨークシャーを離れてメルボルンの広々とした庭園に復元されている（写真40〜42）。彼について残された記録もしくは彼自身の航海記から、彼は先住民たちに暖かいまなざしを向けた人格の持ち主でもあったこともうかがわれる。しかしやはり彼も時代の子としての運命を免れることはできなかった。他のヨーロッパ諸国に先駆けて、太平洋世界に乗り出したイギリスの時代精神は、文明の先駆者であるという自負によって、やがて征服され植民地となる土地の先住民に対する優越感に支えられていた。最高の航海者、人格者と称えられたクックだが彼もやはりその例外ではなかったのである。

4　ミクロネシア、メラネシアの世界

ここまで、主としてジェームズ・クックの航路に沿って、十七世紀から二十世紀初頭にかけての太平洋世界の歴史をたどってきた。当然のことながらクックが立ち寄ることがなかった太平洋上の島々にはまだまだ豊かな歴史を経てきた国々がいくつもある。それらのすべてというわけにはいかないが、そのうちのいくつかに触れてこの章を締めくくることにしよう。

今までいわゆるオセアニアと呼ばれる世界、ポリネシア、ミクロネシア、

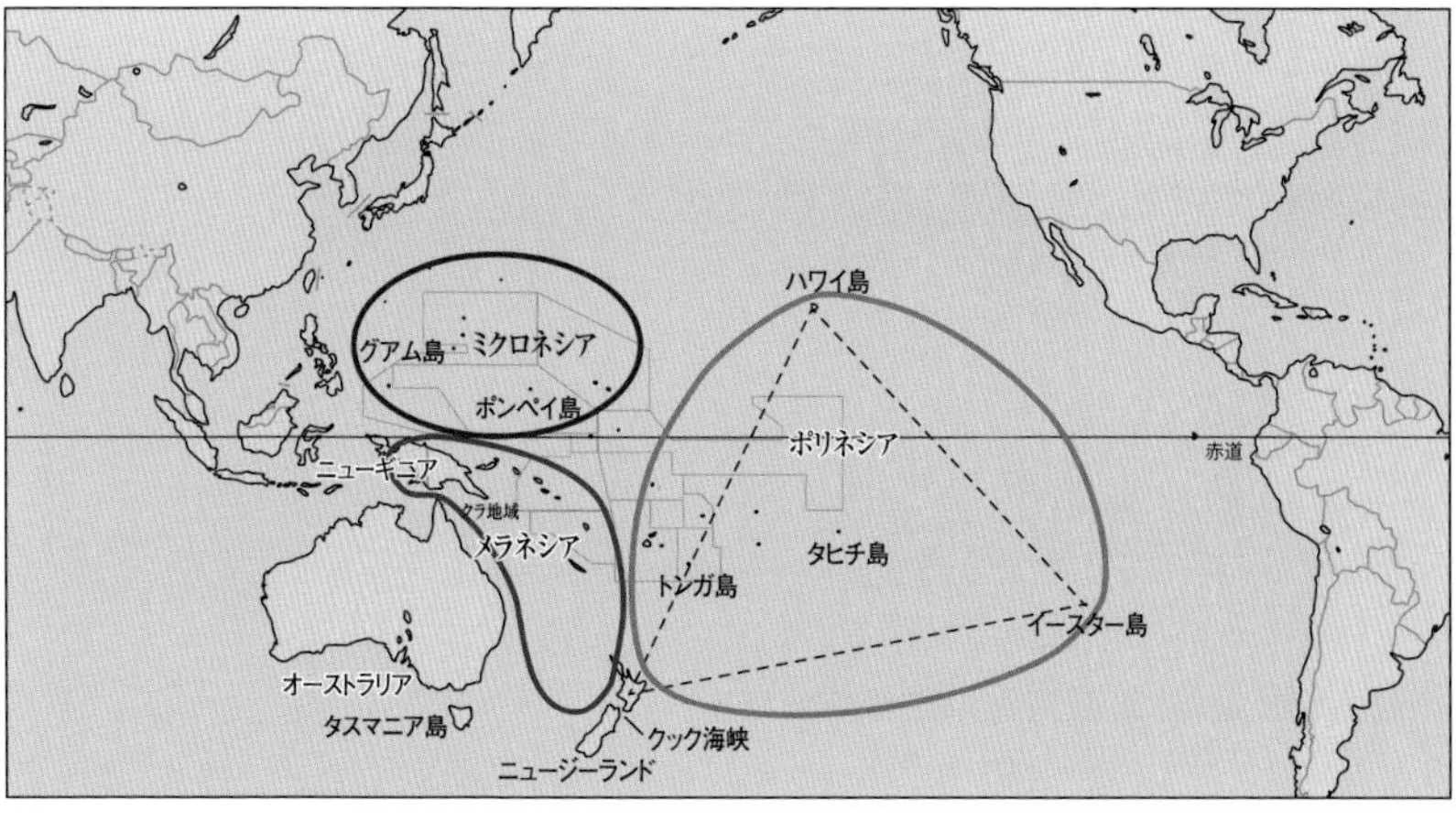

メラネシアのうち主としてタヒチやイースター島などのポリネシアとオーストラリアについて触れてきたのでミクロネシアとメラネシアからそれぞれ一つずつ取り上げることにしよう。

†ポンペイ島

ミクロネシアとは、ポリネシアの西、赤道から北の海域にある島々を指すのであるが、その中でも際立って歴史に独特な痕跡を残す島がある。グアムから東南東に約一七〇〇キロ、カロリン諸島にある島で、ミクロネシア連邦ポンペイ州に属するポンペイ島である。十六世紀からスペインがここに触手を伸ばし、のちにはドイツ、日本の占領下に組み込まれたが、太平洋戦争後はアメリカの統治領となった。一九九〇年には独立して翌年国連に加盟している。この島の東南部に「海のアンコールワット」ともいわれる世界有数の巨石文明跡を残すナン・マドールの遺跡（写真43）がある。ポンペイ島の北部にある州都パリキールに近いコロニア港からモーターボートで東回りに約一時間いくと、ここには九十二の人工島群があり、それぞれは互いに水路でつながっている。

ドイツの考古学者パウル・ハンブルツフによると、人工島が築かれ始めたのは西暦五〇〇年頃からだが、ポンペイ島全土を支配する王朝（シャウテレウル王朝）が成立した一〇〇〇年頃から建設が本格化し、最盛期を迎えた一二〇〇年頃から一五〇〇年（または一六〇〇年）頃までの間に多数の巨石建造物が作り上げられていったという。これらの人工島には満潮時を待ってボートで入っていくことができる。この中で最大のものはナンドワスと呼ばれ、まさに海の上に築かれた城砦であり、周囲は全長六四メートル、高さ八メートルの外壁で囲まれている。ナントワスの築造年代は、西暦一一五〇年頃と推定されている。

43　ナン・マドール（ポンペイ島）

この場所はシャウテレウル朝歴代の王が葬られた墓所であり、最後の王シャウテムォイもここに葬られたとされる。この裏側には「瞑想の穴」と呼ばれる小地下室（写真44）があり、礼拝の儀式が終わった後、王はこの中に入り自分の魂と対話して、祖先と交信したとされている。この人工島は玄武岩の枠の内側がサンゴや砂で埋められて造られている。ナンドワスの城壁は六角柱の棒状の玄武岩が互い違いに材木のように積み上げられて（写真45）、その柱の数は数万個に及ぶ。しかしこれがどのように運ばれてきたのかはまったくの謎である。ナン・マドールの伝説によれば、魔術師といわれる二人の兄弟、オロシーパとオロショーパがやってきて、これらの石を空中に浮かべて運んできたのだとされている。オロシーパが死んだのち、オロショーパが残りの工事を完成に導いた。このオロショーパが初代のシャウテレウルとされる。シャウテレウルとは、ナン・マドールを含む一帯の地名「テレウル」の主という意味である。このオロショーパから始まる王朝が、シャウテレウル朝と呼ばれるのである。さらに伝説によると、最後の王イショケレケルは、海の中の楽園を亀に乗って訪れ、帰ってきた時に、ペイカップと呼ばれる池の水面に映し出された自分の姿が、白髪になった老人であったことに絶望して自殺したという。日本の浦島太郎を思わせるような話である。

　伝説はともかくとして、過去の発掘調査などの結果から、ナン・マドール一帯に人が住むようになったのは紀元前後のことで、メラネシアから移ってきたと推測されているが、先述のタヒチのところで述べたラピタ人の流れをくむともいわれている。ただ人工島を見る限り、宗教的機能は果たしたとしても生産手段は何も存在し

44　地下室の入り口

45　ナンドワス

ない。そのため食糧その他は、ポンペイ島からの貢納に頼っていたのであろう。そのシステムが壊れた時が王朝の最期であったのかもしれない。

ポンペイ島でよく飲まれている飲料にシャカオがある。これはポリネシア方面ではカヴァと呼ばれる。コショウ科の植物の木の根っこを粉状にしてハイビスカスなどの茎から出る液体を混ぜたもので、祝宴などの儀式に用いられる。飲むと少し重苦しい気分になるが、覚醒作用もある。これは太平洋上の島々に広く行き渡っており、島同士のつながりは古くからあったと考えられる。しかし、島と島を結ぶ小規模な交易体系の詳細はよくわからないので、ナン・マドールが外部世界とどのように結びついていたのかは不明のままである。謎に包まれたナン・マドールは太平洋に散らばる数々の諸島の中でもとりわけ人々の興味をかき立てる島である。

†トロブリアンド諸島のクラ

太平洋に点在する島と島を結ぶ交易体系の全貌については、まだわからないことの方が多い。しかしその一部ではあるが素晴らしい成果を導き出した研究がある。第一次世界大戦中の一九一五～一六と一九一七～一八年にかけてニューギニア東部のトロブリアンド諸島で調査されたポーランド出身のイギリス人人類学者、ブロニスワフ・マリノフスキー（一八八四～一九四二）による「クラ」の研究である。彼の著書『西太平洋の遠洋航海者』（一九二二年）はあまりにも有名なので、詳しく記す

46　ソウラヴァ（国立民族学博物館所蔵）

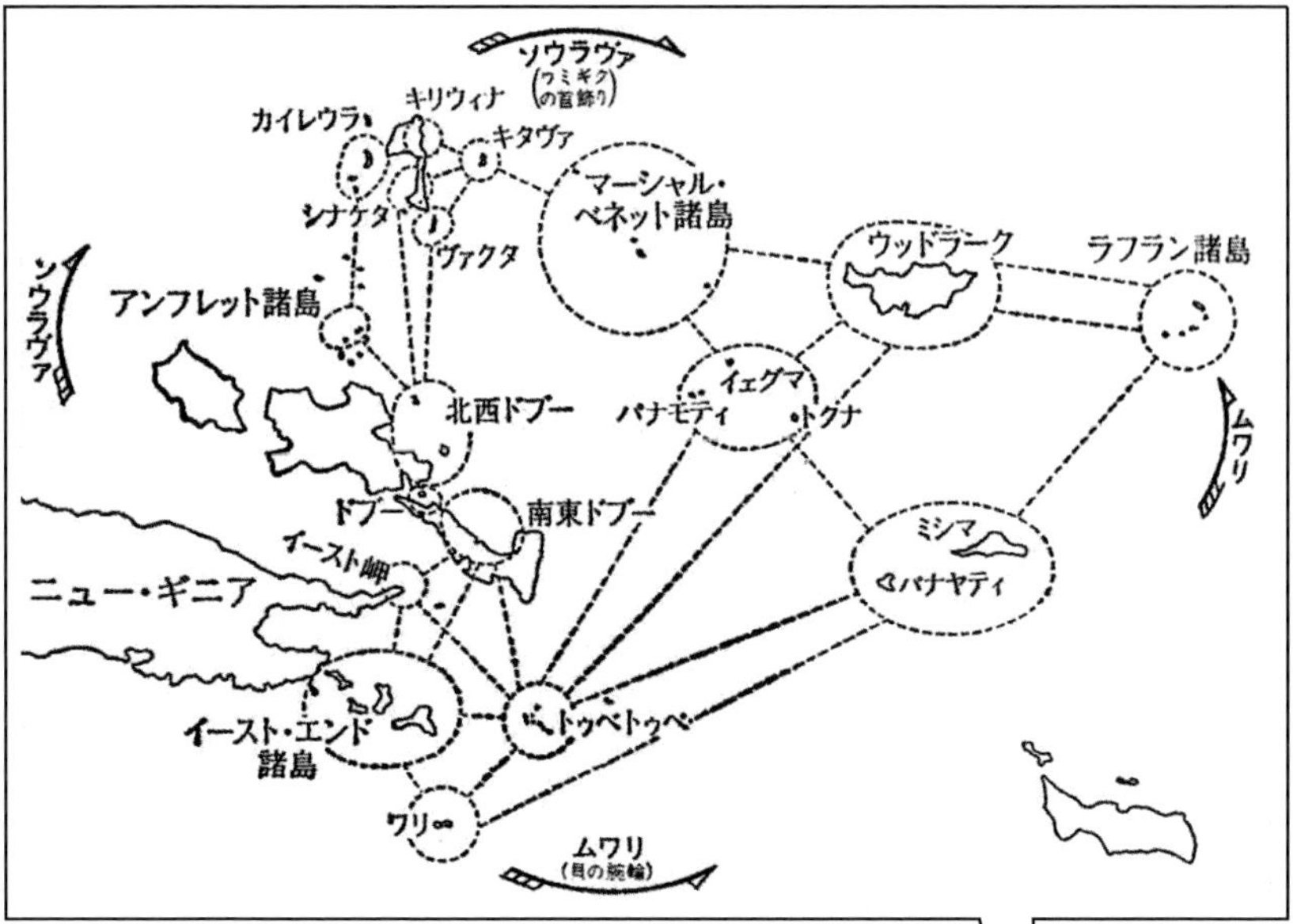

クラの環

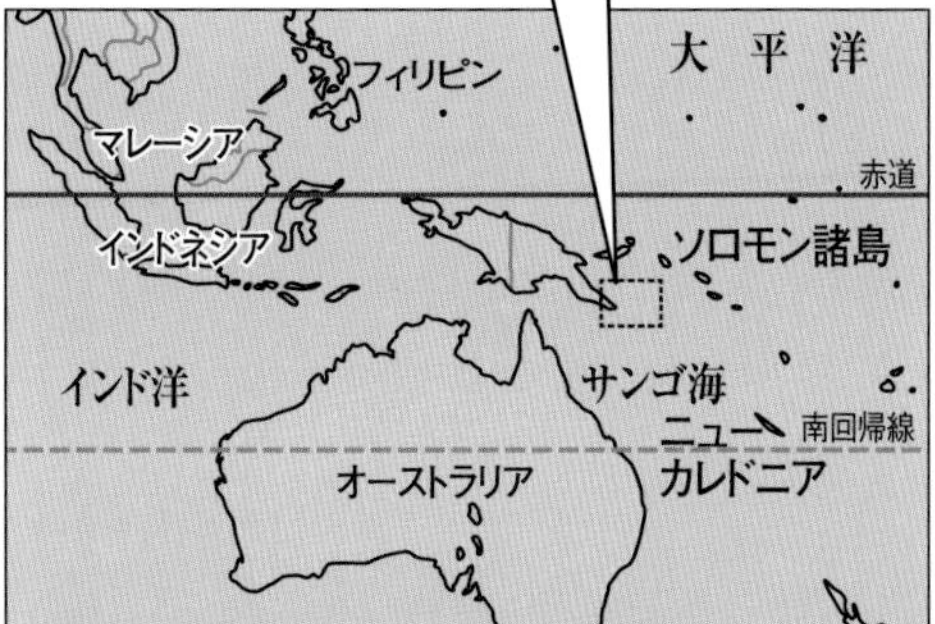

クラが行われている地域（『西太平洋の遠洋航海者』〈世界の名著〉中央公論社から引用・作成）

必要もないかもしれないが、簡単に紹介しておこう。

クラというのは、島々をカヌーでめぐって、贈り物の交換を行う習慣のことである。交易は相互の利益を目的とする行為であるが、クラはその前段階の相互信頼関係を構築するための活動である。クラに用いられる品物（財宝）は、ソウラヴァと呼ばれる赤い貝の首飾り（写真46）とムワリと呼ばれる白い貝の腕輪である。これらがサークル状に点在する島々の圏内を、ソウラヴァを運ぶものは時計回りに、ムワリを運ぶものは反時計回りにカヌー（ワガ）によって遠征を行う。財宝は短期間所有され、次の相手に贈り物として渡される。クラの相手は、遠征隊を客人としてもてなす保護者であり味方となる。その相互関係は終生続き、クラによって遠方の土地にも味方を持つことができる。クラのお返しには時間間隔があり、数日から一年以上までの間隔があるが、その場で相互に交換することはない。またお返しの選択は与える側にあり、議論や競り合いは禁じられている。クラには二種類の規模があり、相当量の財宝が一度に移動する遠距離の大遠征隊と、数マイル間を数人の手で経る小規模のものがある。

クラ共同体は一つまたは複数の村からなり、村民は一体となって行動する。村民は、自分の地区か近隣の地区にクラを行う首長を持っている。首長のクラに対しては奉仕の義務がある。その代わりに首長は気前よく振る舞うことが期待される。クラは遠洋カヌーの建造、遠征隊の準備、日時の決定、祭事、呪術、副次的な交易などを包括する複雑な経済制度である。副次的な効用として、物品だけでなく習慣、歌、工芸など文化全般の影響がクラの航路に沿って伝播し、部族間に網目状の関係を作る。マリノフスキーは、クラの財宝をヨーロッパの貴重品に例える際に、トロフィーないし優勝杯という形容をした。勝者がしばらく保有する一定期間の預かり物であり、所有者またはチームに喜びを与えるといった点で似ていると指摘している。こうして島を隔てた人間関係には相互の信頼と尊敬が、創出維持されていくのである。太平洋の島々で生きる人々の見事な知恵であり素晴らしい習慣である。

† マウントハーゲン・ショー（シンシン）―ニューギニア―

さて先述のようにポリネシアの西の海域、赤道を挟んで北側がミクロネシアと呼ばれるのであるが、赤道の南側はメラネシアと称される。最後にこのメラネシアに属する太平洋諸国の一つを取り上げよう。それは、地球上で面積が二番目に大きい島ニューギニアである。世界周航者マゼランやドレークはニューギニア島の西の香料の島、モルッカ諸島には立ち寄っているが、ニューギニア島は素通りしてしまっている。太平洋上の最高の航海者クックも、オーストラリア北東部のグレートバリアリーフでの座礁の後、ひたすら東インドをめざし、オーストラリアとニューギニア島の間のアラフラ海を西に向かって通過してしまっている。それ以前にはポルトガル人やオランダ人が来航しているが、彼らは熱帯雨林と湿地帯が沿岸に広がる島に、魅力的なものは何も発見することができなかったのだろう。

しかしこの島にはオーストラリアのアボリジナルに近い系統であるオーストラロイド（コーカソイド、ネグロイド、モンゴロイドと並んで四つに分けられる人種概念の一つ）の人々が氷河期の末期に陸続きとなった大地を、東南アジア方面から移住していた。続いて現在のマレー人、ジャワ人に近いアウストロネシア（語族による分類で台湾から東南アジア島嶼部、太平洋の島々、マダガスカルに広がるとされる）系の人々がやってきて原初的な生活を営み始めた。現在の行政区分は、島の東半分はインドネシアに属し、イリアンジャヤ、または西パプア州、パプア州と呼ばれる。西半分のパプア・ニューギニアは、独立国家としてメラネシアの一角を占める。

これらの国々の人々の生活様式については、クラと同じく民族学、人類学のジャンルで多くの優れた研究報告があるのでここでは深入りすることは避けるが、一つ、どうしてもここで取り上げておきたい伝統行事があるので、簡単に触れておきたい。パプア・ニューギニアの各地で毎年七～十月にかけて行われるシンシンと呼ばれる民族舞踊祭である。シンシンとは、英語のSing Singから来たもので現地で使われるピジン語である。このシンシンの中でも最も規模の大きなものが、中央部山岳地帯マウントハーゲン州の同名の州都で、八月中旬二日間にわたって催される「マウントハーゲン・ショー（シンシン・ショー）」である。近郊に住む百あまりの部族が、ハイランド地域のマウントハーゲン市に集まり、独自の文化や伝統に根差した踊りを披露する。

この日は朝暗いうちから、広い野外の会場周辺に、地元の人々が部族ごとに集まり、

47　化粧する男

48　揃いの前掛けを付けた男たち

顔や体に入念な化粧を始める（写真47）。自ら鏡を見ながら自分自身の顔に派手な原色の模様を描いていく。中には向かい合って互いの顔に化粧をする人たちもいる。男女とも輝くような茶褐色の肌に極彩色のペインティングが美しく映える。化粧に充分な時間をかけた後、歌と踊りの打ち合わせのために小グループごとに集まり始める。会場の周りにはロープが張り巡らされ、広い舞踊の空間と見物用の空間が分け隔てられている。入場の順番を待つ間も各グループは、皆で踊りを合わせるための調整に余念がない。

午前十時頃、入場門から最初のグループが入ってくる。グループの規模は大小様々であるが、小さいものでも二十人は下らない。極楽鳥の羽根で作った揃いの髪飾りをつけ、腰にはスカート風の

49～52　シンシン（民族舞踊祭マウントハーゲン、ニューギニア）

色鮮やかな布をぶら下げ、さらに葉っぱや貝殻、鳥の羽根などで体全体を装飾する（写真48）。クンドゥと呼ばれる太鼓や笛を演奏しながら、大声を張り上げて歌い、かつ調和がとれた踊りを披露しながら次々と行進して会場を何周もする。それぞれの部族の強烈な誇りが爆発する。歌と楽器の競演が会場をゆるがす。時間の経過とともにさらに熱気は盛り上がり、見物客との一体感もどんどん高まっていく。この祭典は息もつかせず夕方まで続いていった（写真49～52）。

この祭典はもともと、冠婚葬祭などの行事で各部族がそれぞれ別々に行っていたものだが、オーストラリア政府が数十年前に一か所に集め、各部族の踊りを通して交流を深め、お互いに尊敬できるようにと運営を始めたことに由来する。絶え間なく起きていた部族間の争いを止めるために企画された苦肉の策であったことが始まりであった。ところが今では、政府の上からのお仕着せという意味合いはまったく消え失せて、それぞれの部族のアイデンティティーが刺激され、誇りが育成されて健全な競争意識が徐々に高まっていった。回を重ねるにつれて当初の狙い通りハイランド地域の部族同士の交流が活発になり、そして互いへの尊敬が生まれ、それまで繰り返されていた土地の略奪や復讐が減っていった。この祭典を通して、人々は自らの文化を政府主導から自らの主導に取り戻すことに成功したのである。先述のクラとも相通じる共存共栄の知恵に溢れる伝統の素晴らしさを実感させるものである。

以上挙げてきたいくつかの例からわかるように、太平洋世界はヨーロッパ人航海者によって文明化されるまでは原始的な生活を送り続けてきたという考え方はきわめて一面的なものでしかない。現地の人々は彼らとは異なる価値観と固有の伝統文化を育み保持しており、またそれとともにさらに新しい伝統をつくりあげていることがおわかりいただけたことと思う。

結びにかえて

さて、「ノアの箱舟」からニューギニアの現地イベントに至るまでの「世界史」を歩いてきたのだが、振り返ってみると改めて「世界史」というジャンルのやみくもにつかみどころのなさを実感せざるをえない。教科書をなぞりつつ、あまたの文献を漁りながら、読み解いていこうとする「世界史」では、こぼれ落ちるものがあまりにも多すぎる。そういった観点から「世界史」の現場を歩き続けてきたのだが、それでも一向に満足する結果は得られない。人間が生き物であるのと同様に、「世界史」もまた生き物である。それも人間の理解をはるかに超えた巨大な生き物である。しかも人間の性《さが》から、それを理解し掌握したいという情念もまた抑えきれないものである。ひるがえればこの世に生を受けた無数の人々の数だけ「世界史」があるのかもしれない。今回私が記述を試みたのは単なるその一つとしての「世界史」である。

当然ながら「世界史」は過去から現在に至る流れを追い続けるものである。しかしそれだけにとどまらず「世界史」の中に未来の世界を切り開くための指針を見つけ出すことも可能であろう。このことはそれほど難しいことではない。人間が一人では生きていけないように、また世界の諸地域、国々に、単独の地域史、各国史が存在しえないように世界の諸地域、国々も単独では存続しえない。やはり互いに支えあい、影響を与え合ってこそ互いの存在が成り立つものであろう。「世界史」の流れが前に進んできたということは、本書でご覧になってきたように、諸地域、国々が、政治、経済、文化など様々な要因において相互作用した結果なのである。アジアとヨーロッパ、アジアとアフリカ、アフリカとヨーロッパ、その他然りである。誤解を恐れずにいえば「世界史」の中で絶えず生じる戦争でさえも、数百年のスパンで眺めれば国や地域、相互の世界の交流を創り出すものであった。またできれば戦争などしたくないという願いもまた人類共通のものである。そのせめぎあいの中からも「世界史」は否応なく創り出される。今回私がたどった「世界史」の道からわずかに希望を見出せるとすれば「世界史」は自らが属する世界と他者の世界との相互理解と交流があれば少しでも望ましい方向に進んでいくということではないだろうか。

●初出原稿一覧

第1章「ノアの箱舟伝説の山、アララット」『アジア倶楽部』第二七四号
『山嶽寮　甲南山岳会通信』第五九号、スタイルアサヒ（朝日新聞社）、二〇一三年。
第2章「シルクロードの西半分、中東の旅」『アジア倶楽部』第二八〇号
第4章「東ヨーロッパ再訪」『山嶽寮　甲南山岳会通信』第七三号
第6章「ウルムチからイルシャッド峠へ」『アジア倶楽部』第二七五号
「フンザからペシャワル、そしてアフガニスタン再入国」同二七六号
「インド――もう一つのシルクロードの原点」同二七七号
第7章「秘境ザンスカールの旅」『岳人』第三六九～三七一号
「聖山カイラスを巡る」『アジア倶楽部』第二七九号
『山嶽寮　甲南山岳会通信』第六〇号、スタイルアサヒ（朝日新聞社）、二〇一三年。
第8章「アザライ（塩の隊商）」『アフリカ研究』第四一号、日本アフリカ学会
「アザライとキャラバン・コンボイ」『季刊民族学』第八八号
「カワール――そのオアシスと交易」『兵庫地理』第四四号
（右記の章ではこれらの初出原稿をもとに大幅に加筆、改筆した。またアジア倶楽部、季刊民族学、スタ

イルアサヒなどに掲載された地図などをもとに本著の地図を作製させていただいた）

参考文献に関しては前著と同様、直接の引用以外、書名その他はとても記しきれなかった。五十年近くに及ぶ世界史教育、海外の旅と並行して目を通してきた文献は小図書館ほどになってしまうので。

さて、ご承知のように二〇二〇年一月以来、中国武漢で発生した新型コロナウイルスは瞬く間に世界中に拡散してしまい、日本を含めた世界各地で現在なお猛威を奮っている。この影響により、皆様方と同じく海外への旅は感染の収束時まで不可能になってしまった。いつになるかわからない海外への旅が可能となる日まで、不本意ながら蟄居をし続けねばならない中で、今までの旅を振り返りながら「世界史」を私なりに整理してみようと思い立ったのがこの本の執筆動機である。

コロナ禍の中で、何もお役に立てない私であるが、今私にできることといえば、今まで続けてきた世界史の講義と海外の旅の経験を重ね合わせて一冊の本にまとめ、近い将来、海外の旅が再開されたとき、多くの方々がこの本を踏み台としてさらに歴史の知識を身につけていただき、中身の濃い旅ができるように夢が育まれ、人生をより豊かにすることをお手伝いすることにあると考えている。この本が刊行される頃には、コロナ禍が治まっていることを心から願わずにいられない。

この本の執筆に当たって多くの方々のお世話になったことは言うまでもありませんが、特にお世話になったお二人にはここに記して謝意を表させていただきます。まず私が数十年来属している甲南山岳会の雨宮宏光先輩。氏は山岳活動において公私にわたりいつもあたたかく見守って下さっていました。前著『全世界紀行』は、雨宮先輩がナカニシヤ出版の故中西健夫社長に私をご紹介下さり出版にこぎつけたものでした。その後お会いするたびに必ず「南里、次の本はいつ出すんや」とお声がけいただいていましたが、残念ながら氏は昨年初め旅立っていかれました。私にとって偉大なこの先輩に、謹んでこの拙著を御霊前に捧げたく思います。もうお一人は私も属している日本マレーシア友好協会代表のテレジア・M・インダ・ヒロタニ氏。マレーシアとキリスト教に関する貴重なご意見をいただき、全編を通じて校正の手助けをしていただきましたことを深く感謝いたします。

また拙い私の講義を聞いていただいた数多くの卒業生の皆様方、カルチュアー、社会人講座に長年参加し続けて下さっている受講生の皆様方の存在が、筆不精な私を大きく支えて下さいました。

最後になりましたが今回もまたお世話になったナカニシヤ出版の第二編集部、石崎様、草川様をはじめ、多数の写真の処理、煩わしい図版の製作に携わっていただいた方々にも心を込めて御礼申し上げます。

二〇二一年一〇月吉日

南里　章二

■著者紹介

南里章二（なんり・しょうじ）

旅行（世界史研究）家。日本アフリカ学会会員、甲南山岳会会員

1948年　横浜市生まれ

1972年　甲南大学大学院修士課程修了（社会学修士）

1972年より2013年まで母校甲南高校で世界史教員として41年間勤務。その他、甲南大学、看護短大などで非常勤講師を兼務（社会学、文化人類学）

1977年　甲南キシュトワル・ヒマラヤ登山隊隊長

1985年　エチオピア飢饉救済ボランティアに参加

1986年　フランス高等社会科学研究所アフリカ研究センター客員研究員、アフリカサハラ砂漠のフィールドワークを行う

1997～1999年　国立民族学博物館共同研究員

2001年　世界全独立国192か国訪問達成。冒険的要素を伴った海外の旅を今なお継続し、現在まで240以上の国と地域、400以上の世界遺産を訪ねる。現在阪神間各地で文化講座、講演を数多く担当

著　作『全世界紀行――民族と歴史、そして冒険』（ナカニシヤ出版、2003年）など

論　文「アザライとキャラバン・コンボイ――サハラ長距離交易の歴史と現在」（『季刊民族学』88号、1999年）、「非アラブ系土着民族によるサハラ長距離交易活動――ガラマンテスとイバード派ベルベル人」（『砂漠研究』5号、1995年）ほか多数

世界史を歩く —新全世界紀行—

2021年11月30日　初版第1刷発行　定価はカバーに表示してあります

著　者　南里章二

発行者　中西　良

発行所　株式会社ナカニシヤ出版
〒606-8161　京都市左京区一乗寺木ノ本町15番地
電　話　075－723－0111
FAX　075－723－0095
振替口座　01030－0－13128
URL　http://www.nakanishiya.co.jp/
E-mail　iihon-ippai@nakanishiya.co.jp
落丁・乱丁本はお取り替えします。ISBN978-4-7795-1588-0 C0026

装丁　草川啓三

印刷・製本　モリモト印刷株式会社